Democracia em crise no Brasil

Valores constitucionais, antagonismo político e dinâmica institucional

Cláudio Pereira de Souza Neto

Democracia em crise no Brasil

Valores constitucionais, antagonismo político e dinâmica institucional

eduerj
Contracorrente

Rio de Janeiro e São Paulo
2020

Dados Internacionais de Catalogação na Publicação (CIP)
(Ficha Catalográfica elaborada pela Editora Contracorrente)

S729 SOUZA NETO, Cláudio Pereira de.
Democracia em crise no Brasil: valores constitucionais, antagonismo político e dinâmica institucional
Cláudio Pereira de Souza Neto – São Paulo: Editora Contracorrente, 2020; Eduerj

ISBN: 978-65-87949-12-3 (EdUERJ)
978-65-88470-00-8 (Contracorrente)

1. Direito Constitucional. 2. Política. 3. Crise democrática. 4. Análise de conjuntura. I. Título. II. Autor.

CDD: 142
CDU: 342

Impresso no Brasil
Printed in Brazil

EDITORA CONTRACORRENTE

EDITORES
Camila Almeida Janela Valim
Gustavo Marinho de Carvalho
Rafael Valim
COORDENAÇÃO DE PROJETO
Juliana Daglio
CAPA
Maikon Nery
EQUIPE DE APOIO
Fabiana Celli
Carla Vasconcelos
Fernando Pereira
Regina Gomes

EdUERJ

EDITOR EXECUTIVO
João Feres Júnior
COORDENADORA ADMINISTRATIVA
Elisete Cantuária
COORDENADORA EDITORIAL
Silvia Nóbrega de Almeida
COORDENADOR DE PRODUÇÃO
Mauro Siqueira
ASSISTENTE EDITORIAL
Thiago Braz
ASSISTENTE DE PRODUÇÃO
Erika Neusachwang
SUPERVISOR DE REVISÃO
Elmar Aquino
REVISÃO
Iris Figueiredo e Elmar Aquino
PROJETO GRÁFICO E DIAGRAMAÇÃO
Emilio Biscardi

Rua Dr. Cândido Espinheira, 560 | 3º andar
São Paulo – SP – Brasil | CEP 05004 000
www.loja-editoracontracorrente.com.br
contato@editoracontracorrente.com.br
www.editoracontracorrente.blog

Rua São Francisco Xavier, 524 – Maracanã CEP 20550-013 – Rio de Janeiro – RJ – Brasil
Tel./Fax.: 55 (21) 2334-0720 / 2334-0721
www.eduerj.uerj.br – eduerj@uerj.br

Dedico este livro, com amor, para
Fabiana, Ana Luiza, Lucas e Gabriel.

Agradecimentos

Durante a redação do texto que se segue, contei com o apoio imprescindível de familiares, amigos e colegas de trabalho. Minha esposa, Fabiana, com amor e dedicação, se desdobrou para dar conta de muitos dos deveres comuns. Meus colegas de escritório, Natali Nunes e Fernando Luís Coelho Antunes, com competência e entusiasmo, supriram minhas ausências. Os amigos Ademar Borges, Allan Nacif, Anna Beatriz Robalinho e Daniel Sarmento generosamente leram os originais e fizeram sugestões, incorporadas, em sua maior parte, à versão final. Entre os primeiros leitores, tive também minha irmã, Carla Reis, que examinou os fragmentos de história econômica eventualmente mencionados. Renato Bastos Abreu colaborou com a tradução das citações em língua estrangeira. Os professores Rafael Valim e João Feres Junior coordenaram, com eficiência e generosidade, a edição do livro, incluído na série *"Democracia em crise"*, das editoras Contracorrente e EdUERJ. Agradeço a todos, fraternalmente, pela amizade e pelo amparo, mas os desonero das interpretações assumidas e de algum erro factual que possa ser identificado na versão pulicada.

Brasília, 30 de julho de 2020.
Cláudio Pereira de Souza Neto

Sumário

– I –

Introdução

Em meados da década de 1980, para pressionar o governo a aumentar o soldo dos militares, dois capitães do Exército conceberam o plano de explodir bombas em quartéis e na adutora de águas do Guandu, que ainda hoje abastece a cidade do Rio de Janeiro. Um dos capitães era Jair Bolsonaro. A agora notória operação "Beco sem Saída" não chegou a ser executada. A imprensa tomou conhecimento do plano e o noticiou, o que se deu em semanário de circulação nacional. O procedimento disciplinar instaurado para apurar o episódio concluiu pela exclusão de Bolsonaro dos quadros da Escola de Aperfeiçoamento de Oficiais – EsAO.[1] A punição levou centenas de militares, sobretudo de baixa patente, a lhe manifestarem solidariedade. O amplo apoio obtido junto à tropa permitiu que Bolsonaro se lançasse na vida política, elegendo-se vereador na cidade do Rio de Janeiro, em 1988. Dois anos depois, em 1990, elegeu-se deputado federal, cargo que ocupou por sete legislaturas consecutivas. Como deputado federal, seguidas vezes, defendeu o fechamento do Congresso Nacional. Em 1999, chegou a dizer que o Brasil precisaria de uma guerra civil, que "matasse uns trinta mil". Em toda a sua vida pública, o extremismo lhe garantiu reeleições sucessivas, mas também o conduziu à condição de representante de nicho, de figura folclórica, situada à margem do sistema político; em 2018, o levaria à vitória nas eleições presidenciais, com mais de 56% dos votos válidos.

Meses antes do pleito, pouca gente acreditava na vitória de Bolsonaro.[2] Nas últimas décadas, em todo o mundo, os antagonismos entre direita e esquerda haviam se atenuado, e o êxito eleitoral esteve, em grande parte, ligado à convergência para o centro. Não era razoável supor que a eleição

---

[1] Posteriormente, o Superior Tribunal Militar – STM – o absolveu.

[2] O presidente da Câmara, deputado Rodrigo Maia, sintetizava a perplexidade prevalecente a respeito do resultado das eleições de 2018: "Bolsonaro é produto de nossos erros, e a pergunta é: onde erramos?" (O Globo, 08 ago. 2019).

pudesse ser vencida por um candidato tão extremista. É certo que o atentado da facada, sofrido por Bolsonaro meses antes do pleito de 2018, alterou por completo a campanha. Durante a recuperação, seus adversários foram obrigados a suspender as críticas, e o então candidato se desonerou de expor, nos debates, seu despreparo para enfrentar os principais temas nacionais. A eleição se explica, em parte, por essa circunstância imponderável. Mas é certo também que a vitória do atual mandatário só foi possível porque já vigorava no Brasil um ambiente de crise da cultura constitucional democrática. A prioridade de amplos setores da sociedade era evitar a eleição do candidato do Partido dos Trabalhadores – PT, que identificavam com os crimes investigados na Lava Jato e culpavam pela crise econômica que se prolongava desde 2015, ainda que pondo em risco o regime democrático. O antipetismo estimulou o voto no candidato que se apresentou com mais contundência como o seu contrário: "O PT é o câncer; Bolsonaro, a quimioterapia" – era como pensavam muitos eleitores.[3]

A adesão popular ao regime democrático não se dissolveu, porém, de modo instantâneo em 2018. A "explosão social" de junho de 2013 já revelava muito do impulso antissistema que se manifestaria com intensidade irrefreável na eleição de Bolsonaro. Em 2014, pela primeira vez desde o início da Nova República, o resultado das eleições não foi reconhecido pelo candidato derrotado. Poucos meses após o pleito, Aécio Neves afirmava não ter perdido a eleição para um partido, mas para uma "organização criminosa".[4] O PT passava a ser tratado não como adversário, mas como inimigo, não só por extremistas de direita, mas também pelo PSDB, partido identificado com a estabilização política e econômica do Brasil.[5] A partir do final de 2014, durante meses seguidos, a "operação Lava Jato", conduzida na forma de espetáculo público, alimentou manifestações de rua massivas. Muitos dos manifestantes, de início, protestavam apenas contra a corrupção na política, mas aderiram progressivamente à agenda da "nova direita".[6] Sob

---

[3] UOL, 28 out. 2018.

[4] A manifestação, de julho de 2015, foi feita por ocasião do Congresso partidário que o reelegeu à Presidência do PSDB (O Globo, 02 jul. 2015).

[5] Por outro lado, a esquerda também se distanciou do centro político, passando a defender bandeiras mais marcadamente ideológicas. Cf.: Chaia, V. L. M.; e Brugnago, F., 2014.

[6] De modo geral, a "nova direita" conjuga a defesa do neoliberalismo econômico, de modo socialmente insensível, com a pauta do combate à corrupção e ao "politicamente correto".

o estímulo de grupos como o "Movimento Brasil Livre" (MBL) e o "Vem pra Rua", passaram a apoiar também valores anti-igualitários,[7] associados ao neoliberalismo, na esfera econômica, e ao conservadorismo, no domínio do comportamento e da cultura. A posterior radicalização à direita já era antevista desde 2015: nas manifestações ocorridas naquele ano, 29% dos manifestantes se diziam favoráveis a uma intervenção militar.[8]

Quando Bolsonaro venceu as eleições de 2018, a democracia estava à prova, como ainda está, não só no Brasil: em todos os continentes, governos vêm sendo eleitos sustentando valores contrários à democracia liberal.[9] A forma de travar a disputa política também é semelhante. Um dos elementos recorrentes é o emprego disruptivo da internet. As redes sociais têm sido utilizadas para desestabilizar instituições, desmoralizar adversários e angariar vantagens eleitorais. Formam-se, no ambiente virtual, "bolhas de identidade", em cujo âmbito se cultivam sentimentos de unidade em relação a quem compartilha da mesma cosmovisão e de hostilidade em face de quem pensa diferente.[10] A tendência é fomentada pelo emprego de *fake news*.[11] Nos EUA, por exemplo, tiveram grande impacto notícias disparatadas como as

---

Entre as "ideias-força" da "nova direita", estão o antipetismo, o moralismo, a associação da esquerda brasileira ao bolivarianismo, o combate à corrupção, o anticomunismo, o combate à criminalidade, a meritocracia, a oposição às cotas étnicas. (Cepêda, V. A., 2018; Chaloub, J. e Perlato, F., 2016; Santos, F. e Tanscheit, T., 2019; Messenberg, D., 2019).

[7] Cf.: França, V.; e Bernardes, M., 2016.

[8] Cf.: Scartezini, N., 2016. É significativo que, naquele contexto, os manifestantes ainda qualificassem a intervenção militar como "constitucional". Tratava-se de alusão ao artigo 142 da Constituição Federal. O emprego do termo "intervenção militar constitucional" denotava o momento de transição entre o constitucionalismo democrático e o autoritarismo que hoje procura se estabelecer. Naquela ocasião, ainda não era possível defender a ditadura pura e simples. Para se apresentar de modo plausível, o apelo ao golpe de Estado ainda achava necessário recorrer à referência à Constituição Federal de 1988.

[9] Aqui e alhures, instituições concebidas para funcionar com autonomia são atacadas ou capturadas; minorias são discriminadas e perseguidas; adversários são qualificados como inimigos; embora as eleições continuem a ocorrer, os candidatos da oposição são inabilitados; ativistas e jornalistas são submetidos a intimidações contínuas. Elementos da crise do regime democrático podem ser identificados em países como a Hungria, a Polônia, as Filipinas, a Índia e, até mesmo, os EUA, sob o governo de Trump. A repetição de um mesmo padrão em diversos países chega a levar alguns estudiosos de política comparada a sustentar que a crise da democracia não é contextual, mas estrutural. Cf., por todos: Runciman, D., 2019.

[10] Cf.: Gaughan, A. J., 2017; Persily, N., 2017.

[11] Cf.: Vannuchi, C., 2018, v. 2; Allcott, H. e Gentzkow, M., 2017.

de que Barack Obama seria fundador da Al Qaeda ou de que o então presidente não teria nascido no país – Trump ganhou grande visibilidade ao liderar movimento para que o ex-mandatário apresentasse sua certidão de nascimento. No Brasil, muita gente teve como verdadeiras notícias como a de que um dos filhos de Lula seria dono do maior frigorífico brasileiro, ou de que o Governo Federal, na gestão do PT, pretenderia distribuir para crianças mamadeiras com formato fálico. Bolsonaro avançou junto ao eleitorado evangélico após anos denunciando a entrega nas escolas de um suposto "*kit gay*".[12] O uso intensivo da comunicação digital para gerar antagonismos é um dos elementos que explica não só a eleição de Bolsonaro, mas também a própria erosão da cultura política democrática no Brasil.

Quando Bolsonaro completava pouco mais de um ano de governo, o país foi surpreendido pela chegada da pandemia do coronavírus. O mandatário se opôs ao distanciamento social recomendado pela Organização Mundial de Saúde – OMS – e adotado pelos governadores dos estados. O objetivo de preservar a economia, ainda que em detrimento da vida das pessoas, subjacente à orientação de Bolsonaro, não surpreendeu quem examina as ideias e valores que vem defendendo ao longo dos anos. Em grande parte de suas propostas, como as de extermínio de delinquentes e de controle rígido da natalidade dos pobres, identificam-se elementos de *darwinismo social*.[13] Desprovida de empatia e solidariedade, trata-se de cosmovisão que admite o sacrifício de vulneráveis e indesejáveis para fortalecer o corpo social.

---

[12] Em 2011, o Ministério da Educação havia contratado junto a uma ONG especializada o desenvolvimento de uma série de vídeos a serem distribuídos nas escolas de ensino médio para introduzir, em sala de aula, discussões sobre homofobia. O material foi produzido com recursos oriundos de emenda ao orçamento proveniente da Comissão de Direitos Humanos da Câmara, em resposta a provocação do Ministério Público Federal. O projeto, chamado "Escola sem homofobia", contava, ademais, com o apoio da Unesco. Porém, as igrejas evangélicas se opuseram a sua implementação, e foram atendidas por Dilma, então presidente, que o cancelou. Concomitantemente, o Ministério da Saúde desenvolveu material de prevenção de doenças sexualmente transmissíveis – DSTs, destinado a caminhoneiros e profissionais do sexo que atuavam nas estradas. O material, elaborado em linguagem direta, foi apresentado como se fosse o "kit gay", a ser distribuído nas escolas. A denúncia, de início, foi feita pelo deputado Anthony Garotinho, no plenário da Câmara.

[13] Bolsonaro foi corretamente descrito como um "presidente de pequenas coisas" pela sua aversão a modelos abstratos. (Schwartsman, H., 2019; Oyama, T., 2020). Suas manifestações revelam, porém, algumas ideias recorrentes, as quais se identificam com alguns

Como será registrado adiante, a reação de Bolsonaro à pandemia levou vários juristas – entre os quais, integrantes do STF e do STJ – a alertarem para a possibilidade da prática de "genocídio" ou de "crime contra a humanidade". Não surpreenderá se o desfecho do atual momento autoritário tiver lugar no Tribunal Penal Internacional de Haia.

Embora Bolsonaro seja incomparável em seu extremismo, seu governo, em um sentido fundamental, dá continuidade ao que emergiu do *impeachment* de 2016. Em diversas medidas de Temer, já se antevia o "neoliberalismo autoritário" que ascenderia ao poder com Bolsonaro. Pela primeira vez, desde o fim da República Velha, o Estado brasileiro abandonava o propósito de promover a pacificação social por meio da conciliação de conflitos distributivos para se comprometer com a promoção unilateral dos interesses do mercado. Não é outro o sentido das sucessivas medidas de supressão dos direitos trabalhistas, de enfraquecimento de sindicatos, de desorganização dos órgãos de preservação ambiental e de desconstrução da rede de proteção social. O projeto de Bolsonaro é, sobretudo, de destruição do arcabouço institucional e econômico do Estado social brasileiro. Ele próprio o reconhece: "O Brasil não é um terreno aberto onde nós pretendemos construir coisas para o nosso povo. Nós temos é que desconstruir muita coisa".[14] Trata-se de orientação contrária aos princípios estruturantes da ordem constitucional econômica (CF, art. 170), que funcionalizam a economia de mercado à promoção da dignidade humana, dos valores sociais do trabalho e da preservação ambiental.[15] O modelo não é novo. Foi concebido, ainda na década de 1930, nos estertores da República de Weimar, por Carl Schmitt, e aplicado, nas décadas de 1970 e 1980, no Chile, por Pinochet. No cerne do modelo está a percepção de que apenas um estado organizado autoritariamente para reprimir as demandas sociais é capaz de preservar a economia livre.

---

dos elementos mais graves do fascismo. Essa identidade será demonstrada no curso do texto.

[14] *Valor*, 18 mar. 2019.

[15] De acordo com o art. 170 da Constituição Federal, "A ordem econômica, fundada na valorização do trabalho humano e na livre iniciativa, tem por fim assegurar a todos existência digna, conforme os ditames da justiça social".

O populismo político autoritário de Bolsonaro[16] é ainda decorrência e continuação do populismo penal que há anos se pratica no Brasil. O "ovo da serpente" foi gestado no país em operações como a Lava Jato. A espetacularização das ações policiais e processos judiciais, a transmutação de juízes em justiceiros, o desrespeito reiterado aos limites estabelecidos em lei são elementos constitutivos do populismo penal brasileiro que antecipam o estado de exceção ambicionado pelo populismo político de Bolsonaro. A persecução criminal populista foi responsável pela eleição de Bolsonaro em um sentido imediato: sem a condenação arbitrária de Lula, a vitória de Bolsonaro possivelmente não teria ocorrido, considerando os dados constantes das pesquisas de opinião divulgadas no início da campanha, que apontavam o ex-presidente como favorito. Além disso, porém, entre o populismo penal e o populismo político há ainda continuidade no plano ideológico. Os dois movimentos compartilham da rejeição aos valores que se amalgamam no Estado Democrático de Direito. Ambos propugnam pelo exercício do poder sem observar os direitos e as garantias individuais, criminalizam a atividade política e deslegitimam a democracia representativa. A preservação do regime democrático no Brasil envolve não apenas superar a ameaça fascista, personificada no atual mandatário, mas também reestabelecer, na esfera do sistema penal, a plena observância da Constituição e das leis.

Na maior parte dos países que vivenciam a atual guinada autoritária, o novo regime *não* tem se instaurado por meio de golpes militares tradicionais, os quais demarcavam com clareza o limite entre a democracia e a pós-democracia. O que tem predominado é a "erosão" progressiva do regime democrático, cujas instituições, embora se mantenham vigentes, perdem paulatinamente sua autenticidade e efetividade.[17] No início do governo de

---

[16] No passado, movimentos compatíveis com a democracia constitucional foram atacados como "populistas". No Brasil, o trabalhismo, em especial, foi objeto desse tipo de crítica, tanto à direita quanto à esquerda. Cf.: Ferreira, J., 2005. Não se chancela, no presente texto, a tentativa de deslegitimação dos movimentos que, como o trabalhismo, propugnavam pela redistribuição de poder político, econômico e social. O que se rejeita é o populismo autoritário, que ataca a política representativa, procurar legitimar o líder por meio da aclamação das massas, cultiva o irracionalismo, afirma, de modo intolerante, padrões culturais dominantes, em detrimento da diversidade e do pluralismo. Neste texto, o emprego do termo "populismo" se restringe ao contexto de crítica ao populismo autoritário típico do fascismo.

[17] Cf.: Ginsburg, T. e Huq, A. Z., 2018. p. 2 ss.

Bolsonaro, ninguém podia prever se a crise da democracia brasileira continuaria a seguir esse padrão[18] ou se evoluiria para "colapso" das instituições vigentes. Há exceções recentes ao padrão da erosão progressiva: golpes militares ocorreram, por exemplo, no Egito, em 2013, e na Tailândia, em 2014.[19] Não é outra a vocação do mandatário brasileiro, da qual nunca fez segredo.[20] Nos primeiros meses de 2020, Bolsonaro compareceu a manifestações de rua que apelavam pela decretação de um "novo AI 5"[21] e pelo "fechamento do Congresso Nacional". Porém, se prevalecer aqui a tendência internacional, a democracia não será suprimida instantaneamente, mas corroída aos poucos, por meio da inoculação progressiva de novos elementos autoritários.[22]

Cabe às instituições incumbidas da preservação da democracia atuar em ambos os cenários. Desde a posse de Bolsonaro, ao contrário do que se

---

[18] Como será demonstrado, no Brasil, a deflagração do processo de erosão da democracia se deu em junho de 2013. Esse processo envolve o não reconhecimento do resultado das eleições, em 2014; o *impeachment*, sem crime de responsabilidade, em 2016; a aprovação da Emenda Constitucional n.º 95, que congela os gastos públicos por 20 anos, também em 2016; a generalização do "populismo penal", que culmina com a interferência da Lava Jato no *impeachment* de 2016 e nas eleições de 2018. Hoje, o movimento prossegue sob a direção de Bolsonaro.

[19] Desde 2010, mais de 30 golpes militares foram tentados em todo o mundo. Em muitos desses casos, a erosão da democracia conduziu a crises institucionais que levaram à ruptura. Não há separação necessária entre erosão e colapso. Em certos contextos nacionais, pode haver imbricação.

[20] Em entrevista incendiária concedida em 1999, dizia que, se chegasse à Presidência, "daria golpe no mesmo dia". A afirmação foi feita no programa Câmara Aberta, da TV Bandeirantes. Já na Presidência, perguntado se promoveria a ruptura da democracia, não o confirmou, nem negou: "quem quer dar um golpe jamais vai falar que vai dar".

[21] Os atos institucionais eram medidas de força, editadas pelo governo militar, que se sobrepunham à Constituição em vigor. O Ato Institucional n.º 5, decretado pelo presidente Costa e Silva, em 1968, concedia ao Executivo Federal o poder de determinar o recesso do Congresso Nacional e das casas parlamentares estaduais e municipais; intervir em estados e municípios, sem observar limites constitucionais; cassar mandatos eletivos e suspender, por dez anos, os direitos políticos de qualquer cidadão; demitir, remover ou aposentar servidores e transferir para a reserva militares; decretar a perda de bens em caso de corrupção. O AI n.º 5 suspendia a garantia do *habeas corpus* nos casos de crime político e de crime contra a segurança nacional, a ordem econômica e social e a economia popular.

[22] Como se sabe, os eventos políticos de maior significado dependem não apenas de condições subjetivas, dentre as quais as preferências dos líderes, mas também de fatores objetivos, como é o caso da correlação de forças encontrada no País. Não parece acurada a conclusão subjetivista de Dobson, segundo a qual os atuais autocratas "são muito mais sofisticados, esclarecidos e ágeis que foram um dia". (Dobson, W., 2012, p. 4).

deu no processo de *impeachment*, o Congresso Nacional vem exercendo papel decisivo na contenção do arbítrio, mas sem despojar o Executivo de sua funcionalidade, o que agravaria a crise institucional. O STF, do mesmo modo, vem exercendo ativamente sua função moderadora, sem ser oposição ao governo, o que tampouco lhe caberia. Apesar de ataques reiterados, advindos, sobretudo, de milícias digitais, tais instituições têm sido eficientes na imposição de freios a um governo que é ostensivamente vocacionado para o arbítrio. Ao longo do presente estudo, será examinada a atuação recente dessas instituições na preservação da democracia, com o propósito de identificar, conceituar e analisar criticamente padrões de atuação. O exame se realizará considerando tanto a perspectiva de "colapso", provocado por um autogolpe, quanto o atual processo de "erosão". Em ambientes de normalidade, extrai-se do princípio da harmonia entre os poderes o dever de deferência de cada órgão do Estado relativamente aos atos praticados pelos demais. Porém, o avanço progressivo do arbítrio, com que hoje lidamos, conduz à suspensão circunstancial da deferência: no exame da legitimidade dos atos do poder público, *in dubio,* pro-democracia.[23]

Embora as instituições tenham grande importância na preservação do regime democrático, o papel decisivo é da própria sociedade. O apoio social à democracia é o principal obstáculo a que ocorram tentativas de ruptura. Um dos principais riscos associados à dinâmica da erosão reside em sua aptidão para amortecer e diluir a resistência democrática. Se o governante não pratica ato tendente à ruptura institucional, a sociedade hesita em se mobilizar pela sua deposição, considerando a origem democrática de sua investidura. Enquanto isso, a corrosão incremental do regime avança. Com a continuidade, no tempo, do processo de erosão, acumulam-se danos que podem resultar na alteração da substância do regime. Ultrapassado esse *ponto de não retorno*, torna-se muito mais difícil fazer, com eficiência, oposição ao governo e proteger direitos e liberdades. Em 2022, se o atual movimento autoritário, representado por Bolsonaro ou por outro candidato, tiver novo êxito eleitoral, poderemos ter cruzado esse ponto de não retorno: o Rubicão da democracia brasileira. Cabe ao povo, nas próximas eleições, manifestar sua adesão plena ao regime democrático. O papel das instituições é concorrer

[23] O parâmetro é empregado, em outro contexto, em: O'Donnel, G., 2010, p. 177.

para a sua preservação durante a travessia. É dessa dinâmica institucional que, sobretudo, se ocupa o presente trabalho.

Ao longo do presente texto, procurei descrever com acuidade os acontecimentos políticos que levaram à crise atual; mas busquei ser especialmente analítico no exame de suas dimensões jurídico-constitucionais, argumentando com fundamento em aportes da teoria da constituição e da dogmática constitucional brasileira. Como ficará claro, tais aportes são importantes para se compor uma grade de inteligibilidade mais completa a respeito da crise por que passa nosso regime democrático. Alguns de seus momentos decisivos não são compreensíveis se desconsiderarmos as especificidades do direito e das instituições incumbidas de sua aplicação. A ênfase em aspectos jurídico-constitucionais leva, ainda, à adoção de uma abordagem normativa: pretende-se não só analisar a crise, mas também fomentar comportamentos que concorram para a sua superação. A Constituição Federal de 1988 – o "documento da liberdade, da dignidade, da democracia, da justiça social", na definição de Ulisses Guimarães –, além de prover instrumentos jurídicos para a defesa de direitos e para a contenção do arbítrio, confere sentido teleológico comum aos movimentos e iniciativas organizadas em defesa do Estado Democrático de Direito. Diante da ameaça da autocracia, não basta conhecer os processos políticos e as dinâmicas institucionais: é imperativo de moralidade política promover a defesa dos valores do constitucionalismo democrático.

– II –

Panorama conceitual dos elementos associados à crise do Estado Democrático de Direito

II.1. Neoliberalismo, globalização e ascensão da nova direita

Com a queda do bloco soviético, Francis Fukuyama anunciava o "fim da história". Teríamos chegado à síntese conclusiva do processo histórico, fundada no consenso em torno da democracia constitucional e da economia de mercado.[1] Já se tornou lugar comum afirmar que sua previsão foi cabalmente desmentida – o momento evidenciaria o "fim do fim da história".[2] O que, por vezes, não se ressalta é o fato de que a referida síntese virtuosa foi alcançada por uma versão específica da economia de mercado: o Estado de bem-estar social. O trabalhador do Ocidente se afastou da utopia socialista tendo em vista os empregos seguros na indústria e o sistema robusto de proteção social, que correspondiam àquele modelo. Com o fim do bloco soviético, ao invés de o modelo se consolidar no Atlântico Norte e se expandir para o mundo em desenvolvimento, passou a ser deslegitimado por sua suposta vocação para o desequilíbrio fiscal, e se retraiu, sob a hegemonia do neoliberalismo.[3] Era inevitável que a história voltasse a girar suas engrena-

---

1 Fukuyama, F., 1992.

2 Scheppele, K., 2016.

3 As guerras mundiais da primeira metade do século XX exigiram dos povos, em especial dos trabalhadores, sacrifícios enormes na defesa de suas nações. O mundo que emergiu dos conflitos se caracterizava por um novo pacto social: pessoas que, nas guerras, deram tanto deviam vivenciar os benefícios decorrentes da paz. A partir da década de 1980, porém, esse pacto social, que conjugava justiça e liberdade, foi pouco-a-pouco se dis-

gens. Agora, a dimensão político-institucional da síntese de Fukuyama dá sinais de fadiga. O momento é de "recessão democrática".[4]

No contexto norte-atlântico, a globalização costuma ser tida como causa da tendência de "precarização" das relações de trabalho. A "desterritorialização do processo produtivo", propiciada pela substituição do modelo fordista por formas mais flexíveis de organização da produção, permitiu que postos de trabalho, bem remunerados, fossem deslocados para locais em que os trabalhadores recebiam salários menores.[5] Os antigos trabalhadores da indústria tinham a expectativa de permanecer empregados na mesma empresa por toda a vida. Tais operários experimentavam o bem-estar associado à sua condição de membros plenos da comunidade, integrada por vizinhos e colegas de trabalho. Nas últimas décadas, muitos desses postos de trabalho deixaram de existir, em parte em razão da automação, em parte em decorrência do fechamento das empresas. Nos EUA, por exemplo, o antigo *Manufacturing Belt* se converteu em *Rust Belt:* várias cidades situadas na região dos Grandes Lagos passaram por forte declínio econômico e populacional, que se reflete em evidentes sinais de decadência urbana. Os novos empregos, surgidos em regiões desindustrializadas, foram criados, sobretudo, nos setores do comércio e dos serviços, que não exigem a mesma qualificação, não oferecem a mesma perspectiva de permanência, pagam salários menores e não produzem o mesmo reconhecimento social. O processo culmina com a substituição do trabalho formal pela "economia colaborativa": hoje se verifica a "uberização" das relações laborais.[6] Essas mudanças produziram

---

solvendo. A estabilidade e a segurança social foram substituídas pela precarização das relações de trabalho e pela desconstituição progressiva da rede de amparo estatal.

4 Cf., *i. a.*: Diamond, L., 2015.

5 A tendência não é nova, sendo identificada desde a década de 1980. Nas quatro últimas décadas, a grande fábrica, de produção concentrada, vem sendo substituída por estruturas de produção descentralizadas. As diversas etapas do processo produtivo, que antes eram realizadas em um mesmo local, são distribuídas por localidades, países e regiões diversas. O *taylorismo* e o *fordismo*, como métodos de organização da produção, dão lugar ao *toyotismo* e à *acumulação flexível.* Essa desterritorialização do espaço produtivo, simbolizada pela metáfora "fábrica global", é potencializada pelos desenvolvimentos recentes dos meios de transporte e de comunicação social. Cf., *i. a.*: Ianni, O., 1996, p. 47 ss.; Lojkine, J., 1990.

6 Cf., *i. a.*: Chaves Junior, J. E. R., Mendes, M. M. B. e Oliveira, M. C. S., 2017; Slee, T., 2017; Franco, D. S. e Ferraz, D. L. S., 2019.

grande impacto na cosmovisão dos trabalhadores, alterando, em muitos casos, sua identidade política e seu sistema de valores.[7]

A globalização também é tida como responsável pelo desmonte da rede de proteção social criada a partir do 2.º pós-guerra. A partir da década de 1980, a retórica do reformismo, antes associada à democratização do Estado e da sociedade – falava-se, nesse sentido, em "reforma agrária" –, passou a ser utilizada para designar as medidas de desestruturação do Estado social e de redução da intervenção estatal no domínio econômico. O que se globalizava era o neoliberalismo. Os partidos *conservadores* de imediato assumiram a agenda, sob a liderança de Thatcher e Reagan. Mas mesmo sucessivos governos socialistas e trabalhistas, na Europa, a adotaram, com o propósito de produzir equilíbrio fiscal, considerado imprescindível para estabilizar as moedas. A orientação igualitária dessas vertentes de pensamento se deslocou da esfera econômica para a esfera das políticas de identidade, isto é, das políticas de reconhecimento das diferenças de gênero, etnia e orientação sexual. Surgiu, assim, o chamado "neoliberalismo progressista".[8]

Nos anos 2000, havia a percepção de que o ciclo de reformas neoliberais não podia ser contido. Era democrático que o povo elegesse candidatos comprometidos com a adoção desse programa. O problema estava na heteronomia com que era imposto. Nos mais diversos países, as "políticas de austeridade" se apresentavam como inevitáveis.[9] Há 30 anos, a legislação mundial vem se "padronizando" para se adequar aos limites de intervenção do Estado no domínio econômico preconizados pelo neoliberalismo.[10] Se políticas diferentes eram adotadas, o mercado retraia investimentos, e a crise se agravava.[11] Qualquer política econômica que fugisse à ortodoxia

---

[7] Sennett já advertia, no seu "A corrosão do caráter", que "um regime que não oferece aos seres humanos motivos para ligarem uns para os outros não pode preservar sua legitimidade por muito tempo". (Sennett, R., 1999).

[8] Fraser, N., 2018. A primeira experiência do neoliberalismo progressista foi feita, ainda na segunda metade da década de 1980, na Bolívia, sob o governo de Paz Estenssoro, que aplicou o tratamento de choque concebido por Jeffrey Sachs para o general Banzer. Paz Estenssoro inaugurava, com isso, a variante "progressista" do neoliberalismo. Cf.: Anderson, P., 1995, p. 20.

[9] Cf., *i. a.*: Mounk, Y., 2019; Runciman, D., 2019, p. 36 ss.

[10] Cf. Jayasuriya, K., 2001.

[11] Na verdade, há uma tendência de se aguardar que as condições econômicas se deteriorem para que as medidas de austeridade possam ser apresentadas como inevitáveis, o que

do modelo era de pronto rechaçada como tendente ao fracasso. Em muitos países, a profecia acabava por se autorrealizar: se os governos se afastassem da austeridade, os empreendedores privados não investiam, e a economia não reagia.[12] Muitos países ainda se encontravam enredados nessa dinâmica político-econômica quando sobreveio a pandemia do coronavírus, exigindo a intervenção do Estado no âmbito de políticas de salvação nacional.

O populismo autoritário ascende quando passa a buscar dar resposta às expectativas de trabalhadores que, saudosos da empresa fordista e do Estado de bem-estar social, viam seu modo de vida se corroer enquanto a globalização avançava. A retórica do populismo autoritário credita as dificuldades dessa classe de trabalhadores à globalização, por levar os empregos para outros países, e à imigração, por ocupar os postos de trabalho remanescentes no país. O populismo autoritário se apresenta, por isso, como "antiglobalista" e xenófobo. É importante não descurar de que, embora o populismo autoritário se alimente do ódio e do medo, e os fomente, o seu advento só foi possível pelo fato de a insatisfação dos trabalhadores possuir base real. Parcela dos trabalhadores das nações desenvolvidas efetivamente têm interesses conflitantes com o processo de "desterritorialização do processo produtivo", que está no cerne da globalização da economia.

---

facilita sua aceitação pela população. Por outro lado, os próprios mercados aguardam medidas radicais, não se satisfazendo com políticas gradualistas (Smaghi, L. B., 2014).

12 Para exemplificar a natureza heterônoma da adoção das políticas de austeridade geralmente é citado o caso da crise da dívida grega. O governo se via diante de duas alternativas: ou a Grécia aderia à proposta de financiamento formulada pela "troika" (Comissão Europeia, Banco Central Europeu e Fundo Monetário Internacional) ou abandonava o Euro. Diante do impasse, o governo convocou um plebiscito. O povo votou contra a adesão à proposta da tecnocracia europeia. Com base nessa decisão popular, o governo buscou reabrir as negociações com a "troika", acreditando que condições melhores seriam oferecidas. Não foram, e, a despeito do resultado do plebiscito, o governo aceitou o acordo proposto. É de se ressalvar, porém, que a Grécia não possui autonomia sobre sua política monetária (determinação de taxas de juros e oferta de moeda circulante). O país está na zona do euro e tem sua política monetária dada pelo Banco Central Europeu, não por um organismo grego. A dívida da Grécia está denominada em moeda que ela não controla. Os graus de liberdade da política fiscal estão associados aos da política monetária: ambas são utilizadas pelos governos para determinar o nível da atividade econômica e combater a inflação. Se um governo não controla a política monetária (caso da Grécia) ele perde autonomia também sobre sua política fiscal.

Os partidos socialistas e trabalhistas europeus, nada obstante suas origens sindicais, a partir da década de 1980, passaram a patrocinar o aprofundamento do processo de globalização, além de promoverem a revogação de benefícios sociais com vistas à preservação do equilíbrio fiscal. Com isso, perderam, em parte, a capacidade de representar trabalhadores que se sentiam vitimados pela exportação de seus postos de trabalho. A atitude humanitária diante do fenômeno da imigração, bem como o apoio a políticas de reconhecimento das diferenças de gênero e etnia – tais políticas compunham o quadro do mencionado "neoliberalismo progressista" –, agravou a falta de representatividade junto a parte de seus leitores tradicionais. Aos olhos dos antigos trabalhadores da indústria, fustigados pela insegurança do mundo globalizado, a esquerda moderada era parte da "elite", que conduzia os governos de modo alheio aos interesses concretos do povo. A extrema direita ocupou o espaço aberto por essa crise de representatividade com base em uma retórica repleta de chauvinismo, racismo e xenofobia. A ascensão de governos com essa orientação ideológica vem, nos últimos anos, sendo o motor fundamental do processo de "desglobalização".[13]

A ascensão de governos extremistas de direita pode ser caracterizada ainda como resultado de um *backlash* cultural.[14] No contexto "pós-socialista" – isto é, posterior à queda do bloco soviético –, as políticas igualitárias se concentraram na atribuição de reconhecimento a identidades tradicionalmente discriminadas – identidades de gênero, etnia, orientação sexual, origem regional ou nacional.[15] Essas políticas são hoje atacadas por meio do discurso de vitimização das "maiorias". A defesa da "Europa cristã" é feita para que as pessoas não se "sintam estrangeiras em seu próprio país". A proteção da família tradicional se dá por intermédio do combate à "ditadura

---

[13] Cf., *i. a.*: James, H., 2018.

[14] Cf., p. ex.: Abrajano, M. e Hajnal, Z. L., 2015; Hughey, M. W., 2014; Stanley, J., 2018, p. 101 ss. O termo *backlash* era utilizado nos EUA, por exemplo, para correlacionar a ascensão da direita norte-americana, nas últimas décadas do século XX, à polarização instaurada a propósito da decisão proferida pelo Suprema Corte no caso *Roe v. Wade*, que fixou parâmetros liberais para se aferir a constitucionalidade das leis restritivas da prática do aborto. Cf., por todos: Greenhouse, L. e Siegel, R., 2011.

[15] Fraser, N., 2001.

gay" e à "sexualização da educação nas escolas".[16] Surge, sob o pretexto de se preservar a identidade cultural da comunidade, um "elitismo de massas"[17], cultivado pelo homem branco de classe média, que busca preservar o seu *status* por meio da negação de reconhecimento pleno às minorias sociais. A nova direita é populista; fala em nome da "maioria silenciosa", do "cidadão comum", das "pessoas de verdade", que estão sendo preteridas "por Washington", pelos "burocratas de Bruxelas", pelos "liberais arrogantes". A nova direita, porém, apesar de populista, é também *elitista*. O elitismo que fomenta é o que busca preservar hierarquias sociais assentes na cultura tradicional, que atribui ao homem branco de classe média posição de privilégio na família, no trabalho e na comunidade. A retórica da nova direita, anti-igualitária, sexista, racista e homofóbica, acaba sendo tida como tábua de salvação para um *status* perdido em algum momento no passado.[18]

Subjacentes a essas tendências, que se manifestam no plano da cultura, há interesses dotados de objetividade, que hoje se manifestam na esfera da geopolítica global. Os EUA foram os principais incentivadores da globalização enquanto lhes cabia a liderança política, cultural e econômica do processo. Hoje, operam no sentido da "desglobalização".[19] Atribuir essa mudança apenas à ascensão de Trump é desconsiderar que há interesses nacionais a serem promovidos vis-à-vis a vertiginosa ascensão econômica da China, impulsionada pela globalização.[20] É recorrente a acusação de que, para apoiar nacionalistas autoritários, os EUA têm voltado a intervir em processos eleitorais e a promover a desestabilização de governos, como costumava ocorrer no curso da Guerra Fria. Há quem identifique "guerras

---

[16] O racismo e a xenofobia costumam estar ligados a uma "ansiedade sexual" derivada de estereótipos: minorias raciais e imigrantes são frequentemente caracterizados como mais propensos à prática do estupro. Nos EUA, por exemplo, a falsa acusação de estupro se tornou um pretexto comum para o linchamento de negros, pela Ku Klux Klan. Mesmo o sistema de justiça é impactado gravemente pelo "mito do estuprador negro". De 1930 a 1967, houve, nos EUA, 455 execuções com base na acusação de estupro. Em 405 dos casos, o executado era negro. Cf., por todos: Davis, A., 1983, p. 172 ss. [Rape, racism, and the myth of the black rapist]). Trump recorrentemente se refere aos imigrantes mexicanos como "estupradores". (*CNN*, 06 abr. 2018). Cf.; Stanley, J., 2018, p. 127.

[17] Sobre a noção de "*elitismo de massas*", cf.: Eco, H., 2018, p. 53.

[18] Cf.: Norris, P. e Inglerhart, R., 2019. p. 7.

[19] Cf., *i. a.*: Herrero, A. G., 2019.

[20] Cf., *i. a.*: Guillen, A., 2019.

híbridas"[21] fomentando "revoluções coloridas" e "golpes parlamentares".[22] Não surpreenderia: em mais de 240 anos de história norte-americana, em apenas 16 deles, os EUA estiveram em paz – hoje, buscam formas menos dispendiosas de promover seus interesses estratégicos. No tocante ao propósito de preservar a democracia, o mínimo que se pode dizer hoje dos EUA é que o seu apoio ao movimento populista autoritário reduz a expectativa de que os novos autocratas sejam objeto de reprovação séria na esfera internacional.

O nacionalismo não ressurge, porém, com o mesmo significado nos diferentes países. O praticado em países que exercem posição dominante se distingue do que expressa o desejo das nações de atenuar a dominação a que são submetidas. Os países do Leste Europeu, após a 2.ª Guerra Mundial, foram conduzidos heteronomamente à observância do modelo soviético, o que perdurou por mais de quarenta anos. Desde a desintegração do bloco soviético, esses países têm buscado mimetizar as instituições políticas e econômicas do antigo bloco ocidental, o que nem sempre se dá sem conflitos, resistências e impasses.[23] Em decorrência da adesão à União Europeia, muitas vezes, a recepção dessas instituições sequer se processa pela via da imitação espontânea: é requisito de observância obrigatória para ingressar ou permanecer naquela comunidade de nações. Era natural que, depois de vinte ou trinta anos de ocidentalização, surgissem movimentos reivindicando a adoção de instituições identificadas com as raízes históricas e culturais daqueles países. Em alguns contextos, o nacionalismo se apoia em reivindicações legítimas pelo reconhecimento de valores particulares, não dominantes, que podem desaparecer pela competição com valores cultivados por sociedades detentoras de maior poder econômico ou social.[24]

Em outros contextos, porém, o apelo à "identidade constitucional" tem funcionado apenas como artifício para desonerar líderes autoritários de cumprir a cláusula democrática que costuma figurar como requisito para o

---

[21] Guerras híbridas são conduzidas não só por estados, mas também por agentes não estatais, integrando não só ações regulares, mas também irregulares. Sobre o conceito de "guerras híbridas", cf.: Hoffman, F. G., 2007.

[22] Cf.: Korybko, A., 2018.

[23] Cf.: Krastev, I. e Holmes, S., 2019.

[24] A versão mais conhecida do argumento foi apresentada em: Taylor, C., 1993. Sobre a apropriação do conceito de "identidade constitucional" pelas lutas por reconhecimento das diferenças, cf.: Corbo, W. A., 2020.

ingresso nas comunidades de nações.[25] Foi utilizado, por exemplo, pela Hungria e pela Polônia quando confrontadas, já no atual momento autoritário, com a acusação de terem violado o compromisso europeu com a preservação do Estado Democrático de Direito. O desmantelamento do sistema de freios e contrapesos não pode ser justificado sob o argumento de que a identidade constitucional do país concebe outras formas de organização institucional, senão ao custo de subtrai-lo da órbita do constitucionalismo democrático.[26] As identidades nacionais devem certamente ser respeitadas em um ambiente de "pluralismo constitucional". É incoerente, porém, reprimir o pluralismo interno sob o pretexto de preservar a "identidade constitucional" da nação em face das comunidades global e regional.[27]

II.2. Erosão democrática, explosões sociais e política antissistema

Na atual crise da democracia, a derrocada dos regimes, cada vez menos, é produzida por golpes de Estado. Hoje, elementos autoritários vão pouco a pouco se estabelecendo, e convivem, por períodos de duração variável, com instituições democráticas. Na maior parte dos países, verificam-se processos

---

[25] O reconhecimento da "identidade constitucional" de cada Estado membro está estabelecido no art. 4 (2) do Tratado da União Europeia, "A União deve respeitar a igualdade entre os estados membros perante os Tratados, assim como suas identidades nacionais, inerentes às suas estruturas fundamentais, políticas e constitucionais, incluindo a autonomia regional e local." Porém, a democracia e o Estado de Direito são elevados à condição de valores fundamentais da União: "A União é fundada nos valores do respeito à dignidade humana, da liberdade, da democracia, da igualdade, do Estado de Direito e do respeito pelos direitos humanos, incluindo os direitos das pessoas pertencentes a minorias." (art. 2). Cf., *i. a.*: Körtvélyesi, Z. e Majtényi, B., 2017.

[26] Na tradição do constitucionalismo democrático, a constituição não é, para o povo, apenas "espelho de seu legado cultural": é também "fundamento de suas esperanças". A constituição não apenas conserva valores; cria também um sentido teleológico para o progresso político e social. Cf.: Häberle, P., 1998, p. 46-47. Para o constitucionalismo autoritário, ao contrário, a identidade constitucional tende a ser concebida de modo rígido: as "decisões políticas fundamentais" são "abertamente subtraídas ao processo dialético da discussão, da propaganda e da publicidade, para serem imputadas a um centro de vontade, de natureza tão irracional como os centros de decisão política dos regimes de ditadura." (Campos, F., 2001, p. 28).

[27] Cf.: Halmai, G., 2017; Kelemen, R. D. e Pech, L., 2018; Kochenov, D. e Bárd, P., 2019.

"incrementais" de "erosão" da democracia.[28] Aos poucos, seus elementos centrais perdem vigor: as eleições, por exemplo, embora continuem se realizando, deixam de ser competitivas, com a inabilitação dos principais candidatos de oposição. Não há ruptura ou colapso, mas "desconsolidação".[29] Não há tanques nas ruas,[30] decretação de recessos parlamentares, proclamação de novos começos.[31] O regime não fecha todos os espaços para a expressão de atitudes contestatórias. A oposição continua funcionando, e a imprensa, fazendo suas críticas. Os movimentos de contestação política só são freados ou reprimidos quando há a percepção de que criam riscos reais para a posição do governo. Em razão de seu caráter híbrido, os novos regimes têm sido descritos como "democraduras" (*democratorship*).[32] O caráter incremental da crise da democracia torna menos perceptíveis as ameaças à liberdade e, com isso, evita a mobilização tempestiva para a resistência democrática.[33] Quando as frações em que se divide a oposição põe de lado suas disputas e buscam se unificar em torno da causa da democracia, já não é mais possível resgatar a liberdade perdida. Embora os processos de erosão democrática se distingam dos de "colapso", também comportam um ponto de não retorno. Há um momento em que as perdas se acumulam e operam uma mudança qualitativa no regime. Até então, a democracia ainda tem como prevalecer; depois, o novo regime se consolida, e se torna apto a sobreviver por um longo período.

Uma das principais dimensões da crise da democracia é a que afeta a representação política. Na democracia representativa, os cidadãos elegem representantes para decidir em seu nome, após deliberação nas casas parlamentares, debate com a esfera pública e exame da opinião de especialistas. A representação, conjugada com a deliberação, confere racionalidade e mode-

---

28 Cf., *i. a.*: Waldner, D. e Lust, E., 2018; Faggiani, V., 2019; Levitski, S. e Ziblatt, D., 2018. Sustentando que também no Brasil há um "processo contínuo de degradação institucional", cf.: Avritzer, L., 2019.

29 Foa, R. E.; Mounk, Y., 2017.

30 Há exceções recentes, como a deposição de Robert Mugabe, no Zimbábue, em 2017, e de Mohammed Morsi, no Egito, em 2013. Em 2016, houve uma tentativa de golpe militar na Turquia, mas o presidente Recep Erdogan conseguiu resistir, apelando à mobilização popular.

31 Sobre os cenários de novo começo, cf.: Ackerman, B., 2008.

32 Scheppele, K., 2016.

33 Cf.: Runciman, D., 2019, p. 8, 32 ss.

ração ao governo. O sistema representativo, porém, leva ao surgimento de políticos profissionais, especializados em disputar eleições e em lidar com as complexidades do processo político e da gestão governamental. A profissionalização é um dos elementos que concorrem para que o "sistema político" progressivamente se "autonomize", o que provoca no cidadão a percepção de que os políticos agem mais em benefício próprio que em favor da coletividade.[34] A dificuldade para atender às demandas crescentes da população, sobretudo em contextos de contração fiscal, agrava a insatisfação com o sistema representativo. Quando os representantes se envolvem em episódios de corrupção, os processos judiciais costumam se converter em espetáculos públicos, e a própria ideia de representação política sai enfraquecida.

Esses episódios têm funcionado como gatilhos para a deflagração de movimentos *antissistema*. A rejeição à representação política tradicional, disseminada em ambiente virtual, acaba culminando em "explosões sociais", que desestabilizam governos e regimes políticos.[35] Nas manifestações públicas, leem-se faixas recorrentes com os dizeres "não nos representam!".[36] O conflito entre direita e esquerda passa a coexistir com a polarização entre *insiders* e *outsiders*. Em muitos casos, o agravamento da crise resulta na eleição de candidato que angaria apoio se apresentando como crítico radical do sistema representativo. A eleição desse tipo de candidato é, em parte, uma forma de o povo se vingar da política e dos políticos.[37]

Uma manifestação comum de rejeição à política é pôr em dúvida a seriedade das instituições. Os novos populistas costumam sustentar que as elites, encasteladas nas instituições, sempre conspiram para impedir que a

[34] Esses são problemas reais do sistema político. É inevitável que provoquem reações. Nesse sentido, a ascensão de líderes populistas é mais "sintoma" que causa da atual crise da representação política. Cf.: Balkin, J. M., 2018.

[35] Cf., p. ex.: Rodríguez, G. M., 2001; Sakellaropoulos, S., 2012.

[36] Cf.: Castells, M., 2018, p. 11 ss.

[37] Em muitos casos, embora questionando o sistema político, o *outsider* carismático ascende também com o *apoio de forças conservadoras tradicionais*. Os conservadores moderados, porém, se esquecem da lição da história: ao chegar ao poder, o *outsider* carismático tende a desestruturar o regime anterior. Foi o que ocorreu na própria ascensão de Hitler, que contou com o apoio de políticos conservadores, em especial, de Franz von Papen. Do político católico Von Papen, diz-se ter convencido o presidente Paul von Hindenburg a nomear Hitler chanceler. Como se sabe, logo após assumir o poder, Hitler suspenderia a observância da Constituição de Weimar e governaria com poderes ditatoriais.

vontade do povo prevaleça. Quando candidatos, denunciam, por exemplo, o sistema eleitoral, como comprometido com a manutenção do *status quo*,[38] e adiantam que não reconhecerão o resultado das eleições, se vencidos. Isso foi feito, por exemplo, por Trump, que afirmava que apenas aceitaria a sua vitória. Mesmo depois de eleito pelo colégio eleitoral – é o que importa no sistema norte-americano –, negou-se a admitir a derrota no voto popular, falando em fraude. A denúncia da corrupção do sistema político é uma das dimensões do discurso populista que promete "devolver o poder ao povo".[39] Depois da vitória eleitoral, a seriedade das instituições continua a ser questionada: toda vez que tomam decisões reprovadas pelo autocrata, sofrem todo o tipo de pressão, destacando-se os achaques digitais de seus apoiadores. É o que caracteriza o processo de erosão democrática: as instituições permanecem em funcionamento, mas sob ameaça permanente. Com o tempo, o autocrata consegue capturá-las, seja pela via da obtenção de adesões, seja por intermédio da nomeação de novos integrantes.

Como antes mencionado, no curso dos processos de erosão, é comum se alcançar um *ponto* em que o regime não pode mais ser descrito como democrático, ainda que não haja declaração formal de ruptura. Os elementos autoritários se acumulam, e o regime muda de qualidade, convertendo-se em autocracia, ainda que se preservem formalidades democráticas. A principal oportunidade para se evitar que esse ponto de não retorno seja alcançado tem sido a das primeiras eleições subsequentes à ascensão do líder autoritário,[40] quando as instituições ainda estão em funcionamento, e a oposição oferece resistência efetiva, mantendo chances reais de êxito eleitoral. Com a reeleição, a oposição e as instituições costumam perder parte considerável de sua capacidade de resistência, as medidas de exceção se normalizam e a expectativa de perpetuação do regime se generaliza. O advento da reeleição presidencial pode exibir, até mesmo, dimensão constituinte, o que se verifica quando tem como significado a consolidação de um projeto contrário à filosofia constitucional adotada pela Constituição

---

38 Cf.: Levitski, S. e Ziblatt, D., 2018; Mounk, Y., 2019.

39 Depois de meses denunciando a conspiração das elites para evitar sua vitória, na cerimônia de posse, Trump afirmava: "Estamos transferindo o poder de Washington D.C. e devolvendo a vocês, o povo".

40 Cf.: Mounk, Y., 2019, p. 226 ss.

vigente. É o que pode se dar, na visão de Ackerman, nos EUA, se tiver lugar a reeleição de Trump, a qual significaria a superação da filosofia constitucional inaugurada com o governo Reagan.[41]

II.3. Redes sociais, bolhas de identidade e *fake news*

Em todo o mundo, o emprego político da internet, em especial das redes sociais, cria desafios inéditos para a estabilidade democrática. Sem incrementar a deliberação no espaço público, pela via da ampliação do diálogo entre quem pensa diferente,[42] a "ciberdemocracia" tem dado lugar à formação de "bolhas de identidade": "câmaras de eco"[43] que abrigam interações restritas a pessoas que compartilham dos mesmos valores, interesses específicos ou visões de mundo.[44] Ao invés de buscar construir consensos, por meio da formulação de mensagens moderadas, dirigidas ao centro de espectro político, as campanhas eleitorais tendem a elaborar discursos radicalizados e fragmentários, específicos para cada segmento ativo na internet. O resultado do pleito não é a aprovação de um programa consensual: é um pastiche, integrado por retalhos de ideologias diversas, e até dissonantes.

Essa forma de organizar o debate público e as campanhas eleitorais resulta do próprio modo como os algoritmos governam as interações nas redes sociais. Considere-se o Facebook. As postagens que aparecem no *feed* de notícias correspondem a preferências do usuário aferidas por meio da análise de suas interações anteriores: "*likes*", comentários, postagens e pausas. O que importa é produzir "engajamento", isto é, manter o usuário conectado por mais tempo. Para isso, a rede lhe entrega conteúdos semelhantes aos que já motivaram sua adesão anterior. Com isso, reforçam-se suas convicções e reduz-se sua exposição a ideias divergentes, produzindo-se um forte efeito centrífugo.[45] O efeito se agrava pelo fato de os conteúdos que produzem

---

[41] Cf.: Ackerman, B., 2019.

[42] Cf.: Coleman, S. e Blumer, J. G., 2009, p. 7; Chadwick, A.; Howard, P. N., 2009; Maia, R. C., 2011.

[43] Cf., p. ex.: Bright, J., 2017; Sasaharaa, K. et al., 2019; Törnberg, P., 2018.

[44] Cf., *i. a.*: Periser, E., 2011; Cappi, J., 2017.

[45] Essa forma de proceder é bastante perceptível quando verificamos os filmes recomendados pela Netflix ou os livros sugeridos pela Amazon: as sugestões são feitas a partir de escolhas antes realizadas pelos usuários.

maior "engajamento" serem os que estimulam "emoções negativas", sobretudo o ódio e o medo.[46] Explicações racionais sobre fenômenos econômicos e sociais tendem a provocar menos reações que conflitos morais agudos e teorias da conspiração. Essa forma de organizar as interações em ambiente digital faz com que a comunicação política passe a exibir tendência disruptiva. Trata-se de guinada de grande significado em relação à comunicação que predominava anteriormente à popularização da internet e dos smartphones. A "velha política" conduzia os extremistas para a margem do sistema político. A "nova política" lhes confere protagonismo.[47]

A finalidade de maximizar o engajamento faz com que as redes sociais se convertam em espaço especialmente propício para a propagação de *fake news,* as quais costumam reter com mais eficiência a atenção dos usuários que mensagens verdadeiras, no mais das vezes desprovidas de igual carga dramática. Os algoritmos das redes sociais tendem a impulsioná-las, dirigindo-as a usuários que, considerando suas interações anteriores, provavelmente as receberão também de modo engajado.[48] Entretanto, as *fake news* têm sido empregadas para enfraquecer governos, pressionar instituições, desmoralizar adversários e justificar medidas de força. As mensagens falsas agravam acentuadamente as disfunções de uma cultura política "construída sobre o estímulo de nossos baixos instintos e a comercialização de nossos demônios".[49] Trump, por exem-

[46] É de se ressalvar que, no passado, o surgimento do fascismo também foi, em parte, atribuído ao emprego de novos meios que permitiam a comunicação com as massas. Francisco Campos, em conferência pronunciada em 1935, sustentava: "É possível hoje [...] transformar a tranquila opinião pública do século passado em um estado de delírio ou alucinação coletiva, mediante os instrumentos de propagação, de intensificação e de contágio das emoções, tornados possíveis, precisamente graças ao progresso que nos deu a imprensa de grande tiragem, a radiodifusão, o cinema, os recentes processos de comunicação que conferem ao homem um dom aproximado ao da ubiquidade [...]." (Campos, F., 2001, p. 31). As inferências de Campos aludiam à ascensão do fascismo na Itália e na Alemanha, para anunciar a separação entre liberalismo e democracia, o ocaso da política parlamentar e o surgimento do Estado total.

[47] Como esclarece Empoli, "No novo mundo [...] a política é centrífuga. Não mais se trata de unir eleitores em torno do denominador comum, mas, ao contrário, de inflamar as paixões do maior número possível de grupelhos para, em seguida, adicioná-los – mesmo à revelia deles. [...] Se o movimento convergente da velha política marginalizava os extremistas, a lógica centrífuga da política dos físicos os valoriza" (Empoli, G., 2019, p. 157).

[48] Cf., *i. a.*: Bakir, V. e McStay, A., 2018.

[49] Castells, M., 2018, p. 7.

plo, nos anos anteriores a sua candidatura, aderiu ao movimento "*birther*", que divulgava a *fake news* de que Obama não havia nascido nos EUA, instando-o a apresentar sua certidão de nascimento. Subjacente ao movimento, havia a rejeição ao que o então presidente simbolizava: a possibilidade de uma sociedade multiétnica e multicultural.[50]

A centralidade das *fake news* nas disputas políticas é uma das razões para que o mundo contemporâneo[51] se caracterize como uma era de "pós-verdade".[52] A objetividade da informação importa menos que os sentimentos de identidade e hostilidade que suscita.[53] Propagadas no âmbito de "bolhas de identidade", as *fake news* fomentam vínculos internos e promovem diferenciação em relação ao ambiente exterior. A proliferação de *fake news* é um dos elementos que têm provocado o "encolhimento" da dimensão deliberativa da esfera pública.[54] O discurso político deixa de ter como objeto o "bem comum", e a reciprocidade deixa de atuar como seu

---

[50] Cf.: Vincent, P., 2015; Jardina, A. e Traugott, M., 2019.

[51] A rigor, as *fake news* não são novidade do tempo presente. Notícias falsas estão na origem também do fascismo, nas primeiras décadas do séc. XX. Cf.: Snyder, T., 2017. No Brasil, a teoria da conspiração, engendrada para interferir na política, que produziu maior impacto foi o "Plano Cohen", divulgado pelo Chefe do Estado Maior do Exército, General Góes Monteiro, em 30 de setembro de 1937. O plano, que teria sido arquitetado pelo PCB, envolveria nova insurreição armada com vistas à deposição do governo. A sua divulgação justificou a decretação do estado de guerra, conferindo-se poderes excepcionais ao presidente. Dias depois, seria executado o golpe do Estado Novo. Em 1945, após a 2ª Guerra, o próprio Góes Monteiro revelaria que se tratara de farsa arquitetada para justificar a repressão aos comunistas e o próprio golpe do Estado Novo. O documento lhe teria sido entregue por Olímpio Mourão Filho, oficial do Exército ligado à Ação Integralista Brasileira.

[52] Cf., p. ex.: McIntyre, L., 2018; D'Ancona, M., 2018. O termo havia sido empregado, em um contexto anterior, dissociado da propagação de *fake news* pela internet, por: Keyes, R., 2004.

[53] Cf., p. ex.: Justo, J. S. e Freitas, C. J., 2018.

[54] A esfera pública é a arena discursiva não estatal em que as expectativas normativas dos cidadãos são apresentadas e confrontadas por pontos de vista diferentes. A troca de argumentos e contra-argumentos que ocorre na esfera pública exerce função racionalizadora. As pretensões normativas que logram superar a crítica pública podem ser consideradas legítimas e racionais. Com a formação de bolhas de identidade e o domínio das *fake news*, a esfera pública reduz sua capacidade de exercer essas funções (Ginsburg, T. e Huq, A. Z., 2018, p. 107 ss.).

princípio regulatório.[55] O propósito da comunicação política passa a ser reforçar identidades particulares, aquecer polêmicas e fomentar o ódio à diferença, não convencer quem pensa diferente.

A eficácia da comunicação na internet está ligada à capacidade de fazer sentido específico para cada bolha de identidade, senão para cada eleitor. A exigência de mais foco tem feito com que várias campanhas eleitorais se alimentem da "mineração" dos dados pessoais dos usuários. Na eleição norte-americana de 2016, Trump utilizou os serviços da polêmica Cambridge Analítica. A empresa traçou perfis psicológicos dos eleitores, a partir de dados minerados por meio da pesquisa de suas interações virtuais. Com base nesses perfis, a campanha de Trump dirigia aos eleitores, de forma individualizada, notícias, verdadeiras ou falsas, que pudessem interferir em sua decisão eleitoral. Nos EUA, o emprego desse procedimento foi investigado em comissão parlamentar de inquérito. Por cooperar com a referida empresa, o Facebook, na NASDAQ, chegou a ter seu valor reduzido em cerca de US$ 35 bilhões. A Cambridge Analítica assessorou ainda a campanha vitoriosa do *Brexit*, a qual se baseou também em discurso antissistema e antiglobalização, alcançando eleitores que costumavam votar no Partido Trabalhista Inglês. A empresa era dirigida por S. Bannon, que chegou a ser assessor direto de Trump na Presidência, e hoje se dedica ao aconselhamento de movimentos de extrema direita em todo o mundo.[56]

O emprego de dados pessoais, com auxílio das ferramentas de Big Data, produz grande impacto na comunicação política, comparável, como sustenta Empoli, ao produzido pelo microscópio na pesquisa biológica. Com

---

[55] A argumentação com reciprocidade, tendo em vista a promoção do bem comum, é uma das características centrais dos modelos deliberativos de democracia: "Ao apresentar o seu ponto de vista em um contexto público, o indivíduo deve articular boas razões diante dos demais participantes da deliberação. Este processo de apresentar boas razões em público força o indivíduo a pensar em termos daquilo que contaria como uma boa razão para todos os envolvidos". (Benhabib, S., 1996, p. 72). Assim também, para Cohen, a circunstância de as "decisões sobre o poder estatal" serem coletivas "requer que ofereçamos considerações que os outros (cuja conduta será regida pelas decisões) possam aceitar, não simplesmente que incluamos seus interesses na tomada de decisões, enquanto cruzamos os dedos desejando que esses interesses sejam menosprezados." (Cohen, J., 1996, p. 101).

[56] Nessa condição, disse ter ajudado Bolsonaro: "Também ajudei Bolsonaro e o recebi quando ele esteve em Washington." E completa: "Lembre-se de que esse movimento é populista, nacionalista e tradicionalista. E Bolsonaro e Salvini são seus melhores representantes." (*El Pais*, 25 mar. 2019).

a utilização de dados dos usuários, a comunicação pode funcionar como um apito para cães – apenas o destinatário ouve o chamado. Os demais usuários não são expostos à mensagem, deixando de experimentar seu eventual impacto negativo.[57] Na fronteira das pesquisas interdisciplinares sobre comunicação digital, sobretudo das que conjugam psicologia e tecnologia digital, já se cogita o emprego da chamada "*emphatic media*" para propagar mensagens "empaticamente otimizadas." Hoje, a captação de sentimentos, emoções e intenções dos usuários das redes já ocorre para utilização com finalidades comerciais.[58] Tais tecnologias, apoiadas na inteligência artificial, são aptas a permitir a entrega de estímulos políticos personalizados, considerando não apenas as preferências do cidadão, mas também seu estado de espírito. O tema demanda regulação urgente, a qual apenas agora começa a se estabelecer, a despeito do grande impacto já produzido nas principais eleições do planeta.

II.4. Inimizade política, direito penal do inimigo e *lawfare*

Em uma democracia constitucional, os adversários se concebem mutuamente como dignos de respeito e consideração, apesar das divergências que mantêm entre si. A crise atual da democracia envolve a dissolução das relações de "amizade cívica" entre adversários,[59] que passam a se conceber como "inimigos". Segundo a amplamente empregada definição de Schmitt, o "inimigo" não se confunde com o "adversário", de quem discordamos, mas a quem reconhecemos a condição de membro da mesma comunidade política. O inimigo é o outro, o estrangeiro. Sua definição é objetiva: o atributo

---

[57] Empoli, G., 2019, p. 152-153.

[58] Por meio da análise das postagens, dos *emojis*, das imagens e dos vídeos compartilhados, bem como da leitura facial e de outras tecnologias de "*biofeedback*", já passa a ser possível realizar quase que um "tracking emocional". (McStay, A., 2016).

[59] O conceito de "amizade cívica", como se sabe, remonta a Aristóteles: "O que constitui uma cidade é uma comunidade de lares e de famílias com a finalidade da vida boa e a garantia de uma existência perfeita e autônoma. Isto não se realizaria sem que os membros da cidade residam num mesmo lugar e se casem entre si. Daqui surgiram nas cidades as relações de parentesco, as *fratrias*, sacrifícios públicos e os lazeres. Estas instituições são obras da amizade - já que a amizade é condição de escolha de uma vida em comum." (Aristóteles, 1998, p. 221 [1280b 30]).

decorre de sua origem étnica, nacional ou filiação ideológica.[60] Nas disputas políticas que têm lugar em contextos de erosão democrática, os opositores são taxados como "traidores", "subversivos" ou "criminosos".[61] A "destruição moral" dos oponentes se converte na principal arma da luta política.[62] Ao invés de oferecer argumentos racionais para angariar apoio para suas teses, o líder autoritário se apoia na agressão radical aos adversários.[63] Quando os "inimigos" vencem as eleições, as derrotas eleitorais tendem a não ser reconhecidas, e se legitima o emprego de meios não democráticos para retirá-los do poder. A construção é simples: criminosos não deveriam se candidatar e se eleger. Se isso ocorre, a eleição é ilegítima, razão pela qual não é errado buscar sua deposição por vias não eleitorais.[64]

No contexto de erosão democrática, para combater "inimigos", passa-se a adotar um *direito penal de exceção,* caracterizado pela não observância das garantias penais e processuais penais inerentes ao Estado Democrático de Direito. Na verdade, medidas excepcionais na esfera penal sempre foram tomadas por regimes ditatoriais. O que distingue o direito penal de exceção praticado hoje é a sua adoção por estados democráticos de direito. Ordenamentos que são globalmente democráticos passam a conter espaços inumes à

---

60 O conceito de inimigo político encontra sua formulação mais importante em C. Schmitt, segundo o qual a "distinção especificamente política [...] é a discriminação entre amigo e inimigo". Para Schmitt, o inimigo é "justamente o outro, o estrangeiro", razão pela qual "no caso extremo, há a possibilidade de conflito com ele" (Schmitt, C., 1992, p. 51-52).

61 Cf.: Levitski, S. e Ziblatt, D., 2018, p. 103 ss.

62 Castells esclarece o ponto: "A dinâmica da construção de uma mensagem simples e facilmente debatível em um universo multiforme conduz à personalização da política. É em torno da liderança possível de alguém que se constrói a confiança na bondade de um projeto. Assim, a forma de luta política mais eficaz é a destruição dessa confiança através da destruição moral e da imagem de quem se postula como líder. As mensagens negativas são cinco vezes mais eficazes em sua influência que as positivas". (Castells, M., 2018, p. 27).

63 O governo de Fujimori (1990-2000), no Peru, em muitos sentidos, antecipa a presente guinada autoritária. Com o pretexto para dissolver o Congresso insubmisso, Fujimori o acusou de ser dominado por "traficantes". Do mesmo modo, Trump, durante as eleições, tratava Hillary Clinton como "criminosa", afirmando que, uma vez eleito, a submeteria a investigações policiais.

64 A história brasileira provê alguns maus exemplos. Às vésperas das eleições de 1950, o político e jornalista Carlos Lacerda, em relação a Getúlio Vargas, dizia: "O Sr. Getúlio Vargas, senador, não deve ser candidato à Presidência. Candidato, não deve ser eleito. Eleito não deve tomar posse. Empossado, devemos recorrer à revolução para impedi-lo de governar".

incidência da Constituição.[65] Um desses espaços é justamente o da persecução criminal. As leis do país são violadas, mesmo por promotores e magistrados, para promover a execração pública de remanescentes estigmatizados da "velha política". O direito penal se torna cada vez mais "populista" na busca de condenações dos "inimigos". Políticos e empresários são exibidos como troféus na luta contra a corrupção, ainda que as condenações se deem às custas da regularidade processual e de padrões mínimos de consistência jurídica e probatória. Anti-intelectualista, o populismo penal deplora a sofisticada teoria do direito produzida nessa esfera, da qual se esforça para sequer tomar conhecimento. O que importa é produzir condenações e obter o aplauso das massas excitadas pela espetacularização dos julgamentos. O populismo penal é um dos antecedentes ideológicos e históricos do atual populismo político, de tipo fascista, examinado no presente estudo.

No direito penal de exceção, os indivíduos perdem a privacidade, submetidos à vigilância permanente. Os serviços de inteligência e a atividade policial se confundem progressivamente. O paradigma é dado pelo *USA Patriotic Act*, aprovado sob o impacto do atentado de 11 de setembro de 2001, para que os EUA pudessem tomar as medidas julgadas necessárias na "guerra contra o terror".[66] Entre as medidas, estava a redução do controle judicial sobre as interceptações telefônicas e de dados.[67] Na China, já se emprega, como instrumento de controle social, o reconhecimento facial, com o qual é possível identificar pessoas que transitam nas ruas.[68] Nos diver-

[65] Cf.: Conde, F. M., 2012. No limite, o "inimigo" é totalmente desprovido de direitos, como os judeus nos campos de concentração. Para designar essa condição, Agamben cunha a expressão "vida nua" (Agamben, G., 2010).

[66] Após os atentados de 11 de setembro, a "guerra global contra o terrorismo" inclui também "ações preventivas", sem declaração formal de guerra, em qualquer lugar no globo, e o uso corrente de tortura e operações clandestinas. Cf. Follis, L., 2007.

[67] Cf., p. ex.: Bigo, D., 2006; Ackerman, B., 2004; Viano, E., 2005. Especificamente sobre o Patriot Act, em sentido contrário, cf.: Kerr, O. S., 2003. Kerr sustenta que o *Patriotic Act*, por um lado, codificou parâmetros legais pré-existentes e, por outro, ampliou apenas pontualmente o poder de vigilância do governo, mas sem deixar de estabelecer também limitações.

[68] A censura na China não reprime manifestações individuais contra o Governo. O seu foco é na contenção de manifestações que possam ter expressão coletiva. Cf.: King, Gary *et al.*, 2013. Recentemente, porém, foi criado, em algumas cidades chinesas, um sistema de pontos de crédito social que tem sido objeto de críticas contundentes. O sistema envolve indicadores que medem o comportamento dos cidadãos considerando o que é

sos países, a tendência é de desonerar a atividade policial de limites jurídicos, seja pela criação de exceções legais, seja pela cegueira deliberada dos tribunais. As organizações policiais, capturadas pelos líderes autoritários, passam a servir não só à persecução criminal regular, mas também à perseguição de inimigos, que o governo autoritário busca expelir da comunidade política ou mesmo da comunidade nacional.

Nesse ambiente de corrosão da legalidade democrática, o processo penal se torna instrumento de disputa política e eleitoral, servindo para inabilitar adversários, ameaçar jornalistas e constranger a oposição.[69] Mais precisamente: o processo se converte em arma de guerra. Concebida, em sua origem, para combater inimigos externos, o *lawfare*[70] passou a ser usado também nas disputas políticas travadas no interior das nações. O conceito, com esse sentido, se aproxima do de SLAPP *(Strategic Lawsuit Against Public Participation)*,[71] que é utilizado para designar a propositura de ações judiciais com o objetivo de desencorajar a participação política de ativistas críticos. No contexto de erosão da democracia, a independência dos jornalistas é ameaçada por vários meios, entre os quais a múltipla propositura de ações judiciais, que os obriga a dedicarem suas melhores energias à defesa em processos judiciais. A mesma estratégia é empregada para inabilitar ou

valorado como correto nas esferas política, social, comercial e laboral. O controle é feito por meio da aferição das interações na internet e de câmeras de vigilância, dotadas de sistema de reconhecimento facial. Cada cidadão pode acessar a pontuação dos demais. A pontuação obtida interfere em diversos aspectos da vida, como o direito de conduzir empreendimentos privados. Cf., *i. a.*: Pohlmann, M., 2019.

69 O presidente Dunterte, das Filipinas, conhecido por sua "guerra às drogas", costuma divulgar listas de envolvidos com o tráfico de drogas, que inclui "narcopolíticos". Entre esses, segundo seus críticos, Duterte costuma incluir ilegitimamente seus adversários. O presidente, por seu turno, sustenta apoiar sua seleção no trabalho das autoridades policiais: "A minha decisão de desmascarar as personalidades envolvidas com o tráfico de drogas se sustenta em minha confiança nas agências governamentais, que examinam e validam a lista de pessoas envolvidas com narcóticos no país" (*The New York Times Magazine*, 10 jan. 2017; *The New York Times*, 15 mar. 2019).

70 Como esclarece Kittrie, "Para se caracterizar como *lawfare*, uma ação deve passar por dois testes: (1) o agente utiliza a lei para criar efeitos idênticos ou similares àqueles pretendidos tradicionalmente pela ação militar convencional – incluindo impactos nas principais decisões das forças armadas e na capacidade de seus alvos; e (2) uma das motivações identificáveis do agente é enfraquecer ou destruir um adversário contra o qual a lei está sendo aplicada." (Kittrie, O., 2016, p. 8).

71 Cf.: Sheldrick, B. M., 2014; Pring, G. W. e Canan, P., 1996.

calar ativistas e políticos de oposição. Em período eleitoral, com condenações criminais inautênticas, afastam-se os concorrentes mais fortes, e o líder autoritário tem a vitória facilitada. Embora as eleições periódicas se mantenham e, formalmente, se preserve a vigência das liberdades básicas, a disputa eleitoral arrefece. O problema se agrava quando o autocrata, por meio de nomeações sucessivas, assume o controle de órgãos judiciários e organizações policiais. Ao invés de julgamentos imparciais, o que passa a ocorrer é a perseguição dos adversários do regime.[72] O emprego do *lawfare* como instrumento de intervenção na política não passou desapercebido ao Papa Francisco:

> Aproveito esta oportunidade de me reunir com vocês para expressar minha preocupação com uma nova forma de intervenção exógena nos cenários políticos dos países por meio do uso indevido de procedimentos legais e tipificações judiciais. Além de pôr em sério risco a democracia dos países, o *lawfare* é geralmente usado para minar os processos políticos emergentes e promover a violação sistemática dos direitos sociais. Para garantir a qualidade institucional dos Estados, é essencial identificar e neutralizar tais práticas, decorrentes de atividades judiciais impóprias combinadas com operações multimidiáticas paralelas.[73]

Outra via empregada para impedir a atuação de adversários, estigmatizados como inimigos, é a atuação de grupos paramilitares, organizados ou estimulados pelos governantes autoritários. Verifica-se verdadeira relativização do monopólio estatal sobre o uso legítimo da força, com o emprego político, em contextos de normalidade relativa, de agentes não governamentais, como paramilitares, esquadrões da morte e milícias privadas.[74] A utilização de execuções extrajudiciais no "combate" aos movimentos sociais é uma característica frequente das autocracias.[75] Na América

[72] Sobre o tema, cf.: Martins, C. Z.; Martins, V. T. Z.; Valim, R., 2019.

[73] Discurso del Santo Padre Francisco en la cumbre de Jueces Panamericanos sobre Derechos Sociales y Doctrina Franciscana, Casina Pío IV, Martes, 4 de junio de 2019.

[74] Cf.: Acemoglu, D.; Robinson, J. A. e Santos, R. J., 2013; Carey, S. C., Mitchell, N. J. e Lowe, W., 2013; Ahram, A., 2011.

[75] Como se sabe, na Alemanha, após o fim da 1.ª Guerra Mundial, formaram-se vários grupos paramilitares integrados, em grande parte, por egressos dos campos de batalha.

Latina, os grupos de extermínio foram amplamente empregados pelos regimes militares, nas décadas de 1970 e 1980, e permaneceram em atividade após a redemocratização.[76] Com a atual crise do regime democrático, as autocracias em formação voltam a delegar o uso da força a atores não estatais.[77] O caso do atual presidente das Filipinas é o mais grave e conhecido. Há anos, Duterte dá guarida a execuções extrajudiciais, desde quando era prefeito da Cidade de Davao. Na Presidência da República, tem conduzido uma "guerra às drogas" em que as execuções extrajudiciais se contam aos milhares.[78] Ainda quando não organizam grupos paramilitares, os líderes autoritários costumam insuflar apoiadores para hostilizar jornalistas e políticos de oposição, o que impede o exercício pleno da crítica pública e do ativismo político.[79]

II.5. A erosão do sistema de freios e contrapesos e o advento do constitucionalismo abusivo

Nas democracias em crise, as instituições neutras são atacadas ou capturadas.[80] O Poder Judiciário, em geral, e as cortes constitucionais, em particular, costumam ser alvos preferenciais da intervenção autoritária. Foi o que ocorreu na Hungria, sob o governo "iliberal" de Viktor Orbán[81] – o termo é empregado em oposição ao "liberalismo político", não ao "liberalismo econômico", promovido por aquele governo. A intervenção no Tri-

---

O partido nazista possuía sua milícia, as *Sturmabteilung* (SA), que, durante a ascensão do nazismo, se ocupavam de depredações, arruaças e agressões aos "inimigos", como comunistas e judeus.

76 Cf., *i. a.*: Mazzei, J., 2009.

77 Mesmo o Estado norte-americano, desde antes do governo de Trump, vem praticando, na "guerra contra o terror", execuções de indivíduos que identifica como inimigos. O método, sujeito a duras críticas também naquele país, inclui o emprego não só de "unidades especiais", mas também "bombardeios cirúrgicos", realizados por drones. Cf., *i. a.*: Waldron, J., 2016; Chamayou, G., 2015; Pisani, M. M., 2017.

78 Em 2009, Duterte declarava: "Se você estiver fazendo uma atividade ilegal em minha cidade, ou integra uma gangue que se aproveita do povo inocente desta cidade, enquanto eu for o prefeito, você será um alvo legítimo para ser assassinado." (McNeill, D., 2009). Cf., também: Simangan, D., 2018; Reyes, D. A., 2016.

79 Cf.: Posner, E., 2018.

80 Cf., *i. a.*: Ginsburg, T. e Huq, A., 2018, p. 95 ss.

81 Cf.: Bánkuti, M.; Halmai, G.; Scheppele, K., 2012; Halmai, G., 2018.

bunal Constitucional se processou por intermédio de uma sequência de medidas: alteração das regras de nomeação dos magistrados; restrição da jurisdição da Corte em matéria fiscal; aumento do número de juízes de 8 para 15; restrição da eficácia de decisões anteriores da Corte; e vedação à declaração de inconstitucionalidade material de emendas à Constituição.[82] Depois da intervenção, a Corte passou a assumir atitude de "total deferência" em relação ao Executivo e ao Legislativo.[83] Na Polônia, o Partido da Lei e da Justiça, em 2015, além de fazer nomeações de legitimidade duvidosa para o Tribunal Constitucional,[84] fez aprovar lei segundo a qual a Corte só poderia tomar decisões vinculantes por maioria de 2/3.[85] Medidas como essas promoveram verdadeiro "retrocesso do Estado de Direito" (*rule of law backsliding*).[86] No ponto, o governo de Fujimori também foi precursor. Em 1996, o Congresso Peruano editou leis realizando "interpretação autêntica" da Constituição em vigor, para permitir que Fujimori concorresse a uma nova reeleição (Lei n.º 26.657). Ao julgar ação proposta pelo Colégio de Advogados de Lima, três magistrados da Corte Constitucional consideraram-na procedente, e cinco se abstiveram, com o que o Tribunal Constitucional declarou a referida lei "inaplicável". Fujimori, em retaliação,

---

[82] Cf.: Bugaric, B. e Ginsburg, T., 2016. Não são, porém, apenas as cortes constitucionais que sofrem a interferência dos governantes autoritários. Outros órgãos, que deveriam funcionar com autonomia, também são objeto de intervenção. Na Hungria, Orbán interveio também, por exemplo, no Escritório Central de Estatísticas e no Tribunal de Contas.

[83] Cf.: Chronowski, N. e Varju, M., 2016.

[84] Na Polônia, em 2015, com sua chegada ao poder, o Partido da Lei e da Justiça nomeou cinco novos juízes para a Corte Constitucional Polonesa e deixou de nomear três juízes que haviam sido regularmente indicados pelo governo anterior.

[85] Além de exigir a maioria de 2/3 para que a Corte possa tomar decisões vinculantes, a referida Lei, aprovada pelo Partido da Lei e da Justiça, estabelece que a Corte só pode julgar um caso seis meses depois de lhe ter sido dirigido. Por fim, a lei prevê ainda a possibilidade de a Câmara Baixa do Parlamento extinguir o mandato dos juízes integrantes da Corte. Em relatório a respeito da independência judicial na Polônia, a Comissão de Direitos Humanos da ONU entendeu que as alterações mencionadas tiveram como propósito "permitir que o Legislativo e o Executivo interferissem na justiça". (UN Human Rights Council, *Report of the Special Rapporteur on the independence of judges and lawyers on his mission to Poland*, 5 April 2018). Cf.: Bugaric, B. e Ginsburg, T., 2016; Sadurski, W., 2018.

[86] Cf.: Scheppele, K., 2017; Faggiani, V., 2019. Tais medidas têm suscitado a aplicação do princípio da democracia militante, segundo a qual o limite do pluralismo é o compromisso com os valores básicos do constitucionalismo democrático . Cf.: Müller, J.-W., 2014.

promoveu, junto ao Congresso Peruano, o *impeachment* dos três juízes,[87] o que levou à revisão da decisão da Corte. Beneficiado pela manobra, o presidente pôde se candidatar, e foi reeleito. Nesses casos, o que teve lugar não foi a ruptura formal com a ordem jurídica vigente; foi o uso *abusivo* dos instrumentos previstos na Constituição.

No curso do processo de erosão democrática, é comum ainda a realização de reformas constitucionais ou mesmo a convocação de novas constituintes como artifício para suspender os limites estabelecidos pela Constituição vigente, com base na qual a oposição e as instituições resistem. Esse tipo de procedimento foi empregado em países como a Hungria, o Egito e a Venezuela. É o que se denomina "constitucionalismo abusivo", que se define como "o uso de mecanismos de mudança constitucional com o propósito de tornar o Estado significativamente menos democrático que antes."[88] A convocação de assembleias constituintes, quando não há "momento constitucional",[89] é artifício desprovido de legitimidade, empregado estrategicamente para interromper o funcionamento dos mecanismos de moderação governamental. Parlamentos ou cortes constitucionais independentes, por exemplo, podem ter suas atribuições suspensas por uma constituinte fantoche, dominada pelo líder autoritário. Como sustentava Sieyès, o poder constituinte originário é imprescritível: a qualquer momento, pode se manifestar.[90] Para que isso se dê legitimamente, porém, a constituinte não pode ser convocada como ato de oportunismo, com o propósito não de

---

[87] O *impeachment* foi decretado pelo Congresso Peruano, controlado por Fujimori. O afastamento dos juízes foi apreciado pela Corte Interamericana de Direitos Humanos, que entendeu que foi violado o direito dos magistrados de recorrerem ao Judiciário. O precedente da Corte estabeleceu que também no processo de *impeachment* devem ser observadas as garantias inerentes ao devido processo legal. (Caso del Tribunal Constitucional *Vs.* Perú, Sentença de 31.01.2001). Cf., *i. a.*: Bernardi, B. B., 2015.

[88] Landau, D., 2013, p. 195.

[89] Sobre o conceito de "momento constitucional", cf.: Ackerman, B., 1991. No Brasil, em sentido semelhante, José Afonso da Silva falava, a propósito do contexto pré-1988, em "situação constituinte" (Silva, J. A., 2002, p. 78-80).

[90] Sieyès concebia a questão nos seguintes termos: "Uma nação não pode nem alienar, nem se proibir o direito de mudar; e, qualquer que seja sua vontade, ela não pode cercear o direito de mudança assim que o interesse geral o exigir. [...] Eu entendo que ela pode obrigar seus membros, seus mandatários, e tudo o que lhe pertence: mas será que ela pode impor deveres a si mesma? O que é um contrato consigo mesma? Sendo as duas partes a mesma vontade, ela pode sempre desobrigar-se de tal compromisso." (Sieyès, E. J., 1988, p. 119).

constitucionalizar um novo regime, mas de desconstitucionalizar o regime vigente, para suspender os óbices constitucionais ao exercício do poder.

Uma constituição fixa os termos da cooperação social entre os grupos plurais que integram a sociedade nacional. As constituições autênticas incluem maiorias e minorias. O *status* constituinte não pode ser artificialmente conferido a um ato unilateral do líder autoritário que dá resposta à aclamação de massas inflamadas. As constituições só têm razão de ser quando estabelecem um pacto social que não apenas reflete a vontade majoritária, mas também inclui minorias, conferindo-lhes o *status* de membros plenos da comunidade política. As constituições organizam racionalmente o exercício do poder, como medida de autoproteção vis-à-vis as erupções autoritárias que possam ocorrer no futuro da vida nacional.[91] O constitucionalismo abusivo não é, de fato, constitucionalismo, que se traduz justamente como a ideologia que propugna pela preservação do sistema de direitos contra o advento de governos autoritários.

O emprego abusivo de institutos de política constitucional, em ataques à democracia, não se dá apenas por governantes autoritários em seu movimento de consolidação no poder. Tais institutos podem ser empregados também pela oposição para promover a destituição de governantes legitimamente eleitos. Nos países presidencialistas, ataques à democracia têm se realizado também por intermédio do instituto do *impeachment*. Por preservarem uma fachada institucional, tais eventos têm sido descritos como "*soft coup*", "golpe institucional", "golpe parlamentar" ou "presidência interrompida".[92] A deposição do presidente do Paraguai, Fernando Lugo, por exemplo, foi um "golpe parlamentar". Interrompendo seis décadas de governos do Partido Colorado, Lugo presidia o Paraguai desde 2008. Em 20 de junho de 2012, foi apresentada proposta de *impeachment*, sob o argumento de que sua maneira de governar era "imprópria, negligente e irresponsável". Lugo em nada ameaçava a institucionalidade democrática. Nada obstante, dois dias depois, em 22 de junho, o *impeachment* era decretado pelo Senado. Além de não ter ocorrido a prática de crime de responsabilidade, não se

[91] Cf.: Elster, J., 1979; Holmes, S., 1988; Vieira, O. V., 1999.

[92] Cf., *i. a.*: Santos, W. G., 2017; Marsteintredet, L., Llanos, M., Nolte, D., 2013; Pitts, B. *et al.*, 2016; Sanchez Gayosso, R. D. e Escamilla Cadena, A., 2017.

observou o devido processo legal. O que teve lugar foi o afastamento arbitrário de um presidente eleito.[93]

II.6. Uma ressalva necessária: a crise da democracia em países em desenvolvimento

Nas seções anteriores, foram apresentadas, de modo panorâmico, as principais características da atual guinada autoritária. Nem todos os países as vivenciam da mesma forma. É totalmente improvável que países como a Inglaterra e os EUA deixem de ser democracias, apesar do Brexit e de Trump. Entre os fundamentos apresentados para sustentar esse prognóstico, há um estatístico: desde a 2.ª Guerra Mundial, as democracias de países com alta renda *per capta* não entram em colapso, ainda quando desafiadas por crises institucionais graves.[94] Os países com maior renda *per capita* em que a democracia colapsou foram a Argentina, em 1976, e a Tailândia, em 2006. Desde então, em nenhum país com renda *per capta* superior a essas duas nações, ocorreram rupturas institucionais. Não se sabe se o crescimento econômico decorre da estabilidade democrática ou se, ao contrário, a estabilidade democrática produz crescimento econômico. É provável que haja implicações recíprocas. Mas é fato que o desenvolvimento econômico está vinculado à estabilidade institucional. Nos países ricos, poderá haver erosão democrática, mas dificilmente essa erosão levará ao colapso da democracia ou à transposição de um ponto de não retorno.

O mesmo prognóstico não se aplica aos países em desenvolvimento. O ressurgimento de populismos autoritários em países como o Brasil envolve riscos que não acometem as democracias consolidadas. Entre os fatores estatisticamente relevantes que, ao lado do PIB *per capita*, costumam concorrer

---

[93] Procedimento irregular de afastamento de governante escolhido pelo voto popular foi adotado também em Honduras, quando da destituição de Zelaya, por meio da atuação coordenada do Judiciário, do Legislativo e das Forças Armadas. No caso de Honduras, porém, a natureza de golpe de Estado foi expressamente reconhecida por toda a comunidade internacional. Houve manifestação da ONU, da OEA e da União Europeia. A OEA, inclusive, suspendeu Honduras da organização até que fosse restaurado o governo democrático.

[94] Cf.: Benhabib, J.; Corvalan, A.; Spiegel, M., 2011.; Przeworski, A. et al., 2000. Para o exame crítico da tese, cf.: Acemoglu, D., Robinson, J.; Yared, P., 2008.

para aumentar a probabilidade de colapsos estão: (a) a desigualdade social; (b) a tradição militarista na política; (c) a adoção do regime presidencialista; (d) o tempo de estabilidade política continuada.[95] Todos esses fatores são desfavoráveis para o Brasil, o que conduz à conclusão de que, aqui, o processo político talvez não siga o mesmo ritmo incremental que se observa em outras nações. Outro dado relevante é a circunstância de o Brasil ser governado por um presidente que apenas aparentemente se compara a outros políticos classificados como "populistas autoritários". Suas opiniões a respeito das parcelas mais vulneráveis da população brasileira são totalmente desprovidas de humanidade e empatia. No Brasil, a aplicação rigorosa dos valores professados por Bolsonaro provocaria uma tragédia humanitária sem precedentes. Sua política indigenista, por exemplo, ao se conjugar com o armamento da população rural, possui nítido potencial genocida. O Estado brasileiro sempre foi mais violento quando atuou sobre os pobres, os negros e os indígenas, e agora é presidido por Bolsonaro. Ainda que aqui a democracia não chegue ao colapso, o governo pode alcançar níveis de violência e letalidade ainda mais altos que os de ditaduras declaradas.

[95] Przeworski, A., 2019, p. 33 ss.

- III -

A democracia brasileira em crise: da "explosão social" de 2013 à eleição de Bolsonaro

III.1. A "explosão social" de 2013 e a eclosão do ódio político no Brasil

Em março de 2013, 63% do povo brasileiro definia o governo de Dilma como bom ou ótimo. Em junho de 2013, a avaliação positiva (bom e ótimo) caiu para 31%; e em setembro, para 22%. Nesse intervalo, o Brasil não foi abalado por nenhum escândalo de corrupção afeto à Presidência. O ano de 2013 terminaria com um índice de desemprego de 4,3%, o menor desde 2002, quando se iniciou a série histórica. O país passava por seu período mais longo de redução continuada da desigualdade. Todos os indicadores revelavam a evolução positiva das condições econômicas e sociais. A pesquisa PNAD de 2013 registrou, por exemplo, dados alentadores sobre a renda dos trabalhadores, a escolaridade da população, a formalização do trabalho e o acesso à internet, à telefonia móvel, à eletrificação rural e ao saneamento básico.[1] Em breve, o país organizaria a Copa do Mundo de Futebol e as Olimpíadas: a expectativa era de que os eventos simbolizassem o novo momento da vida nacional, caracterizado pela estabilidade política e pela prosperidade econômica e social. O que fez com que, no período de um mês, a aprovação da presidente caísse tão drasticamente ainda remanesce como um dos maiores mistérios da vida política brasileira.[2]

---

[1] Coordenação de Trabalho e Rendimento, 2015.

[2] A queda de popularidade não atingiu apenas a ex-presidente Dilma; atingiu também os governadores dos principais estados. Sérgio Cabral, governador do Rio de Janeiro, teve seu índice de aprovação reduzido para 12% (de bom e ótimo), ainda que, pela primeira

O que aconteceu no Brasil não foi uma "revolução social", a qual pressupõe um sentido teleológico definido, mas uma "explosão social", a qual dá lugar à rejeição assistemática e desorganizada do *status quo*.[3] Em junho de 2013, as primeiras manifestações públicas, ocorridas em São Paulo, foram convocadas pelo "Movimento Passe Livre" – MPL. O objetivo era protestar contra o aumento da tarifa dos ônibus – o aumento, autorizado pela prefeitura paulista, havia sido de 20 centavos. Embora o MPL fosse integrado por jovens de esquerda, vinculados ao movimento estudantil,[4] as manifestações, ao longo daquele mês, logo se desligariam de seu impulso original, para passar a atrair pessoas sem orientação ideológica marcada, interessadas em demonstrar sua insatisfação contra tudo e contra todos. Protestava-se contra o valor do pedágio nas estradas, contra os gastos com as obras da Copa do Mundo, contra a corrupção, por mais recursos para a educação e a saúde. Em meio a essa eclosão difusa de reivindicações, predominava, como elemento de unificação, a rejeição aos partidos e aos políticos profissionais, antecipando a contestação do sistema representativo que se aprofundaria nos anos seguintes.[5] Nas faixas e cartazes confeccionados pelos manifestantes, liam-se dizeres tais como "nenhum partido me representa", "- deputados, + Professores", "O povo unido não precisa de partido", "Meu

vez na história do Estado, a política de segurança pública fosse objeto de aprovação generalizada, o que o havia levado, três anos antes, à sua reeleição, com 70% dos votos. Geraldo Alckmin, governador de São Paulo, sofreu revés também expressivo: de 52%, em junho de 2013, seu índice de aprovação caiu para 38%, em julho.

3 Nas manifestações de 2013, aparece no Brasil o fenômeno *black bloc*, frequentemente observado em explosões sociais em várias partes do Globo. A "tática" surge na década de 1980, na Alemanha. Jovens, sobretudo anarquistas, praticam a chamada "ação direta", consistente no enfrentamento da polícia de choque nas manifestações, com escudos, paus e pedras, e na depredação do que identificavam como "símbolos do capitalismo" – vitrines de bancos eram alvo preferencial dessas depredações. Embora a "ação direta" fosse praticada por um contingente bastante reduzido dos manifestantes, os confrontos conferiam dramaticidade às manifestações, o que chamava a atenção da imprensa, e realçavam a natureza de "explosão social", fazendo com que a população parecesse não só insatisfeita com os governos, mas também irada.

4 Em face das primeiras manifestações do MPL, em editorial de 13 de junho de 2013, a Folha de São Paulo apelava à Polícia Militar para que "retomasse a Paulista" e caracterizava os integrantes daquele movimento como "jovens predispostos à violência por uma ideologia pseudorrevolucionária" (*Folha de São Paulo*, 13 jun. 2013).

5 Cf.: Scherer-Warren, I., 2014; Peruzzo, C., 2013.

partido é o Brasil".[6] Embora a Lava Jato ainda não tivesse sido deflagrada, já se esboçava o tom que as manifestações assumiriam nos anos seguintes: "Todos contra a corrupção", "Fora Dilma! Fora Cabral!", "PT=Pilantragem e traição", "Zé Dirceu, pode esperar, a tua hora vai chegar".[7]

Até 2013, os movimentos contra a corrupção ainda eram liderados pelos partidos de esquerda e pelos movimentos sociais tradicionais,[8] apesar do advento, anos antes, da Ação Penal n.º 470 (caso que ficou conhecido como "mensalão").[9] A Lei da Ficha Limpa, por exemplo, sancionada em 2010, resultou de projeto de lei de iniciativa popular que foi elaborado pelo Movimento de Combate à Corrupção Eleitoral. Criado durante as eleições de 2002, o MCCE congregava entidades como a CNBB, a OAB, a UNE, a CUT, os Juízes para a Democracia, mas também a AJUFE (juízes federais), a ANPR (procuradores da República), a CONAMP (membros do Ministério Público), a ADPF (delegados da Polícia Federal), entre muitas outras – o MCCE reunia mais de 100 entidades.[10] A mobilização para a coleta de assinaturas, concluída em 2009, contou com o apoio de partidos como o PT, o PCdoB e o PSol. Nos anos seguintes, esses partidos seriam os principais defensores do fim do financiamento empresarial às campanhas eleitorais e da adoção de um sistema eleitoral que reduzisse a dependência do poder

---

6 Pinto, C. R. J., 2017; Carmo, A. H. N., 2014. Nas manifestações de junho de 2013, não sobressaíam reivindicações associadas a identidades de gênero, etnia, orientação sexual ou classe social. Os manifestantes buscavam reconhecimento em uma perspectiva individual e fragmentada. Cf.: Pinto, C. R. J., 2016.

7 Singer, A., 2013.

8 Antes do regime militar, a bandeira anticorrupção era empunhada, sobretudo, pela direita, com destaque para a UDN – o termo "udenismo" equivalia à expressão "moralismo". A crise que resultou no suicídio de Vargas, por exemplo, tinha como elemento central a denúncia de um suposto "mar de lama" que correria sob o Palácio do Catete. Após a reabertura democrática, porém, a bandeira anticorrupção foi incorporada por parte da esquerda, especialmente pelo PT, o que lhe rendeu a alcunha de "UDN de macacão", dada por Leonel Brizola ainda na década de 1980. No entanto, para participar de modo competitivo das eleições, o partido passou a receber vultosas doações de empresas. Parte da rejeição que o PT vem enfrentando desde 2013 se deve à frustação gerada em pessoas que se identificavam não com seu programa social, mas com a bandeira da ética na política.

9 As primeiras notícias sobre o caso surgiram em 2004, e o julgamento se concluiu em 2012.

10 Cf.: Araújo, A. C. A., 2012; Doin, G. A. et al., 2012.

econômico.[11] A partir das manifestações de 2013, dissolver-se-ia no imaginário público a associação entre progressismo e moralização da política. O PT passaria a ser visto de modo crescentemente hostil pelos manifestantes que lotavam as ruas brasileiras, cuja bandeira principal, pouco a pouco, se tornaria a do combate à corrupção.

A orientação que as manifestações assumiriam nos anos seguintes, sob o impacto da Lava Jato, foi antecipada, em junho de 2013, pelo surgimento de uma bandeira específica: a rejeição à PEC n.º 37.[12] Uma controvérsia a respeito da organização institucional da persecução criminal no Brasil, baseada em divergência sobre a interpretação da Constituição Federal, convertia-se em tema prioritário das manifestações antissistema. A Constituição Federal de 1988 confere poderes para apurar infrações penais à Polícia Federal (144, §1.º, I e IV) e às Polícias Civis dos Estados (144, §4.º). Não os confere ao Ministério Público. No entanto, como cabe ao Ministério Público ajuizar ações penais, sustentava-se que seus órgãos deveriam poder produzir as provas necessárias para instruí-las. Tratar-se-ia de "poder implícito", cujo exercício não demandaria explicitação no texto constitucional. Até aquele momento, na prática, o Ministério Público também investigava, e os tribunais brasileiros[13] vinham admitindo a possibilidade, embora o STF ainda não tivesse se manifestado de modo peremptório sobre o tema.[14] A

[11] O sistema eleitoral hoje em vigor é proporcional com voto transferível. Para se verificar a representatividade do partido político, somam-se os votos dados a cada um de seus candidatos e os votos dados à legenda partidária. Apura-se, então, a proporção dos cidadãos que é representada pelo partido, que terá direito à mesma proporção de cadeiras na casa parlamentar. Cada candidato possui seu próprio caixa de campanha e realiza sua própria captação de recursos. O sistema é caríssimo, e não é passível de ser fiscalizado com eficiência.

[12] Cf.: Lemos, C. R. F. e Barros, A. T., 2017.

[13] O Conselho Superior do Ministério Público Federal editou a Resolução nº 77/2004, prevendo a instauração de "procedimento investigatório criminal" por membro do Ministério Público Federal (art. 2.º).

[14] A jurisprudência produzida pela Corte até então era assistemática e contraditória. O STF admitia a validade de depoimento colhido diretamente pelo Ministério Público, quando não se tratasse de prova isolada, mas inserida em um conjunto probatório mais abrangente. (STF, HC nº 77.371, rel. min. Nelson Jobim, *DJU* 23.10.1998). Porém, entendia não caber ao Ministério Público inquirir diretamente testemunha, ainda que se cuidasse de investigação de crime cuja autoria era atribuída a Delegado de Polícia. (STF, RHC nº 81.326, rel. min. Nelson Jobim, *DJU* 01.08.2003). Por outro lado, já havia admitido que fosse oferecida denúncia pelo Ministério Público, sem a instauração prévia de inquérito

PEC n.º 37/2011 havia sido apresentada para pôr fim à controvérsia, subtraindo expressamente a investigação criminal da esfera de atribuições do Ministério Público. Nas ruas e nas redes sociais, a PEC n.º 37 passava a ser chamada PEC da impunidade.[15] Submetida à votação na Câmara de Deputados, em 25 de junho de 2013, a PEC foi rejeitada por ampla maioria, embora, antes das manifestações de junho, os prognósticos fossem de aprovação com folga.[16]

As mobilizações em torno da PEC n.º 37 demarcaram uma inflexão importante. Conforme o tema do combate à corrupção se tornava dominante, as manifestações passavam a hostilizar ainda com maior intensidade a política e os políticos. Embora não fosse acusada de ter praticado qualquer crime, Dilma, como presidente, se tornava a destinatária preferencial das hostilidades. Na Copa das Confederações, em junho de 2013, foi vaiada.[17] Um ano depois, na Copa do Mundo, receberia não só vaias, mas também insultos e xingamentos. A virulência com que Dilma foi tratada na abertura do torneio antecipava o clima de divisão que envenenaria a sociedade brasileira. Dentro do estádio, a classe média, com a camisa da seleção brasileira, começava a se manifestar uma agressividade já característica das relações de inimizade radical. Fora do estádio, militantes da esquerda protestavam contra as obras da Copa e os privilégios da FIFA, denunciando o excesso de gastos e a remoção de moradores de áreas mais pobres.[18] O evento que, junto com as Olimpíadas, celebraria o Brasil que emergia, com liderança,

policial, a partir diretamente de sindicância realizada para apurar crimes de abuso sexual praticados contra menores em entidade de amparo, conforme dispõe o art. 201, VII, do Estatuto da Criança e do Adolescente. (STF, HC nº 82.865, rel. min. Nelson Jobim, *DJU* 30.04.2004).

[15] Contra a atribuição de poderes investigatórios ao MP, sustentava-se que o propósito de o constituinte ter conferido à polícia, com exclusividade, a tarefa de realizar a investigação criminal, excluindo o Ministério Público, seria evitar excessiva concentração de poderes em esfera que pode dar lugar a graves interferências no domínio da liberdade individual. Sobre a polêmica, já havia sido então produzida extensa bibliografia. Barroso, L. R., 2004; Silva, J. A., 2004; Fragoso, J. C., 2002; Grinover, A. P. G., 2004; Prado, G. L. M. e Casara, R., 2004; Vieira, L. G., 2004.

[16] No julgamento do RE n.º 593.727, em 15/05/2015, a possibilidade de o MP realizar diretamente investigações penais foi recepcionada de modo peremptório pelo Supremo Tribunal Federal, estabilizando-se o que já ocorria na prática.

[17] Cf.: Curi, M., 2014.

[18] Cf.: Silva, R. H. e Ziviani, P., 2014; Omena, E. A., 2015; Pinto, C. R. J., 2017.

no concerto das nações, se convertia em palco da cisão social que se aprofundaria nos anos seguintes.

Em resposta às manifestações de junho, além de reafirmar compromissos com a reponsabilidade fiscal e com o emprego dos recursos do pré-sal na área da educação, Dilma propôs a adoção imediata de cinco medidas: a) ampliação da desoneração tributária para o óleo diesel e para a energia elétrica; b) investimento de R$ 50 bilhões em obras de mobilidade urbana; c) realização de plebiscito sobre a convocação de assembleia constituinte para tratar especificamente da reforma política; d) caraterização do crime de corrupção como hediondo, com a adoção de penas mais severas; e) contratação de médicos estrangeiros para atuar nas áreas mais remotas do país. A resposta imediata de Dilma às manifestações de junho de 2013 antecipava parte dos dilemas que seriam enfrentados nos anos seguintes. Nas seções que se seguem, trataremos especificamente da desoneração tributária e das medidas anticorrupção, que produziram grande impacto político e econômico, relacionando-se diretamente com o agravamento da crise política brasileira, que levou ao *impeachment* de 2016.

Por ora, cumpre apenas registrar que o ambiente político se degradou a tal ponto que mesmo medidas absolutamente positivas, como o "Mais Médicos", se converteram em motivo para o acirramento das hostilidades nos anos seguintes. No Brasil, os médicos preferiam não trabalhar no interior, sobretudo nas regiões mais pobres e remotas, e o Estado não possuía programa de estímulo. O "Mais Médicos" levou milhares de médicos, brasileiros e estrangeiros, justamente a essas áreas desassistidas do interior do país, dando acesso à saúde a milhões de pessoas. Em 2017, o programa chegou a incluir mais de 18 mil médicos. Porém, um ponto se relaciona com o processo seguinte de radicalização política que resultou no bolsonarismo. Daquele total, 11 mil médicos eram cubanos – como se sabe, uma das principais atividades econômicas de Cuba é a exportação de serviços de saúde, entre os quais está a locação da mão de obra dos médicos. Esse aspecto do programa motivou variados ataques do bolsonarismo nascente, que denunciava o "viés ideológico" da política e suscitava teorias da conspiração envolvendo a presença cubana no Brasil. Já no governo Bolsonaro, os "cubanos" foram dispensados, em detrimento dos milhões de brasileiros que se beneficiavam do atendimento.

Dentre as propostas então formuladas, uma, com razão, foi abandonada de imediato: a de realização de uma constituinte "específica" para proceder à reforma política, a qual seria convocada por meio de plebiscito.[19] Diante da explosão social, cabia proteger a Constituição, não criar a oportunidade para a sua superação, o que poderia ocorrer se a assembleia constituinte decidisse se autodeclarar ilimitada, a despeito das restrições eventualmente estabelecidas no ato convocatório.[20] Com razão, a proposta foi rejeitada por amplos setores da política nacional e por entidades representativas da sociedade civil, como a OAB,[21] o que acabou levando a presidente a retirá-la.

Quanto à convocação de constituintes, é importante registrar uma conclusão que valia para aquele contexto e continua valendo para o atual. Um dos principais argumentos para justificar a supremacia constitucional é o do *pré-compromisso,* que pode ser apresentado por meio da analogia com a atitude de um jovem que, ao chegar a uma festa, entrega as chaves de seu carro a um amigo e pede que, ao final, não as restitua se perceber que ele está embriagado, ainda que insista.[22] Por meio das constituições, da mesma forma, o povo, em um momento de união e racionalidade, autolimita-se, para se prevenir contra a irracionalidade futura. Em 2013 e hoje, é pertinente outra analogia: em um momento de fanatismo religioso, um jovem, para não expor à dúvida os dogmas de sua fé, entrega a amigo a chave de sua biblioteca e o instrui a não devolvê-la, ainda diante de pedido insistente.[23] Momentos de explosão social, em que impera o ódio e a divisão entre con-

---

[19] Dilma se manifestou nos seguintes termos: "Quero neste momento propor um debate sobre a convocação de um plebiscito popular que autorize o funcionamento de um processo constituinte específico para fazer a reforma política que o país tanto necessita" (*O Globo,* 24 jun. 2013).

[20] A proposta se assentava em pressuposto teórico de viabilidade duvidosa, embora sustentável. Se se entendesse que a "constituinte específica" era ato do poder constituinte originário, não era simples justificar sua limitação jurídica – segundo a teoria tradicional, tal como formulada por Sieyès, o poder constituinte originário é ilimitado (Sieyès, E. J., 1988, p. 120). Esse aspecto da teoria tradicional do poder constituinte, porém, vem sendo posto em questão em diversos contextos. Foi o que ocorreu, por exemplo, no processo de elaboração da Constituição sul-africana: a Constituição Definitiva teve sua validade examinada à luz de preceitos constantes de Constituição Provisória. (CCT 23/96).

[21] *Veja*, 25 jun. 2013.

[22] A imagem, formulada por Hayek, é discutida Holmes (1988).

[23] Cf.: Waldron, J., 1998, p. 271-297.

cidadãos, são em tudo inadequados para abrigar a formulação desse tipo de pré-compromisso. Uma constituinte convocada em 2013, bem como uma que se convocasse no momento atual, poderia produzir uma constituição que, ao invés de unir, desagregasse; de racionalizar o exercício do poder, legitimasse o arbítrio; de proteger as minorias, impusesse-lhes a observância dos padrões culturais dominantes, embora também particulares. A proposta não prosperou, e a Constituição de 1988 ainda vigora, provendo à cidadania e às instituições instrumentos para resistir ao assédio do autoritarismo.

III.2. As eleições de 2014 e o não reconhecimento do resultado eleitoral

As eleições 2014 ocorreram em clima de grande polarização.[24] Depois de décadas de relativo desinteresse pela política, as pessoas voltaram a apresentar suas preferências eleitorais de modo engajado. Em 2014, a política recobrara a sua dimensão "agonística",[25] e poucos brasileiros ficaram indiferentes aos destinos do País. Em um regime democrático funcional, porém, passadas as eleições, as divergências políticas perdem a radicalidade e, embora a oposição continue a formular críticas, o governo escolhido pela maioria é capaz de executar com efetividade as políticas que submeteu ao escrutínio público. O conflito político pós-eleitoral não pode chegar ao ponto de impedir que o governo governe. Em uma democracia funcional, o "agonismo" não se degenera em "antagonismo disruptivo".[26] A disputa serve para que o governo seja escolhido e, durante o seu curso, para que se evitem erros e abusos. O conflito político que paralisa a ação governamental é disfuncional: gera ingovernabilidade.

Encerrada a contagem dos votos, o candidato derrotado, Aécio Neves, em telefonema à presidente reeleita, desejou-lhe sucesso e ressaltou que "considerava a maior de todas as prioridades unir o Brasil".[27] Aparente-

[24] Cf., *i. a.*: Chaia, V. L. M. e Brugnago, F., 2014; Reis, F. W., 2014.

[25] Mouffe concebe uma relação de natureza adversarial, não de inimizade, entre os partidos em disputa. Os adversários se reconhecem mutuamente como membros da mesma comunidade política, além de aceitarem as regras e princípios que estruturam o Estado Democrático de Direito. A democracia agonística propugna pela legitimação do conflito político, observadas as regras do jogo democrático (Mouffe, C., 2000).

[26] Cf.: Miguel, L. F., 2014

[27] *O Globo*, 26 out. 2014.

mente, a polarização política não havia destruído o elemento mais básico do sistema democrático: o reconhecimento, também por parte dos derrotados, de que os eleitos devem governar.[28] Se o resultado das eleições não é aceito, é o próprio processo eleitoral e, no limite, o regime democrático que se deslegitima.[29] Dois meses depois, antes mesmo de o novo mandato se iniciar, o tom de Aécio se alteraria de forma drástica: "Os detentores do poder usaram despudoradamente o aparato estatal para se perpetuarem no comando."[30] A manifestação foi feita no contexto da impugnação do resultado das eleições por meio da Ação de Investigação de Mandato Eletivo (AIME) n.º 761, proposta pela Coligação Muda Brasil, que havia tido Aécio Neves como candidato.[31] Com base em notícias a respeito da Operação Lava Jato, a coligação sustentava que a campanha do PT havia sido financiada com recursos oriundos da corrupção, e requeria que se desse posse ao segundo colocado. O PSDB, que, anos antes, havia estabilizado a moeda e colaborado para a consolidação da democracia, decidira abrir a Caixa de Pandora. Com o não reconhecimento do resultado das urnas, fragilizava-se um dos elementos fundamentais do regime democrático: a expectativa generalizada de que o poder será exercido por quem ganhar eleições.[32] O partido de Fernando Henrique Cardoso, presidente que, anos antes, havia transmitido pacificamente a Presidência a Lula, tentava conquistá-la sem ter vencido as eleições.[33] Quebrava-se um tabu: a partir de então, o princípio

[28] Trata-se de elemento presente em todas as teorias que se apresentam como democráticas, até mesmo nas minimalistas, como as de Shumpeter (1961) e Downs (1999), que, no limite, reduzem a democracia à competição eleitoral entre elites.

[29] Cf., *i. a.*: Nadeau, R. e Blais, A., 1993; Anderson, C. *et al.*, 2005; Vairo, D., 2012.

[30] *Congresso em foco*, 05.11.2014.

[31] O ajuizamento ocorreu em 18 de dezembro de 2014, dia da diplomação dos eleitos.

[32] O sistema democrático se assenta em expectativas a respeito da observância das regras do jogo e em expectativas sobre as expectativas dos adversários. Em uma democracia estável, generaliza-se a percepção de que, nos cálculos políticos, só contam movimentos compatíveis com a preservação do regime. Só a prática reiterada da própria democracia, sem a alteração arbitrária das regras, pode reconduzir à ampla estabilização dessas expectativas. Cf., *i. a.*: Runciman, D., 2019, p. 9.

[33] A guinada acabou por enfraquecer gravemente o Partido. Até esse momento, o PSDB transmitia uma aura de seriedade, baseada no fato de ter solucionado um problema nacional que parecia insolúvel, a inflação. Era clara a sensação de que, mais cedo ou mais tarde, o partido seria novamente chamado a governar o país. Por apostar na desestabilização institucional de Dilma, assumir hipocritamente o lavajatismo e se deslocar para a direita, o partido

democrático deixava de ser intangível, e passaria a ser desafiado muitas vezes nos anos seguintes.

A rejeição do Judiciário ao pleito do PSDB foi imediata. Em discurso proferido no TSE por ocasião da diplomação dos eleitos, o presidente da Corte, min. Dias Toffoli, deixava claro que não teria lugar a reversão do resultado das urnas: "As eleições de 2014, para o Poder Judiciário, são uma página virada. Não haverá terceiro turno na Justiça Eleitoral."[34] Em fevereiro de 2015, a relatora no TSE, ministra Maria Thereza, arquivava a AIME. Porém, em outubro do mesmo ano, o Plenário do Tribunal decidiu, por maioria de cinco votos a dois, promover o desarquivamento, dando continuidade ao processo – como adiante será ressaltado, depois do *impeachment*, já com Temer na Presidência, a ação seria julgada improcedente. Ao permitir que o processo tivesse continuidade, o TSE rompia com a sua tradição de dar por encerrada, o quanto antes, a disputa eleitoral e, com isso, permitir que as hostilidades serenassem e as forças políticas se voltassem para o período seguinte, assumindo suas posições no governo ou na oposição. Os rituais da Nova República, herdados da tradição liberal, dissolviam-se sob o impacto do movimento antipolítica, que ganhava impulso incontrastável com o advento da Lava Jato. Em seu voto, o ministro Gilmar Mendes sintetizava o impacto da operação na alteração do entendimento que sempre predominara na Corte Eleitoral:

> Na verdade, busca-se tão somente verificar se, de fato, recursos provenientes de corrupção na Petrobras foram ou não repassados para a campanha presidencial [...]. É desnecessário qualquer esforço jurídico hermenêutico para concluir que recursos doados a partido, provenientes, contudo, de corrupção, são derramados (também!) nas disputadas eleitorais, mormente naquela que exige maior aporte financeiro, como a disputa presidencial.[35]

A mudança ocorrida no TSE prenunciava a tempestade em que a Lava Jato enredaria, a partir de 2015, a política brasileira. Com a operação, a hosti-

---

saiu descaracterizado das eleições de 2018. Os candidatos aos governos do RS e de SP, no segundo turno, chegaram a fazer campanha para Bolsonaro, que, anos antes, defendera o "fuzilamento de FHC".

[34] *O Globo*, 18 dez. 2014.

[35] Voto do Ministro Gilmar Mendes no AgR-AIME nº 7-61.2015.6.00.000/DF

lidade de que a presidente e seu partido eram destinatários ganhou substância, passando a ser explicada como reação à corrupção a que o governo teria dado guarida. Ao final de 2015, vários investigados já haviam sido presos preventivamente, em diligências rumorosas, ou estavam colaborando com as autoridades, nos moldes permitidos pela recém editada Lei n.º 12.850/2013. O STF já autorizara a investigação de 47 pessoas dotadas de foro por prerrogativa de função. Já haviam sido proferidas as primeiras decisões condenatórias. A Lava Jato estava em seu auge. Seus personagens gozavam de grande prestígio junto ao público. O "Japonês da Federal" foi tema de marchinha no Carnaval carioca de 2016. No meio político, temia-se a dita "delação do fim do mundo" – a ser realizada pelo presidente da maior empreiteira do país, Marcelo Odebrecht, que se encontrava em prisão preventiva desde junho de 2015. Enquanto a operação era celebrada, a economia brasileira entrava na maior crise de sua história. O PIB brasileiro, em 2015, se retrairia em 3,8%. Da totalidade da retração, as principais consultorias brasileiras (*Tendências* e *GO Associados*) sustentavam que 2,5% seriam devidos à Lava Jato.[36]

Com a impugnação de Aécio e o recebimento da AIME pelo TSE, estava dissolvido o consenso, formado desde a Constituinte de 1988, segundo o qual o resultado das urnas deve ser respeitado, e os eleitos governam, até que sobrevenha nova eleição ou até que se comprove a prática de fato de gravidade que justifique a interrupção do mandato. Em uma democracia pluralista, além das divergências, os adversários comungam do consenso em torno do sistema de direitos fundamentais e dos procedimentos de escolha dos governantes.[37] A campanha eleitoral de 2014, apesar do

[36] Cf.: *Valor*, 15 ago. 2016; *BBC*, 15 dez. 2015. A redução da corrupção, no longo prazo, produz impacto positivo na economia. No curto prazo, porém, medidas de combate à corrupção podem, eventualmente, impactar negativamente. De acordo com o modo como essas medidas são conduzidas, o "custo de transição" pode ser maior ou menor. A crítica ora dirigida à Lava Jato não se relaciona à persecução criminal em si, que, obviamente, deve ser levada a termo sempre que as autoridades se deparem com a prática de delitos. Como se observará, ora se criticam as ilegalidades praticadas, a "espetacularização", a intervenção na política, que identificam a operação com o chamado "populismo penal". Tal forma de condução, além de ser incompatível com o Estado de Direito, ainda agravou o seu impacto sobre a economia brasileira, aumentando, de modo desnecessário, os "custos de transição" e colocando em risco a própria consolidação de resultados alcançados.

[37] A filosofia política contemporânea caracteriza esse consenso por meio das expressões "consenso procedimental" ou "consenso sobreposto". (Habermas, J., 1997, v. 2, p. 9 ss.; Rawls, J., 2000b, p. 57).

radicalismo, não implicou a dissolução desse consenso.[38] Depois do pleito, porém, o conflito entre governo e oposição se tornaria disruptivo. Por meio de sucessivos movimentos, a oposição procurou tornar o governo disfuncional. Partidos com tradição democrática passaram a obstruir a atuação governamental, não só criticando as iniciativas do governo – o que seria sua função –, mas também buscando impedir que tivessem sequência. A obstrução se agravou quando o *impeachment* entrou na ordem do dia. Mesmo as medidas relacionadas à tentativa de se promover o ajuste fiscal, as quais, em nada, divergiam do programa defendido pela oposição, eram objeto de resistência intransigente. Logo nos primeiros meses do segundo mandato, ficou claro que Dilma teria muita dificuldade para governar, o que fomentou a dissolução de sua base de apoio, que progressivamente migrou para a oposição.

III.3. A "nova matriz econômica", a guinada neoliberal e a erosão do apoio empresarial à estabilidade democrática

No curso do primeiro mandato, Dilma adotou programa que recebeu o nome de "Nova Matriz Econômica", o qual era integrado por diversas medidas que tinham como propósito fomentar o investimento privado no setor produtivo, sobretudo na indústria. A política conjugava redução de juros, ampliação do crédito, desoneração tributária, controle do câmbio e fixação de preços públicos. Incorporavam-se as propostas formuladas por entidades de representação da indústria, em especial pela Federação das Indústrias de São Paulo – FIESP – e por centrais sindicais de trabalhadores, entre as quais a Central Única dos Trabalhadores – CUT – e a Força Sindical. A política econômica de Dilma era concebida para servir ao propósito de reverter o processo de desindustrialização prematura do país – o caso brasileiro é o mais grave do mundo. Em 1980, a atividade industrial era responsável por 33% do PIB brasileiro; hoje, corresponde a apenas 16%. Em 1980, o parque industrial do país era superior aos da China, da Coreia do Sul e da Índia somados. Hoje, a indústria brasileira é superada, em muito, pela

[38] Cf., *i. a.*: Chaia, V. L. M. e Brugnago, F., 2014.

de cada um desses países.[39] O objetivo era reverter esse ciclo, que, em longo prazo, tendia a confinar o país na posição de exportador de *commodities*. Tratava-se de aposta na cooperação entre governo e iniciativa privada: a intervenção era "indireta", processando-se, sobretudo, por meio do fomento e da regulação estatais.[40]

No final, nada deu certo: os empresários não investiram; a desoneração tributária gerou crise fiscal; e as contas públicas se deterioraram, o que provocou a retração dos investimentos públicos. O preço das *commodities* desabava no mercado internacional. O governo acabou perdendo a capacidade de reeditar medidas que, no passado recente, haviam dado bons resultados, como a ampliação dos investimentos públicos diretos em obras de infraestrutura. Quando tentou retroceder, já nenhuma entidade de representação empresarial o apoiava, as desonerações já eram defendidas pelos empresários como se não fossem temporárias, mas definitivas. Então, veio a Lava Jato.

Das principais medidas tomadas no primeiro governo Dilma, três delas foram especialmente criticadas sob a acusação de veicularem intervenção excessiva do Estado no domínio econômico. A primeira foi a tentativa de reduzir as altas taxas de juros praticadas no mercado bancário brasileiro de modo heterodoxo. Em primeiro lugar, o governo, por intermédio do Banco Central, entre agosto de 2011 e abril de 2013, reduziu a Selic de 12,5% para 7,25% – a inflação era de 6,59% –, o que fazia com que os juros brasileiros deixassem de ser tão dissonantes dos praticados no resto do mundo. Para promover a queda do *spread* pelos bancos privados, o governo se valeu da chamada "intervenção concorrencial", a qual se dá por meio do emprego de empresas estatais – no caso, dos bancos públicos.[41] O Banco do Brasil reduziu sua taxa média de juros no Cheque Especial de

[39] Cf., *i. a.*: Morceiro, P. C. e Tessarin, M., 2019; Oreiro, J. L. e Feijó, C., 2010; Lara, F. M., 2011; Hiratuka, C. e Sarti, F., 2015; Bonelli, R. e Pessôa, S., 2010.

[40] Na *intervenção indireta,* o Estado se limita ao estabelecimento de limites (disciplina) e incentivos (fomento) para a atuação dos empreendedores privados, em conformidade com o programa de desenvolvimento que estabeleça (planejamento). Quem atua diretamente na esfera econômica são os particulares. Essas modalidades de intervenção estatal no domínio econômico são previstas no artigo 174 da Constituição Federal: "Como agente normativo e regulador da atividade econômica, o Estado exercerá, na forma da lei, as funções de fiscalização, incentivo e planejamento, sendo este determinante para o setor público e indicativo para o setor privado."

[41] Hoje, entende-se que as empresas estatais, por meio de sua intervenção, também podem exercer regulação ou fomento, limitando ou estimulando a atuação dos empreendedores privados. Cf.: Moreira, E. B., 2016; Mendonça, J. V. S., 2009; Aragão, A. S., 2017.

8,65 % ao mês, em março de 2012, para 5,32 %, em setembro do mesmo ano; a Caixa Econômica, de 8,05%, para 4,29%, no mesmo intervalo. A redução das taxas pelos bancos públicos tendia a conduzir os bancos privados a reduzirem também as suas para se manterem no mercado.[42] De início, a medida foi bem-sucedida. Em setembro de 2012, os juros bancários alcançaram os menores níveis da série histórica, iniciada em 1994. Tratava-se de guinada na política de ampla conciliação de interesses entre as classes empresariais, que caracterizou o governo Lula. O governo Dilma assumia a defesa dos interesses da indústria, em detrimento dos do sistema financeiro.[43]

No final de 2013, as dificuldades fiscais já surgiam no horizonte, e os bancos públicos abandonaram a política, aproximando suas taxas das praticadas pelos bancos privados. Quando a política econômica entrou em colapso, um dos seus aspectos mais criticados foi justamente o emprego das empresas estatais para intervir na formação dos preços, a qual, segundo os críticos, deveria se dar por meio dos processos naturais do mercado.[44]

Ainda no tocante à tentativa de reduzir os juros incidentes sobre o financiamento do setor produtivo, era igualmente importante a atividade de fomento público realizada por meio do BNDES. Desde 2004, o Brasil adotava a *Política Industrial, Tecnológica e de Comércio Exterior* (PITCE), que

---

[42] Em discurso pronunciado no dia 30 de abril de 2012, Dilma deixaria claro o propósito regulatório da intervenção: "É inadmissível que o Brasil, que tem um dos sistemas financeiros mais sólidos e lucrativos, continue com um dos juros mais altos do mundo".

[43] Singer sugere que ter "cutucado a onça com vara curta" seria uma das causas da queda de Dilma. Cf.: Singer, A., 2015. A tese é corroborada, p. ex., em: Bastos, P. P. Z., 2017.

[44] No tocante ao Banco do Brasil, por ser sociedade de economia mista, criticava-se ainda o fato de a instituição ter se afastado do propósito de maximizar o lucro dos acionistas privados. Tratava-se do problema do conflito de interesses no interior da sociedade de economia mista. A crítica, formulada em termos normativos, não possui fundamento jurídico. As sociedades de economia mista somente podem ser criadas mediante autorização legal específica (CF, art. 37, XIX), e a lei deve indicar, de forma clara, o "relevante interesse coletivo" ou o "imperativo de segurança nacional" que justifica sua criação (Lei n.º 13.303, art. 2.º, § 1.º). Essas finalidades estão previstas no artigo 173 da Constituição de 1988. As finalidades que justificaram a instituição da empresa não se dissipam no momento da criação: devem informar permanentemente as decisões empresariais, inclusive quanto à política de preços. A própria Lei n.º 6.404/76, em seu artigo 238, já deixava clara essa possibilidade: "A pessoa jurídica que controla a companhia de economia mista tem os deveres e responsabilidades do acionista controlador (artigos 116 e 117), mas poderá orientar as atividades da companhia de modo a atender ao interesse público que justificou a sua criação".

era executada por intermédio daquela instituição financeira estatal. Uma das principais diretrizes estabelecidas para a atuação do banco era financiar empresas brasileiras que tivessem condições de conquistar o mercado internacional e empresas que fornecessem insumos para as cadeias produtivas voltadas à exportação.[45] Por meio de empréstimos ou de investimentos, neste último caso realizados pelo BNDESPar,[46] pretendia-se fomentar a formação de multinacionais brasileiras – à época, entendia-se que isso era decisivo para ampliar e qualificar a participação do Brasil no comércio internacional.[47] O volume de recursos cresceu exponencialmente a partir de 2008, quando o governo, para reagir à crise econômica mundial, passou a adotar medidas anticíclicas. Em 2007, o estoque de crédito do BNDES correspondia a 5,7% do PIB; em 2015, a 11,7%.[48] Os investimentos feitos durante o período foram, desde então, um dos alvos preferenciais do bolsonarismo, que os estigmatizava sob a acusação da falta de transparência, aludindo à suposta "caixa preta do BNDES".[49]

A segunda medida especialmente contestada do primeiro governo Dilma, das associadas à "Nova Matriz Econômica", foi a ampla desoneração tributária do setor produtivo.[50] Desde o início do mandato, os benefícios fis-

[45] Em 2009, foi lançado o *Programa BNDES de Sustentação do Desenvolvimento* (BNDES--PSI), voltado à aquisição de máquinas produzidas no Brasil.

[46] Cf.: Desidério, W. A., 2013.

[47] Como esclarecem, Alem e Cavalcanti, "a liberalização das importações e a forte entrada de investimentos externos nos países exerceram uma forte pressão competitiva sobre as empresas locais. Isso aumentou a importância dos investimentos diretos no exterior como uma opção estratégica necessária para o acesso a novos mercados e recursos – definidos de uma forma ampla como recursos naturais, qualificações e tecnologia. [...] Se um país não possui empresas multinacionais fortalecidas em nível mundial, suas empresas acabam sendo compradas por transnacionais de outros países [...]" (Alem, A. C. e Cavalcanti, C. E. S., 2005).

[48] Cf.: BNDES, 2017; Desidério, W. A., 2013; Stein, G. Q. e Herrlein Jr, R., 2016.

[49] Já no curso do governo Bolsonaro, o BNDES contratou o escritório norte-americano *Cleary Gottlieb Steen & Hamilton* para auditar os principais empréstimos e investimentos feitos no período. A conclusão dos auditores foi de que as operações haviam sido conduzidas tecnicamente, não tendo encontrado indícios de corrupção. Depois da divulgação do relatório, não mais se falou em "caixa preta": a política de fomento público, porém, havia sido gravemente desmoralizada por anos de escracho reiterado.

[50] Durante o período, houve a redução do IPI incidente sobre bens de capital; a instituição do *Regime Especial de Reintegração de Valores Tributários para as Empresas Exportadoras* – REINTEGRA; a alteração das regras de repetição de créditos de PIS-COFINS;

cais haviam dobrado. Até 2003, totalizavam 2% do PIB; durante o governo Lula, chegaram a 4%; no governo Dilma, alcançaram 6%. Apenas no ano de 2014, o governo deixou de arrecadar R$ 250 bilhões, para beneficiar 42 setores da economia. Em razão da desoneração da folha de pagamentos, o financiamento da Previdência Social teria perdido R$ 61 bilhões nesse ano. Entre 2011 e 2018, as desonerações totalizaram R$ 458 bilhões. O propósito era estimular os empreendedores privados a investir. Como se observará adiante, o efeito desejado não se produziu. Os setores contemplados se mantiveram inertes, e os não contemplados se retraíram ainda mais, passando a fazer pressão sobre o governo para que os benefícios fossem ampliados. Sem os esperados investimentos privados, a desoneração reduziu a arrecadação e limitou a capacidade de investimento direto do Estado, podando a possibilidade de utilizá-lo para superar a crise que se instalaria nos anos seguintes. As tentativas do governo de revogar as desonerações foram combatidas com vigor pelos setores beneficiados, que, para tanto, passaram a atuar no sentido de fragilizar a base de apoio ao governo. Sob a liderança de Eduardo Cunha, as desonerações fiscais seriam mantidas – a preservação desses benefícios era uma das principais medidas que, em 2015, integravam a chamada "pauta-bomba".

A última medida especialmente sensível quanto à intervenção estatal no domínio econômico foi a edição da MP n.º 579, por meio da qual o governo promoveu a redução da tarifa de energia elétrica, com vistas também à redução do custo da produção industrial. A MP previa a possibilidade da renovação antecipada das concessões de empreendimentos de geração e transmissão de energia elétrica, desde que as concessionárias concordassem em reduzir antecipadamente as tarifas. Explica-se: os primeiros contratos de concessão preveem a construção da unidade de geração de energia (hidrelétrica, termelétrica, eólica etc.) ou a instalação da rede de transmissão, assim como a exploração do empreendimento durante o prazo de vigência. No período relativo ao primeiro contrato de concessão, o cálculo da tarifa deve incluir parcela para amortizar os investimentos feitos, além de valores destinados a fazer frente aos custos de operação, manutenção e tributos. Nos contratos

---

a redução de tributos incidentes sobre a folha de pagamentos de empresas que fazem uso intensivo de mão de obra; a ampliação do SIMPLES. Tais medidas foram estabelecidas por meio de inúmeros atos normativos. Cf., p. ex.: MP/540, Lei n.º 12.715/2012, MP/582, MP/601, 610 e 612

subsequentes, já tendo sido os investimentos de construção e instalação totalmente amortizados, a tarifa não mais inclui essas parcelas. Por isso, necessariamente preveem tarifas inferiores. Vários desses contratos de primeira concessão venceriam em 2015 – são contratos longos, com prazo em torno de trinta anos. Por meio da MP n.º 579, editada em 2012, permitia-se a antecipação da renovação da concessão, mas, em contrapartida, os novos contratos não mais incluiriam valores relativos à amortização das obras. Os investimentos não amortizados, por outro lado, seriam indenizados. O governo ganhava com a renovação antecipada porque reduzia de imediato as tarifas. Os concessionários ganhavam porque garantiam a permanência no negócio por mais trinta anos, sem participar de nova licitação. Em regra, o artifício foi bem-sucedido no tocante aos empreendimentos de transmissão, mas não obteve êxito relativamente aos de geração, por desinteresse dos concessionários. Ainda assim, os custos da eletricidade residencial caíram 20%, e da industrial, 29%. A MP n.º 579 foi aprovada e se converteu na Lei n.º 12.783/2013. Apesar do impacto positivo na produção industrial, a medida produziu acentuada queda na cotação das empresas do setor elétrico na bolsa de valores, tendo em vista a imediata redução dos valores arrecadados com as tarifas. Os investidores repudiaram enfaticamente a medida, sob as acusações de excesso de intervencionismo estatal e de quebra de contratos.

Essas e outras medidas, tomadas com o propósito de reverter o processo contínuo de desindustrialização do país, correspondiam à expectativa da indústria. Não sem razão, foram apelidadas de "agenda FIESP".[51] Em 2011, a FIESP e entidades sindicais de representação de trabalhadores (CUT, Força Sindical e Sindicatos dos Metalúrgicos de São Paulo e do ABC) publicaram documento denominado *Brasil do Diálogo, da Produção e do Emprego,* em que defendiam "o resgate do protagonismo da indústria no processo de desenvolvimento". Empresários e trabalhadores consideravam que o Estado deveria exercer papel decisivo no estímulo ao desenvolvimento industrial:

> É fundamental resgatar o protagonismo da indústria no processo do desenvolvimento. Uma nação com cerca de duzentos milhões de habitantes não pode se dar ao luxo de abrir mão do papel da indústria no crescimento

[51] Cf.: Carvalho, L., 2018, p. 55 ss.

> econômico. A produção e exportação de commodities agrícolas e minerais, apesar do grande aumento recente, não geram emprego e renda suficientes para atender à demanda da nação brasileira. Mesmo o setor de serviços, tão importante para a economia nacional, tem seu dinamismo derivado principalmente da indústria.
>
> [...]
>
> É necessário que o Estado exerça um papel fundamental de estímulo aos agentes produtivos (empresas e trabalhadores), propiciando um ambiente macroeconômico que não seja limitante da competitividade, e uma política industrial, de inovação e de comércio exterior, que promova os investimentos, a inserção internacional e o emprego de forma a tornar realidade as expectativas otimistas que pairam sobre o Brasil.

Apesar de atender às expectativas do setor produtivo, os investimentos privados não aconteceram e o crescimento econômico desacelerou. Conforme a crise persistia, a utilização da capacidade instalada caía e os estoques cresciam, mas as dívidas contraídas no período anterior precisavam ser saldadas. Como a estagnação da demanda tornava sem sentido realizar novos investimentos, a desoneração fiscal acabou servindo apenas à recomposição das margens de lucro, que vinham se reduzindo com a desaceleração da atividade econômica.[52] Em 2012, embora o PIB do País tenha crescido apenas 1,8% (de acordo com a metodologia atual), a inflação retornou, com o que, a partir do início de 2013, o Banco Central voltaria a promover o aumento da taxa Selic. A política econômica era objeto de crítica generalizada por parte do mercado financeiro, dos economistas e da grande imprensa. Os investimentos privados, diante da reprovação desses setores e da eclosão da crise política em 2013, retraíram-se ainda mais.[53] Os capitais mantidos

---

[52] Carvalho, L., 2018, p. 74.

[53] A partir do quarto trimestre de 2013, o investimento privado verificou dez quedas consecutivas. Em 2014, o investimento privado caiu de 16,05% do PIB para 15,39%. Já o investimento das estatais, caiu de 2,21% do PIB para 1,73%. Cf.: Mello, G. e Rossi, P., 2017. A crise política não impediu, porém, que, em 2013, o PIB crescesse 2,7%, o que se explica como resultado não só das medidas adotadas em 2011 e 2012, mas também das obras preparatórias para a Copa do Mundo, que se realizaria em 2014.

em tesouraria nas empresas eram investidos no setor financeiro, não na ampliação da produção. Mesmo o setor industrial, do qual as propostas haviam se originado, passou a criticar a política adotada.[54] Enquanto fomentava a iniciativa privada por meio de incentivos fiscais, redução de tarifas e empréstimos subsidiados, o governo Dilma desacelerava os investimentos federais diretos, que subiram apenas 1% ao ano, entre 2011 e 2014, ante uma expansão de 27% ao ano, entre 2006 e 2010. O cenário interno desfavorável encontrou, a partir do final de 2014, um cenário externo desalentador, em razão, sobretudo, da queda dos preços das *commodities*,[55] que provocou a contração dos investimentos por companhias brasileiras que atuam no setor, como é o caso da Petrobras. O ano de 2014 encerrar-se-ia com o crescimento de 0,5% do PIB, com inflação no teto da meta e com déficit na balança de pagamentos de 4%. Os indicadores econômicos do ano de 2015 seriam significativamente piores, já sob o impacto demolidor da Lava Jato.

Os dados acima demonstram como fazia pouco sentido, em 2015, associar o problema fiscal brasileiro a um suposto "excesso de Estado". Ainda hoje a objeção é apresentada contra o ciclo do PT no governo. Na verdade, o que ocorreu no governo Dilma foi a redução dos investimentos públicos diretos para que o dinheiro fosse empregado no fomento à iniciativa privada, e isso foi feito em atendimento à solicitação do próprio setor produtivo.

Em face do fracasso da aposta, para enfrentar a crise, no início do segundo mandato, a presidente optou por realizar um rigoroso ajuste fiscal. A guinada não era ideológica: supunha-se que, com o equilíbrio fiscal, mais adiante, os investimentos diretos poderiam ser retomados. Dilma convocou para a tarefa o economista Joaquim Levy, conhecido por sua formação

---

[54] Depois de junho de 2013, a FIESP progressivamente se converteria em oposição ao governo Dilma e, mais adiante, participaria da campanha pelo *impeachment*. Considerado "intervencionista", o governo Dilma acabou por perder a confiança dos detentores do capital no Brasil. Cf.: Saad Filho, A. e Ramos, L., 2018. p. 169 ss.

[55] O preço da soja se reduziu em 37% de março de 2014 a março de 2016. Entre janeiro de 2014 e janeiro de 2016, a queda do preço do minério de ferro foi de, aproximadamente, 65%. O barril de petróleo, que, em julho de 2014, era negociado a US$ 106, 98, em janeiro de 2015, passou a US$ 48,7, e, em janeiro de 2016, a US$ 30,80. O tema é controverso; mas a maior parte dos economistas parece aceitar a tese de que a elevação dos preços das *commodities,* durante a primeira década do século XX, ao lado das políticas redistributivas e dos investimentos públicos em infraestrutura, constituíram a base de sustentação do chamado "milagrinho brasileiro". Cf.: *i. a.*: Carvalho, L., 2018, p. 13 ss.

na Universidade de Chicago, por sua passagem pela Secretaria de Fazenda do Rio de Janeiro e por sua trajetória festejada no sistema financeiro. A avaliação consensual da grande imprensa e dos economistas da predileção do mercado era de que se tratava da pessoa ideal, se o objetivo era realizar um ajuste fiscal rigoroso. Aécio Neves, ao comentar a indicação de Levy, ironizava: "é como um quadro da Cia no comando da KGB".[56]

Em 2015, por meio das Medidas Provisórias 690, 692, 694, 699 e 675, foram revogados benefícios fiscais para múltiplos setores da economia. Os gastos públicos foram severamente cortados. O reajuste de servidores, na maior parte dos casos, concedido abaixo da inflação. A presidente enviou ao Congresso o Projeto de Lei Complementar n.º 257/2016, estabelecendo, como limite para os gastos públicos, a variação do PIB – os gastos públicos só poderiam subir quando o PIB variasse positivamente. Para a hipótese de não cumprimento das metas fiscais estabelecidas na LDO, o Projeto de Lei Complementar n.º 257/2016 previa a possibilidade do congelamento de salários e, inclusive, da demissão de servidores. O governo pretendia ainda recriar a CPMF e aumentar outros tributos, e noticiava a elaboração de proposta de reforma da Previdência, em que contribuições seriam aumentadas, e benefícios, cortados. O governo promoveu ainda o reajuste dos "preços administrados", o que também se revertia em aumento da arrecadação. A tarifa de energia elétrica aumentou 51% em um ano; o preço da gasolina, 20%. Como se esperava, apesar da estagnação econômica, a liberação abrupta dos preços provocou o aumento da inflação. Para controlá-la, lançava-se mão da receita ortodoxa: entre janeiro e julho de 2015, o Banco Central aumentou a taxa Selic de 11,75% para 14,25%. Não havia dúvida: o país adotava rigorosa política de "austeridade".[57]

As medidas adotadas no primeiro governo eram da predileção do setor industrial; as aplicadas no segundo, da preferência do setor financeiro. Estas tampouco foram exitosas. Em 2015, a retração real dos gastos públicos foi de 3,9%: nada obstante, a receita corrente líquida também se retraiu, só que em 6,4%, razão pela qual o resultado primário do governo federal acabou por se deteriorar. O resultado nominal foi ainda pior, tendo em

[56] *G1*, 25 nov. 2014.

[57] Cf.: Mello, G. e Rossi, P., 2017; Rossi, P., Dweck, E., Teixeira, R. A., 2017; Bastos, P. P. Z., 2017.

vista o aumento dos gastos com juros, que passaram de 5,09% do PIB, em 2014, para 8,36%, em 2015. Com isso, a dívida bruta, de 56,3% do PIB, em dezembro de 2014, alcançou 65,5%, em dezembro de 2015. No período que vai de agosto de 2014 a agosto de 2015, a taxa de desemprego subiu de 5,0% para 7,6%. Embora a crise econômica já estivesse instalada em 2014, se agravou significativamente no ano seguinte. No início de 2015, as principais agências mundiais de avaliação de risco ainda conferiam ao Brasil o "grau de investimento", o que era importante para legitimar investimentos externos mais avessos ao risco. Em setembro de 2015, a *Standard and Poor* rebaixou a avaliação do Brasil para o "grau de investimento especulativo", sendo seguida pela Fitch, em dezembro de 2015, e pela *Moody's*, em fevereiro de 2016. É fato, porém, que, antes das eleições, a política econômica adotada no primeiro mandato já produzia resultados insuficientes, e o cenário internacional desfavorável já começava a se configurar.

A campanha de Dilma, todavia, prometia continuidade, e esse foi o sentido do voto popular. Quando, em 2015, o governo adotou medidas rigorosas de austeridade econômica, muitos eleitores se sentiram vitimados por um "estelionato eleitoral".[58] A oposição não cessaria de dirigir essa acusação à presidente durante todo o segundo mandato.[59] Guinadas impopulares na política econômica, logo após as eleições, têm sido comuns no Brasil. Depois da reabertura democrática, foram praticadas por Sarney, Collor e Fernando Henrique.[60] As circunstâncias em que as três guinadas se praticaram eram, porém, bas-

[58] Cf.: Pimentel, J., 2015.

[59] A crítica foi feita, por exemplo, por Aécio Neves, segundo o qual "a verdade é que faltou à então candidata Dilma Rousseff a responsabilidade de admitir a gravidade da crise econômica por que passava o país, a gravidade do setor elétrico, para ter tomado as medidas necessárias a minimizar os seus efeitos para o conjunto dos brasileiros" (*Infomoney*, 26 jan. 2015).

[60] Em 1986, os candidatos a governador pelo PMDB receberam votação estrondosa, sob o impacto do Plano Cruzado, que promovera o tabelamento dos preços. Após as eleições, porém, a fixação de preços pelo governo produziu desabastecimento e acabou sendo revogada. A população havia se engajado ativamente na fiscalização do comércio, e o fracasso do plano, assim que passou o período eleitoral, produziu enorme frustação popular. Collor, durante a campanha eleitoral, acusava o opositor, Lula, de pretender confiscar os valores depositados em contas-poupança. Eleito, ele próprio, sem cerimônia, os confiscou, impedindo que os correntistas tivessem acesso a montantes que excedessem a determinado limite. Fernando Henrique, após a campanha da reeleição, liberou o câmbio, desatrelando o real do dólar. Desfez-se, com isso, a chamada "âncora cambial", o que produziu uma acentuada desvalorização da moeda brasileira.

tante diferentes das do início de 2015. Sarney, Collor e Fernando Henrique tinham base parlamentar consolidada e gozavam de grande aprovação junto à opinião pública, além de serem apoiados pelos principais meios de comunicação social. Em 1986, o PMDB de Sarney ganhou as eleições para governador em todos os estados da federação.[61] Em 1989, Collor foi eleito, no segundo turno, com 53% dos votos, mas com o apoio inequívoco da elite econômica. Em 1998, Fernando Henrique se elegeu já no primeiro turno, com 53% dos votos. As margens da vitória de Dilma eram mais estreitas – ocorreu no 2.º turno, com 51,6% dos votos. Muitos eleitores de Dilma haviam votado em dúvida, após dois anos de crise política, o que se demonstra pela grande oscilação nas pesquisas nos dias anteriores ao pleito. O país saíra dividido das duríssimas e polarizadas eleições de 2014. No final, prevaleceu a opção pela continuidade, sem que isso representasse um apoio entusiasmado ao governo. Em fevereiro de 2015, apenas 23% da população classificava o governo como bom ou ótimo, índice inferior ao do pior momento de 2013.[62] As condições para a guinada impopular na gestão da economia não estavam dadas.[63]

Nesse cenário de fragilização política e social do governo, a oposição passou a investir contra o mandato presidencial, e a base de apoio da presidente se dissolveu rapidamente. Em fevereiro de 2015, seria eleito o novo presidente da Câmara de Deputados. Eduardo Cunha, do PMDB do Rio de Janeiro, apresentou sua candidatura, assentada no apoio inicial de mais

---

[61] Em Sergipe foi vitorioso candidato a governador do PFL, mas o PMDB integrava a chapa com o candidato a vice-governador.

[62] *UOL*, 09 fev. 2015.

[63] A ex-presidente Dilma sempre procurou sustentar que a crise econômica foi agravada em razão da oposição disruptiva feita a partir de 2015: "Nesse ambiente de turbulências e incertezas, o risco político permanente provocado pelo ativismo de parcela considerável da oposição acabou sendo um elemento central para a retração do investimento e para o aprofundamento da crise econômica. Deve ser também ressaltado que a busca do reequilíbrio fiscal, desde 2015, encontrou uma forte resistência na Câmara dos deputados, à época presidida pelo deputado Eduardo Cunha. Os projetos enviados pelo governo foram rejeitados, parcial ou integralmente. Pautas bombas foram apresentadas e algumas aprovadas." (Manifestação de defesa proferida na sessão do Senado Federal que realizou o julgamento do processo de *impeachment*. *Senado Notícias*, 29 ago. 2019). De fato, quando, em setembro de 2015, a agência de risco *Standard & Poor's* rebaixou a avaliação da economia brasileira, uma das razões apresentadas para o rebaixamento era a "dinâmica fluida no Congresso", que agravava os riscos associados à economia brasileira (*O Globo*, 09 set. 2015).

de cem deputados, cujas campanhas teriam sido financiadas com sua ajuda.[64] O governo lançou Arlindo Chinaglia, do PT de São Paulo, opositor que Cunha venceu com facilidade. A disputa havia criado um clima na Câmara de Deputados que não era apenas de independência, mas também de oposição: os deputados votaram não só a favor de Cunha, mas também contra Dilma. Sob a presidência de Cunha, várias medidas foram aprovadas impedindo que o ajuste fiscal fosse levado a termo como planejado – as medidas foram apelidadas de "pauta-bomba".[65] A Câmara decidiu contra a orientação do governo, por exemplo, em relação à correção do FGTS, à desvinculação de receitas da União (DRU), à regularização de recursos oriundos do exterior, ao reajuste de servidores, à desoneração da folha de pagamento.[66] Os setores moderados e pragmáticos da política brasileira, de forte tradição governista, passavam a trabalhar contra o governo, com vistas à preparação do *impeachment*.

Não se sabe se as medidas econômicas adotadas no segundo governo Dilma produziriam os efeitos desejados, e permitiriam que, já em 2016, se iniciasse um novo ciclo de crescimento. Em seguida ao primeiro movimento de corte de gastos, já se projetava um segundo movimento, em que teriam lugar investimentos diretos na economia, sobretudo em obras de infraestrutura.[67] A despeito do ceticismo dos críticos das políticas de austeridade, o prognóstico do mercado, em meados de 2015, era de crescimento já a partir de 2016.[68] A Lava Jato e a crise política não permitiram que o prognóstico fosse confirmado, nem em 2016, nem nos anos seguintes. Em uma democracia, os governantes podem cometer erros, até mesmo erros graves; mas, se a estabilidade democrática e a governabilidade são preservadas, os rumos podem ser corrigidos. Como consignado anteriormente,

---

[64] Cf., p. ex.: *O Globo*, 20 out. 2016.

[65] Sobre as medidas que a integram, cf., *i. a.*: Bedritichuk, R. R., 2017, p. 173 ss.

[66] É especialmente representativa da atitude oposicionista do Congresso Nacional a aprovação da PEC da Bengala, que resultou na promulgação da Emenda Constitucional n.º 88/2015, a qual elevou para setenta e cinco anos a idade para a aposentadoria compulsória dos ministros do STF, dos tribunais superiores e do TCU (CF, art. 100). A emenda previa ainda a possibilidade de lei complementar fixar também em 75 anos a aposentadoria compulsória de outros servidores (CF, art. 40, II).

[67] *O Globo*, 09 jun. 2015.

[68] *O Globo*, 29 maio 2015.

não há exceções: sem estabilidade política, não há estabilidade econômica. A desestabilização de governos legitimamente eleitos pode conduzir a resultados imprevisíveis, inclusive à perpetuação da crise política e, por conseguinte, da crise econômica. Em 2018, levaria à eleição do político mais extremista entre os que já tiveram alguma notoriedade no Brasil.

III.4. O presidencialismo de coalizão em crise e o abandono da função moderadora pelo PMDB

Sob a vigência da Constituição Federal de 1988, até a eleição de Bolsonaro, vigorou o chamado "presidencialismo de coalizão"[69] – no começo de 2020, Bolsonaro também passaria a recorrer a práticas típicas do modelo. No presidencialismo de coalizão, o presidente da República, para obter a aprovação das medidas necessárias para o sucesso do governo, formava coalizão parlamentar reunindo partidos variados, além do seu próprio partido. A formação da coalizão era considerada inevitável porque o partido do presidente da República, em regra, não conquistava cadeiras suficientes para obter maioria no parlamento. No presidencialismo de coalizão, para que as maiorias se formassem, o elemento ideológico possuía importância relativa. Apenas parte da coalizão se constituía em decorrência da afinidade programática. Para completar a coalizão, era necessário agregar partidos interessados predominantemente no exercício do poder, sem concebê-lo como meio para a realização de finalidades programáticas.

Ao apoiar o governo, os parlamentares podiam, por exemplo, obter recursos para os seus municípios, fortalecendo sua base eleitoral, e indicar pessoas de sua confiança para cargos públicos. A participação, por essas vias, no exercício do poder os colocava em contato com empresas que precisavam se relacionar com o Estado. Até a decisão proferida pelo STF na ADI n.º 4.650, em setembro de 2015, era por meio do contato com empresas que se obtinham, em sua maior parte, os recursos para o financiamento das campanhas eleitorais. Em muitos casos, a relação com empresários se degenerava e se tornava fonte de corrupção e enriquecimento pessoal. A conjugação

[69] Cf.: Abranches, S. H. H., 1988. Sobre o tema, cf.: Amorim Neto, O., 1994; Limongi, F. e Figueiredo, A. C., 1998; Santos, F., 2003.

entre financiamento empresarial, multipartidarismo e presidencialismo de coalizão esteve no cerne das principais crises políticas pelas quais passou o Brasil depois da reabertura democrática.

São inúmeras as críticas que se podem dirigir ao modelo quanto aos efeitos para a moralidade pública dessa forma de interação entre Executivo e Legislativo. Porém, é preciso reconhecer que os parlamentares com perfil pragmático também exerciam as funções de garantir a *governabilidade* e de prover *moderação* aos governos. A ausência de compromissos ideológicos marcados permitia que os partidos pragmáticos integrassem blocos governamentais majoritários de diferentes orientações ideológicas, contribuindo para garantir governabilidade a governos de direita e de esquerda. Além disso, tais partidos exerciam também função moderadora. Os parlamentares pragmáticos costumavam representar as expectativas do homem médio, que orbitam em torno de um conservadorismo moderado.

A dinâmica foi descrita por meio do termo "pemedebismo": o PMDB era o principal partido a cumprir esse papel. A agremiação, ainda sob a sigla MDB, reunia a oposição consentida ao regime militar. Quando veio a redemocratização, seu amplo espectro incluía desde líderes empresariais até militantes comunistas, que depois fundariam seus partidos. Essa natureza de frente ampla contra o regime fez com que, naturalmente, o partido não apresentasse um programa com maior densidade ideológica para além da própria bandeira da redemocratização. Restabelecida a democracia, não foi difícil passar à condição de provedor de governabilidade. Além de esvaziar a expressão dos extremos ideológicos, o pemedebismo, até 2011, permitiu que o País passasse por severas crises políticas e econômicas, sem que se comprometesse a estabilidade institucional.[70] Para quem acredita que o melhor governo é o moderado, a função desempenhada pelo PMDB e partidos congêneres não pode ser desconsiderada no arranjo político nacional – antes de 1964, função semelhante era desempenhada pelo PSD, cujos quadros, quando de sua dissolução, em grande parte se filiaram ao MDB.[71]

O modelo desmoronou por conta de diversos fatores. O principal foi a alteração do centro de poder no interior do próprio PMDB. O partido era

[70] Nobre, M., 2013. O conceito é objeto de ampla discussão. Cf.: Moreira, M., 2015; Silva, R. P., 2014.

[71] Cf.: Maciel, N. R. A., 2014.

liderado por políticos tradicionais, antigos governadores e senadores, como o ex-presidente J. Sarney e o senador Renan Calheiros. Esses líderes partidários, além de buscarem participar do exercício do poder, sempre revelaram preocupação com a governabilidade e a estabilidade institucional. Foram fundamentais para compor a base de apoio tanto do governo Fernando Henrique quanto dos governos Lula e Dilma. No curso dos primeiros anos da década de 2010, esses chefes partidários foram, em parte, suplantados pelos deputados que lideravam o PMDB na Câmara. Temer, ligado ao grupo, ocupava a Vice-Presidência, para a qual havia sido eleito em 2010 e reeleito em 2014. Eduardo Cunha presidia a Câmara de Deputados. Políticos como Geddel Vieira Lima, Moreira Franco e Henrique Eduardo Alves também integravam esse segmento partidário. O PMDB, sob a liderança dos referidos deputados, abandonaria a posição que ocupava desde o início da vigência da Constituição de 1988. Com Temer na Vice-Presidência e Cunha na Presidência da Câmara, o partido estava em posição de deflagrar o processo de *impeachment* e de assumir o comando do governo, se a conjuntura política e econômica adequada se apresentasse.[72] Embora o movimento tenha sido bem-sucedido, levando à tomada da Presidência por Temer, para o PMDB, foi catastrófico. De moderador perene do sistema político na Nova República, em 2019, converter-se-ia em coadjuvante de importância secundária na composição do novo centro, integrado por um conjunto mais pulverizado de partidos, em que se destacam outras agremiações, como DEM e PSD.

No colapso do presidencialismo de coalizão, no início do segundo mandato de Dilma, os demais partidos que, junto com o PMDB, compunham a base do governo também a abandonaram. Quando os parlamentares verificaram que o *impeachment* era viável, começaram a migrar para a oposição e a hostilizar o governo, aprovando a chamada "pauta-bomba".[73] O movimento teve, porém, outras razões para além da adesão ao projeto de

[72] A manifestação de Geddel Vieira Lima, no Congresso do PMDB de novembro de 2015, foi uma das mais eloquentes: "Temos que ter a coragem de abandonar os cargos nesse governo. Faço já meu mea-culpa por dele ter participado. O PMDB é e haverá de ser sempre maior que meia pataca de ministérios e cargos públicos" (*Veja*, 18 nov. 2015).

[73] Indagado sobre a possibilidade da negociação de soluções intermediárias com o governo, um dos articuladores da pauta-bomba, o dep. Arnaldo Faria de Sá, dava a dimensão das hostilidades advindas dos parlamentares: "Antes da crise política e econômica, há uma crise de credibilidade. Esse governo não tem nenhuma" (*Folha de São Paulo*, 20 set. 2015).

Temer. A principal não surpreenderá quem acompanha mais de perto o dia a dia do Parlamento. Nas ruas, o governo Dilma era acusado de ser conivente com a corrupção. No Congresso Nacional, os parlamentares investigados, ao contrário, o viam como corresponsável pela Lava Jato.[74] Durante o governo Dilma, havia sido editada a Lei de Organizações Criminosas (Lei n.º 12.850), em que se previa o instituto da colaboração premiada. A presidente havia nomeado, como procurador-geral da República, Rodrigo Janot, que, em 2015, oferecera denúncia contra diversos parlamentares, entre os quais, Eduardo Cunha. Ainda em 2015, seguindo a tradição inaugurada com Lula, de nomear o primeiro colocado da lista da ANPR (Associação Nacional dos Procuradores da República), o reconduziu ao cargo, enfatizando que o fazia "em respeito à autonomia do Ministério Público".[75] Dilma era recorrentemente acusada, senão de estimular a operação, pelo menos de "não manter a Polícia Federal sob controle".[76] Os parlamentares investigados viam no *impeachment* a única forma de se desonerarem das investigações. Gravações vazadas naquele contexto, como o diálogo do então senador Romero Jucá com o colaborador Sérgio Machado, revelaram que um dos principais objetivos do *impeachment* era "botar um ponto final" na Lava Jato; fazê-la "parar onde está". Para Jucá, apenas a mudança do governo poderia "estancar a sangria".[77] Os manifestantes pelo *impeachment* queriam a saída de Dilma para que a operação avançasse; os investigados, para que fosse interrompida.

No governo Temer, não vigorou propriamente um presidencialismo de coalizão. Embora o então presidente também fosse apoiado por ampla coalizão, tratava-se de governo do próprio centro pragmático. O programa adotado por Temer não era o de nenhum partido, nem se identificava com

---

[74] Cf.: Pereira, C., 2017.

[75] *Conjur*, 08 ago. 2015

[76] Para corroborar essa percepção, é interessante verificar as reações à saída, em fevereiro de 2016, do então Ministro da Justiça José Eduardo Cardozo, que era criticado, no meio político, por "permitir" que as investigações se processassem de modo imoderado. O então presidente da Associação de Delegados da Polícia Federal dizia ver "com muita preocupação uma mudança baseada em pressões políticas para que o governo controle a Polícia Federal". (*BBC*, 29 fev. 2016).

[77] Não ficou claro se o ex-senador pretendia que o novo governo interviesse, de algum modo, na Lava Jato ou se, em sua visão, com a queda de Dilma, arrefeceria o apoio maciço que a operação recebia junto à grande imprensa, o que abriria espaço para que uma decisão judicial a anulasse, tendo em vista as ilegalidades efetivamente cometidas.

bandeiras tradicionalmente defendidas pelo PMDB. Meses antes do *impeachment*, em outubro de 2015, o partido publicou, na forma de carta de intenções, documento chamado "Uma ponte para o futuro", manifestando a adesão a teses de teor neoliberal. Tratava-se de guinada acentuada à direita. O programa se identificava integralmente com as críticas formuladas pelas lideranças empresariais à política econômica do primeiro governo Dilma. O documento previa medidas para promover o equilíbrio fiscal, como a reforma da Previdência e a fixação de teto para os gastos públicos; a transferência de atividades públicas para o setor privado, com a privatização de empresas estatais e a alteração do regime de exploração do petróleo; a maior abertura comercial, em conjunto ou não com o Mercosul; e a reforma das relações de trabalho, com o estabelecimento da prevalência do negociado sobre o legislado. O documento, como se vê, distanciava o partido de sua tradição centrista.

Com Temer no governo, o programa foi cumprido no que toca a algumas de suas medidas mais drásticas. Aprovou-se a reforma trabalhista mais ampla desde a criação da CLT e a medida de austeridade mais radical já experimentada em todo o mundo: o congelamento dos gastos públicos por vinte anos, o que se deu por meio da EC n.º 95. No entanto, Temer, depois de ter sido alcançado por denúncias graves, em meados de 2017, perdeu a capacidade de avançar na implementação daquele programa. O procurador-geral da República propôs, em setembro de 2017, duas ações penais perante o Supremo Tribunal Federal. Para que os processos fossem instaurados, do que resultaria o afastamento de Temer, era necessária a autorização da Câmara de Deputados (CF, art. 51, I). O apoio que o presidente tinha junto ao Parlamento foi, em grande parte, empregado para obter as decisões que vedaram a instauração dos processos. Medidas como a reforma da Previdência e a privatização da Eletrobras, prometidas ao mercado desde o início do governo, não obtiveram apoio congressual, tendo sido abandonadas. Temer terminou o mandato com 7% de aprovação, e 62% de reprovação – a pior avaliação de um presidente na história recente do Brasil.

III.5. Lava Jato, seletividade e abuso de poder

A dissolução das condições de governabilidade de Dilma e, consequentemente, o *impeachment* não teriam ocorrido sem o advento da Lava Jato. A operação teve início em 2013, como investigação sobre a atuação de doleiros que remetiam ilegalmente valores para o exterior – dez anos antes, alguns dos mesmos doleiros já haviam sido investigados no caso Banestado. Em 2013, realizaram-se interceptações telefônicas que revelaram pagamentos suspeitos à diretoria da Petrobras. A partir de março de 2014, cumpriram-se os primeiros mandados de busca e apreensão, e se realizaram as primeiras prisões preventivas. Em abril, foram oferecidas as primeiras denúncias e se formou a "força-tarefa". Liderada pelo Ministério Público Federal, o grupo de investigadores contava com a colaboração da Receita Federal e da Polícia Federal, além de cooperar com órgãos de investigação de outros países, especialmente dos EUA e da Suíça. Ainda em 2014, foram celebrados os primeiros acordos de colaboração premiada, possibilidade prevista pela Lei n.º 12.850, que havia entrado em vigor no ano anterior, no bojo do pacote de respostas às manifestações de 2013. As investigações se concentraram na relação entre as empreiteiras e a Petrobras. As maiores empreiteiras brasileiras estavam gravemente implicadas, e os dirigentes dessas empresas passaram a fazer delações. Políticos de vários partidos foram investigados, processados e condenados. O PT, no governo quando a operação foi deflagrada, sofria desgaste progressivo.

Os processos originados da operação eram julgados na 13.ª Vara Federal de Curitiba, pelo juiz Sérgio Moro, o qual, alguns anos antes, havia atuado no caso Banestado. Além de já estar familiarizado com a operação de doleiros, Moro havia estudado a operação *mani pulite*, que apurara os crimes da máfia italiana e sua simbiose com os sistemas político e econômico. Em artigo escrito em 2004, Moro descrevia as condições que teriam tornado a *mani pulite* possível – parecia antecipar como conduziria a Lava Jato:

> A denominada 'operação mani pulite' (mãos limpas) constitui um momento extraordinário na história contemporânea do Judiciário. Iniciou-se em meados de fevereiro de 1992, com a prisão de Mario Chiesa, que ocupava o cargo de diretor de instituição filantrópica de Milão (Pio Alberto Trivulzio).

> Dois anos após, 2.993 mandados de prisão haviam sido expedidos; 6.059 pessoas estavam sob investigação, incluindo 872 empresários, 1.978 administradores locais e 438 parlamentares, dos quais quatro haviam sido primeiros-ministros.
>
> A ação judiciária revelou que a vida política e administrativa de Milão, e da própria Itália, estava mergulhada na corrupção, com o pagamento de propina para concessão de todo contrato público, o que levou à utilização da expressão 'Tangentopoli' ou 'Bribesville' (o equivalente à 'cidade da propina') para designar a situação.
>
> A operação mani pulite ainda redesenhou o quadro político na Itália. Partidos que haviam dominado a vida política italiana no pós-guerra, como o Socialista (PSI) e o da Democracia Cristã (DC), foram levados ao colapso, obtendo, na eleição de 1994, somente 2,2% e 11,1% dos votos, respectivamente.
>
> Talvez não se encontre paralelo de ação judiciária com efeitos tão incisivos na vida institucional de um país. Por certo, tem ela os seus críticos, especialmente após dez anos. Dez suspeitos cometeram suicídio. Silvio Berlusconi, magnata da mídia e um dos investigados, hoje ocupa o cargo de primeiro-ministro da Itália.
>
> Não obstante, por seus sucessos e fracassos, e especialmente pela magnitude de seus efeitos, constitui objeto de estudo obrigatório para se compreender a corrupção nas democracias contemporâneas e as possibilidades e limites da ação judiciária em relação a ela.[78]

Como a operação *mani pulite*, a Lava Jato nunca foi apenas uma investigação criminal ou um conjunto de processos judiciais. Foi uma *campanha* ou, até mesmo, um *movimento*. As decisões judiciais eram apenas uma das dimensões da Lava Jato, entre múltiplas outras. Isso se revela, por exemplo, na campanha intitulada "10 medidas de combate à corrupção", lançada pelo

[78] Moro, S. F., 2004.

Ministério Público Federal, no curso do ano de 2015.[79] As medidas foram apresentadas em projeto de lei de iniciativa popular. Em 27 de março de 2015, começou a coleta de assinaturas, sob a liderança de procuradores da República, mas contando com o apoio de grupos da "nova direita", como o MBL, o Vem pra Rua e o Nas Ruas, que organizavam as manifestações pelo *impeachment*. Um ano depois, em 29 de março de 2016, o Projeto foi entregue com mais de duas milhões de subscrições. O tema se tornou uma das bandeiras centrais dos manifestantes que, desde o início de 2015, pediam o *impeachment* de Dilma, cujo processo formal se encerrou em 31 de agosto de 2016, com a condenação pelo Senado. Os movimentos tiveram cronogramas, em grande parte, coincidentes e se alimentaram mutuamente. Nas manifestações, as faixas em favor das 10 medidas eram vistas ao lado de outras reivindicando a prisão de Lula e o *impeachment* de Dilma.[80] Na operação Lava Jato, o populismo penal alcançou seu momento de apoteose, com a "carnavalização" da persecução criminal.

Decretado o *impeachment*, o projeto de lei de iniciativa popular seria rejeitado pelo mesmo Congresso que cassara a presidente. Eduardo Cunha, também celebrado nas manifestações, ao lado das estrelas da Lava Jato, seria preso tão logo concluísse sua missão de aprovar o requerimento de *impeachment* no Plenário da Câmara – a prisão foi decretada em outubro de 2016. As reiteradas acusações de corrupção que eram dirigidas a Cunha não impediam que fosse considerado o "malvado favorito" dos manifestantes pró-Lava Jato e pró-*impeachment*, que, com a camisa da seleção brasileira, celebravam suas estocadas contra o governo, enquanto colhiam assinaturas para as 10 medidas.

---

[79] Entre as medidas, estavam o aumento das penas para a corrupção; a redução do número de recursos criminais; a criação de obstáculos para que se declarasse a prescrição; a redução das hipóteses de nulidade; a possibilidade de a prisão preventiva ser utilizada para assegurar a devolução de valores ilicitamente apropriados. No curso do processo legislativo, o PL das 10 medidas sofreu alterações. Para evitá-las, o deputado Eduardo Bolsonaro impetrou o mandado de segurança n.º 34530. A liminar pleiteada foi concedida pelo ministro Luís Fux, que determinou que o projeto de lei fosse apreciado na forma submetida ao Congresso Nacional, por entender que a "desvirtuação da essência do projeto" violava os artigos 14, III, e 61, § 2.º, da Constituição, bem como o princípio democrático. (MS n.º 34.530 MC, relator min. Luiz Fux, julgado em 14/12/2016, *DJe*-268 19/12/2016).

[80] Viam-se ainda outras defendendo a "escola sem partido" e a "intervenção militar constitucional". (Pimentel, J., 2015).

É importante, de início, ter claro que o enfrentamento da corrupção no Brasil não decorre do impulso exclusivo do Judiciário e do Ministério Público e, obviamente, não se iniciou com a Lava Jato, a despeito do discurso fundacional de seus protagonistas. Na verdade, o aprimoramento dos meios para enfrentar a corrupção é resultado de uma sequência ininterrupta de inovações legislativas, concebidas em conjunto pelo Executivo e pelo Legislativo, a partir do diálogo permanente com as instituições que integram o "sistema de justiça" – em 2003, foi criado, inclusive, um ambiente institucional específico para abrigar esse diálogo, a *ENCLA*, renomeada, em 2006, ENCCLA – Estratégia Nacional de Combate à Corrupção e à Lavagem de Dinheiro. Foi a cooperação entre os poderes e o diálogo interinstitucional que permitiu o aprimoramento da persecução criminal destinada a reprimir a corrupção.

Em muitos casos, as inovações promovidas pela legislação brasileira resultaram de compromissos assumidos pelo País na esfera internacional. No curso da Guerra Fria, a corrupção era correntemente utilizada pelas potências em disputa com o propósito de angariar aliados – corromper governantes locais era meio utilizado com frequência para se alcançarem objetivos políticos, com o qual se evitavam guerras e revoluções, que sempre produzem altos custos humanos e sociais. Naquele contexto, entendia-se ser justificado "comprar a paz".[81] Desde o fim da Guerra Fria, porém, vem se desenvolvendo um forte movimento internacional de "harmonização legislativa" com vistas à repressão à corrupção, que envolve não só EUA e Europa, mas também Rússia e China, alcançando projeção universal.[82] O Brasil, alinhando-se à tendência, há décadas vinha recepcionando em sua legislação os padrões internacionais de combate à corrupção. Com o atual processo de "desglobalização", não se sabe se a tendência será levada adiante ou se antigas práticas serão retomadas.

De fato, seja por iniciativa das próprias autoridades brasileiras, seja por influência internacional, desde o início da vigência da Constituição Federal de 1988, verifica-se a permanente adoção de novos instrumentos

---

[81] Cf.: Le Billon, P., 2003.

[82] Cf.: Moroff, H., 2019; Sampson, S., 2015; Lohaus, M., 2019.

de repressão à corrupção. Entre as inovações mais relevantes, estão as que se seguem:

a. Em 1992, foi editada a *Lei de Improbidade* (Lei n.º 8429), estabelecendo parâmetros para sancionar os atos praticados contra a moralidade administrativa e fixando procedimento específico para a responsabilização dos agentes públicos, caracterizado por menor formalidade se comparado ao processo penal;
b. Em 1993, foi editada a Lei n.º 8.666, instituindo normas para disciplinar as licitações e os contratos administrativos, de modo a permitir a realização concomitante dos princípios da isonomia e da economicidade na contratação entre administração pública e fornecedores privados – a lei foi elaborada com base nas conclusões da "CPI dos Anões do Orçamento";
c. Em 1998, foi editada a Lei n.º 9.613, criando o *COAF – Conselho de Controle de Atividades Financeiras* –, órgão incumbido de receber informações suspeitas sobre movimentações financeiras, processá-las e encaminhá-las aos órgãos responsáveis pela persecução criminal;
d. Em 1998, também por meio da Lei n.º 9.613, foi tipificado o crime de *lavagem de capitais* – alterações subsequentes, promovidas pelas Leis de n.º 10.467/2002, 10.701/2003 e 12.683/2012, incluíram a previsão de novos crimes antecedentes;
e. Em 1999, foi criada a *Comissão de Ética Pública*, vinculada à Presidência da República (Decreto de 26 de maio de 1999), para examinar a conformidade ética na conduta da alta administração federal, dirimindo controvérsias sobre a aplicação das normas integrantes dos códigos de ética e apurando irregularidades já praticadas;[83]

[83] Entre outras atribuições, estabelecidas no Decreto nº 6.029/2007, compete à CEP responder a consultas formuladas pelo presidente da República e pelos ministros de Estado; aplicar o Código de Conduta da Alta Administração Federal, não só respondendo a consultas, mas também apurando irregularidades, de ofício ou mediante representação; dirimir dúvidas quanto à interpretação do Código de Ética Profissional do Servidor Público Civil do Poder Executivo Federal (Decreto n.º 1.171, de 1994); coordenar, avaliar e supervisionar o Sistema de Gestão da Ética Pública do Poder Executivo Federal.

f. Em 1999, o Brasil passou a integrar o *Grupo de Ação Financeira contra a Lavagem de Dinheiro e o Financiamento do Terrorismo* (GAFI/FATF) e o *Grupo de Egmont* de Unidades de Inteligência Financeira, instituições centrais do sistema internacional de combate à lavagem de dinheiro;
g. Em 2000, o Brasil passou a integrar o Grupo de Ação Financeira da América do Sul contra a Lavagem de Dinheiro e o Financiamento do Terrorismo (GAFISUD), agora denominado *Grupo de Ação Financeira da América Latina* (GAFILAT), que, no plano regional, exerce a função de estruturar a cooperação entre estados para o combate à lavagem de dinheiro;
h. Em 2000, foi promulgada a *Convenção sobre o Combate à Corrupção de Funcionários Públicos Estrangeiros em Transações Comerciais Internacionais,* por intermédio da edição do Decreto n.º 3678/2000;
i. Em 2001, foi criada a *Corregedoria-Geral da União*, que, hoje, exerce a função de órgão central do Sistema de Correição do Poder Executivo Federal;
j. Em 2002, foi promulgada a *Convenção Interamericana contra a Corrupção,* por meio do Decreto n.º 4410/2002;
k. Em 2003, foi criada a *Controladoria-Geral da União - CGU* (Lei n.º 10.683), para centralizar e submeter diretamente à Presidência a atividade de controle interno, que era vinculada aos ministérios;
l. Em 2003, foi criada a *ENCLA – Estratégia Nacional de Combate à Lavagem de Dinheiro* (em 2006, a entidade teve seu escopo ampliado e passou a se chamar ENCCLA – Estratégia Nacional de Combate à Corrupção e à Lavagem de Dinheiro), cuja função central, como antes mencionado, é fomentar o diálogo interinstitucional com vistas ao aprimoramento dos mecanismos de combate à corrupção e à lavagem de dinheiro[84];

---

[84] A maior parte dessas inovações foi introduzida a partir do amplo diálogo com as instituições envolvidas, sobretudo após a criação da ENCCLA. Trata-se de organização formada por mais de 70 órgãos públicos e entidades da sociedade civil, os quais se reúnem em plenária anual e em grupos específicos, com maior frequência, com o objetivo de formular e acompanhar a execução de políticas públicas. A ENCCLA é responsável

m. Em 2004, foi promulgada a *Convenção das Nações Unidas contra o Crime Organizado Transnacional* (*Convenção de Palermo*), por meio da edição do Decreto nº 5.015/2004;
n. Em 2006, foi promulgada a *Convenção das Nações Unidas contra a Corrupção,* com a edição do Decreto n.º 5687/2006;
o. Em 2010, foi aprovada a *Lei da Ficha Limpa* (Lei Complementar n.º 135/2010), com a qual os condenados por órgãos colegiados (tribunais judiciários ou tribunais de contas) se tornaram inelegíveis, ainda antes do trânsito em julgado das decisões condenatórias;[85]
p. Em 2011, foi editada a *Lei da Transparência* (Lei n.º 12.527/2011), também chamada a Lei de Acesso à Informação, permitindo que qualquer pessoa tenha acesso a dados públicos, relativos aos três poderes;[86]

---

especialmente pela elaboração de projetos de lei e outros atos normativos, os quais, em muitos casos, servem à internalização de institutos constantes de tratados internacionais. Cf.: Sobrinho, J. H., 2012; Ohallem, M. e Ragazzo, C. E. J., 2017; Florêncio Filho, M. A. e Zanon, P. B., 2018.

[85] Diferentemente das demais inovações legislativas ora mencionadas, a Lei da Ficha Limpa é resultante de Projeto de Lei de Iniciativa Popular (Projeto de Lei n.º 518/09). O projeto foi entregue ao Congresso Nacional em setembro de 2009, subscrito por mais de 1,6 milhões de pessoas. A coleta de assinaturas ficou a cargo do MCCE – Movimento de Combate à Corrupção Eleitoral, integrado por entidades como a CNBB, a OAB, a UNE, a CUT, entre outras. O PL, após aprovação no Congresso, foi sancionado, sem vetos, pelo presidente da República

[86] A lei permite que qualquer pessoa tenha acesso a dados públicos, relativos aos três poderes, de todos os entes da Federação. Os interessados podem requerer acesso às informações (transparência passiva), mas, em algumas hipóteses, a própria administração é obrigada a divulgá-las na internet (transparência ativa). Tais hipóteses estão regulamentadas no Decreto n.º 7724/2012. A transparência passa a ser a regra; o sigilo, a exceção. Altas autoridades do Estado (presidente da República; vice-presidente da República; ministros de Estado e autoridades com as mesmas prerrogativas; comandantes da Marinha, do Exército e da Aeronáutica; e chefes de Missões Diplomáticas e Consulares permanentes no exterior) podem evitar a divulgação de informações classificando-as como "ultrassecretas", mas a atribuição não é passível de delegação. Em 2019, o governo de Bolsonaro alterou esse aspecto do decreto (a alteração ocorreu por meio da edição do Decreto n.º 9699), permitindo a delegação da atribuição para o "Grupo-DAS de nível 101.6 ou superior, ou de hierarquia equivalente, e para os dirigentes máximos de autarquias, de fundações, de empresas públicas e de sociedades de economia mista, vedada a subdelegação". A alteração provocou forte reação, e o governo retrocedeu, repristinando a redação original. Durante a pandemia do coronavírus, voltou a tentar restringir o alcance da lei, por meio

q. Em 2013, foi editada a Lei n.º 12.846, conhecida como "Lei Anticorrupção", que dispõe sobre a responsabilização objetiva, administrativa e cível, das pessoas jurídicas, e positiva o instituto do "acordo de leniência", apto a ser celebrado com as empresas que colaborem com o poder público na apuração dos ilícitos;
r. Em 2013, foi editada a *Lei de Organizações Criminosas* (Lei n.º 12.850/2013), em que se positivam, na forma atual, diversos meios para a obtenção de provas, entre os quais a *colaboração premiada,* que é acordo celebrado entre o Ministério Público e o acusado, por intermédio do qual a acusação renuncia, total ou parcialmente, ao exercício da pretensão punitiva, e o acusado, ao direito de não se autoincriminar.[87]

Essa sequência ininterrupta de inovações legislativas demonstra que o Executivo e o Legislativo sempre atuaram no sentido da recepção de instrumentos para aprimorar o enfrentamento da corrupção. A persistência da corrupção, por outro lado, sugere que a solução talvez esteja em medidas de

da Medida Provisória n.º 928/2020. O STF, porém, considerou a norma inconstitucional. Voltaremos ao tema mais adiante.

[87] Na legislação anterior, a colaboração premiada não era caracterizada como *acordo*, mas como *benefício legal* que o juiz poderia conceder ao réu que colaborasse com a Justiça no momento da fixação da pena. Era o que se verificava nas Leis n.º 8.072/90 (crimes hediondos), 9.034/95 (a revogada Lei sobre Organizações Criminosas), 9.296/1996 (extorsão mediante sequestro), 9.807/1995 (crimes do sistema financeiro e contra a ordem tributária), 9.613/1998 (Lei de Lavagem de Capitais) e 9.807/99 (Lei de Proteção às Testemunhas). A Lei n.º 10.409/2002 chegou a prever a colaboração premiada como um acordo entre o acusado e o Ministério Público, mas foi rapidamente revogada pela Lei n.º 11.343/2006 (Lei de Drogas), que voltou determinar que a colaboração fosse considerada pelo magistrado na sentença penal condenatória, como causa especial de diminuição de pena. Hoje, porém, não há dúvida: o próprio Supremo Tribunal Federal entende que "o acordo de colaboração premiada enquadra-se na categoria negócio jurídico processual [...], ainda que se agregue a esse negócio jurídico o efeito substancial (de direito material) concernente à sanção premial a ser atribuída a essa colaboração". (HC n.º 127483, relator min. Dias Toffoli, Tribunal Pleno, *DJe* 03.02.2016). Esse entendimento foi reafirmado por ocasião do julgamento de Questão de Ordem na Petição n.º 7.074/DF. A Corte reiterou que a colaboração premiada constitui "um negócio jurídico processual firmado entre o Ministério Público e o colaborador". (PET n.º 7074 QO, relator min. Edson Fachin, Tribunal Pleno, *DJe* 02.05.2018).

outra natureza, sistêmicas, não persecutórias. É o que a experiência brasileira parece comprovar.

De fato, no Brasil, o sistema político possuía um elemento que funcionava como forte desestímulo institucional à moralização das práticas políticas e administrativas: o financiamento empresarial das campanhas eleitorais.[88] Até 2014, as empresas podiam financiar campanhas.[89] Era comum que os valores entregues aos candidatos depois retornassem às empresas na forma de facilidades em licitações, tratamento privilegiado perante a regulação estatal e influência na edição de leis favoráveis aos interesses empresariais. Como, em face dos custos crescentes das campanhas, o êxito nas eleições dependia fortemente de doações empresariais,[90] a corrupção se convertia em elemento inerente ao sistema político brasileiro, ainda quando não tivesse lugar o pagamento direto e explícito de propina.[91] Não é excessivo concluir que, até 2014, a maioria dos eleitos foi financiada por companhias interessa-

---

88 Cf., por todos: Sarmento, D. e Osorio, A., 2015.

89 Nas eleições presidenciais de 2006, as doações empresariais totalizaram R$ 219.881.430,16; em 2010, R$ 296.936.374,37; em 2014, R$ 560.339.977,58. Os dados, disponíveis no TSE, foram deflacionados em: Speck, B. W., 2016. Em valores nominais, as doações empresariais declaradas para as eleições de 2014 totalizaram R$ 610.504.656,05.

90 Em todo o mundo, o processo de democratização teve como elemento central a progressiva ampliação do sufrágio. Durante séculos, os direitos políticos ficaram restritos aos homens brancos proprietários; trabalhadores, mulheres e cidadãos oriundos das colônias eram excluídos da participação política formal. O voto era censitário, por exemplo, na Constituição brasileira de 1824, na Constituição norte-americana de 1787 e na Constituição francesa de 1791. Hoje, a quase totalidade dos países adota o sufrágio universal. Porém, simultaneamente à ampliação formal do sufrágio, desenvolveram-se mecanismos para garantir que as elites continuassem exercendo influência decisiva na condução do Estado. Uma das principais vias pelas quais essa influência sempre se exerceu é o financiamento eleitoral. Cf.: Losurdo, D., 2004.

91 Lesseig sintetiza o conceito de "corrupção por dependência" nos seguintes termos: "Para tornar compreensível o enorme crescimento desse 'dinheiro de influência', agora potencializado pelos chamados 'vendedores de influência', deve-se esclarecer o seguinte: membros do Congresso conseguirão acesso às quantias necessárias para investir em campanha – diretamente dos lobistas e indiretamente por meio da facilitação dos lobistas. Eles precisam de dinheiro. Esse dinheiro torna muito mais simples a sua existência que, do contrário, seria insana, uma vez que reduzem substancialmente a necessidade de recrutamento de numerosos membros e da realização de longas campanhas para angariar fundos de outras fontes. Os clientes desses lobistas têm maiores chances na alteração das políticas governamentais. Em um mundo em que os gastos governamentais e a regulação pública são basicamente infinitos, essa oportunidade pode se tornar extremamente rentável." (Lessig, L., 2011, p. 116-117).

das, quando menos, na programação da atuação legislativa e administrativa em conformidade com seus interesses.

Não se nega que, em muitos casos, os candidatos não participavam diretamente da captação de recursos, que podia ser executada por tesoureiros dos partidos. Ainda nesses casos, porém, a mencionada imbricação sistêmica acabava por "normalizar a corrupção", ao criar uma relação de "dependência" entre financiadores e políticos.[92] Mesmo que não houvesse escambo explícito de dinheiro por favores governamentais, os políticos que não atendessem, em alguma medida, aos interesses das empresas simplesmente não tinham por que receber recursos, e quem não recebia, salvo casos excepcionais, perdia as eleições, a não ser que fosse capaz de fazer frente aos custos de campanha com recursos próprios. A imperatividade do financiamento empresarial fazia com que os interesses dos financiadores ingressassem com prevalência incontrastável na deliberação parlamentar e na gestão governamental. Exemplo eloquente, colhido no período ora em exame, é o fato de Eduardo Cunha ter financiado, com dinheiro recebido de empresas, as campanhas de cerca de cem deputados, entre os eleitos, sem o que, possivelmente, não teria sido escolhido presidente da Câmara. Por seu intermédio, muitos dos interesses de financiadores terão sido considerados, de modo privilegiado, pelo Parlamento brasileiro.

A principal contribuição do Judiciário no enfrentamento à corrupção não veio de qualquer processo criminal, muito menos da Lava Jato, mas da decisão proferida pelo STF na ADI n.º 4650, em julgamento realizado em 2015, proibindo o financiamento das campanhas eleitorais por empresas.[93]

---

[92] Lessig novamente é preciso: "Nesse sentido, a corrupção por dependência propicia tanto a corrupção venal quanto a corrupção sistêmica. É como um fornecedor de drogas. Ele faz com que a corrupção venal seja mais fácil, e a corrupção sistêmica, mais provável. Ela o faz criando condições que fazem parecer normal ou justificado, mas gera as duas formas de corrupção. Ao saber que existem congressistas que dependem do dinheiro de campanha, os interesses privados exploram tal dependência, procurando por benefícios governamentais especiais e contrapartidas em troca de contribuições de campanha. Por saber que dependem tanto do apoio privado, os congressistas trabalham sempre de modo a exercer influência sobre assuntos privados, senão para assegurar que haverá interessados em uma política regulatória sensível [...]. Como "'é assim que as coisas são', ninguém se sente culpado participando desse sistema de corrupção." (Lessig, L., 2011, p. 237-238).

[93] É certo, porém, que ainda persiste amplo espaço para doações privadas, desde que sejam feitas por pessoas físicas, no montante equivalente a 10% da renda obtida no anterior. A

A jurisdição constitucional buscou solucionar problema que o sistema político não se mostrava capaz de resolver. Os parlamentares, eleitos por meio do financiamento empresarial, não tinham motivação para revogá-lo,[94] embora sempre concordassem com medidas de recrudescimento de penas e de aprimoramento da persecução criminal, como antes demonstrado. Em uma democracia pluralista, cabe às cortes constitucionais preservar sua integridade. Se os procedimentos por meio dos quais se processam as disputas políticas e o debate de ideias não são estruturados de modo equânime, permitindo a participação livre e igual de todos os cidadãos, a legitimidade dos resultados também se compromete. Por isso, a intervenção judiciária para preservar as condições procedimentais da democracia não é indevida; pelo contrário, é sua atribuição fundamental.[95] O acórdão revela os valores que o STF buscou promover:

> "7. Os limites previstos pela legislação de regência para a doação de pessoas jurídicas para as campanhas eleitorais se afiguram assaz insuficientes a coibir, ou, ao menos, amainar, a captura do político pelo poder econômico, de maneira a criar indesejada 'plutocratização' do processo político. [...] 9. A doação por pessoas jurídicas a campanhas eleitorais, antes de refletir eventuais preferências políticas, denota um agir estratégico destes grandes doadores, no afã de estreitar suas relações com o poder público, em pactos, muitas vezes, desprovidos de espírito republicano".[96]

---

fixação do limite como uma proporção da renda (arts. 38, III, e 39 da Lei n.º 9.096/95, e art. 23 da Lei n.º 9504/97) é ilegítima: a desigualdade de renda não deve se converter em desigualdade política. O limite deveria ser nominal e igual para todos. O arranjo resultante da decisão da Corte, embora muito superior ao regime anterior, preserva esse ponto incompatível com a igualdade política, inerente ao princípio democrático. Em 2018, o TSE aprovaria grave retrocesso, ao editar a Resolução 23.553, estabelecendo que "o candidato poderá usar recursos próprios em sua campanha até o limite de gastos estabelecido para o cargo ao qual concorre". A previsão propiciou a emergência de fenômeno reprovável nas eleições de 2018: a eleição de milionários, aptos a financiar, com recursos próprios, toda a campanha eleitoral.

94 Sobre o tema do "bloqueio legislativo", cf., *i. a.*: cf., *i. a.*: Dixon, R., 2007; Valle, V. L., 2016.

95 Cf.: Ely, J. H., 1995; Habermas, J., 2003. Examinei o tema em: Souza Neto, C. P., 2006.

96 ADI n.º 4650, rel. min. Luiz Fux, Tribunal Pleno, J. 17.09.2015, *DJe*-034 24.02.2016.

A história recente da legislação brasileira anticorrupção, a formação de consensos na esfera internacional e a decisão proferida pelo STF na ADI n.º 4650 demonstram que a Lava Jato é apenas um elemento, ambíguo, no processo progressivo de moralização das práticas políticas e administrativas no Brasil.[97] A inovação da Lava Jato estava em que se aplicavam, pela primeira vez, os novos institutos da colaboração premiada e do acordo de leniência, positivados pelo legislador brasileiro ao longo de 2013. Uma das causas da gravíssima crise brasileira é a circunstância de a Lava Jato não ter lidado com responsabilidade e moderação com os novos poderes recebidos. No contexto da proibição do financiamento empresarial das campanhas eleitorais, tais institutos poderiam ter dado lugar a que se produzisse no Brasil um "novo começo".[98] O reconhecimento, pelo STF, do caráter sistêmico da corrupção no Brasil recomendava o emprego dos referidos institutos com o propósito de promover uma repactuação também sistêmica, que punisse políticos, gestores e empresários envolvidos em práticas de corrupção comprovadas, mas que também permitisse que os processos fossem concluídos com celeridade, e o país "virasse a página" e seguisse em frente. Para que tal resultado fosse alcançado, bastava que se aplica a lei de modo equilibrado e se respeitassem as garantias constitucionais. Mas o caminho eleito foi o do espetáculo público, do abuso de poder e da seletividade.

---

[97] Demonstram também que, embora a corrupção fosse, de fato, um imperativo sistêmico, os próprios políticos nunca se opuseram à ampliação e ao fortalecimento do sistema de controle. Na verdade, apenas a proibição do financiamento empresarial encontrou oposição de difícil superação. Em 17/09/2015, o STF, no julgamento da ADI n.º 4650/DF, proibiu que empresas continuassem realizando doações para as campanhas. Os parlamentares do centro pragmático, sob a liderança de Cunha, tentaram alterar a Constituição para reinstituir o financiamento empresarial. A Câmara dos Deputados aprovou, com esse propósito, "emenda aglutinativa" à PEC da Reforma Política (PEC n.º 182/07). Cf.: Souza Neto, C. P., 2015. O Senado Federal, porém, não confirmou a deliberação da Câmara a tempo de valer para as eleições que se realizariam em outubro de 2016, tendo em vista o princípio da anualidade eleitoral, estabelecido no artigo 16 da Constituição Federal. Com o avanço da Lava Jato, durante o ano de 2016, a base política para se reinstituir o financiamento empresarial se degradou. A vedação do financiamento empresarial era um dos únicos temas que uniam os ativistas e políticos da esquerda e os manifestantes a favor do *impeachment* e da Lava Jato.

[98] Em cenários de "novo começo", a manifestação do poder constituinte demarca um "antes" e um "depois" (Ackerman, B., 2008).

A espetacularização do processo, típica do populismo penal, foi seriamente potencializada pelo instituto da colaboração premiada, do qual se tem feito uso caracterizado por evidente desvio de finalidade. Embora a Lei de Organizações Criminosas previsse que a colaboração deveria ficar sob sigilo até o recebimento da denúncia (Lei n.º 12.850, art. 7.º, § 3.º), em vários acordos, o colaborador, a pedido do Ministério Público, abria mão do sigilo, e o Judiciário os homologava com a cláusula, ostensivamente ilegal.[99] Para convencer os investigados a colaborarem, o Ministério Público oferecia benefícios penais não previstos em lei, tornando os acordos mais atrativos. Em seguida, as informações constantes dos acordos eram objeto de divulgação pela grande imprensa, ainda que não se tivessem produzido as provas de corroboração. A partir das delações, criavam-se amplas campanhas de desmoralização de autoridades governamentais. Ainda que não servisse à produção de provas, os acordos cumpriam a função de enfraquecer os políticos escolhidos como “inimigos”, deslegitimando-os perante a opinião pública.[100] Na grande imprensa e nas redes sociais, as declarações do colaborador eram replicadas à exaustão. Em pouco tempo, o alvo da campanha de

[99] O próprio STF permite o levantamento do sigilo. Na Petição n.º 5.952-DF, o ministro Teori Zavascki, em decisão de 16 de março de 2016, estabeleceu o seguinte entendimento: “4. Por fim, nada impede o levantamento do sigilo, tal como evocado pelo aditamento de fls. 243-250. É que a Constituição proíbe restringir a publicidade dos atos processuais, salvo quando a defesa da intimidade ou o interesse social o exigirem (art. 5.º, LX), e estabelece, com as mesmas ressalvas, que a publicidade dos julgamentos do Poder Judiciário é pressuposto inafastável de sua validade (art. 93, IX). Não há, aqui, interesse social a justificar a reserva de publicidade. É certo que a Lei 12.850/2013, quando trata da colaboração premiada em investigações criminais, impõe regime de sigilo ao acordo e aos procedimentos correspondentes (art. 7.º), sigilo que, em princípio, perdura até a decisão de recebimento da denúncia, se for o caso (art. 7.º, § 3.º). Essa restrição, todavia, tem como finalidades precípuas (a) proteger a pessoa do colaborador e de seus próximos (art. 5.º, II) e (b) garantir o êxito das investigações (art. 7º, § 2.º). No caso, o colaborador já teve sua identidade exposta publicamente e o desinteresse manifestado pelo órgão acusador revela não mais subsistir razões a impor o regime restritivo de publicidade.” A orientação da Corte desconsidera que uma das principais finalidades do sigilo das delações é proteger os delatados. O que deve chegar ao conhecimento do público são as declarações de colaboradores efetivamente corroboradas por provas. As afirmações não provadas, prestadas com o propósito de obter do Ministério Público a adesão ao acordo, não poderiam ser divulgadas.

[100] Um dos casos mais graves foi a delação do sen. Delcídio do Amaral, examinado mais adiante (III.7).

desmoralização estava totalmente enfraquecido, e sua condenação podia se dar com menor resistência, tendendo a ser mantida nos tribunais, a despeito de eventual falta de provas e irregularidades processuais. O que fica da Lava Jato é uma nação *devastada* política e economicamente, uma sociedade *adoecida* pelo ódio – e governada por Bolsonaro.[101]

A operação Lava Jato, se bem conduzida, tinha a oportunidade histórica de apresentar uma narrativa incontestável a respeito das disfunções associadas ao financiamento empresarial das campanhas eleitorais no Brasil. Porém, a oportunidade foi em parte esvaziada em decorrência dos recorrentes episódios de abuso de poder, o qual teve lugar, por exemplo, no uso da prisão cautelar para obrigar os investigados a delatar. O propósito, evidente em inúmeros casos, foi revelado de modo expresso em Parecer exarado pelo procurador Manoel Pestana, em novembro de 2014, nos autos do HC n.º 5029050-46.2014.404.0000: "o elemento autorizativo da prisão preventiva, consistente na conveniência da instrução criminal [...] tem importante função de convencer os infratores a colaborar com o desvendamento dos ilícitos penais, o que poderá acontecer neste caso, a exemplo de outros tantos." O procedimento era gravemente ilícito: violava o direito à não-autoincriminação (CF, art. 5.º, LXIII)[102] e a vedação constitucional da tortura (CF,

[101] Warde tem razão em seu diagnóstico: "É por isso que combater a corrupção é como combater um câncer. É necessário matar o câncer sem matar o paciente, sob a dificuldade extraordinária de que ambos – o câncer e o paciente – habitam o mesmo corpo. (...) No contexto de corrupção sistêmica, como a nossa, que perpassa os sistemas econômicos a partir de algumas das mais importantes organizações empresariais do país, em suas relações com o estado, o seu combate – quando indiferente às melhores técnicas disponíveis – será capaz de causar, como tem causado, grave deterioração dos ambientes político-jurídico, econômico e social." (Warde Júnior, W., 2018, p. 37).

[102] Cf., também, o art. 8.º, 2, g, do Pacto de San José da Costa Rica. No direito comparado, a principal referência é a 5ª Emenda à Constituição dos Estados Unidos: "Ninguém pode ser responsabilizado por um crime capital, ou de outro modo infame, a menos que seja apresentado ou indiciado por um Grande Júri, exceto em casos que envolvam as forças terrestres e navais, milícias, em tempos de Guerra ou risco público; não será admitido que uma mesma infração coloque em risco a vida e integridade do indivíduo por mais de uma vez; nem será obrigado o indivíduo, em qualquer processo penal, a produzir testemunho contra si mesmo, a ser privado de sua vida, liberdade e propriedade, sem o devido processo legal; a propriedade privada não poderá ser tomada para uso público sem que haja a devida compensação." Com base nesse dispositivo, a Suprema Corte dos EUA, no caso *Miranda v. Arizona* (1966), reconheceu o direito de o acusado não produzir provas contra si mesmo, permanecendo calado quando interrogado por autoridades policiais

art. 5.º, III)[103]; violava ainda o artigo 4.º da própria Lei de Organizações Criminosas, que previa a *voluntariedade* como requisito de validade dos acordos de colaboração.[104]

A Força Tarefa parece ter esquecido da lição da história: a verdade não pode ser extorquida. Submetidas à tortura, as pessoas delatam o que deseja o torturador, não a verdade de que possuem conhecimento.[105] Para muitas pessoas, a privação continuada da liberdade produz o mesmo efeito. Para interrompê-la, delatam inocentes ou, pelo menos, adaptam sua versão dos fatos para satisfazer a narrativa do inquisidor e, com isso, obter o acordo. Os verdadeiros criminosos não se constrangem em fazê-lo, do mesmo modo que não se constrangeram, antes, ao praticarem delitos. Já pessoas de bem nunca delatam o que não sabem ou o que sabem não ser verdade; preferem suportar o ônus da prisão a transferi-lo para um inocente, que seja alvo preferencial dos órgãos de persecução criminal. Colaborações forçadas convertem o processo penal em uma fábrica de condenar inocentes em larga escala e deslegitimam o sistema de justiça criminal.

Durante toda a Lava Jato, ademais, informações politicamente sensíveis foram objeto de vazamentos e da suspensão ilegal de sigilo.[106] A "publicidade opressiva", que, há muito, macula os julgamentos criminais no Brasil,[107] durante a Lava Jato, chegou ao paroxismo, afastando-se de padrões admitidos mesmo em países em que a liberdade de expressão é protegida

ou judiciárias: "A prerrogativa contra a autoincriminação [...] é o pilar essencial do nosso sistema adversarial e garante ao indivíduo o direito de permanecer em silêncio, a menos que opte por se pronunciar no exercício irrestrito de sua vontade, durante o período de interrogação sob custódia, nos Tribunais ou no decurso de outras investigações com caráter oficial."

[103] Cf., também, o art. 8.º, 3, do Pacto de San José da Costa Rica.

[104] O teor do preceito é o seguinte: "O juiz poderá, a requerimento das partes, conceder o perdão judicial, reduzir em até 2/3 (dois terços) a pena privativa de liberdade ou substituí-la por restritiva de direitos daquele que tenha colaborado efetiva e voluntariamente com a investigação e com o processo criminal [...]".

[105] Cf., *i. a.*: Vargas, J. D., 2012.

[106] Cf.: Damgaard, M. B., 2019.

[107] Cf., por todos: Schreiber, S., 2008. Não sem razão, fala-se em "agências de comunicação social", como elementos integrantes do sistema penal (Zaffaroni, E. R., 2000). A legitimação do sistema penal pela imprensa é uma das características de nosso "capitalismo tardio" (Batista, N., 2002).

em termos absolutos.[108] Os episódios de violação do sigilo não ocorriam apenas com o propósito de legitimar investigações e condenações. Ocorriam também com o objetivo de interferir na dinâmica política, sobretudo por meio do estímulo a manifestações favoráveis ao *impeachment*. O então juiz Sérgio Moro chegou a tornar públicas gravações das comunicações telefônicas mantidas entre Lula e autoridades dotadas de foro por prerrogativa de função, realizadas fora do período autorizado. Em uma delas, Lula falava com Dilma a respeito da assinatura de ato de sua posse como ministro de Estado. O registro dava a entender que Dilma encaminhava a Lula ato de posse subscrito por ela – a interpretação da grande imprensa era de que se tratava de salvo conduto, a ser apresentado por Lula para evitar eventual prisão preventiva. A nomeação havia sido anunciada no início da tarde do dia 16 de março de 2016. No mesmo dia, horas depois, as gravações eram divulgadas, algumas das quais colhidas em horário não compreendido no período para o qual a interceptação havia sido autorizada. Quando o vazamento se produziu, Lula já estava em São Paulo. Em resposta ao noticiário, o documento da nomeação foi exibido de imediato em Brasília, por Dilma, contendo apenas a assinatura de Lula, não a sua – se o documento ficara em Brasília e só continha a assinatura do nomeado, não poderia funcionar como o suposto salvo-conduto.[109] De qualquer modo, o ostensivo propósito polí-

---

[108] Convém lembrar, por exemplo, o caso *Sheppard v. Maxwell*, julgado em 1966, pela Suprema Corte dos EUA. Aquele Tribunal examinou a colisão entre a liberdade de imprensa e o direito a um julgamento justo, para concluir que a condenação de Sheppard deveria ser anulada, em decorrência da "publicidade inerentemente prejudicial, que saturou a comunidade". A Suprema Corte dos EUA, no caso, chegou às seguintes conclusões: "Entre os casos que aqui chegam, nota-se que as notícias injustas e prejudiciais sobre os julgamentos pendentes se tornaram cada vez mais frequentes. O devido processo legal requer que o acusado receba julgamento por um júri imparcial e livre de influências externas. Considerando a onipresença da comunicação moderna e a dificuldade em eliminar a publicidade prejudicial da mente dos jurados, os Tribunais de Julgamento devem tomar fortes medidas no sentido de garantir que o equilíbrio nunca seja desrespeitado em desfavor do acusado. [...] Se a publicidade durante o procedimento ameaçar a imparcialidade do julgamento, um novo julgamento deverá ocorrer. Porém, não se deve esquecer que tais reviravoltas não passam de medidas paliativas; a verdadeira solução reside em medidas corretivas que previnam o preconceito e julgamentos *a priori*. Os Tribunais devem adotar medidas por meio de normas e regulamentos que protejam os processos de interferências externas [...]" (*Sheppard v. Maxwell*, 384 U.S. 333).

[109] *O Globo*, 16 fev. 2016.

tico da divulgação deslegitimava por completo a conduta do magistrado: a Constituição Federal, quando permite as interceptações telefônicas, ressalva que só podem ocorrer para fins de "investigação criminal" ou "instrução processual penal" (CF, art. 5.º, XII), não para insuflar multidões contra governantes eleitos.[110]

A decisão de suspender o sigilo da interceptação, além de induzir a opinião pública em erro, padecia de vícios jurídicos graves e irreparáveis. Quando, nas gravações, há a captação fortuita de diálogo que envolve autoridade com foro por prerrogativa de função – era o caso da presidente da República –, é dever do magistrado que as autorizou remetê-las, sob sigilo, às autoridades competentes, nunca as divulgar. Por outro lado, se não se constata a prática de delito, os registos devem ser descartados (Lei n.º 9296, art. 9.º). Não se podia divulgar a conversa interceptada, cujo sigilo deveria ter sido preservado (art. 8.º da Lei n.º 9296). Além disso, parte dos diálogos divulgados foram captadas após o esgotamento do período de interceptação autorizado judicialmente. A despeito do que dispunham as normas legais aplicáveis, Moro sustentou que os havia divulgado por envolverem autoridades públicas e por haver interesse público nas informações.[111] Tais razões foram rechaçadas pelo ministro Teori Zavascki, ao julgar a RCL n.º 23.457 MC/PR, ocasião em que assinalou ser "descabida a invocação do interesse público na divulgação ou a condição de pessoas públicas dos interlocutores atingidos".

---

[110] Em seus comentários sobre a operação *mani puliti*, Moro já havia revelado sua compreensão de que a deslegitimação de líderes políticos, como o socialista Bettino Craxi e o democrata cristão Arnaldo Forlani, era essencial para o avanço daquele tipo de operação: "A deslegitimação do sistema foi ainda agravada com o início das prisões e a divulgação de casos de corrupção. A deslegitimação, ao mesmo tempo em que tornava possível a ação judicial, era por ela alimentada: [...] O processo de deslegitimação foi essencial para a própria continuidade da operação *mani pulite*. Não faltaram tentativas do poder político de interrompê-la. [...] Na verdade, é ingenuidade pensar que processos criminais eficazes contra figuras poderosas, como autoridades governamentais ou empresários, possam ser conduzidos normalmente, sem reações. Um Judiciário independente, tanto de pressões externas como internas, é condição necessária para suportar ações judiciais da espécie. Entretanto, a opinião pública, como ilustra o exemplo italiano, é também essencial para o êxito da ação judicial" (Moro, S. F., 2004).

[111] Moro continuaria a se justificar por meio desses argumentos nos anos seguintes: "Dentro de uma democracia liberal como a nossa, é obrigatório que essas coisas sejam trazidas à luz do dia" (*Conjur*, 30 jun. 2017).

Apesar da enfática reprovação de Zavascki, o mencionado vazamento foi utilizado para sustar a posse de Lula. A liminar concedida pelo min. Gilmar Mendes no âmbito dos mandados de segurança coletivos n.º 34.070 e n.º 34.071, impetrados pelo PSDB e pelo PPS, baseava-se no entendimento de que o ato de posse incorria em desvio de finalidade: "o argumento do desvio de finalidade é perfeitamente aplicável para demonstrar a nulidade da nomeação de pessoa criminalmente implicada, quando prepondera a finalidade de conferir-lhe foro privilegiado."[112] Fracassava, com isso, a tentativa derradeira do governo Dilma de reorganizar sua base de apoio parlamentar.[113] Não se sabe se Lula, no exercício do cargo de ministro-chefe da Casa Civil, teria conseguido dar solução à crise política. Mas é fato que se instaurou no país, depois desse episódio, a percepção de que o *impeachment* era irreversível e de que o próprio Supremo Tribunal Federal não imporia obstáculos à sua concretização.

Ao examinar, no âmbito de processo disciplinar, a divulgação dos grampos telefônicos, o relator no TRF da 4ª Região, desembargador Pizzolatti, diante da impossibilidade de justificá-la com fundamento no ordenamento jurídico em vigor, revelou, com franqueza, a excepcionalidade que dominava a condução dos processos na Lava Jato: "Ora, é sabido que os processos e investigações criminais decorrentes da chamada 'Operação Lava-Jato', sob a direção do magistrado representado, constituem caso inédito (único, excepcional) no direito brasileiro. Em tais condições, neles haverá situações inéditas, que escaparão ao regramento genérico, destinado aos casos comuns".[114] O voto de Pizzolatti foi acompanhado por 12 desembargadores. Houve apenas a divergência do desembargador Favreto, que, em seu voto, consignou a necessidade de o Poder Judiciário observar os dispo-

[112] O relator entendeu que poderia utilizar as gravações como provas do desvio de finalidade pelo fato de a presidente e o ex-presidente terem aludido, em manifestações públicas, ao conteúdo do que havia sido divulgado, confirmando sua autenticidade: "No momento, não é necessário emitir juízo sobre a licitude da gravação em tela. Há confissão sobre a existência e conteúdo da conversa, suficiente para comprovar o fato. Em pelo menos duas oportunidades, a presidente da República admitiu a conversa, fazendo referências ao seu conteúdo."

[113] Submetida a matéria ao Plenário, em 29.03.2019, o Agravo Regimental foi considerado prejudicado, tendo em vista a perda de objeto. Cf.: MS n.º 34070 ED-AgR, relator min. Gilmar Mendes, Tribunal Pleno, J. 29.03.2019, *DJe*-111 28.05.2019.

[114] TRF 4ª R., P.A. Corte Especial n.º 0003021-32.2016.4.04.8000/RS, J. 22.09.2019.

sitivos legais e constitucionais aplicáveis: "Sua não observância em domínio tão delicado como o Direito Penal, evocando a teoria do estado de exceção, pode ser temerária se feita por magistrado sem os mesmos compromissos democráticos do eminente relator e dos demais membros desta Corte".

O cotejo das manifestações de ambos os desembargadores demonstra como o estado de exceção se estabelece contemporaneamente: não há revogação integral da ordem democrática, mas suspensão parcial, para certas áreas, em certos momentos, para certas pessoas. A exceção não se apresenta como o contrário da democracia; cria apenas espaços imunes à eficácia do ordenamento jurídico, em meio a um sistema que, no geral, preserva características democráticas.[115] Não fosse o contexto de *impeachment*, não fossem Lula e Dilma as vítimas do ato arbitrário, o episódio provavelmente mereceria reprovação contundente daquele colegiado. No Brasil, como na generalidade das nações, um magistrado que atua no primeiro grau de jurisdição não pode gravar as comunicações telefônicas de um presidente da República. Trata-se de assunto inerente à segurança do próprio Estado. Se a voz de mandatário é colhida fortuitamente, quando se interceptam as comunicações de outrem, cabe ao magistrado preservar o sigilo e dirigir o diálogo registrado à autoridade competente – em regra, órgãos de cúpula do Judiciário. Com a Lava Jato, porém, a ideia de que os magistrados podiam relativizar a aplicação da lei para combater a corrupção passou a fazer sentido.

Amplos setores da magistratura nacional pareciam cegos para a contradição em que incorriam. Muitos políticos condenados obtiveram doações ilícitas de empresas para enriquecer. Mas muitos tinham como propósito se tornarem eleitoralmente viáveis e implementarem um programa político e social que, sob seu ponto de vista, levaria o Brasil ao progresso e melhoraria as condições de vida do brasileiro. A ética que informava essa segunda hipótese é a que procura legitimar os meios empregados com base nos fins perseguidos.[116] À luz da legislação brasileira, porém, não há dúvida: a con-

---

[115] Na teoria contemporânea do estado de exceção, esse espaço em que não há a incidência do ordenamento jurídico é denominado "campo": eram desprovidos de qualquer normatividade os presos nos campos de concentração. No "campo", a vida é "nua": o sujeito é totalmente desprovido de direitos; o estado de exceção é "permanente" (Aganbem, G., 2010).

[116] Trata-se de ética prescrita por Maquiavel, em *O Príncipe*. Maquiavel relata episódio em que Agátocles Siciliano, governante de Siracusa, ante a perspectiva da deflagração de um

duta é ilegal.[117] No entanto, é também reprovável a violação das leis com o propósito de condenar criminosos. A busca da condenação a qualquer custo, por magistrados que atuam como "cruzados", também procura se justificar com fundamento na ética segundo a qual a realização de finalidades positivamente valoradas justifica a adoção de meios que, isoladamente considerados, seriam condenáveis. Em seu instrumentalismo, as condutas se equiparam. Ambas se baseiam na "ética da responsabilidade", a que alude Max Weber.[118] Alguém poderá diferenciá-las por meio da hierarquização dos bens jurídicos violados: a violação da moralidade pelo político seria mais grave que a violação da impessoalidade pelo magistrado. Novamente, essas cogitações se baseiam na ética instrumental acima mencionada: para punir certos delitos, que são objeto de reprovação social mais intensa, seria legítimo violar normas jurídicas. Sob o governo das leis (*rule of law*), aos magistrados não é dado realizar esse tipo de cálculo instrumental. Em um Estado de Direito, nenhuma condenação produzida fora dos limites da legalidade se justifica, mesmo que seja imposta a pessoa a quem devamos dirigir grave condenação moral.

Ainda que admitíssemos que a ética da responsabilidade é legitimamente aplicável à hipótese, após cinco anos de deflagrada a operação, é de se concluir que a coerência entre fins e meios, com a observância plena dos procedimentos legais, teria produzido também os melhores resultados. A

---

conflito em sua cidade, convida para um encontro os líderes que davam início às hostilidades e, então, os ataca com sua milícia. Com isso, logra garantir a sua permanência no poder e preserva a paz em seu principado. Maquiavel sugere que, embora os meios utilizados, vistos isoladamente, fossem condenáveis, a ação fora *virtuosa*, considerado o resultado de manter a paz no principado. Maquiavel, ao colher na história exemplos como esse, procura demonstrar que, na política, as finalidades perseguidas podem justificar os meios empregados. Para um exame sistemático das teorias sobre a relação entre ética e política, cf.: Bobbio, N., 1992; Bovero, M., 1992; Quintana, F., 2014; Guimarães, C. N., 2010. Para contextualizar a controvérsia na crise brasileira, cf.: Rodriguez, J. R., 2016.

[117] Moro, rejeitando a aplicação à hipótese da ética da responsabilidade, chegava a considerar mais grave a corrupção com finalidade eleitoral, por entender que a conduta violava também o regime democrático: "A mim causa estranheza a distinção entre a corrupção eleitoral e enriquecimento ilícito. A corrupção eleitoral é até mais grave, porque, no caso do enriquecimento ilícito, você coloca o dinheiro na Suíça e não prejudica mais ninguém. Agora, usar dinheiro de corrupção para ganhar uma eleição vai atrapalhar mais gente". (*Veja*, 08 abr. 2017).

[118] Weber, M., 2015, p. 126 ss.

operação teria colaborado para desnudar o caráter sistêmico da corrupção e contribuído para o aprimoramento das práticas políticas e administrativas no Brasil. Mas sem produzir a destruição de setores empresariais estratégicos – como a construção civil e a construção naval –, e sem submeter o regime democrático ao risco concreto e imediato de colapso. Conduzida em conformidade com a legislação em vigor, a operação seria objeto de reconhecimento consensual na sociedade, ainda que tivesse produzido a condenação de líderes políticos populares. Conduzida como foi, levou a democracia brasileira à luta pela sobrevivência em que está enredada.

III.6. Colapso do setor de infraestrutura no Brasil, crise econômica e crise política

Em 2015, a construção civil se retraiu 8%, contribuindo para a retração de 6,2% do setor industrial. Essa retração é, em parte, decorrência da Lava Jato. Obras foram interrompidas não só pela Petrobras, mas por todos os entes da federação, sobretudo quando executadas pelas empreiteiras investigadas. Desde o final de 2014, a construção civil tem apresentado apenas resultados negativos.[119] Nos últimos anos, milhões de pessoas perderam seus empregos, e milhares de empresas fecharam. As condições são tão graves que já se sustenta que, a partir de 2015, o Brasil ingressou em um processo de *depressão econômica*, não apenas de recessão, que se agrava acentuadamente em razão da pandemia do coronavírus.[120]

Uma das vias principais para se superarem as depressões econômicas é a realização de obras de infraestrutura.[121] Além de aumentar a eficiência de todo o sistema econômico, o investimento em infraestrutura gera empregos

[119] Cf.: Instituição Fiscal Independente. RAF – Relatório de Acompanhamento Fiscal n.º 17, Senado Federal, jun. 2018.

[120] Diferentemente do que ocorre nas recessões, em que há a retomada do crescimento após uma crise curta, nas depressões, o período de declínio é longo. As pessoas assumem comportamento defensivo de modo mais permanente e adiam reiteradamente decisões de investimento. Cf.: Sicsu, J., 2019.

[121] Durante a pandemia do coronavírus, os militares integrantes do governo Bolsonaro formularam o plano de investir em obras de infraestrutura, em um montante de R$ 300 bilhões. A grande imprensa, de imediato, criticou o plano sob ao argumento de que se tratava de reedição da política de Dilma. Como visto anteriormente, a crítica é contrária aos fatos. Um dos fatores que levaram à crise do governo Dilma foi justamente a redução

diretos e indiretos e aquece as cadeias produtivas que subsidiam as obras. A fórmula funcionou inúmeras vezes, em vários países do mundo. Não foi por outra via que o governo norte-americano superou a depressão havida entre 1930 e 1933, quando tiveram lugar quatro recessões anuais consecutivas. As empreiteiras brasileiras,[122] porém, desde a Lava Jato, tentam se desenredar dos processos criminais e de suas derivações no CARF, no CADE, no TCU e na Justiça Estadual. São infindáveis disputas administrativas e judiciais que resultam da falta de coordenação entre os órgãos de controle, quando não de deliberado descumprimento dos acordos de colaboração e de leniência por parte desses órgãos. Enquanto não se superar o contexto de prevalência dos interesses da persecução criminal sobre todos os demais interesses nacionais, o Brasil não conseguirá se desvencilhar das amarras criadas a partir de 2015.

Muitas empreiteiras têm uma história efetivamente condenável de promiscuidade com a política nacional, fazendo do pagamento de propinas elemento constitutivo de seu modelo de negócios. A corrupção contumaz é efetivamente um sério problema nacional. Sua solução, porém, não poderia implicar a destruição das empreiteiras brasileiras ou a paralisação das obras de infraestrutura. Nenhum país que preza pela integridade de sua ordem econômica renuncia, como o Brasil vem fazendo, a empresas que podem exercer papel estratégico em qualquer projeto nacional de desenvolvimento. As nações de economia mais avançada sempre buscaram harmonizar a punição de ilícitos e a preservação das empresas, considerando sua função social. Observem-se, por exemplo, esses dois casos recentes:

a. Nos últimos dez anos, a *Volkswagen* se envolveu em alguns episódios graves de corrupção, e a rigorosa Justiça Alemã não a levou à falência. A empresa, por exemplo, adulterou os testes de medição da poluição produzida por seus motores a diesel. O episódio foi escândalo mundial. Embora no ano em que veio a público a companhia tenha apresentado resultados ruins, já no ano seguinte a sua rentabilidade se recuperou.[123]

---

da capacidade estatal de investir, em decorrência de políticas de desoneração tributárias que tinham como propósito estimular investimentos privados.

122 Cf.: Campos, P. H., 2019.

123 Cf.: Antti, W., 2016.

b. Também na última década, a *Samsung* foi responsabilizada por ter pago propina à presidente sul-coreana, Park Geun-hye, e nenhum coreano pensaria em sujeitar a empresa a procedimentos judiciais que a levassem à insolvência. A presidente da Coreia do Sul, em razão do escândalo, foi submetida a um processo de *impeachment*. Lee Jae-yong, um dos principais herdeiros da Samsung, em conjunto com outros executivos, foi condenado à prisão pelo pagamento de propina. Mas a Samsung permaneceu mais forte que nunca.

A *Volkswagen* e a *Samsung* são patrimônios dessas nações. Em torno dessas empresas, organizam-se muitas outras, para lhes fornecer insumos e serviços. Tais empresas desenvolvem tecnologia, geram milhões de empregos, pagam impostos e produzem bens de qualidade, que são vendidos em todo o mundo. Sem empresas como essas, a importância política, econômica e estratégica de seus países se reduziria drasticamente, assim como a qualidade de vida de seus povos. A função social que exercem não é anulada pela circunstância de seus executivos terem se envolvido em práticas ilegais. O processo penal não pode se converter em instrumento de destruição econômica. Prender criminosos é muito importante, mas não tem importância superior aos objetivos de preservar os postos de trabalho brasileiros e de permitir que o Brasil aspire a uma condição superior à de produtor de produtos primários. Hoje, de exportador de serviços de engenharia, o Brasil tende a se converter em importador.

Na década de 1940, Edwin H. Sutherland publicou importante estudo sobre a corrupção nos EUA, intitulado *White Collar Crime*.[124] O estudo registra os resultados de pesquisa em que foram examinados processos judiciais relativos às 70 maiores empresas privadas dos EUA e às 15 maiores prestadoras de serviços públicos. Sutherland identificou, por exemplo, cerca de 40 decisões judiciais desfavoráveis à *General Motors* e 50 decisões contrárias à *Swift & Company*. São empresas que, ao longo de suas histórias, geraram milhões de empregos, colaboraram em esforços de guerra, produziram conhecimento e tecnologia e alçaram os EUA à posição de potência global. Sem essas empresas, aquele país seria pouco mais que uma

[124] Sutherland, E. H., 2015.

grande fazenda. A prática do crime de colarinho branco é perniciosa: envolve a apropriação dos recursos públicos e das economias populares. A prática desses crimes, porém, não privou os EUA de se tornarem a maior potência econômica e militar mundial. Por outro lado, aquela nação não teria alcançado essa condição sem a cooperação notável das empresas mencionadas no estudo clássico de Sutherland. Os múltiplos processos a que responderam executivos ligados às grandes empresas americanas não as impediram de continuar funcionando, gerando empregos e renda e contribuindo para a construção nacional. A persecução criminal, naquele país, sempre teve o cuidado de preservar o parque industrial norte-americano.

Ao longo do século XX, empreiteiras brasileiras se tornaram aptas a realizar grandes obras públicas, equiparando-se às melhores do mundo. Tais empresas, hoje, estão completamente fragilizadas, nada obstante, desde o início da Lava Jato, tenham buscado cooperar com as investigações. O caso da *Odebrecht* é especialmente significativo. A empresa, inaugurada na década de 1940, construiu sua primeira hidrelétrica em 1952 – hidrelétrica de Correntina, na Bahia.[125] No início da década de 2000, a Odebrecht era uma das 30 maiores exportadoras de serviços do mundo, sendo a maior construtora de usinas hidrelétricas e aquedutos. Era ainda a maior empresa de engenharia da América Latina. Na década de 2000, foram criadas a Braskem, reunindo ativos da empresa no setor petroquímico, a Odebrecht Óleo e Gás, a Odebrecht Agroindustrial e a Odebrecht Defesa e Tecnologia. Em 2014, o grupo empregava 276 mil pessoas. Em 2019, ainda sem ter se desvencilhado da Lava Jato, restavam-lhe 48 mil empregados. Nesse ano, teve início sua recuperação judicial: unidades operacionais, empresas controladas e ativos em geral foram vendidos ou estão em via de serem vendidos para tornar viável sua sobrevivência, ainda que como fração menor do que era anos atrás. O acordo de leniência subscrito, em 2016, pela empresa contou com a adesão de 78 executivos, levando à produção de uma grande quantidade de provas,

[125] Desde a década 1970, a empresa, já com presença nacional, vinha se diversificando. Além de se dedicar à construção civil, a Odebrecht passou a atuar também no setor petroquímico. Na década de 1980, a empresa se internacionalizou, passando a realizar obras na África e na Europa. Na década de 1990, passou a atuar também nos EUA e em diversos países da América Latina. Em meados da década de 1990, já estava presente em mais de 20 países.

com base nas quais se justificaram múltiplas condenações.[126] Nada obstante, ainda hoje, a empresa está enredada em esforços para que tais acordos sejam respeitados por outros órgãos de controle, os quais têm instaurado procedimentos de responsabilização com base nas provas apresentadas no curso da colaboração. Até o início de 2020, a empresa não havia conseguido virar a página. A Odebrecht é o caso mais grave, mas todas as outras grandes empreiteiras brasileiras enfrentam grandes dificuldades para superar esses processos e tentar se reconstruir.

Como antes consignado, em decorrência das regras eleitorais em vigor, que permitiam o financiamento empresarial das campanhas eleitorais, a corrupção era um imperativo sistêmico. Todas as maiores empresas brasileiras praticaram, em alguma medida, a aquisição de poder político e influência administrativa pela via do financiamento eleitoral. A alternativa para as empresas, em certos setores, era não participarem de contratos governamentais; para os políticos, em geral, não aspirarem efetivamente ao poder. A superação desse estado de coisas apenas começava a se dar, com o julgamento da ADI n.º 4650, em 2015, que proibiu o financiamento empresarial das campanhas eleitorais. O desfio da Lava Jato era cumprir os deveres inerentes à função persecutória, mas dentro dos limites do Estado de Direito, sem praticar abusos e excessos, os quais poderiam acarretar a destruição de empresas e, mesmo, de setores inteiros da economia nacional. A corrupção nas obras públicas não pode levar o país a deixar de realizá-las, a abdicar de ampliar sua infraestrutura ou a renunciar a suas empreiteiras, para passar a depender de empreiteiras estrangeiras.

As empresas não são compostas apenas por seus proprietários e dirigentes: como realidades orgânicas (instituições), são integradas ainda por seus trabalhadores e estabelecimentos, por sua tecnologia e cultura institucional.[127] As empresas possuem função social, que se materializa no atendimento de necessidades humanas e sociais, seja por meio da produção de

[126] Por mais de 2 anos, o seu presidente, Marcelo Odebrecht, foi mantido preso preventivamente. A prisão ocorreu em 19 de junho de 2015. Em 8 de março de 2016, sofreu a primeira condenação em primeira instância. Em dezembro de 2016, celebrou acordo de colaboração premiada, e a empresa subscreveu acordo de leniência. Em dezembro de 2017, Marcelo Odebrecht deixou a prisão em Curitiba, mantendo-se em prisão domiciliar.

[127] Cf.: Asquini, A., 1996; Romano, S., 1963.

bens e serviços destinados ao mercado, seja por intermédio da remuneração dos trabalhadores e da preservação do meio ambiente.[128] A circunstância de a direção das empresas ser cominada a seus proprietários privados é apenas uma forma contingente, entre outras já concebidas na história, de organizar a gestão da produção e da circulação de bens e serviços. O que é essencial à empresa é o cumprimento de suas funções sociais. Destruir as empresas para punir seus proprietários é inverter esse sentido teleológico, dado pela Constituição de 1988: não são só os proprietários que perdem, são trabalhadores e consumidores, é a sociedade, globalmente considerada.

A população costuma se dispor a suportar os custos associados à transição para um momento futuro de maior probidade na política e na administração. Hoje, porém, passados seis anos da deflagração da Lava Jato, já se consolida a percepção é de que o prolongamento indefinido da operação, nos moldes atuais, tende a se converter em obstáculo de difícil superação para a retomada do crescimento econômico. Superada a pandemia do coronavírus, obras de infraestrutura, aqui e em todo o mundo, serão mais necessárias que nunca. Na verdade, o ordenamento jurídico brasileiro estava gravemente despreparado para lidar com o desafio de permitir a responsabilização dos sócios e administradores e, ao mesmo tempo, preservar a integridade das empresas e o funcionamento regular da economia.

No contexto da Lava Jato, não surgiram propostas de maior relevância para harmonizar os dois objetivos. Uma das únicas exceções foi a da "transação público-privada", apresentada, ainda em 2015, pelos professores Bercovici, Siqueira Neto e Warde.[129] De acordo com a proposta, o ressarcimento ao governo se daria por meio de ações das Sociedades de Propósito Específico – SPEs constituídas pelas empreiteiras para gerir empreendimentos de infraestrutura. Com a transferência ao governo, impedia-se que o empreendimento tivesse sua conclusão prejudicada. Em seguida, as ações seriam leiloadas na bolsa de valores, transferindo-se para outras empresas privadas. Os recursos arrecadados serviriam para o ressarcir os cofres públicos. Os autores esperavam preservar as empresas, os contratos, os postos de trabalho, a tecnologia mobilizada, mas, ao mesmo tempo, permitir o

[128] Cf.: Comparato, F. K., 1986.
[129] Warde Júnior, W. J., Bercovici, G., Siqueira Neto, J. F., 2015.

ressarcimento dos danos causados ao poder público. A proposta, porém, não chegou a ser assumida pelo governo. O problema aguarda solução adequada.

Qualquer operação policial que, ao coincidir com condições econômicas desfavoráveis, implique a destruição de setores inteiros da economia, como a construção civil e a indústria naval, não pode ser considerada bem-sucedida. Esse resultado impõe ao legislador o dever de corrigir as disfunções associadas aos acordos de leniência e de colaboração, preservando-os e aperfeiçoando-os. Se o legislador se mantiver inerte sobre a matéria, na agenda do STF, deve estar a filtragem constitucional dos referidos institutos, com o propósito de fazer com que sejam aplicados de modo a tornar mais eficiente o sistema penal, mas, ao mesmo tempo, preservar a integridade da ordem econômica, que, como a moralidade pública, é objeto de robusta proteção constitucional.

III.7. *Impeachment* sem crime de responsabilidade

Eduardo Cunha, no exercício da Presidência da Câmara, sofreu representação por quebra do decoro parlamentar: era acusado de manter contas não declaradas no exterior, a propósito das quais havia se omitido quando indagado na CPI instaurada no Congresso para investigar a corrupção na Petrobras. Os votos de dois deputados do PT foram decisivos para a abertura de processo disciplinar na Comissão de Ética da Câmara dos Deputados, o que ocorreu no dia 02 de dezembro de 2015. No mesmo dia, Cunha decidiu determinar o processamento da representação de *impeachment* formulada por Miguel Reale Jr., Hélio Bicudo e Janaina Paschoal. Sem os votos dos deputados do PT, o processo disciplinar não teria início no Conselho de Ética – a votação se deu por 11 a 9. O processo de *impeachment* nasceu, assim, maculado por eloquente desvio de finalidade: a abertura do processo fora ato de retaliação.[130]

[130] Limongi, F., 2015. Como apontou o advogado-geral da União, José Eduardo Cardozo, o desvio de poder é inequívoco: "Ele usou o *impeachment* com desvio de poder. Ele usou o *impeachment* em benefício próprio quando ele ameaçou a presidente da República de que abriria o processo de *impeachment* se o PT não desse os votos [no Conselho de Ética]". (*O Globo*, 05 mai. 2016). A decisão de Cunha foi impugnada perante o STF por meio de Mandado de Segurança (MS n.º 34.193) impetrado pela presidente Dilma Rousseff, sustentando a sua nulidade em decorrência de desvio de finalidade. Porém, nem a liminar foi concedida pelo relator, ministro Teori Zavascki, por ocasião da impetração, em 2016, nem a ação, julgada

Meses antes da decisão de Cunha de dar processamento à representação, em fevereiro de 2015, veio a público parecer da lavra do jurista Ives Gandra da Silva Martins, em que aproximava o *impeachment* do voto de desconfiança, instituto típico do parlamentarismo.[131] Pouco antes, para legitimar a cassação do mandato de Lugo, no Paraguai, o professor também havia sugerido a equivalência. O *impeachment*, como concebido por Gandra, seria um veículo para que o parlamento, no presidencialismo, pudesse afastar mandatários que perderam apoio político. A interpretação proposta do texto constitucional, na verdade, o revogava.[132] O presidente – eleito, nas grandes repúblicas, por milhões de votos – só pode ser afastado se tiver praticado conduta grave: no Brasil, conduta *atentatória* contra a própria Constituição Federal.[133] A circunstância de o presidente perder apoio parlamentar não justifica a decretação do *impeachment*. No parlamentarismo, diferentemente, o chefe de governo é escolhido pelos próprios parlamentares, não diretamente pelo povo. Se são os parlamentares que o elegem, é coerente que possam substituí-lo sempre que sua atuação não corresponda ao que considerem conveniente. As razões para fazê-lo são apenas políticas, inexistindo qualquer parâmetro jurídico estabelecido *ex ante* em que se deva fundamentar a moção de desconfiança.[134]

---

procedente pelo novo relator, min. Alexandre de Moraes, em dezembro de 2018, já nos estertores do governo Temer. O Plenário do STF nunca chegou a se manifestar sobre a matéria. Ao julgar a ação, o ministro Alexandre de Moraes sustentou a ausência de direito líquido e certo, em razão da inexistência de prova pré-constituída de que teria tido lugar desvio de finalidade por parte do presidente da Câmara dos Deputados. (MS n.º 34193, rel. min. Alexandre de Moraes, J. 07.12.2018, *DJe*-266 12.12.2018).

[131] A segunda tese sustentada no parecer de Gandra era a de que os atos de improbidade poderiam ser classificados como "crimes de responsabilidade", puníveis com *impeachment*, ainda quando praticados em suas modalidades culposa ou omissiva. A partir dessa afirmação abstrata, o ilustre jurista passou a defender que a presidente teria deixado negligentemente de vigiar a atuação de seus subordinados na Petrobras, tanto ao exercer a Presidência da República, quanto ao integrar o Conselho de Administração da Companhia. A presidente teria incorrido em culpa *in eligendo* e culpa *in vigilando*.

[132] Cf.: Scherer Lutz, M. L. e Maliska, M. A., 2018.

[133] CF, artigo 85: "São crimes de responsabilidade os atos do presidente da República que atentem contra a Constituição Federal".

[134] Convém, a propósito da moção de desconfiança, lembrar o que dispunha a Emenda Constitucional n.º 4, de 1961, que instituiu entre nós o parlamentarismo. De acordo com o seu artigo 11, "os Ministros dependem da confiança da Câmara dos Deputados e serão exonerados quando esta lhe for negada." Já conforme o artigo 12, "a moção de

Embora a tese fosse juridicamente insustentável, o parecer de Gandra era "premonitório": meses depois teria lugar o *impeachment* de Dilma sem a prática de crime de reponsabilidade. A representação, apresentada em setembro de 2015 por Bicudo, Reale e Paschoal, dizia respeito a vários fatos. Mas foi recebida em relação às chamadas "pedaladas fiscais" [135] e à edição de "decretos para a abertura de créditos suplementares" sem autorização legislativa.[136] Apenas quanto a esses temas, Eduardo Cunha, presidente da Câmara, consentiu em dar processamento à representação. Ninguém no meio político, fora dos holofotes, classificava as imputações como sérias, embora, nos debates parlamentares, fizessem-nas de "cavalo de batalha", associando-as à

---

desconfiança contra o Conselho de Ministros, ou de censura a qualquer de seus membros, só poderá ser apresentada por cinquenta deputados no mínimo, e será discutida e votada, salvo circunstância excepcional regulada em lei, cinco dias depois de proposta, dependendo sua aprovação do voto da maioria absoluta da Câmara dos deputados." Como se observa, o que estava em questão era a confiança política. O presidente, por seu turno, não podia ser afastado mediante a aprovação de moção de desconfiança. Como determinava o artigo 4.º, era necessária a instauração de processo de *impeachment*, e isso só se justificava quando ocorresse a prática de "crimes funcionais".

[135] Pedaladas fiscais correspondiam à prática de atrasar o repasse de valores aos bancos públicos responsáveis pela execução de políticas da União. Em razão do atraso, as instituições financeiras as custeavam com recursos próprios, os quais posteriormente eram saldados pelo governo. A prática equivaleria à obtenção de empréstimos pelo poder público junto a banco estatal, o que era vedado pela Lei de Responsabilidade Fiscal: "No caso das despesas referentes ao bolsa família, ao seguro-desemprego e ao abono salarial, verificou-se que, ao longo de 2013 e dos sete primeiros meses de 2014 (jan. a jul./2014), abrangidos na fiscalização, a Caixa Econômica Federal utilizou recursos próprios para o pagamento dos benefícios de responsabilidade da União. Na verdade, conforme demonstram as tabelas constantes do relatório de fiscalização, as contas de suprimento desses programas na Caixa passaram a disponibilizar um crédito assemelhado ao cheque especial, porquanto seus saldos, ao longo do período fiscalizado, foram quase sempre negativos." (TCU, Plenário, Acórdão 825/2015).

[136] No ponto, o problema estaria não na abertura de créditos suplementares, artifício compatível com a legislação, mas na ausência de autorização legislativa. Em aditamento à denúncia que levou ao *impeachment*, Pascoal, Bicudo e Reale apresentaram a questão nos seguintes termos: "O art. 167, inciso V, da Constituição Federal, estabelece ser vedada a abertura de crédito suplementar sem prévia autorização legislativa e sem indicação dos recursos correspondentes. Se ocorrer, incide-se no art. 10, número 6, da n.º 1.079 que, como visto, tipifica como crime de responsabilidade ordenar ou autorizar abertura de crédito sem fundamento na lei orçamentária ou sem autorização legislativa". No que toca a essa imputação, havia controvérsia não apenas sobre a qualificação jurídica dos referidos decretos, mas também sobre a circunstância de efetivamente inexistir autorização legislativa. Cf.: Ribeiro, R. L., 2016.

crise econômica que se instalava naquele ano. Dilma havia seguido, quanto às duas imputações, a rotina dos governos anteriores, embora ampliando seu emprego. Na verdade, eram pretextos para o afastamento da mandatária, em nada se identificando com atos atentatórios contra a Constituição (CF, art. 85). O instituto do *impeachment* foi empregado como moção de desconfiança, e a presidente, afastada por ter perdido apoio parlamentar e popular.

Democracia, desde a reabertura democrática, tem significado, em grande parte, poder escolher diretamente o presidente. Foi pelo voto direto que as multidões foram às ruas pôr fim ao regime militar, na Campanha das *Diretas Já* – movimento que está na origem do constitucionalismo de 1988. O voto direto, secreto, universal e periódico é cláusula pétrea, prevista no artigo 60, § 4.º, II, da Constituição Federal. Converter o *impeachment* em instrumento da política ordinária, apto a servir para se promover a substituição de governantes que perderam apoio político – como a moção de desconfiança do parlamentarismo –, era desnaturar não só o instituto, mas também o próprio regime político instituído pela Constituição Federal de 1988.[137] Por duas vezes, o povo rejeitou, em plebiscito, a adoção do parlamentarismo no Brasil: em 1963 e 1993.[138] A transmutação dos institutos não era mutação constitucional: era ruptura com o cerne democrático da Constituição Federal de 1988.[139]

Ainda que se entenda caber ao Senado Federal, no julgamento do *impeachment*, ponderar razões de cunho político, é insustentável legitimar o exercício dessa importante atribuição de modo contrário aos preceitos

---

[137] Há quem sustente que o instituto do *impeachment* passaria por mutação em toda América Latina, convertendo-se em instrumento de resolução de crises políticas. Seria uma alteração bem-vinda por tornar o presidencialismo mais flexível. Porém, mesmo quem defende essa tese, reconhece a necessidade de introduzir alterações no sistema que evitem a excessiva desestabilização do sistema presidencialista e o emprego ilegítimo por parlamentares de oposição e por vice-presidentes. Kasahara e Marsteintredet, por exemplo, propõem que (1) a decretação do *impeachment*, por razões políticas, deveria levar também à dissolução do Congresso, com a convocação de novas eleições gerais; (2) a decretação do *impeachment* do presidente implicaria também a destituição do vice-presidente, e a convocação de novas eleições. (Kasahara, Y. e Marsteintredet, L., 2018).

[138] Há relevante controvérsia sobre a possibilidade de alteração do sistema de governo por meio de emenda constitucional. Não é o momento de enfrentá-la. Entendo que, se o sistema foi objeto de plebiscito, em 1993, apenas novo plebiscito, na vigência da atual Constituição, poderia alterá-lo.

[139] A tese contrária foi sustentada em: Martins, I. G. S., 2015.

constitucionais. O juízo político até pode prevalecer nas hipóteses em que os fatos se encontram em uma zona cinzenta, em que há dúvida razoável quanto à adequação da aplicação dos preceitos incriminadores – não é sustentável, no processo de *impeachment*, exigir a observância do parâmetro estrito, aplicável à esfera penal, segundo o qual se deve decidir a favor do réu em caso de dúvida (*in dubio pro reo*). Porém, nos casos em que os fatos se encontram em uma zona de certeza negativa[140] quanto à aplicabilidade dos preceitos legais incriminadores, a decretação do *impeachment* pelo Senado é ilegítima: os senadores estão decidindo – como, de fato, decidiram em 2016 – sem fundamento em qualquer norma válida, a propósito da continuidade de mandato presidencial concedido pelo povo.[141]

Em dezembro de 2015, o Supremo Tribunal Federal realizou importante intervenção no controle do procedimento do *impeachment*, tendente à preservação da democracia. No julgamento da ADPF n.º 378, a Corte promoveu ampla releitura da Lei n.º 1.079/50 (Lei do *Impeachment*), de modo a adequá-la à Constituição Federal de 1988. O aspecto dessa decisão de maior significado para a defesa da democracia foi a definição dos papéis da Câmara e do Senado. Na Lei n.º 1.079 e nas constituições anteriores, atribuía-se à Câmara dos Deputados a competência para "declarar procedente a acusação".[142] Tratava-se de espécie de juízo de admissibilidade da

---

[140] Gustavo Binenbojm esclarece que "quando é possível identificar os fatos que, com certeza, se enquadram no conceito (zona de certeza positiva) e aqueles que, com igual convicção, não se enquadram no enunciado (zona de certeza negativa), o controle jurisdicional é pleno. Entretanto, na zona de penumbra ou incerteza, em que remanesce uma série de situações duvidosas, sobre as quais não há certeza sobre se se ajustam à hipótese abstrata, somente se admite controle jurisdicional parcial". (Binenbojm, G., 2006).

[141] No *impeachment* do presidente Collor, essas particularidades do sistema brasileiro não se apresentaram de modo claro. Naquela ocasião, todas as forças políticas de relevância no Brasil apoiavam o *impeachment*. Apenas políticos muito próximos permaneceram ao lado de Collor.

[142] O Texto Constitucional anterior ainda seguia a redação tradicional, tendo recepcionado a Lei n.º 1.079, que, no tópico, conferia à Câmara dos Deputados o papel de formular "juízo de acusação". Nesse sentido, de acordo com o artigo 83 da Emenda Constitucional n.º 1, de 1969, "O presidente, depois que a Câmara dos Deputados declarar procedente a acusação pelo voto de dois terços de seus membros, será submetido a julgamento perante o Supremo Tribunal Federal, nos crimes comuns, ou perante o Senado Federal, nos de responsabilidade." É o que determinava ainda o seu artigo 23, § 1.º: "Se da aprovação do parecer resultar a procedência da denúncia, considerar-se-á decretada a acusação pela Câmara dos Deputados."

representação, a qual, depois, seria julgada pelo Senado Federal. Se a decisão da Câmara fosse considerar admissível a acusação, o presidente da República já se afastaria do cargo. A Constituição Federal de 1988 adota sistemática diferente. O papel da Câmara deixava de ser o de realizar juízo de admissibilidade, para passar a ser o de *autorizar* o processamento da denúncia, cuja admissibilidade seria, depois, apreciada pelo Senado Federal.[143] A instauração, que pressupõe a realização de juízo de admissibilidade (quem possui a competência para instaurar também possui para não instaurar), fica a cargo do Senado Federal. Se a casa decidir pela instauração, de sua decisão resultará a providência materialmente mais importante de todo o processo: a suspensão do presidente da República de suas funções.[144] No julgamento da ADPF n.º 378, o Supremo Tribunal Federal redistribuiu adequadamente as atribuições de cada uma das casas de acordo com o que estabelecia a Constituição Federal de 1988.[145]

---

[143] A natureza de autorização da decisão hoje tomada pela Câmara relativamente às denúncias de *impeachment* é confirmada pelo teor literal do artigo 51, I, da Constituição Federal: "Compete privativamente à Câmara dos Deputados: I – autorizar, por dois terços de seus membros, a instauração de processo contra o presidente e o Vice-presidente da República e os Ministros de Estado".

[144] Confira-se a redação do artigo 86, § 1.º, da Constituição Federal: "O presidente ficará suspenso de suas funções: [...] II - nos crimes de responsabilidade, após a instauração do processo pelo Senado Federal." Ao Senado Federal cabe não apenas julgar o presidente da República, mas também "processá-lo". É o que determina o artigo 52 da Constituição Federal. A diferença foi enfatizada por Paulo Brossard: "Pode parecer que o novo texto não chega a discrepar dos anteriores, pois quem declara procedente a acusação autoriza o seu curso e quem autoriza a instauração do processo declara procedente a acusação para esse fim. No entanto, a alteração não foi apenas essa; enquanto ao Senado competia, tradicionalmente, julgar o presidente nos processos de responsabilidade, compete-lhe agora 'processá-lo e julgá-lo, e enquanto a suspensão do exercício das funções presidenciais resultava da declaração de procedência da acusação pela Câmara, decorre ela agora da instauração do processo pelo Senado." (Brossard, P., 1992, p. 7-8).

[145] A Corte reconheceu, em especial, a incompatibilidade entre o disposto no § 1.º do art. 23 da Lei n.º 1.079 e o inciso II do § 1.º do art. 86 da Constituição Federal. De um lado, o dispositivo legal estabelecia que "são efeitos imediatos ao decreto da acusação do presidente da República, ou de Ministro de Estado, a suspensão do exercício das funções do acusado e da metade do subsídio ou do vencimento, até sentença final". De outro, a Constituição era clara ao determinar que "o presidente ficará suspenso de suas funções: I - nas infrações penais comuns, se recebida a denúncia ou queixa-crime pelo Supremo Tribunal Federal; II - nos crimes de responsabilidade, após a instauração do processo pelo Senado Federal".

A principal consequência prática da decisão do STF foi transferir para o Senado a decisão de afastar a presidente da República.[146] Do mesmo modo que o STF não está obrigado a receber a denúncia por crime comum pelo fato de a Câmara dos Deputados ter autorizado a abertura de processo criminal, o Senado – que ocupa, no *impeachment*, posição simétrica à do STF – tampouco está obrigado a instaurar o processo de *impeachment*. A instauração do processo, seja por crime comum seja por crime de responsabilidade, envolve, por parte do órgão julgador, a realização de juízo quanto à probabilidade de êxito da acusação formulada, o que será examinado a partir dos elementos empíricos e jurídicos que integram a denúncia.[147] Se, por exemplo, o órgão julgador já puder constatar, liminarmente, a atipicidade da conduta descrita, não tem sentido determinar a instauração do processo, que, ainda que provados os fatos descritos na inicial, não é apto a conduzir à condenação. Apenas depois desse juízo prévio, pelo Senado, a presidente seria afastada do cargo.[148]

[146] O Supremo Tribunal Federal, no julgamento do MS n.º 21.564, apreciado no contexto do *impeachment* do ex-presidente Collor, já havia esclarecido a natureza das funções atribuídas à Câmara dos Deputados e ao Senado Federal (STF, MS 21564, rel. min. Octavio Gallotti, rel. p/acórdão min. Carlos Velloso, Tribunal Pleno, J. 23.09.1992, *DJ* 27.08.1993).

[147] Essa lógica não escapou ao STF no julgamento do MS n.º 21.564: "No procedimento de admissibilidade da denúncia, a Câmara dos deputados profere juízo político. Deve ser concedido ao acusado prazo para defesa, defesa que decorre do princípio inscrito no art. 5º, LV, da Constituição, observadas, entretanto, as limitações do fato de a acusação somente materializar-se com a instauração do processo, no Senado. Neste, é que a denúncia será recebida, ou não, dado que, na Câmara, ocorre, apenas, a admissibilidade da acusação, a partir da edição de um juízo político, em que a Câmara verificará se a acusação é consistente, se tem ela base em alegações e fundamentos plausíveis, ou se a notícia do fato reprovável tem razoável procedência, não sendo a acusação simplesmente fruto de quizílias ou desavenças políticas". (MS 21564, relator min. Octavio Gallotti, relator p/ acórdão: min. Carlos Velloso, Tribunal Pleno, J. 23.09.1992, *DJ* 27.08.1993).

[148] O ponto foi examinado na ADPF n. 378: "1.1. Apresentada denúncia contra o presidente da República por crime de responsabilidade, compete à Câmara dos Deputados autorizar a instauração de processo (art. 51, I, da CF/1988). A Câmara exerce, assim, um juízo eminentemente político sobre os fatos narrados, que constitui condição para o prosseguimento da denúncia. Ao Senado compete, privativamente, processar e julgar o presidente (art. 52, I), locução que abrange a realização de um juízo inicial de instauração ou não do processo, isto é, de recebimento ou não da denúncia autorizada pela Câmara." (ADPF n.º 378 MC, relator min. Edson Fachin, relator p/acórdão: min. Roberto Barroso, Tribunal Pleno, J. 17.12.2015, *DJe*-043 08.03.2016).

No momento em que foi proferida, a decisão do STF possuía grande importância política. Uma vez afastada a presidente, assumiria o vice-presidente, que, por meio de nomeações, poderia contemplar os interesses das bancadas no parlamento. Munido dessa e de outras atribuições, conseguiria formar uma base parlamentar consistente, tornando muito improvável a reversão do afastamento. É no juízo de admissibilidade que se consuma politicamente o *impeachment*, embora, sob o prisma jurídico, a decisão só se aperfeiçoe com o julgamento final pelo Senado.[149] Naquele momento, Dilma possuía mais apoio no Senado, presidido por Renan Calheiros, que na Câmara, liderada por Eduardo Cunha, o qual havia se engajado, desde sua posse, em oposição disruptiva. Ao transferir a decisão de afastamento para o Senado, além de adequar o procedimento de *impeachment* ao texto constitucional de 1988, o STF o tornava compatível com o bicameralismo: de fato, apenas a decisão concorrente das duas casas levaria ao afastamento da presidente. O pêndulo do poder se deslocava novamente para a Presidência e o Senado Federal.

A decisão da Corte foi proferida em 17 de dezembro de 2015, às vésperas do recesso parlamentar, depois de liminares terem interrompido o processo de *impeachment* por alguns dias – a suspensão ocorreu no dia 9 de dezembro de 2015. Não seria mais possível obter o afastamento da mandatária naquele ano, antes do recesso. Além de se ter esvaziado o poder

---

[149] Havia na decisão apenas um aspecto que reduzia o seu alcance. Na inicial, requeria-se ao STF o reconhecimento de que apenas por decisão de 2/3 dos senadores seria possível afastar a presidente. O STF, porém, entendeu que deveria exigir apenas maioria simples: "A instauração do processo pelo Senado se dá por deliberação da maioria simples de seus membros, a partir de parecer elaborado por Comissão Especial, sendo improcedentes as pretensões do autor da ADPF de (i) possibilitar à própria Mesa do Senado, por decisão irrecorrível, rejeitar sumariamente a denúncia; e (ii) aplicar o quórum de 2/3, exigível para o julgamento final pela Casa Legislativa, a esta etapa inicial do processamento." (ADPF n.º 378 MC, relator min. Edson Fachin, relator p/ acórdão: min. Roberto Barroso, Tribunal Pleno, J. 17.12.2015, *DJe*-043 08.03.2016). Tivesse prevalecido o requerimento formulado na inicial da ADPF n.º 378, o *impeachment* teria sido muito mais difícil. A maioria qualificada na Câmara, em razão da atuação do então presidente Eduardo Cunha, já era dada como conquistada. No Senado, não. Parte significativa dos parlamentares se orienta pela expectativa quanto ao resultado do processo. Se o STF tivesse estabelecido a exigência da manifestação de 2/3 do Senado para, no juízo de admissibilidade, afastar a presidente da República, a tese do *impeachment* provavelmente se tornaria mais difícil de sustentar, inclusive, na Câmara: a tendência era de recomposição da base parlamentar do governo.

do principal promotor do *impeachment* – Cunha –, Dilma ganhava alguns meses para reorganizar a base de apoio a seu governo e recuperar a governabilidade.

A percepção, no final de 2015, era de que o momento para o *impeachment* havia passado. No início de janeiro, mesmo os deputados pró-*impeachment* reconheciam, em público, sua inviabilidade.[150] O próprio Temer, então vice-presidente, em 29 de janeiro de 2016, declarava que "o *impeachment* (havia perdido) força". Demonstrando já não mais tê-lo como objetivo, sustentava que "o que está(va) em pauta é(ra) o país, não mais o partido ou o governo" e propunha que "unidos tirar(ássemos) o país da crise".[151] Em eleição realizada no dia 17 de fevereiro de 2016, era escolhido líder do PMDB na Câmara o deputado Leonardo Picciani, ostensivamente contrário ao prosseguimento do processo: "O *impeachment* perde força não com a minha vitória, o *impeachment* perde força porque não há crime de responsabilidade da presidente, e a população percebe isso."[152] Entre outras atribuições do líder, estava a de nomear os membros do partido que integrariam a comissão incumbida de processar o *impeachment* na Câmara. O ano começava auspicioso para o governo. A oportunidade de se reorganizar estava dada. Surgiam rumores de que Dilma nomearia Lula ministro, conferindo-lhe exatamente a atribuição de reorganizar sua base parlamentar. Naquele cenário, o arquivamento seria o destino provável da representação de *impeachment*.

Havia, porém, a Lava Jato.

Em 3 de março de 2016, vazou a delação realizada por Delcídio Amaral, feita alguns meses depois de o senador ter sido gravado propondo a fuga de um dos investigados. O ex-líder do governo no Senado acusava Dilma de tentar "interferir nas investigações" e Lula de saber do "esquema de corrupção montado na Petrobras".[153] Não corroborada, a delação não serviria

---

[150] O deputado Lício Vieira Lima explicava seu pessimismo nos seguintes termos: "Com os embargos, a votação na Câmara deve ficar lá para maio ou junho. No 2.º semestre, tem eleições municipais e depois, acabou o ano. A não ser que tenha um caos tão grande e tenha de se tomar uma providência logo". (*Estadão*, 06 jan. 2019).

[151] *O Globo*, 29 jan. 2019.

[152] *Folha de São Paulo*, 17 fev. 2016.

[153] Os órgãos de imprensa que realizaram o vazamento da delação, não corroborada por provas, se vangloriavam da façanha: "Os depoimentos foram colhidos em um imóvel fora da sede do MPF, que é superprotegido. É uma espécie de quartel general montado justamente

como prova em processos judiciais, tendo, posteriormente, o próprio Ministério Público pedido a rescisão do acordo.[154] Nas circunstâncias em que o vazamento se deu, porém, produziu grande impacto político, reanimando o movimento pelo *impeachment*.[155]

Em 4 de março de 2016, um dia após o vazamento do acordo de colaboração de Delcídio, seria determinada a condução coercitiva de Lula, para que o ex-presidente prestasse depoimento no âmbito de inquérito em que figurava como investigado. Além de incompatível com o ordenamento jurídico – como mais tarde veio a reconhecer o STF no julgamento da ADPF n.º 444 –, a condução coercitiva era desnecessária: foi determinada sem que, antes, o investigado tivesse sido convidado a depor e se negado.[156] A medida se inseria na estratégia de espetacularização que caracterizava a operação e a persecução criminal no Brasil. A população em geral não conhecia a natureza específica da prisão, e ficou perplexa com o seu advento. Muitos devem ter concluído que, se foi preso, é porque Lula devia ter alguma culpa.

Com esses dois episódios, o *impeachment* já havia se reaquecido. Em 13 de março, realizaram-se as primeiras manifestações de 2016, pedindo o *impeachment* de Dilma e dando apoio à Lava Jato. A manifestação realizada na Av. Paulista reuniu 1,4 milhões de pessoas – provavelmente, foi a maior manifestação da história do Brasil. O senador Aécio Neves, em passeata

---

para diminuir o risco de vazamentos. Mesmo assim, o jornal O Globo publicou, há quase duas semanas, a notícia de que Delcídio tinha assinado o acordo, mas sem revelar os depoimentos. Segundo a reportagem da Isto É, confirmada pela TV Globo, Delcídio disse que a presidente Dilma Rousseff tentou interferir nas investigações da Lava Jato e que o ex-presidente Lula não só sabia do esquema de corrupção montado na Petrobras, como atuou direta e pessoalmente para barrar as investigações". (*G1*, 03 mar. 2016).

[154] O Ministério Público pediu a rescisão do acordo de colaboração de Delcídio tendo em conta a "parcial efetividade de sua delação". Na oportunidade, o MPF-DF pediu ainda a absolvição de Lula, o que foi feito nos autos da Ação Penal n.º 0042543-76.2016.401.3400, em curso na Justiça Federal do DF.

[155] Em face do vazamento, o STF, em 15 de março de 2016, antecipou a homologação do acordo de Delcídio e suspendeu o sigilo sobre ele incidente, nada obstante o que determina a Lei n.º 12.850, art. 7.º, § 3.º, segundo o qual o sigilo deve prevalecer até o recebimento da denúncia.

[156] A condução coercitiva era inconstitucional, como, depois, reconheceria o STF, em junho de 2018, no julgamento das ADPFs n.º 395 e 444. Se ninguém é obrigado a produzir provas contra si mesmo, não tem sentido coagir o investigado a se deslocar até a delegacia para depor.

realizada em Belo Horizonte, sustentava haver três caminhos para o Brasil: "o *impeachment* da presidente, a cassação da chapa pelo Tribunal Superior Eleitoral (TSE) ou a renúncia".[157] Se, naquela conjuntura, não houvesse uma mudança de rumos contundente, o *impeachment* se consolidaria como tendência irreversível.

A derradeira cartada de Dilma foi jogada três dias depois das manifestações. Em 16 de março de 2016, a presidente anunciava a nomeação de Lula como ministro-chefe da Casa Civil. O propósito declarado da nomeação era recompor a base de apoio do governo no Congresso Nacional. A salvação do governo era entregue à notória habilidade do ex-mandatário de negociar e produzir entendimentos. A expectativa de que, com Lula, o governo tivesse um novo começo, todavia, só durou algumas horas. No mesmo dia 16, os investigadores da Lava Jato gravaram o polêmico diálogo entre Lula e Dilma, em que tratavam da assinatura do termo de posse – como antes ressaltado, o episódio foi interpretado como um artifício para evitar a prisão de Lula. Moro, horas depois de realizada a escuta, suspendeu o sigilo e determinou sua divulgação. O propósito extraprocessual, de submeter as autoridades envolvidas ao "escrutínio público", era reconhecido expressamente pelo então magistrado: "O levantamento propiciará assim não só o exercício da ampla defesa pelos investigados, mas também o saudável escrutínio público sobre a atuação da Administração Pública e da própria Justiça criminal. A democracia em uma sociedade livre exige que os governados saibam o que fazem os governantes, mesmo quando estes buscam agir protegidos pelas sombras".[158] A referência à ampla defesa padecia de qualquer autenticidade: se pretendesse propiciar a confrontação da prova, chamaria a defesa a se manifestar nos autos do processo. Se tivesse procedido assim, teria tomado conhecimento que apenas Lula assinara o ato de posse, não Dilma, e que o documento ficara em Brasília, não tendo sido levado por Lula a São Paulo, onde o ex-presidente já se encontrava quando da divulgação do diálogo captado.

---

[157] *Estadão,* 13 mar. 2015.

[158] A decisão foi proferida no pedido de quebra de sigilo de dados e/ou telefônicos n.º 5006205-98.2016.4.04.7000/PR. Por conta da divulgação de mensagens pelo *The Intercept*, soube-se que nem todas os diálogos gravados foram levados à público. Alguns, que conduziriam à conclusão oposta, foram mantidas sob sigilo (*Folha de São Paulo*, 08 ago. 2019).

A divulgação das gravações impactou no contexto político nacional como lenha na fogueira. No mesmo dia, espalharam-se manifestações pró-*impeachment* por todo o Brasil. No dia seguinte, criava-se a "*Occupy* Paulista", para protestar, de forma permanente, contra a nomeação de Lula. As TVs brasileiras faziam cobertura integral e ao vivo de todos os protestos. No dia 18, decisão monocrática do min. Gilmar Mendes suspendia a nomeação de Lula, julgando procedente pedido cautelar formulado em ações propostas pelo PPS e pelo PSDB. Dilma, no próprio dia 16, havia mostrado o documento de posse assinado apenas por ela, não por Lula: se o documento ficara em Brasília e não continha a assinatura de Dilma, como poderia servir ao ex-presidente como salvo-conduto? A essa altura, porém, os fatos não importavam mais. Um mês depois, em 17 de abril de 2016, a Câmara autorizava a abertura do processo de *impeachment*, em sessão que ficaria para a história não só pela gravidade da decisão tomada, mas também pelas manifestações sucessivas de desapreço pela democracia, pronunciadas por vários parlamentares ao justificarem seus votos.[159]

Em 12 de maio de 2016, os Senadores, por 55 votos a 22, aprovaram a instauração do processo, o que levou ao afastamento da mandatária. Durante os meses seguintes, sua defesa, no Senado, se deu perante parlamentares que, em sua maioria, passaram a integrar a base de apoio de Temer. Em 31 de agosto de 2016, o Senado a condenou, por 61 votos a favor e 20 votos contrários. Na ocasião, ocorreu, porém, a cisão do julgamento em duas deliberações. Primeiramente, o Senado votou a cassação do mandato, decidindo pelo afastamento definitivo de Dilma. Em seguida, deliberou sobre a aplicação da pena de inabilitação, por oito anos, para o exercício de função pública. Nessa segunda votação, não foi alcançada maioria de 2/3 (42, de 81 senadores, votaram pela inabilitação). Por essa razão, embora condenada, Dilma manteve seus direitos políticos e pode concorrer ao Senado nas eleições de 2018.[160]

A decisão do STF no julgamento da ADPF n.º 378 é exemplo de moderação dos excessos da política. No entanto, depois desse julgamento

---

[159] Essa sequência de eventos é descrita, *i. a.*, por: Tatagiba, L., 2018.

[160] O registro da candidatura foi deferido pela Justiça Eleitoral, nada obstante impugnada, sob o argumento de que o Senado não poderia ter cingido a deliberação. Cf.: TSE, RO n.º 060238825, rel. min. Roberto Barroso, J. 04.10.2018.

inicial (concernente ao procedimento do *impeachment*), o que prevaleceu foi a autocontenção da Corte quanto ao exame das decisões de mérito a serem proferidas pelo Senado. A adesão à tese da insindicabilidade do mérito do *impeachment*, por se tratar de "questão política", impediu que a Corte proferisse novas decisões relevantes.[161]

Recepcionada de autores norte-americanos, a tese era "ideia fora do lugar",[162] patologia que sempre assombrou a história constitucional brasileira.[163] Quando da promulgação da Constituição dos EUA, a escolha do Senado para julgar o *impeachment* atendeu à preocupação dos *founding fathers* com a independência que seria requerida para se promover a cassação do mandato presidencial. O Senado possuiria maior aptidão que a Suprema Corte para exercer a atribuição com imparcialidade em razão de ser composto por um número maior de membros. O que se buscava não era priorizar o juízo de conveniência política, mas garantir a integridade do julgamento. Tais razões são apresentadas por Hamilton em o Federalista, n.º 65:

> Em que outro lugar senão no Senado poderia se encontrar um Tribunal suficientemente dignificado ou independente? Qual outro órgão poderia transparecer a autossuficiência necessária para preservar, sem ser influenciado, a imparcialidade entre um indivíduo acusado e os representantes do povo, seus acusadores? Poderia a Suprema Corte responder a tal descrição? É duvidoso que os membros daquele Tribunal possam estar imbuídos da imparcialidade exigida para este tipo de julgamento; e é ainda mais questionável se teriam a credibilidade ou a autoridade indispensáveis, em certas ocasiões, para reconciliar o povo com decisão contrária à acusação, oriunda de seus representantes imediatos. Uma deficiência neste processo seria fatal para o acusado ou perigosa para a tranquilidade pública. O risco, nesses dois aspectos, só poderia ser evitado se o Tribunal se tornasse tão numeroso quanto possível, considerando com razoabilidade os custos envolvidos. A

[161] O precedente da Corte sobre a natureza do julgamento era muito antigo. Tratava-se de decisão proferida no julgamento do *Habeas Corpus* n.º 4.116, em 1918. O STF considerou que o processo de *impeachment* tinha natureza não só política, mas também jurídica. O precedente é examinado em: Pinto, P. B. S., 1965, p. 80.

[162] Schwarz, R., 1992.

[163] Cf.: Vianna, O., 1939.

exigência de um tribunal numeroso para o procedimento de *impeachment* resta justificada pela natureza desse tipo de processo.[164]

A Constituição Federal de 1988 define quais são as hipóteses de "atentado contra a Constituição" que, uma vez tipificadas pelo legislador, justificam a decretação do *impeachment*. O artigo 85 da Constituição Federal possui um elenco de sete hipóteses de crime de responsabilidade.[165] Nos EUA, a Constituição não as prevê em detalhes, nem exige que essas hipóteses sejam tipificadas por meio de lei; menciona, de forma genérica, a possibilidade de decretação do *impeachment* diante da prática de "traição, suborno ou outros crimes graves e contravenções".[166] A Constituição norte-americana não circunscreve juridicamente o julgamento a ser proferido pelo Senado, nem delega ao legislador a competência para fazê-lo. Nos EUA, são as condições institucionais que vigoram naquele país que garantem a sua juridicidade. Lá, como aqui, exige-se a manifestação de uma maioria qualificada de 2/3 para que seja decretado o *impeachment*.[167] Mas, nos EUA, vigora o bipartidarismo. Em regra, o partido do presidente é majoritário em uma das casas legislativas ou em ambas, nunca tendo menos de 1/3 das cadeiras simultaneamente na Câmara e no Senado. Por isso, o *impeachment* só é possível se o apoiarem também partidários do presidente acusado, o que só ocorre quando, de fato, houver praticado crimes graves. Considere-se o caso do processo de *impeachment* instaurado contra o presidente Bill Clinton: o *impeachment* foi apoiado, na Câmara dos Representantes, por 223 deputados republicanos, de um total de 228 (98%); mas por apenas 5 democratas, de um total de 206 (2%). Já, no Senado, o apoio ao *impeachment*

---

[164] Hamilton, A., 2001, n.º 65.

[165] O preceito possui a seguinte redação: "São crimes de responsabilidade os atos do presidente da República que atentem contra a Constituição Federal e, especialmente, contra: I - a existência da União; II - o livre exercício do Poder Legislativo, do Poder Judiciário, do Ministério Público e dos Poderes constitucionais das unidades da Federação; III - o exercício dos direitos políticos, individuais e sociais; IV - a segurança interna do País; V - a probidade na administração; VI - a lei orçamentária; VII - o cumprimento das leis e das decisões judiciais".

[166] Segundo o artigo II, seção 4, da Constituição dos EUA: "O presidente, o vice-presidente e todos os funcionários civis dos Estados Unidos serão destituídos de seu cargo por meio de *impeachment* ao cometer traição, suborno ou qualquer outro crime ou delito grave."

[167] Constituição dos EUA, artigo I, seção 3.

de Clinton contou com 51 votos, de 55 senadores republicanos (93%); e com nenhum voto entre os dos 54 senadores democratas (0%).[168]

No Brasil, ao contrário, vigora um pluripartidarismo dotado de grande complexidade. Dezenas de partidos possuem representação no parlamento, e grande parte dessas agremiações não têm orientação ideológica definida. Predomina a atuação orientada pela busca de espaços de poder junto à administração federal. Não são necessários votos do partido do próprio presidente para que o *impeachment* seja decretado. Basta que os partidos pragmáticos se unam à oposição, para que se forme a maioria de 2/3. O *impeachment*, se puder ser decretado apenas por razões políticas, sem limites jurídicos, pode agregar grande instabilidade ao sistema e se converter em instrumento de barganha, agravando as disfuncionalidades do presidencialismo de coalizão praticado no Brasil.[169]

A participação do Judiciário, em especial do Supremo Tribunal Federal, no diálogo a propósito da interpretação das cláusulas que positivam crimes de responsabilidade é importante para delimitar a moldura dentro da qual deverá se situar o juízo simultaneamente político e jurídico do Senado.[170] Ainda que se entenda que cabe ao Senado Federal ponderar razões de

---

[168] A propósito da deliberação ocorrida no processo de *impeachment* de Clinton, Sustein observa o que se segue: "A esmagadora maioria de republicanos – representantes e cidadãos – apoiou entusiasticamente o *impeachment* do presidente Clinton. Por outro lado, a maioria esmagadora dos democratas, dentro e fora do Congresso, opôs-se ao procedimento. Os republicanos acreditavam que os requisitos constitucionais para o processo estavam presentes, enquanto os democratas defendiam a tese de que as condutas do Presidente não eram suficientes para caracterizar qualquer crime ou delito. As questões jurídicas envolvidas eram altamente técnicas, não existindo razão para crer que os republicanos e os democratas discordariam em relação ao que determinam as normas jurídicas. Ainda assim, essa discordância acabou ocorrendo no campo partidário e, mais uma vez, gerou um clima de suspeitas mútuas." (Sunstein, C., 2001).

[169] A necessidade de o governante formar maiorias parlamentares para governar faz com que as eleições, no Brasil, sejam normalmente disputadas por chapas integradas por um candidato a presidente, de um partido, e um candidato a vice-presidente, de outro partido. Com a possibilidade de decretação do *impeachment* apenas por razões políticas, o vice-presidente passa a ser um elemento de desestabilização institucional.

[170] No direito comparado, há um precedente de anulação, pela Corte Suprema, da decisão do Legislativo que decretou *impeachment* de presidente. Foi o que ocorreu na Coreia do Sul. Em março de 2004, a Assembleia Nacional daquele país decretou o *impeachment* do presidente Roh Moo-hyun. Dois meses depois, a Corte Constitucional reestabeleceu o mandato. Ao fazê-lo, a Corte examinou aspectos materiais, não processuais,

cunho político, a atribuição não pode ser exercida fora dos limites constitucionais e legais. Ainda que não se atribua ao STF a competência para rever a subsunção realizada pelo Senado, não tem sentido, em uma democracia constitucional, impedi-lo de examinar quais normas incriminadoras são compatíveis com a Constituição Federal.[171] O texto constitucional define como crimes de responsabilidade os "atos que atentem contra a Constituição" (artigo 85, *caput*). O Supremo Tribunal Federal, como guardião da Constituição (art. 102, *caput*), não tem como deixar de participar de diálogo a respeito do significado desse importante conceito constitucional.[172] A simples observância das normas procedimentais não é suficiente para garantir a juridicidade do julgamento do *impeachment*.[173]

Em razão da ostensiva ausência de crime de responsabilidade, o *impeachment* seria taxado, com razão, como "o golpe de 2016".[174] A dramática desorganização das instituições brasileiras, vivenciada desde então, deve servir de alerta para os efeitos que podem ser produzidos por "recessos demo-

---

relativos, por exemplo, à proporcionalidade da pena em face das condutas praticadas. Cf. Lee, Y., 2005.

[171] No mesmo sentido, o fato de a Constituição reconhecer a "soberania dos vereditos" do Tribunal do Júri (art. 5.º, XXXVIII) não impede que o STF examine a constitucionalidade das normas incriminadoras que esse órgão deve aplicar, bem como de suas interpretações. Considere-se, por exemplo, o que ocorreu no caso da interrupção da gestação de feto anencéfalo. O STF declarou a inconstitucionalidade da aplicação do tipo penal do aborto à hipótese de anencefalia fetal. (ADPF n.º 54, rel. min. Marco Aurélio, Tribunal Pleno, J. 12.04.2012, *DJe*-080 30.04.2013).

[172] De acordo com o princípio da *interpretação conforme a Constituição*, cabe ao intérprete, quando se depara com norma aberta a diversas interpretações, optar por aquela que se seja compatível com o texto constitucional. A técnica está prevista no artigo 28, parágrafo único, da Lei n.º 9868/99.

[173] Entre nós, a tese era sustentada em Parecer, exarado como advogado, pelo hoje ministro Roberto Barroso (Barroso, L. R., 1998). No estudo, o então advogado Luís Roberto Barroso sustenta que teriam perdido fundamento constitucional justamente os preceitos que seriam apresentados para criminalizar as chamadas "pedaladas fiscais". A retirada dos chamados atos contra "a guarda e o legal emprego dos dinheiros públicos" do rol constitucional de crimes de responsabilidade seria hipótese de *abolitio criminis*. A conduta que anteriormente era considerada pela Constituição de 1946 como crime de responsabilidade apto a ensejar o *impeachment* presidencial passa a ser atípica. Considerando-se o regime de reserva constitucional estrita aplicado à enumeração das hipóteses de crimes de responsabilidade, Barroso conclui que os arts. 4º, VII, e 11, da Lei n.º 1.079/50, não teriam sido recepcionados.

[174] Cf., *i. a.*: Santos, W. G., 2017; Arantes, A., 2019, p. 129 ss.

cráticos" – o ministro Ayres Britto, na ocasião do *impeachment*, caracterizou o momento como de "pausa democrática".[175] Não teve lugar, a rigor, "pausa democrática", mas um *soft coup* perpetrado para se deflagrar um processo de erosão democrática, com o objetivo de levar à ascensão de um novo regime: o neoliberalismo autoritário.

III.8. O Governo Temer e a ascensão do neoliberalismo autoritário: austeridade fiscal e fragilização do controle civil sobre as Forças Armadas

Temer era vice-presidente em 2011, quando o governo federal decidiu intensificar o estímulo estatal aos setores produtivos, em especial à indústria, por meio de financiamentos públicos e desonerações fiscais. Como antes ressaltado, a política econômica atendia aos reclamos da indústria nacional, formalizados, por exemplo, por meio do já citado documento "Brasil do diálogo, da produção e do emprego", subscrito pela FIESP e por entidades de representação dos trabalhadores. Diante do fracasso da política, no início do segundo governo, Dilma deu início a um severo ajuste fiscal, buscando reverter os benefícios fiscais concedidos. A FIESP lançou então, em setembro de 2015, a campanha "não vou pagar o pato", insurgindo-se contra a supressão das desonerações e o aumento de impostos em geral. O ajuste fiscal deveria se dar apenas pela via do corte de gastos públicos, e o estímulo à produção, da redução dos custos do trabalho.

Conforme ficou claro que Dilma teria dificuldades para reestabelecer a governabilidade, em outubro de 2015, o PMDB, atendendo aos anseios do meio empresarial, publicou o documento, já citado, "Uma ponte para o futuro". A posse de Temer teria como significado produzir a adesão integral do Brasil a um modelo econômico contrastante com o que havia prevalecido nos últimos 13 anos e sido aprovado nas urnas em 2014.[176] Não se tratava

[175] *O Estado de São Paulo*, 22 abr. 2016.

[176] Em setembro de 2016, Temer chegou a afirmar que Dilma havia caído por não ter adotado o programa "Uma ponte para o futuro": "Há muitíssimos meses atrás, eu ainda vice-presidente, lançamos um documento chamado 'Uma ponte para o futuro', porque nós verificávamos que seria impossível o governo continuar naquele rumo. E até sugerimos ao governo que adotasse as teses que nós apontávamos naquele documento chamado 'Ponte para o futuro'. E, como isso não deu certo, não houve adoção, instaurou-se um processo

apenas de promover o ajuste fiscal, cuja necessidade contextual havia sido reconhecida também por Dilma, com a nomeação de Levy. Apesar do apoio da FIESP, cuidava-se, em parte, de despojar o Estado dos encargos associados ao esforço de conter o processo de desindustrialização.[177]

Iniciado o governo, Temer buscou efetivamente aplicar o programa. A primeira medida proposta por Temer foi a PEC n.º 241 (PEC n.º 55, no Senado), a qual resultou na Emenda Constitucional n.º 95, promulgada pelo Congresso Nacional em 15 de dezembro de 2016, instituindo o "Novo Regime Fiscal". O objetivo da EC n.º 95/2016 era fazer com que o Estado reduzisse despesas e investimentos para pagar juros da dívida.[178] A Emenda *congelava* os gastos públicos primários (isto é: todos os gastos públicos, excluídos os relativos ao pagamento de juros da dívida pública) por *20 exercícios financeiros*. Tais gastos só seriam corrigidos monetariamente, de acordo com a inflação do ano anterior (art. 107 do ADCT). Despesas com saúde, educação, previdência social, assistência social, investimentos em infraestrutura, que são primárias, ficavam congeladas.[179] O "Novo Regime Fiscal" reunia o conjunto de medidas de austeridade mais severo já praticado

---

que culminou agora com a minha efetivação como presidente da República" (*Exame*, 23 out. 2016).

[177] O programa era totalmente divergente do que foi aprovado nas urnas em 2014. Governo e programa eram carentes de "respaldo eleitoral". A expressão foi utilizada pelo presidente Donald Trump, em abril de 2018, para justificar sua oposição ao pleito do Brasil de ser admitido na OCDE (*O Estado de São Paulo*, 17 abr. 2018).

[178] No ponto, a exposição de motivos da PEC se refere à necessidade de contenção dos gastos com "políticas públicas": "Nos últimos anos, aumentaram-se gastos presentes e futuros, em diversas políticas públicas, sem levar em conta as restrições naturais impostas pela capacidade de crescimento da economia, ou seja, pelo crescimento da receita. [...] De fato, nossa experiência ensinou que o processo descentralizado e disperso de criação de novas despesas gerou crescimento acelerado e descontrolado do gasto. Isso posto, faz-se necessária a introdução de limites ao crescimento da despesa global, ao mesmo tempo em que se preservam as prerrogativas dos poderes constituídos para alocarem os recursos públicos de acordo com as prioridades da população e a legislação vigente".

[179] O art. 110 do ADCT, incluído no texto constitucional por meio da EC n.º 95, congelava os *pisos* de gastos com educação e saúde. Da emenda em diante, a União deveria adotar o mesmo piso vigente em 2017, reajustando-o, a cada ano, de acordo com a inflação, ainda que tivesse lugar o aumento de arrecadação. Suspendia-se, com isso, pelo prazo de 20 anos, a eficácia do inciso I do § 2.º do art. 198 e do *caput* do art. 212 da Constituição Federal, que estabelecia critérios para se calcularem os pisos de gastos da União com saúde e educação. A alteração era de constitucionalidade duvidosa. Como garantias fundamentais, os pisos previstos no art. 198, § 2.º, I, e no art. 212, *caput*, estão abarcados

em todo o mundo.[180] Era rígido quanto ao critério adotado para conter os gastos: o congelamento, com simples atualização monetária. Era severíssimo quanto ao tempo de vigência: os gastos seriam limitados não só para o governo Temer; mas para os cinco governos seguintes.

Como tais restrições foram inseridas na Constituição Federal, os governantes eleitos estariam impedidos, no futuro, de tomar quaisquer outras decisões em matéria fiscal, ainda que fossem decisões fiscalmente responsáveis. Pode-se objetar que nada impede que uma próxima legislatura novamente exerça o poder constituinte derivado e revogue ou altere os preceitos incluídos pela Emenda Constitucional n.º 95. A objeção desconsidera, porém, que, além de o processo de emenda constitucional ser complexo – exige-se maioria de 3/5 em cada casa do Congresso Nacional –, qualquer tentativa de aprová-la será combatida com argumentos *ad terrorem*, os quais, no mínimo, geram insegurança nos eleitores e empreendedores privados. Esses dois elementos conjugados, a depender da composição das próximas legislaturas, podem efetivamente perpetuar a austeridade, ainda que reprovada pela maioria.

Em uma democracia pluralista, um governo eleito pode legitimamente adotar medidas de austeridade. O que é democraticamente injustificável é impô-las como inevitáveis.[181] Políticas intervencionistas, que implicam o aumento dos gastos públicos, produziram resultados positivos em inúmeros momentos da história. O Brasil, por exemplo, foi o país que mais cresceu no mundo entre 1930 e 1980, o que se deu em decorrência de

---

pelo limite material ao poder de reforma constitucional estabelecido no artigo 60, § 4.º, IV, da Constituição Federal.

[180] Cf., *i. a.*: Ramos, A. P. e Lacerda, A. C., 2019. Os países que adotaram tetos para os gastos públicos – Holanda, Suécia e Dinamarca, por exemplo –, sempre o fizeram por poucos anos (três ou quatro anos). Em nenhum país, há algo que se aproxime do prazo de 20 anos, e os limites não são estabelecidos nos textos constitucionais. A Emenda Constitucional n.º 45 veicula a medida mais radical de toda a história do constitucionalismo fiscal.

[181] Rawls estabelece, como critério para validar os argumentos a serem apresentados no debate público sobre elementos constitucionais essenciais, a noção de *razão pública*, segundo a qual podemos apelar "unicamente para as crenças gerais e para as formas de argumentação aceitas no momento presente e encontradas no senso comum, e para os métodos e conclusões da ciência, quando estes não são controvertidos". A restrição veda que, na discussão sobre "elementos constitucionais essenciais", sejam evocadas "doutrinas religiosas e filosóficas abrangentes" ou "teorias econômicas complicadas de equilíbrio geral, quando controvertidas". (Rawls, J., 2000b, p. 274).

forte intervenção estatal no domínio econômico. O país que mais cresce desde então, a China, certamente não é exemplo de absenteísmo estatal, mas de associação entre iniciativa privada, regulação e intervenção direta do Estado. Apresentar as políticas de austeridade como inevitáveis significa negar a história econômica, que desmente eloquentemente esse elemento do discurso neoliberal.[182] Em uma democracia, as propostas para a economia e a sociedade devem ser submetidas ao escrutínio público, e se legitimar pela aprovação em eleições periódicas.

Com a Emenda Constitucional n.º 95, porém, a austeridade foi "constitucionalizada", isto é, elevada à condição de política econômica constitucionalmente obrigatória. Não é legítimo que um governo se utilize do artifício da constitucionalização para impedir que outros governos, eleitos no futuro, executem seus programas. Afastada da prudência e da moderação,[183] a Emenda Constitucional n.º 95 viola a cláusula pétrea estabelecida no artigo 60, § 4.º, II: o voto direto, secreto, universal e periódico. Ainda que os brasileiros produzam mais e paguem mais impostos, estarão impedidos de decidir como devem ser gastos os valores arrecadados. Viola-se, com isso, a máxima

[182] Nada obstante, muitos economistas dotados de amplo reconhecimento entre seus pares rejeitam fortemente as premissas nas quais a política se baseia. Em artigo recente, Paul Krugman, por exemplo, sustenta o que se segue: "Felizmente, os economistas aprenderam bastante com a Grande Depressão. Em particular, eles sabiam que a austeridade fiscal – corte de gastos governamentais e equilíbrio orçamentário – é uma ideia muito ruim em um contexto de economia em depressão. Infelizmente, os políticos de ambos os lados do Atlântico passaram a primeira metade dos anos 2010 fazendo exatamente o que a história e a teoria os diziam para não fazer, e esta linha de atuação política lançou sobre as nações uma série de problemas econômicos e políticos. Em particular, os déficits encontrados entre 2010-2015 ajudaram a preparar o terreno para a atual crise democrática. Por que a ideia de austeridade em uma economia deprimida é uma má ideia? Porque uma economia não funciona como uma família, cujos rendimentos e despesas são coisas distintas. Na economia como um todo, os meus gastos são os seus rendimentos e as suas despesas são os meus proventos. O que aconteceria se todos tentássemos reduzir as despesas ao mesmo tempo, como ocorreu ao longo da crise financeira? O resultado previsível, nessa situação, é de que os rendimentos de todos os envolvidos irão cair. Portanto, a fim de evitar uma depressão, é preciso ter alguém – o governo – para manter, ou ainda aumentar, as despesas, enquanto os outros segmentos atuam em sentido contrário." (Krugman, P., 2019).

[183] Ao constitucionalizar o *princípio da austeridade*, a Emenda Constitucional n.º 95 impede que o governo se oriente, por exemplo, pelo princípio da responsabilidade fiscal, segundo o qual deve haver correlação entre a arrecadação e as despesas. Cf.: Moreira Neto, D. F., 2000.

"*no taxation without representation*".[184] A EC n.º 95, em essência, furta aos cidadãos o direito de participar das decisões alocativas dos recursos públicos, esvaziando a esfera de deliberações da soberania popular.

Também prometida na "Ponte para o futuro", Temer fez aprovar a reforma trabalhista – a mais ampla realizada desde a edição da CLT. A reforma foi concluída, com a sanção da Lei n.º 13.467, em 13 de setembro de 2017. O clima não era de negociação e conciliação de classes, predominante em sucessivos governos brasileiros, desde Vargas. Era de aprovação de um projeto unilateral em toda a sua extensão e profundidade. O PL recebeu 296 votos favoráveis e 177 contrários, na Câmara; e 50 votos favoráveis e 26 contrários, no Senado. A coalizão de centro-esquerda de Dilma havia sido substituída por uma coalizão de centro-direita, com o total deslocamento do centro. Na reforma trabalhista, a nova coalizão, além de revogar inúmeros direitos, aprovou o princípio da prevalência do negociado sobre o legislado, estabeleceu o ônus de sucumbência na Justiça do Trabalho, revogou a obrigatoriedade da contribuição sindical.[185]

Ao pôr fim à obrigatoriedade da contribuição sindical, o Governo Temer conduziu à inviabilidade grande parte do sistema sindical brasileiro. A medida tinha como propósito proteger o mercado das pressões advindas de setores politizados da sociedade, como os sindicatos – como se verá adiante,

---

[184] O princípio está na origem do constitucionalismo americano – quando os atuais estados americanos eram colônias da Inglaterra, os cidadãos sustentavam ser incongruente recolherem tributos aos cofres ingleses se não possuíam representantes no parlamento da metrópole.

[185] Quanto à reforma trabalhista, o STF vem podando alguns excessos. Foi o que ocorreu, por exemplo, em relação à possibilidade do trabalho da gestante e da lactante em atividades insalubres, cuja aprovação já antecipava a ausência de empatia e humanidade com que, nos anos seguintes, o trabalhador passaria a ser tratado no Brasil. No julgamento da ADI n.º 5938, o STF considerou que a previsão contida no art. 394-A, II e III, da CLT, violava a proteção constitucional à maternidade e à infância, preservando a compatibilidade da legislação trabalhista brasileira com a dignidade da pessoa humana. De acordo com a Corte, "3. A proteção contra a exposição da gestante e lactante a atividades insalubres caracteriza-se como importante direito social instrumental protetivo tanto da mulher quanto da criança, tratando-se de normas de salvaguarda dos direitos sociais da mulher e de efetivação de integral proteção ao recém-nascido, possibilitando seu pleno desenvolvimento, de maneira harmônica, segura e sem riscos decorrentes da exposição a ambiente insalubre (CF, art. 227)". (ADI n.º 5.938, rel. min. Alexandre de Moraes, Tribunal Pleno, J. 29.05.2019, *DJe*-205 23.09.2019).

essa é a função essencial do Estado para o neoliberalismo autoritário. Não se nega que muitos sindicatos, de fato, padecessem de grave inautenticidade, não possuindo representatividade efetiva: eram cartórios que serviam mais a seus dirigentes que aos trabalhadores. A supressão da contribuição sindical, porém, inviabilizou muitos sindicatos autênticos. No momento em que escrevo, muitas entidades experimentam seus últimos dias de efetiva vida associativa, pagando as poucas despesas remanescentes por meio da alienação do patrimônio. Em um momento em que a democracia está em crise, e a autocracia opera sua consolidação, sindicatos fortes seriam, como foram no passado, importantes trincheiras de resistência. Pela via da extinção da contribuição obrigatória, a desequiparação de poder que, naturalmente, atinge as relações individuais de trabalho se transfere para as relações coletivas.[186]

O sistema sindical que resultou da reforma carece gravemente de coerência. A Constituição Federal, em seu artigo 8.º, II, veda a criação de mais de uma entidade sindical na mesma base territorial. Trata-se do princípio da unicidade sindical, do qual se extrai a regra segundo a qual toda a categoria profissional é representada pelo sindicato, não apenas os filiados. Com a revogação da obrigatoriedade da contribuição sindical, uns poucos empregados, associados, sustentam o sindicato, que negocia em nome de toda a categoria. A situação institui a figura do "carona": o empregado que, embora não contribua com o sindicato, recebe igualmente os benefícios da atuação sindical.[187] Porém, há um problema mais grave: o sindicato, enfraquecido

---

[186] A alteração legislativa, quanto ao ponto, foi submetida ao STF, que a considerou compatível com a Constituição: "5. A Carta Magna não contém qualquer comando impondo a compulsoriedade da contribuição sindical, na medida em que o art. 8.º, IV, da Constituição remete à lei a tarefa de dispor sobre a referida contribuição e o art. 149 da Lei Maior, por sua vez, limita-se a conferir à União o poder de criar contribuições sociais, o que, evidentemente, inclui a prerrogativa de extinguir ou modificar a natureza de contribuições existentes. 6. A supressão do caráter compulsório das contribuições sindicais não vulnera o princípio constitucional da autonomia da organização sindical, previsto no art. 8.º, I, da Carta Magna, nem configura retrocesso social e violação aos direitos básicos de proteção ao trabalhador insculpidos nos artigos 1.º, III e IV, 5.º, XXXV, LV e LXXIV, 6.º e 7.º da Constituição." (ADI n.º 5794, rel. min. Edson Fachin, rel. p/acórdão min. Luiz Fux, Tribunal Pleno, J. 29.06.2018, *DJe*-083 23.04.2019).

[187] Como esclarece Olson, "na verdade, a menos que o número de indivíduos do grupo seja realmente pequeno, ou a menos que haja coerção ou algum outro dispositivo especial [...], os indivíduos racionais e centrados nos próprios interesses não agirão para promover os interesses comuns ou coletivos". (Olson, M., 2011, p. 14).

pela falta de recursos, na representação de toda a categoria, não apenas dos filiados, poderá negociar a inobservância de preceitos constantes da CLT, tendo em vista a prevalência do negociado sobre o legislado – princípio também estabelecido pela reforma, como antes mencionado. A contradição é evidente: o sindicato tem a atribuição de negociar a relativização de direitos trabalhistas não só de filiados, mas também de não filiados. Mas não pode cobrar contribuição sindical de não filiados.

A reforma trabalhista foi sancionada em 11 de julho de 2017, depois de quase sete meses de tramitação – o PL foi apresentado em 23 de dezembro de 2016. Quando o processo legislativo se concluiu, Temer estava enredado em denúncias gravíssimas. O presidente havia sido gravado, no âmbito de ação controlada, tratando do recebimento de propina para si e do pagamento ao deputado Eduardo Cunha, que, na ocasião, já se encontrava preso. Seu assessor, o ex-deputado Rocha Loures, dias depois, seria filmado recebendo uma mala contendo milhares de reais. O impacto da divulgação das gravações foi tremendo. Nos noticiários, a voz de Temer era ouvida e se via Loures correndo com a mala. Em razão desses fatos, durante o período em que exerceu a Presidência da República, Temer seria denunciado três vezes perante o Supremo Tribunal Federal. A Câmara, porém, não autorizou o processamento de duas ações. Em relação à terceira, não houve manifestação da Câmara, por ter sido ajuizada a poucos dias do final do mandato. A mesma legislatura que autorizara o *impeachment* de Dilma em decorrência de irregularidades contábeis, negava o processamento de ações que veiculavam fatos graves, comprovados por filmagens e gravações. Em decorrência desses fatos, não ocorreram passeatas e manifestações de proporções comparáveis às que se assistiram para reivindicar o *impeachment* de Dilma. Nada obstante, a população passou a rejeitar Temer com vigor: em julho de 2017, apenas 5% das pessoas consideravam seu governo bom ou ótimo; 70% consideravam-no ruim ou péssimo. Temer não foi afastado, mas o governo tampouco prosseguiu com normalidade. O capital político que seria necessário, por exemplo, para promover a reforma da Previdência foi empregado na sua permanência no poder. Além de negociar a rejeição das denúncias, só restou a Temer força política junto ao Congresso para concluir a reforma da legislação trabalhista.

Já totalmente desgastado pelas denúncias de corrupção, a dez meses do fim do governo, Temer decidiu decretar intervenção federal na segurança pública do Rio de Janeiro. Por meio de um ato de força, procurava responder às expectativas de endurecimento das políticas de segurança pública. A medida foi questionada quanto à opção por intervir no Rio de Janeiro e deixar de intervir em outros estados, que exibiam índices de violência piores.[188] Gerava perplexidade ainda por impedir a edição de emendas às Constituição, tendo em vista o estabelecido no art. 60, §1.º, da Constituição Federal, em conjuntura em que se discutia a reforma da Previdência, veiculada por meio da PEC n.º 287/2016. Como, para o fim do governo, faltavam apenas 10 meses, a decretação de intervenção tinha como consequência impedir a realização da reforma. Para além da conclusão de que Temer buscava restabelecer parte de sua popularidade, conclui-se ainda que o governo, pelo menos, deixara de acreditar na viabilidade da aprovação da reforma da Previdência. A execução irrisória do orçamento reservado à intervenção federal demonstrou que não havia compromisso efetivo com a solução do problema da segurança pública.

A intervenção federal se processou por meio das Forças Armadas. Foi nomeado interventor o general Braga Netto, e secretário de segurança pública, o general Richard Nunes. No art. 144, a Constituição não previu a participação da Forças Armadas na execução de políticas de segurança. No entanto, a própria Constituição a permite: o art. 142 estabelece que as Forças Armadas também se destinam à garantia "da lei e da ordem".[189] O preceito é regulamentado pela Lei Complementar n.º 97/1999, com a redação dada pela Lei Complementar n.º 117/2004, que previa a possibilidade de o governado estadual reconhecer a insuficiência dos meios de que dispõe para garantir a lei e a ordem e, com isso, solicitar ao governo federal o emprego das Forças

---

[188] Os dados apresentados pelo IPEA, no Atlas da violência do ano de 2016, demonstram que havia vários estados com problemas mais sérios de segurança que o Rio de Janeiro, cuja taxa era de 36,38 homicídios por 100 mil habitantes/ano: Rio Grande do Norte – 53,35; Acre – 44,45; Ceará – 40,63; Pernambuco – 47,26; Sergipe – 64,66; Alagoas – 54,18; Pará – 50,85; Bahia – 46,94; Amapá – 48,70; Roraima – 39,67; Goiás – 45,34; Tocantins – 37,64; Rondônia – 39,33. Havia várias capitais com índices piores que os da cidade do Rio de Janeiro, que eram de 25,82: Aracaju – 72,95; Belém – 66,42; Cuiabá – 37,07; Curitiba – 29,41; Fortaleza – 44,60; Goiânia – 41,83; João Pessoa – 44,28; Macapá – 56,07; Maceió – 55,30; Manaus – 47,84; Natal – 62,67; Porto Alegre – 55,64; Porto Velho – 44,01; Recife – 41,03; Salvador – 57,79; São Luís – 55,50; Teresina – 44,13.

[189] CF, artigo 142: "As Forças Armadas [...] destinam-se à defesa da Pátria, à garantia dos poderes constitucionais e, por iniciativa de qualquer destes, da lei e da ordem".

Armadas.[190] Não haveria, nesse caso, a necessidade de decretação de intervenção federal, desonerando o sistema da limitação de emedar a Constituição. Embora se possa sustentar que a Lei Complementar n.º 97/1999 é inconstitucional quanto a esse aspecto,[191] ela tem sido empregada desde 2004, inclusive no próprio Estado do Rio de Janeiro, sem que o STF tenha declarado sua inconstitucionalidade. No caso da intervenção ora examinada, a princípio, para o governador do Estado, era mais conveniente acordar, por meio de convênio, a realização de GLO (operação de garantia da lei e da ordem), que se submeter à intervenção decretada pela União. A decisão de Temer de decretar a intervenção não defluía, portanto, de necessidade jurídica incontornável. O governo federal poderia ter empregado as Forças Armadas na segurança pública do Rio de Janeiro, como já havia ocorrido no passado, e preservado a possibilidade de concluir o processamento da PEC n.º 287/2016. Como a decretação de intervenção federal era juridicamente desnecessária, ganhava plausibilidade a tese de que sua verdadeira motivação seria alcançar outros objetivos políticos, tal como desviar a atenção do escândalo de corrupção que atingia o presidente.

A intervenção de Temer reintroduziu, por razões políticas menores, as Forças Armadas no cotidiano da vida política brasileira, negligenciando os

[190] De acordo com a LC n.º 97/1999, art. 15, §2.º, "a atuação das Forças Armadas, na garantia da lei e da ordem [...] ocorrerá [...] após esgotados os instrumentos [...] relacionados no art. 144 da Constituição Federal". Conforme o §3º do mesmo artigo, incluído pela LC n.º 117/2004, "consideram-se esgotados os instrumentos relacionados no art. 144 da Constituição Federal quando, em determinado momento, forem eles formalmente reconhecidos pelo respectivo Chefe do Poder Executivo Federal ou Estadual como indisponíveis, inexistentes ou insuficientes ao desempenho regular de sua missão constitucional". Uma vez que o presidente determine o emprego das Forças Armadas, o governador deverá "transferir o controle operacional dos órgãos de segurança pública necessários ao desenvolvimento das ações para a autoridade encarregada das operações, a qual deverá constituir um centro de coordenação de operações, composto por representantes dos órgãos públicos sob seu controle operacional ou com interesses afins" (LC n.º 117, art. 15, §5.º).

[191] Há, em entrevista, manifestação do ministro Lewandowski contra essa possibilidade. De acordo com o então desembargador do Tribunal de Justiça do Estado de São Paulo, o emprego das Forças Armadas deveria se limitar às hipóteses de decretação de estado de defesa, estado de sítio e intervenção federal: "A utilização das Forças Armadas para combater a violência urbana, em caráter permanente, é, portanto, inconstitucional, embora seja lícito o seu emprego temporário e limitado, em situações de emergência, claramente caracterizadas." (Lewandowski, R., 2004). No mesmo sentido, cf.: Souza Neto, C. P., 2008. Em sentido contrário, cf. Barroso, L. R., 2007.

esforços feitos desde a reabertura democrática para conformá-las a padrões de autocontenção e subordinação ao poder civil apropriados ao Estado Democrático de Direito. Durante o governo Temer (em 2018), 2.765 militares exerciam cargos civis na administração federal – durante o governo Bolsonaro o número de militares ocupando cargos civis chegaria a 6.157.[192]

Não era de se estranhar que, perto das eleições de 2018, o então comandante do Exército Brasileiro, general Villas Boas, interviesse em assunto que era objeto de exame pelo Supremo Tribunal Federal. Julgava-se, em 4 de abril de 2018, *habeas corpus* em que o ex-presidente Lula figurava como paciente (HC n.º 152.752), tendo como objeto a possibilidade da execução da pena de prisão após a condenação em 2ª instância. O precedente estabelecido pelo STF no julgamento das cautelares das ADCs n.º 43 e 44 não mais correspondia ao entendimento predominante na Corte. Meses antes, o ministro Gilmar Mendes, que havia votado, no referido julgamento, para autorizar a execução da pena de prisão após a decisão de 2ª instância, mudou de posição e passou a sustentar a necessidade do trânsito em julgado. A apreciação do *HC*, se ocorresse em conformidade com a interpretação predominante na Corte, levaria à libertação de Lula. O general Villas Boas, então, na véspera do julgamento, publicou as seguintes mensagens no Twitter: "Nessa situação que vive o Brasil, resta perguntar às instituições e ao povo quem realmente está pensando no bem do país e das gerações futuras e quem está preocupado apenas com interesses pessoais?". E concluiu: "Asseguro à Nação que o Exército Brasileiro julga compartilhar o anseio de todos os cidadãos de bem de repúdio à impunidade e de respeito à Constituição, à paz social e à democracia, bem como se mantém atento às suas missões institucionais".[193] Não estava em questão a participação de Lula no pleito na condição de candidato, o que se vedava em razão da Lei

[192] Os dados são do TCU (*O Globo*, 17 *jul.* 2020).

[193] Por ocasião do julgamento do HC n.º 152752, o decano da Corte, min. Celso de Mello, em voto que concedeu a ordem, rechaçou a intervenção castrense: "É preciso ressaltar que a experiência concreta a que se submeteu o Brasil no período de vigência do regime de exceção (1964/1985) constitui, para esta e para as próximas gerações, marcante advertência que não pode ser ignorada [...]. Intervenções castrenses, quando efetivadas e tornadas vitoriosas, tendem, na lógica do regime supressor das liberdades que se lhes segue, a diminuir (quando não a eliminar) o espaço institucional reservado ao dissenso, limitando, desse modo, com danos irreversíveis ao sistema democrático, a possibilidade de livre expansão da atividade política e do exercício pleno da cidadania".

da Ficha Limpa, segundo a qual a inelegibilidade se estabelece desde a decisão condenatória proferida por órgão colegiado. O que se evitava, mantendo-se o ex-presidente preso, era que, durante a campanha eleitoral, defendesse publicamente seu candidato, o que, certamente, teria impactado no resultado das eleições, não se sabe se a ponto de alterá-lo.

A ministra Rosa Weber, que era contrária ao início da execução da pena após a decisão de 2ª instância, para preservar o princípio da colegialidade, negou a concessão do *habeas corpus*. A decisão não fazia sentido, já que o *habeas corpus* estava sendo julgado pelo próprio colegiado, pelo Plenário do STF, o qual, por não se autovincular, não está impedido de alterar suas próprias decisões, ainda que proferidas no exercício do controle abstrato de constitucionalidade.[194] É de se supor, porém, que, se as ações de controle concentrado tivessem sido pautadas em lugar do *habeas corpus* individual do ex-presidente, o resultado teria sido outro. Quem acompanha o cotidiano da Corte sabe que a manifestação do general Villas Boas não produziu qualquer alteração na forma como a ministra Rosa Weber apreciaria o caso. Nada obstante, no dia da posse do novo ministro da Defesa, Bolsonaro agradeceria ao general Villas Boas: "O senhor é um dos responsáveis por eu estar aqui".[195] Depois de três décadas de vigência da Constituição de 1988, os militares voltavam a se apresentar como tutores das instituições nacionais.

No final de seu governo, em 15 de outubro de 2018, Temer editou o Decreto n.º 9527, criando a "Força-Tarefa de Inteligência para o enfrentamento ao crime organizado no Brasil", que ora está a serviço do governo Bolsonaro. O decreto era ambíguo, mas parecia conferir funções policiais à mencionada "Força-Tarefa de Inteligência", ao lhe atribuir a incumbência de realizar o "enfrentamento do crime organizado". A Força-Tarefa seria integrada não só

---

[194] De acordo com o art. 102, § 2.º, da Constituição Federal, "as decisões definitivas de mérito, proferidas pelo Supremo Tribunal Federal, nas ações diretas de inconstitucionalidade e nas ações declaratórias de constitucionalidade produzirão eficácia contra todos e efeito vinculante, relativamente aos demais órgãos do Poder Judiciário e à administração pública direta e indireta, nas esferas federal, estadual e municipal". Como se verifica, apenas os demais órgãos do Poder Judiciário estão vinculados, não o STF. O que teve lugar, no caso, foi a preservação artificial de uma interpretação que não contava mais com a aprovação da maioria da Corte, mantendo milhares de pessoas na prisão. Entre eles, um ex-presidente da República que, à época, era o candidato que ocupava a melhor posição nas pesquisas eleitorais.

[195] *O Globo*, 02 jan. 2019.

por órgãos de inteligência, mas também por órgãos militares e policiais: GSI, ABIM, Centros de Inteligência da Marinha, do Exército e da Aeronáutica, COAF, Receita Federal, Polícia Federal, Polícia Rodoviária Federal, DEPEN e Secretaria Nacional de Segurança Pública. Todos esses órgãos passavam a atuar sob a coordenação do Gabinete de Segurança Institucional – GSI. A centralização operada pelo Decreto desconsiderou que a própria divisão interna de órgãos que tratam de inteligência e de segurança pública obedece ao propósito de moderar as instituições responsáveis pelo controle social. Desconsiderou também o que determina o art. 144, segundo o qual a segurança pública, no âmbito da qual se insere o enfretamento ao crime organizado, é atribuição de órgãos policiais, não de órgãos de inteligência.[196] Órgãos de inteligência operam sem observar muitos dos limites formais e materiais a que se submetem as instituições policiais. As informações que produzem devem subsidiar os governantes no processo de tomada de decisões. Não são informações aptas a legitimar a persecução criminal, que deve se realizar sempre observando os princípios da legalidade e do devido processo legal.

Os estados totalitários são sempre e necessariamente estados policiais.[197] As eleições 2018, vencidas com o apoio decisivo dos órgãos de persecução criminal, demonstram como aparatos de segurança e inteligência podem funcionar como instrumentos de intervenção na vida política. Esses instrumentos, capturados por governante autocrático, podem servir, de início, para inabilitar adversários. Mas, em seguida, tendem a ser empregados também para coagir jornalistas, para pressionar juízes e para chantagear empresários. Aqui, como alhures, a concentração de órgãos policiais e de inteligência é justificada com base no argumento de que é necessário aprimorar o combate à corrupção, mas sempre acaba servindo para combater

[196] Apenas esses órgãos podem ser instituídos como organizações policiais. É o que decidiu o STF ao definir o rol do art. 144 como taxativo. Com isso, veda-se aos estados-membros, por exemplo, atribuir função policial ao departamento de trânsito ou instituir "polícia penitenciária", encarregada da vigilância dos estabelecimentos penais (ADI n.º 236, relator min. Octávio Gallotti, Tribunal Pleno, J. 07.05.1992, *DJ* 01.06.2001; ADI n.º 3469, relator min. Gilmar Mendes, Tribunal Pleno, J. 16.09.2010, *DJe*-039 28.02.2011).

[197] Uma das primeiras medidas do governo nazista foi criar a Gestapo – abreviação de *Geheime Staatspolizei* (Polícia Secreta do Estado) – como polícia política. Como se sabe, quanto mais autocrático é o regime, maior é a importância da polícia política: "Acima do Estado e por trás das fachadas do poder ostensivo, [...] está o núcleo de poder do país, os supereficientes e supercompetentes serviços da polícia secreta" (Arendt, H., 1978, p. 174).

a liberdade e o espírito crítico. Depois de tantas lições da história, o país já deveria ter aprendido que não há Estado de Direito e democracia sem que "poder freie poder".

Os últimos meses de Temer foram de colapso em inúmeros setores do governo. Isso pode ser constatado, por exemplo, por meio do exame das tratativas para privatizar a Eletrobras. A privatização da empresa foi estabelecida como meta pouco depois da posse de Temer. Em 28 de dezembro de 2017, enquanto os brasileiros se dedicavam às festas de final de ano, o presidente editou a Medida Provisória n.º 814, revogando preceito legal que excluía a Eletrobras do Plano Nacional de Desestatização. A MP, porém, caducou. Caia por terra o principal ativo político que o governo possuía: apoio parlamentar. Conforme o término do mandato se aproximava, a autoridade de Temer se diluía. No noticiário, suas poucas iniciativas administrativas ocupavam menos espaço que as matérias sobre as investigações que apuravam a corrupção na gestão do Porto de Santos, cujos dirigentes seriam, havia anos, indicados por Temer.[198] Meses antes, em maio de 2018, o país parara com a greve dos caminhoneiros, só sendo interrompida quando o governo concordou em controlar o preço do diesel – um dos pecados que se atribuía a Dilma era o de estabelecer política de preços para as estatais que não maximizava a lucratividade.[199] O fracasso político do governo de Temer enfraqueceu a direita moderada, a qual, ademais, já havia sido tragada pelo fluxo contínuo de denúncias originadas da Lava Jato. Nas eleições de 2018, o voto conservador se deslocaria da ala moderada para a ala radical da direita brasileira, com a eleição de Bolsonaro.[200]

Político mais vocacionado para as articulações de gabinetes que para as grandes campanhas eleitorais, Temer dificilmente teria chegado à Presi-

---

[198] Terminado o mandato, Temer seria preso preventivamente, o que se deu em março de 2019. A prisão preventiva foi mantida por seis dias, tendo sido revogada pelo Superior Tribunal de Justiça.

[199] Por ocasião da divulgação de acordo do governo com os caminhoneiros, o presidente Temer informava que recursos da União seriam empregados para "indenizar" a Petrobras pelo desconto incidente sobre o preço do óleo diesel. Porém, a rigor, não havia indenização a ser paga. A União poderia, como sempre fez, determinar que a Petrobras praticasse preços inferiores, justamente por se tratar de sociedade de economia mista, constituída para atender a "imperativo da segurança nacional" e a "relevante interesse coletivo" (CF, art. 173). A própria Lei n.º 6.404/76, em seu artigo 238, já citado, deixa clara essa possibilidade. Cf.: Souza Neto, C. P., 2018.

[200] Cf.: Santos, F. e Tanscheit, T., 2019.

dência se encabeçasse a chapa. Em pesquisa realizada entre os dias 18 e 19 de dezembro de 2018, o presidente tinha 7% de aprovação (bom e ótimo) e 62% de reprovação (ruim e péssimo).[201] Foi o presidente mais impopular da história do Brasil. Sua unção pelo Congresso, em substituição à mandatária eleita, deixou um legado de desorganização institucional e erosão da democracia brasileira. No exercício do poder, apesar de seu temperamento cordial, inseminou o Estado brasileiro com vários germes de autoritarismo, antecipando o neoliberalismo autoritário que ascenderia ao poder com Bolsonaro. A conclusão melancólica, por Temer, do mandato iniciado em 2015 possivelmente demarcou o fim da Nova República, conformação político-institucional que, inobstante suas múltiplas imperfeições, propiciou o maior período de estabilidade democrática em toda a história nacional. Quando escrevo este texto, nos primeiros meses de 2020, ainda não é possível saber se o neoliberalismo autoritário se consolidaria como novo regime ou se o que hoje vivenciamos é apenas um breve interstício a ser superado pelo pleno restabelecimento da democracia no Brasil.

III.9. A campanha eleitoral, o emprego do *lawfare* e o império das *fake news*

A segurança do transporte aéreo costuma ser dimensionada por meio da afirmação de que os aviões modernos só caem quando ocorre um conjunto de falhas conjugadas. A eleição de um extremista, como Bolsonaro, também só seria possível se adviesse uma serie improvável de erros, acidentes e contingências.[202] O ambiente cultural propício à emergência do fascismo já vinha sendo gestado desde 2013, com grande penetração na classe média. A adesão de igrejas neopentecostais conferiu ao bolsonarismo base popular e capilaridade nacional – não fosse o voto evangélico, Bolsonaro perderia as eleições.[203] As forças políticas democráticas, ao invés de se unirem, mantive-

[201] *G1*, 27 dez. 2018.

[202] A eleição de Bolsonaro era, de fato, absolutamente improvável. Prova disso é que nenhum dos partidos grandes ou médios aderiu formalmente a sua candidatura. O pleito de 2018 foi a eleição em que "a moeda caiu em pé" (Moura, M. e Corbellini, J., 2019, p. 21).

[203] Bolsonaro e Haddad praticamente empataram no voto católico e espírita; Haddad ganhou no voto de ateus, de agnósticos e de quem se declarava adepto de religiões afro-brasileiras; mas os evangélicos votaram em peso em Bolsonaro. Segundo dados do Data Folha, ampla-

ram-se afastadas, litigando de modo destrutivo e, em muitos casos, aliando-se ao fascismo – no segundo turno das eleições de 2018, mesmo candidatos a governador pelo PSDB apoiaram Bolsonaro. Para que Bolsonaro fosse eleito, porém, era necessário que alguns elementos do sistema político em vigor parassem de operar normalmente.

Foi o que ocorreu. Em primeiro lugar, a disputa precisava ser circunscrita a candidatos com expressão eleitoral equivalente, o que ocorreu com a inabilitação de Lula, o adversário mais forte. Embora o propósito da inabilitação, na origem, pareça não ter sido eleger Bolsonaro, sem ela, esse resultado provavelmente não teria se produzido – é a conclusão a que se chega por meio do exame das pesquisas eleitorais, em que Lula figurava como favorito, até a sua exclusão do pleito. Em segundo lugar, era necessário que os grandes meios de comunicação social perdessem parte do poder de filtrar as informações que se massificavam junto à opinião pública – em condições normais, as principais empresas do setor tenderiam a apoiar um candidato de centro-direita, Alckmin, provavelmente. O emprego inovador da internet produziu esse resultado: nas eleições de 2018, a comunicação por meio do Facebook e dos grupos de WhatsApp reduziu drasticamente a influência da imprensa tradicional. Ainda assim, porém, a candidatura de Bolsonaro dificilmente seria exitosa não fosse o episódio da facada, que evitou a exposição reiterada de sua inconsistência durante a campanha eleitoral, em que teria que enfrentar adversários dotados de grande experiência e capacitação para o debate, como Ciro Gomes, Fernando Haddad e Geraldo Alckmim. A conjugação desses fatores extraordinários conduziu à vitória um candidato que, no início do processo eleitoral, não reunia condições mínimas para almejar a Presidência da República, e ninguém levava a sério.

A decisão que impediu Lula de concorrer nas eleições de 2018, proferida no processo que tratava do "triplex do Guarujá", não supera padrões mínimos de consistência decisória. Era legítimo o juízo político que reprovava o PT por ter, no governo, reproduzido os métodos de financiamento eleitoral da política tradicional, em que o recebimento de doações era compensado com contrapartidas governamentais. Como Lula era líder do Par-

mente divulgados, 21.595.284 eleitores evangélicos optaram pelo candidato do PSL, enquanto 10.042.504 escolheram o candidato do PT. A diferença foi de 11.552.780 votos nesse segmento.

tido, era absolutamente compreensível a posição de quem, por lhe imputar responsabilidade política, decidira lhe negar novo voto. A condenação política não pode, porém, resultar em condenação em processo judicial, a qual só pode se produzir legitimamente quando há prova nos autos do processo. No caso do Triplex, quem quer que os leia com imparcialidade concluirá que o *minimum minimorum* que se pode dizer em favor do ex-presidente é que há "dúvida razoável". [204] Pessoalmente, ao estudar os autos, não tive dúvida quanto à inexistência dos delitos imputados. O caso diz respeito a imóvel que vinha sendo adquirido a longo prazo por Lula e Marisa. O casal amortizava, havia anos, o financiamento obtido junto à Bancoop (Cooperativa Habitacional dos Bancários de São Paulo). Quando a cooperativa se tornou insolvente, a obra foi assumida pela construtora OAS. Ao tomar conhecimento de que Lula havia adquirido uma unidade modesta, a construtora lhe consultou sobre o interesse em adquirir unidade maior, no mesmo edifício. Lula visitou o imóvel, ocasião em que fez objeções quanto à organização do espaço e à qualidade da obra. A construtora realizou, então, melhorias para ajustá-lo às observações feitas pelo ex-presidente. Porém, Lula nunca tomou posse do imóvel, não retornou ao imóvel após aquela única visita, nunca recebeu nenhum título de propriedade, não subscreveu qualquer repactuação formal. Desses fatos, Moro, ao invés de extrair a conclusão de que nenhum delito havia se consumado, deduziu que a hipótese era não só de corrupção, mas também de lavagem de dinheiro – a ausência de formalização do recebimento do imóvel teria como propósito ocultar o crescimento patrimonial.

Com base nos elementos disponíveis nos autos, não era possível dizer se a repactuação informal efetivamente chegou a se concluir; não era possível tampouco deduzir se, uma vez concluída, haveria ou não pagamento da diferença. Se o ex-presidente tivesse ficado satisfeito com as benfeitorias, poderia

---

[204] O *standard*, importado do direito norte-americano, foi recepcionado pela jurisprudência do STF. No voto proferido pelo min. Luís Fux na Ação Penal 470, foi assim definido: "O critério de que a condenação tenha que provir de uma convicção formada para 'além da dúvida razoável' não impõe que qualquer mínima ou remota possibilidade aventada pelo acusado já impeça que se chegue a um juízo condenatório. Toda vez que as dúvidas que surjam das alegações de defesa e das provas favoráveis à versão dos acusados não forem razoáveis, não forem críveis diante das demais provas, pode haver condenação". (APN n.º 470/MG, rel. min. Joaquim Barbosa, Tribunal Pleno, *DJe* 22.04.2013).

ter ficado com o imóvel, por meio da elaboração de novo contrato. Mas o fato é que o negócio não se concluiu. Para comprovar que as melhorias realizadas no imóvel eram contrapartidas por benefícios obtidos pela empreiteira junto à Petrobras, a acusação apresentou depoimento de colaborador, sem que suas afirmações fossem corroboradas por provas – o depoimento do colaborador não é prova, apenas meio para a obtenção de prova.[205] Causa perplexidade que não só o magistrado de primeira instância mas também os julgadores da apelação, no TRF da 4ª Região, tenham entendido que o delito estava provado para além de "qualquer dúvida razoável".[206] A inabilitação de Lula para as eleições de 2018 era resultado de uma decisão proferida sem a mínima base fática ou normativa.[207] Decisões judiciais podem estar certas ou erradas, o que é normal. A condenação de Lula no caso do Triplex, todavia, é ostensivamente teratológica. Por meio dessa decisão, um conjunto de poucos magistrados – apoiados pelas elites econômicas e sociais – subtraiu ao povo brasileiro a possibilidade de eleger o candidato de sua preferência.[208]

Além de serem insustentáveis quanto à decisão de mérito, várias irregularidades graves levavam à nulidade do processo. É de especial gravidade a realização de escuta telefônica no escritório dos advogados de Lula. Durante 25 dias de interceptação, produziu-se relatório englobando 14 horas de diálogos. No curso do período de escutas, o juiz Moro foi informado, em duas oportunidades, por meio de ofícios da companhia telefônica, que se tratava

---

205 É o que determina a Lei n.º 12.850/2013, em seu art. 4.º, § 16, segundo o qual "nenhuma sentença condenatória será proferida com fundamento apenas nas declarações de agente colaborador". É assim porque os colaboradores, para obter o acordo, tendem a falar o que os acusadores desejam, ainda que não se trate da verdade.

206 Não examinei os demais processos nos quais o ex-presidente figura como réu, nem conheço, para além do que se publica na imprensa, as demais investigações que recaem sobre o ex-mandatário. As observações acima se restringem apenas ao processo em cujo âmbito se proferiu a decisão que conduziu à inabilitação de Lula para as eleições de 2018, o qual pude examinar em detalhe.

207 A precariedade da condenação foi reconhecida por inúmeros juristas que analisaram o processo. Cf., *i. a.*, os artigos reunidos em: Proner, C. et al., 2017.

208 Politicamente, o líder sempre é responsável pelos ilícitos reiterados que se praticam no âmbito de sua organização partidária. A responsabilização política não se confunde, porém, com a responsabilização jurídica, que só pode se dar em conformidade com as leis em vigor. Apenas provas capazes de resistir à força do contraditório são aptas a legitimar condenações judiciais. É a autonomia da esfera jurídica em relação à esfera política que caracteriza o Estado de Direito.

de escritório de advocacia, sem que isso fosse suficiente para o magistrado revoga-las.[209] Moro alegou excesso de trabalho para desconsiderar o teor dos ofícios. A diligência contrariava o artigo 133 da Constituição Federal, segundo o qual o advogado é inviolável, bem como o art. 7.º, II, da Lei n.º 8.906/94, que, ao regulamentar o preceito constitucional, institui a "inviolabilidade [...] de sua correspondência escrita, eletrônica, telefônica e telemática [...]".[210] A garantia é essencial ao exercício pleno do direito de defesa. A acusação não pode, por meio de escutas telefônicas, conhecer a estratégia concebida pelos advogados.[211] Apenas dois anos depois de a imprensa ter revelado o grampo ilegal, o TRF da 4ª Região mandou destruí-lo, o que só ocorreu em 14 de março de 2018.[212] No início de 2020, a gravíssima irregularidade ainda não havia resultado na anulação do processo, estando pendente de apreciação no STF. O "direito penal do inimigo" é incompatível com

---

209 É o que se reporta na Petição n.º 6062, protocolada perante o STF, em 07/04/2016, pelo Conselho Federal da OAB. Quanto ao tópico, encontra-se relatado o que se segue: "Sucede que a operadora de telefonia responsável pela linha telefônica da sociedade de advogados, em atenção aos ditames da Resolução n.º 59/2008 do Conselho Nacional de Justiça, informou ao Juízo o nome do verdadeiro assinante do terminal interceptado; e o fez por duas vezes, conforme comprovam os ofícios em anexo (doc. 12, fls. 310 e 314). Ou seja, ao menos desde 26/02/2016, data em que foi recebido o primeiro ofício na 13ª Vara Federal, o Juízo *a quo* deveria ter conhecimento de que interceptava escritório de advocacia e poderia ter feito cessar o grampo, o que, como se sabe, não ocorreu".

210 Violam-se, ademais, as Regras de Mandela, editadas pela ONU em 2015. De acordo com a Regra n.º 61, 1, "Os presos devem ter a oportunidade, tempo e meios adequados para receberem visitas e de se comunicarem com um advogado de sua própria escolha ou com um defensor público, sem demora, interceptação ou censura, em total confidencialidade, sobre qualquer assunto legal, em conformidade com a legislação local. Tais encontros podem estar sob as vistas de agentes prisionais, mas não passíveis de serem ouvidos por estes". Ocorre ainda a violação do artigo 8.º, 2, do Pacto de São José da Costa Rica: "Toda pessoa acusada de delito tem direito a que se presuma sua inocência enquanto não se comprove legalmente sua culpa. Durante o processo, toda pessoa tem direito, em plena igualdade, às seguintes garantias mínimas: [...] d. direito do acusado de defender-se pessoalmente ou de ser assistido por um defensor de sua escolha e de comunicar-se, livremente e em particular, com seu defensor".

211 O ponto é esclarecido pelo ministro Lewandowski, em decisão de 22/09/2016, proferida no HC n.º 115.114: "A bem da verdade, mais do que constituírem um direito do advogado, tais prerrogativas funcionais têm o condão de servir ao próprio cidadão. É que o advogado funciona como mero instrumento na formulação da defesa de seu cliente, este sim o real destinatário da prestação jurisdicional, tendo nas normas processuais, notadamente na seara criminal, a salvaguarda de seus direitos e garantias fundamentais".

212 A decisão foi tomada no âmbito do processo n.º 5061114-07.2017.4.04.0000.

o Estado de Direito por deduzir a responsabilidade penal não da prática de conduta reprovável; a reprovabilidade recai sobre o autor, reduzido à condição de inimigo. No atual processo de erosão da democracia, o sistema penal criou uma classe especial de inimigo, em que se enquadra apenas uma pessoa. O ex-presidente foi submetido a uma espécie de AI n.º 5 particular, instaurado, com base no processo do Triplex, para evitar que Lula participasse, ainda que como cabo eleitoral, das eleições de 2018.

A grave ilegalidade, consistente na realização de escuta em escritório de advocacia, por si só, seria razão mais que suficiente para provocar a anulação do processo. Mas é uma entre outras que concorreram para a ostensiva violação do chamado sistema acusatório, segundo o qual as funções de julgar e de acusar devem ser atribuídas a órgãos distintos. O sistema se apoia no pressuposto de que magistrado que coopera com a acusação na produção de provas tende a perder a imparcialidade necessária para julgar a causa.[213] A cooperação irregular de procuradores com magistrados era passível de ser constatada por múltiplos elementos constantes dos autos, e não apenas pelas mensagens publicadas pelo site *The Intercept*.[214] A publicação das mensagens

[213] Como esclarece Geraldo Prado, "Quem procura sabe ao certo o que pretende encontrar e isso, em termos de processo penal condenatório, representa uma inclinação ou tendência perigosamente comprometedora da imparcialidade do julgador. Desconfiado da culpa do acusado, investe o juiz na direção da introdução de meios de provas que sequer foram considerados pelo órgão de acusação, ao qual nestas circunstâncias, acaba por substituir. Mais do que isso, aqui igualmente se verificará o mesmo tipo de comprometimento psicológico objeto das reservas quanto ao poder do próprio juiz iniciar o processo, na medida em que o juiz se fundamentará, normalmente, nos elementos de prova que ele mesmo incorporou ao processo, por considerar importantes para o deslinde da questão. Isso acabará afastando o juiz da desejável posição de seguro distanciamento das partes e de seus interesses contrapostos, posição essa apta a permitir a melhor ponderação e conclusão." (Prado, G., 2006, p. 137).

[214] O site *The Intercept* recebeu arquivo com mensagens trocadas pelos procuradores que atuam na Lava Jato. As mensagens foram divulgadas não só pelo *The Intercept*, mas também por outros órgãos de imprensa, como a *Folha de São Paulo*, a *Rede Band News* e a *Veja*. Tais mensagens não podem ser utilizadas para incriminar os referidos procuradores. É o que se deriva do art. 5.º, LVI, da Constituição Federal, bem como do art. 157 do Código de Processo penal. Porém, devem servir para beneficiar os réus. Cf., p. ex.: "Captação, por meio de fita magnética, de conversa entre presentes, ou seja, a chamada gravação ambiental, autorizada por um dos interlocutores, vítima de concussão, sem o conhecimento dos demais. Ilicitude da prova excluída por caracterizar-se o exercício de legítima defesa de quem a produziu." (RE n.º 212.081, rel. min. Octavio Gallotti, J.

a revelou, porém, com a eloquência necessária não apenas para legitimar a anulação do processo, mas para justificar a própria alteração do sistema processual brasileiro.[215] Os abusos praticados no curso da Lava Jato levaram o Congresso Nacional a inserir em nosso sistema o "juiz de garantias".[216] Em uma democracia, acusação e defesa trocam argumentos e contra-argumentos para convencerem um terceiro imparcial, que é o juiz. Se o magistrado compartilha com a acusação o propósito de condenar, não há Estado de Direito, mas violência contra a liberdade. Adequando o sistema brasileiro aos padrões de imparcialidade reconhecidos internacionalmente,[217] o legislador corrigiu essa grave imperfeição do sistema, criando, no final de 2019, o instituto do

---

05.12.97, *DJ* 27.03.98). No mesmo sentido: HC n.º 75.338, rel. min. Nelson Jobim, J. 11.03.98, *DJ* 25.09.98.

[215] Parcela do Ministério Público reagiu por meio da tentativa de processar Glen Greenwald. A ação, porém, foi inadmitida pelo Judiciário, considerando a decisão liminar proferida, pelo min. Gilmar Mendes, na ADPF n.º 601: "É corolário imediato da liberdade de expressão o direito de obter, produzir e divulgar fatos e notícias por quaisquer meios. O sigilo constitucional da fonte jornalística (art. 5.º, inciso XIV, da CF) impossibilita que o Estado utilize medidas coercivas para constranger a atuação profissional e devassar a forma de recepção e transmissão daquilo que é trazido a conhecimento público" (ADPF 601 MC, relator min. Gilmar Mendes, J. 07.08.2019, *DJe*-174 12.08.2019). O STF vem protegendo com consistência a liberdade de expressão diante de reações desse tipo, advindas de autoridades incumbidas da persecução criminal. Foi o que ocorreu, por exemplo, no julgamento da Rcl n.º 28747, em que o STF cassou decisão de juiz estadual do Paraná, que havia determinado a retirada de matéria jornalística do site do repórter Marcelo Auler, que veiculava crítica à atuação de autoridade policial: "1. A liberdade de informação e de imprensa são apanágios do Estado Democrático de Direito. 2. O interesse público premente no conteúdo de reportagens e peças jornalísticas reclama tolerância quanto a matérias de cunho supostamente lesivo à honra dos agentes públicos. 3. A medida própria para a reparação do eventual abuso da liberdade de expressão é o direito de resposta e não a supressão liminar de texto jornalístico, antes mesmo de qualquer apreciação mais detida quanto ao seu conteúdo e potencial lesivo". (Rcl n.º 28747 AgR, relator min. Alexandre de Moraes, relator p/acórdão min. Luiz Fux, Primeira Turma, J. 05.06.2018, *DJe*-239 12.11.2018).

[216] A inclusão do juiz de garantias no direito processual brasileiro se deu com a edição da Lei n.º 13.964/2019.

[217] A impossibilidade de o magistrado que conduz as investigações, deferindo diligências, realizar o julgamento do processo é amplamente proclamada no mundo democrático. A Corte Europeia de Direitos Humanos, por exemplo, já o reconheceu em diversos precedentes (Piersack [01.10.1982], Cubber [26.10.1984] e Castillo-Algar contra España [28.10.1998]).

"juiz de garantias" – inovação mais importante no processo penal brasileiro desde o início da vigência da Constituição Federal de 1988.[218]

Em razão da condenação, Lula foi impedido de concorrer nas eleições de 2018. Para evitar a vitória do candidato por ele apoiado, era necessário, porém, ir adiante. Decisões judiciais sucessivas impediram-no também de participar da campanha eleitoral, ainda que apenas na condição de apoiador. A principal dessas decisões foi a de iniciar a execução da pena com o julgamento de 2ª instância. Em razão dessa orientação jurisprudencial, depois revista, Lula esteve preso durante todo o período de campanha. Porém, a decisão não foi isolada. Foram recorrentes os julgamentos em que teve lugar a organização atípica da pauta de votação, a adoção de parâmetros normativos excepcionais, a mudança casuística da jurisprudência, a desconsideração reiterada dos textos normativos. Preso, o ex-presidente foi impedido mesmo de dar entrevistas durante o período eleitoral.[219] Até a conclusão das eleições

---

[218] A adoção do instituto do "juiz de garantias" era amplamente reclamada no direito brasileiro. Cf., p. ex.: Moraes, M. Z., 2010; Maya, A. M., 2009; Casara, R., 2010; Lopes JR., A. e Ritter, R., 2016. Nada obstante, o STF, por meio de decisão monocrática do relator das ADIs n.º 6298, 6299, 6300 e 6305, min. Luiz Fux, suspendeu a eficácia das normas que positivaram o instituto. A matéria se encontra pendente de apreciação pelo plenário da Corte.

[219] Lula foi impedido de dar entrevistas pela magistrada que conduzia a execução da pena decorrente no processo do Triplex. Levada a questão ao STF, foram concedidas liminares pelo relator, min. Lewandowski, nas Reclamações n.º 31.965/PR e 32.035/PR, permitindo que o Jornalista Florestan Fernandes e o periódico Folha de São Paulo entrevistassem o ex-presidente na carceragem da Polícia Federal. As liminares seguiam a tradição de garantia da liberdade de expressão que caracteriza a jurisprudência do STF. Porém, no âmbito de Suspensão de Liminar proposta pelo "Partido Novo", as liminares foram cassadas pelo vice-presidente da Corte, em decisão confirmada também pelo presidente. A decisão foi criticada não apenas em razão de seu mérito, mas em decorrência da circunstância de a SL incorrer em graves problemas de cognoscibilidade, entre os quais a impossibilidade de propositura por pessoa jurídica de direito privado. O relator, ministro Lewandowski, apontou-os com eloquência: "O que se tem na espécie é a utilização da Suspensão de Liminar por parte de uma agremiação política para desconstituir uma decisão de mérito proferida em sede de Reclamação, estratagema que logrou induzir a erro o experiente prolator da decisão objurgada. Ora, o requerente – partido político – é pessoa jurídica de direito privado, nos termos do que estabelece o art. 1.º da Lei 9.096/1995". (Rcl n.º 31.965/PR, relator min. Ricardo Lewandowski, J. 01.10.2018, *DJe*-211 03.10.2018). Com o trânsito em julgado da decisão de mérito das reclamações, a Suspensão de Liminar perdeu seu objeto, o que foi reconhecido pelo presidente do STF, em decisão de 18.04.2019 (SL n.º 1178, rel. min. presidente, J. 18.04.2019, *DJe*-084 24.04.2019). Com isso, passadas as eleições,

de 2018, parece ter se instituído no direito brasileiro um verdadeiro "princípio Lula",[220] segundo o qual o resultado do processo deveria sempre lhe ser desfavorável, ainda que isso implicasse violar a literalidade da Constituição e das leis em vigor no Brasil.[221]

Em outros processos, não examinados no curso da redação deste estudo, nada impede que haja razões para se proceder à condenação de Lula.[222] No processo do Triplex, porém, o que houve foi uma condenação totalmente ilegítima, que interferiu de modo decisivo não só no resultado da eleição de 2018, mas também na história do Brasil, e, até mesmo, nos

---

o ex-presidente Lula pode voltar a dar entrevistas e fê-lo em inúmeras oportunidades durante o período em que permaneceu preso.

[220] A expressão foi empregada, com outro significado, por: Tiburi, M., 2018.

[221] Durante todo o período em que esteve preso, houve grande mobilização social em favor da anulação do julgamento. Juristas reconhecidos internacionalmente denunciaram a ostensiva invalidade da condenação. Afastado e silenciado o candidato mais forte, abriu-se espaço para a eleição de Bolsonaro. Em manifesto publicado a propósito do caso do Triplex, lê-se a seguinte condenação à parcialidade do julgador: "Sérgio Moro não só conduziu o processo de forma parcial, como comandou a acusação desde o início. Manipulou os mecanismos da delação premiada, orientou o trabalho do Ministério Público, exigiu a substituição de uma procuradora com a qual não estava satisfeito e dirigiu a estratégia de comunicação da acusação. Além disso, colocou sob escuta telefônica os advogados de Lula e decidiu não cumprir a decisão de um desembargador que ordenou a liberação de Lula, violando assim a lei de forma grosseira. Hoje, está claro que Lula não teve direito a um julgamento imparcial. [...]. Na verdade, Lula não foi julgado, foi e está sendo vítima de uma perseguição política". O manifesto, com esse teor, teve como primeiro subscritor o professor norte-americano Bruce Ackerman, sendo seguido por diversos outros juristas, entre os quais alguns ex-juízes de supremas cortes de outros países.

[222] No exame do Ag. Reg. no HC n.º 163.943, relativo a processo que trata da aquisição de terreno para a construção do Instituto Lula, a 2ª Turma do STF, por maioria, já apresentou grave reprovação à conduta parcial de Moro. No voto do ministro Lewandowski, vencedor, há o seguinte registro: " [...] em 1.º/10/2018, às vésperas do primeiro turno da eleição presidencial (ocorrido em 7/10/2018), e após o encerramento da instrução processual nos autos da AP 5063130- 17.2016.4.04.7000/PR, o então Juiz federal Sérgio Moro proferiu decisão, determinando, de ofício, o levantamento do sigilo e o translado de parte dos depoimentos prestados por Antônio Palocci Filho, em acordo de colaboração premiada, para os autos da referida ação penal (e-doc 4). Em outras palavras, o ex-magistrado aguardou mais de 3 meses da homologação da delação de Antônio Palocci, para, na semana do primeiro turno das eleições de 2018, determinar, sem prévio requerimento do órgão acusatório, a efetiva juntada no citado processo criminal. [...] Com essas e outras atitudes que haverão de ser verticalmente analisadas no âmbito do HC 164.493/PR, o referido magistrado – para além de influenciar, de forma direta e relevante, o resultado da disputa eleitoral [...], violou o sistema acusatório, bem como as garantias constitucionais do contraditório e da ampla defesa (art. 5.º, LV, da CF)." (HC n.º 163.943, rel. min. Edson Fachin, D. 04.08.2020).

rearranjos geopolíticos hoje em curso em escala global. Não sem razão a expressão *lawfare,* antes examinada (II.4), vem sendo empregada para designar esses acontecimentos.[223]

Durante a Lava Jato, o antipetismo ganhou força. Em 2018, muitos eleitores que não se sentiam confortáveis com o extremismo de Bolsonaro, preferiam-no à eleição do candidato petista. Isso explica o resultado do segundo turno das eleições, quando os eleitores se confrontavam com apenas duas alternativas: Bolsonaro ou Haddad. O antipetismo, porém, só explica parcialmente por que Bolsonaro foi o primeiro colocado no primeiro turno. Desde 2013, cresceu não apenas o antipetismo, mas também o sentimento antissistema, que se traduz na rejeição global de todos os partidos tradicionais. Para parte do eleitorado, o voto em Bolsonaro se assemelhou ao dado no "Macaco Tião", que, nas eleições de 1988 para a Prefeitura do Rio de Janeiro, recebeu votos, à época registrados em cédulas de papel, suficientes para obter a 3ª colocação. A eleição de 2018 foi a dos "indignados". Ao eleger Bolsonaro, o povo manifestava sua insatisfação com todo o sistema político. Os eleitores votaram não para construir um futuro melhor, mas para rejeitar o passado, como se gritassem "chega!".[224] Resultante de um complexo de "antissentimentos", a eleição de um extremista caricato foi, para muitos eleitores, um ato de vingança contra tudo e contra todos.

A eleição de Bolsonaro foi ainda facilitada pelo episódio da facada – em si, um atentado à vida absolutamente reprovável. Não fosse esse episódio, durante a campanha eleitoral, as graves fragilidades de Bolsonaro seriam expostas pelos adversários, que lhe dirigiam críticas contundentes. O crescimento de Alckmin, por exemplo, dependia da "desidratação" da candidatura de Bolsonaro. O ex-governador de São Paulo necessitava do voto conservador, que, então, estava inclinado à Bolsonaro. Por isso, o foco

[223] O conceito tem sido frequentemente empregado no Brasil para caracterizar a inabilitação eleitoral e o silenciamento de Lula por meio de processo judicial (Martins, C. Z.; Martins, V. T. Z.; Valim, R., 2019.; Proner, C. et al., 2017; Santoro, A. E. R. e Tavares, N. L. F., 2019; Damgaard, M. B., 2019, p. 85 ss).

[224] Como registram Moura e Corbellini, "Chega! Talvez seja a expressão que mais resume a energia nuclear do voto em Bolsonaro, gesto que unifica os variados antissentimentos que sustentaram sua vitória e que não estavam muito preocupados com o 'pra frente'. A grande questão para os eleitores de Bolsonaro era estabelecer uma linha de corte com o 'pra trás'". (Moura, M. e Corbellini, J., 2019, p. 35).

de sua campanha era o ataque ao candidato do PSL. A tendência era de que Bolsonaro chegasse ao segundo turno enfraquecido, ou mesmo que não chegasse. Sobreveio, então, a facada. Desferida por pessoa que depois viria a ser considerada inimputável em processo judicial, desonerou Bolsonaro, por 15 dias, no momento mais agudo da campanha eleitoral, de participar dos debates, em que suas inconsistências sobressairiam. Os oponentes ficavam impedidos, pelo período em que Bolsonaro estava em recuperação, de atacá-lo de modo vigoroso. A atenção pública se voltava para as cirurgias por que passaria e para a sua recuperação. A participação direta na campanha se limitava a manifestações gravadas por familiares no hospital, nas quais o candidato transmitia mensagens de incentivo a seus apoiadores e de agradecimento aos médicos. A facada pôs por terra a estratégia de Alckmin, consolidando Bolsonaro como o polo conservador da disputa eleitoral.

O acaso lhe facilitara sobremaneira a caminhada, desonerando-o de transpor a prova de fogo que é o momento mais agudo da disputa eleitoral. Impossível não lembrar da advertência de Maquiavel, para quem o poder conquistado por meio da *fortuna*, não da *virtú*, é facilmente perdido.[225] O candidato, para se qualificar para o exercício da Presidência, teria que ter superado o embate eleitoral, os debates televisionados, a inquirição destemida dos adversários. Entre muitos efeitos negativos do episódio da facada, está o de permitir que a *fortuna* prevalecesse sobre a *virtù*, conduzindo ao poder pessoa não só condenável pelo obscurantismo dos valores que defende, mas também despreparada para lidar com os complexos problemas do governo nacional.

Se se repetissem os padrões das eleições anteriores, uma vez afastado para tratamento médico, poderia ter ocorrido de a imprensa tradicional ter silenciado sobre o candidato, o que também seria suficiente para que sua candidatura se enfraquecesse. A polarização entre outras candidaturas faria com que o interesse por Bolsonaro se dissipasse. Nas eleições de 2018,

[225]Esse é o teor da conhecida advertência de Maquiavel: "Os Estados que nascem subitamente – como todas as outras coisas da natureza que nascem e crescem depressa – não podem ter raízes e ramificações, de modo que sucumbem na primeira tempestade. A menos que – como já disse – aqueles que repentinamente se tornaram príncipes sejam de tanta Virtù que saibam rapidamente preparar-se para conservar aquilo que a Fortuna lhes colocou nos braços e estabeleçam depois os fundamentos que outros estabeleceram antes de se tornarem príncipes." (Maquiavel, N., 2008).

porém, a principal via de comunicação foi a internet. No Brasil, já havia cerca de 220 milhões de *smartphones* ativos.[226] Os candidatos passaram a empregar de modo intensivo e interconectado o Facebook e o WhatsApp. A mídia tradicional havia sido decisiva para a gestação do antipetismo nos anos anteriores.[227] Mas já não era mais capaz de fazer movimentos rápidos e se voltar com eficiência contra Bolsonaro. Uma multiplicidade de produtores de conteúdo, atuando em rede, substituía a produção centralizada das empresas de comunicação social. Uma vez que determinado tema "viralizava" nas redes sociais, a própria mídia tradicional não podia mais ficar indiferente a ele.[228] As preferências políticas, em grande parte, pareciam se formar por meio da interação no ambiente digital. Mesmo o cabo eleitoral, o líder de bairro, o prefeito da pequena cidade, o vereador, decisivos em campanhas anteriores, embora ainda mantivessem grande importância, sobretudo na eleição de deputados, passavam a exercer influência reduzida nas eleições para presidente e governadores.

A principal vantagem comparativa de Bolsonaro, na campanha de 2018, foi ter operado com eficiência a comunicação digital, valendo-se amplamente da dinâmica da contaminação viral entre grupos de *WhatsApp*. Como é possível a formação de grupos no *WA*, por essa via já se criam, de modo natural, bolhas de identidade, e facilita-se o envio de mensagens particularizadas. Os milhares de grupos de afinidade são interconectados por meio dos usuários, que costumam pertencer a vários grupos. A mensagem recebida em um grupo é repostada pelos usuários em outros grupos. A "dinâmica viral" opera, no *WhatsApp*, por meio do "contágio em rede".[229] Para "viralizar", o estímulo aos "*baixos instintos*" tem se mostrado decisivo. As postagens que "viralizam" são as que des-

[226] *O Estado de São Paulo*, 19 abr. 2018

[227] Feres e Galiardi constatam que, do início de 2014 ao final de 2018, foi publicado em relação ao PT, nos três principais jornais impressos brasileiros e no Jornal Nacional, em média, apenas um texto neutro para cada 3,3 textos negativos. Não se registraram matérias favoráveis. No mesmo período, o PSDB e o PMDB receberam, respectivamente, 0,88 e 0,87 matérias negativas para cada matéria neutra. Em novembro de 2016, a proporção chegou a 13 textos negativos ao PT para cada neutro (Feres Júnior, J. e Gagliardi, J., 2009).

[228] O mesmo ocorreu nas eleições norte-americanas. Por meio de uma sequência permanente de manifestações controvertidas, Trump garantiu a presença permanente na mídia tradicional. Cf.: Levitski, S. e Ziblatt, D., 2018, p. 63-64.

[229] Santos, J. G. B. e Santos, K. S., 2009.

pertam maior controvérsia. As *fake news* são especialmente vocacionadas para o papel. Como os grupos são fechados, a privacidade faz com que os participantes encaminhem mensagens ainda mais agressivas, assumindo, em muitos casos, caráter escatológico. É nesse ambiente que cresceu o bolsonarismo. Pelo que até agora se tem divulgado, na campanha de Bolsonaro, a espontaneidade da comunicação foi manipulada por meio do emprego de "robôs", capazes de encaminhar milhares de mensagens por hora, potencializando a tendência da própria rede de fomentar a transmissão exponencial de mensagens disruptivas.[230]

Em razão da campanha presidencial brasileira, em julho de 2018, o *Whats-app* alterou o limite de contatos (indivíduos ou grupos) para os quais as mensagens poderiam ser enviadas: cada mensagem passou a só poder ser enviada para vinte contatos. Em janeiro de 2019, o *WhatsApp* estabeleceu limites ainda mais rígidos. Hoje, as mensagens só podem ser repassadas para cinco contatos. Além disso, também durante as eleições, o *WhatsApp* baniu mais de cem mil contas: em sua maioria, eram robôs que serviam à propagação de *fake news*.[231] As medidas chegaram tarde e foram insuficientes. As eleições de 2018 aconteceram sob o império das *fake news*.

Concluídas as eleições de 2018, foram propostas, perante o Tribunal Superior Eleitoral, ações impugnando o resultado do pleito em razão do emprego generalizado das *fake news*. Embora o TSE tenha procurado se preparar para o fenômeno, sua atuação, na prática, foi inefetiva. A Corte, durante as eleições, parecia incapaz de dar conta de uma realidade nova que, nada obstante, se impunha de modo evidente e ostensivo. As Ações de Investigação Judicial Eleitoral (AIJEs) de número 0601771-28.2018.6.00.0000, 0601782-57.2018.6.00.0000 e 0601782-57.2018.6.00.0000 ainda estão pendentes de julgamento. Acontece com Bolsonaro o que havia, quatro anos antes, ocorrido com Dilma. A AIJE n.º 194358, proposta pelo PSDB concomitantemente à proclamação do resultado das eleições de 2014, só

[230] Durante a campanha de 2018, a principal via de propagação de *fake news* foi o WhatsApp, embora o Facebook também tenha tido importância fundamental. Na verdade, as duas redes interagem: postagens inicialmente realizadas em uma das redes depois se disseminam na outra, por meio de suas dinâmicas próprias. Essa modalidade de *crossmedia* produz implicações na esfera político-eleitoral que só agora começam a ser estudadas.

[231] *Exame*, 20 out. 2018.

foi julgada em junho de 2017, quando Temer já ocupava definitivamente o cargo. Parece ser uma nova tendência que ações de impugnação das eleições permaneçam abertas depois de vários meses ou anos. Com isso, os processos se convertem em mais um instrumento disponível para a solução de crises políticas. Nas duas últimas eleições, relativizou-se a tradição do TSE de prover solução imediata às controvérsias sobre as eleições. O propósito de, por meio de um julgamento rápido, conferir maior estabilidade aos mandatos parece não ser mais um objetivo prioritário. Se as AIJEs hoje pendentes de julgamento forem julgadas procedentes, perdem o mandato o presidente e o vice-presidente da República.

Muitos fatores concorrem para explicar como, em uma grande nação, dotada de um sistema político complexo, pôde se eleger um extremista que nunca havia sido levado a sério. De todos os fatores, a intervenção judiciária para excluir a candidatura mais forte se individualiza não só por sua absoluta incompatibilidade com o regime democrático, mas também por frustrar o esforço de gerações para construir um Judiciário forte e independente. Bolsonaro foi eleito, em grande parte, pela Lava Jato. Ao suspender a observância plena da Constituição, a intervenção judiciária se equipara às antigas quarteladas, que, seguidamente no curso do século XX, desestabilizaram a vida política brasileira. Lynch, a propósito dos fatos ocorridos a partir de 2013, refere-se a uma "revolução judiciarista", conduzida por um "tenentismo de toga".[232] O movimento, como na Revolução Francesa, culminaria com a eleição de um "Cesar". De fato, o resultado da intervenção judiciária na vida política brasileira foi a eleição de um governante autocrático. Isso não se deu, porém, como desfecho natural de um processo de transformação social, que precisava alcançar seu momento de síntese e estabilização das conquistas. A eleição de Bolsonaro foi resultado de intervenções concretas e específicas na dinâmica política – as principais foram os incentivos ao processo de *impeachment* e a condenação de Lula. Bolsonaro não pretende estabilizar nada: seu projeto é promover uma revolução, antagônica ao Estado Democrático de Direito. A imbricação entre bolsonarismo e lavajatismo não é acidental, mas essencial: o "populismo autoritário" de Bolsonaro é a continuidade do "populismo penal" da Lava Jato.

[232] Lynch, C. E. C., 2017.

- IV -

A democracia em crise sob o governo Bolsonaro

IV.1. Neoliberalismo autoritário: a reabilitação do princípio aristocrático na economia e na política

Antes de se tornar candidato viável à Presidência da República, Bolsonaro não se notabilizava por defender ideias econômicas coesas. Sempre foi defensor da possibilidade da plena exploração da terra contra pretensões de preservação ambiental e de proteção dos trabalhadores. Votou contra a PEC resultante na EC n.º 81, que previu a possibilidade de expropriação da terra em que se praticasse trabalho escravo, alterando o artigo 243 da Constituição Federal. Orgulhava-se de ter sido o único deputado a votar contra a PEC que resultou na Emenda Constitucional n.º 72, que estendeu grande parte dos direitos trabalhistas aos trabalhadores domésticos.[1] Por outro lado, no passado, manifestou-se contra a privatização de empresas estatais, que identificava como legados do período militar. Quando, em janeiro de 1999, chegou a afirmar que Fernando Henrique Cardoso deveria ser fuzilado, apontou como razão o fato de o ex-presidente ter promovido a privatização da Vale do Rio Doce e da Telebras. Até se consolidar como candidato, porém, Bolsonaro não possuía, a rigor, grande preocupação com a pauta econômica. Sua atuação se concentrava na defesa de interesses de militares e policiais e na divulgação de mensagens de recrudescimento da repressão criminal e de ofensas aos setores minoritários da sociedade, em especial LGBTs, indígenas e quilombolas.

---

[1] *O Antagonista*, 28 ago. 2018.

Em campanha, todavia, Bolsonaro passou a adotar, sem ressalvas, orientação favorável à redução do sistema de proteção social e da intervenção estatal no domínio econômico. Ele próprio nunca revelou, com clareza, que programa econômico executaria na Presidência. Quando questionado, restringia-se a sugerir ao interlocutor que perguntasse a Paulo Guedes, seu futuro ministro da Economia. Ao indicar que Guedes conduziria esse setor do governo, porém, Bolsonaro aderia a um programa de reformas econômicas que se identificava com o chamado "neoliberalismo", formulado de modo extremista, sem matizações ou ressalvas. Guedes sustenta, por exemplo, a conveniência de vender "todas as estatais", embora reconheça que a pretensão não é factível.[2] Egresso da Universidade de Chicago, trabalhou no Chile durante o governo Pinochet. É o economista mais enfático na reprovação ao intervencionismo estatal, de todos que já ocuparam a pasta da Fazenda (agora Economia).

Como os demais populistas autoritários, Bolsonaro também adota discurso contrário à globalização. Mas do antiglobalismo[3] de Bolsonaro não resultam medidas de proteção da economia nacional. Paulo Guedes já chegou a defender, no curso do governo, a supressão unilateral das barreiras ao comércio internacional. O ministro parece pretender que a economia brasileira se concentre nas atividades em que o país é mais competitivo – em especial, no agronegócio e na extração mineral –, ainda que de reduzido valor agregado. No tocante à dimensão econômica da globalização, Bolsonaro se volta apenas contra o que considera excesso de regulação oriunda da comunidade internacional. Em razão de seu antiglobalismo, o atual presidente é refratário, por exemplo, a padrões internacionais de proteção ambiental.[4]

---

2 Cf., por exemplo: *Exame*, 01 ago. 2019. Em palestra proferida nos EUA, para enfatizar seu privatismo, chegou a dizer que venderia o Palácio Alvorada, residência oficial do presidente da República, obra magistral de Niemayer, bem público, um dos símbolos do Brasil.

3 O "globalismo" é a ideologia da globalização. A sua dimensão econômica, associada ao neoliberalismo, vinha sendo criticada havia décadas pela esquerda, sobretudo nos países periféricos. Cf., *i. a.*: Ianni, O., 1997; Borón, A., 1995. Sobre a padronização legislativa estimulada pelo processo de globalização, cf., *i. a.*: Jayasuriya, K., 2001.

4 Em artigo de 2005, Olavo de Carvalho, ideólogo do bolsonarismo, apresentou o argumento nos seguintes termos: "Globalismo não é simples abertura de mercados: é introdução de regulamentações em escala mundial que transferem a soberania das nações para organismos internacionais. Nenhum apóstolo da economia de mercado é sonso o

A forma como Bolsonaro lidou com o tema das mudanças climáticas revela especialmente sua posição.[5] O presidente fez com que o Brasil renunciasse a sediar a conferência da ONU sobre a matéria e ameaçou retirar o Brasil do Acordo de Paris, do que retrocedeu, no contexto do anúncio de acordo livre comércio entre Mercosul e União Europeia, por pressão dos governos da França e da Alemanha. Em 24 de setembro de 2019, o mandatário pronunciou seu primeiro discurso perante a Assembleia Geral da ONU. Na ocasião, ao responder às críticas recebidas pelo agravamento das queimadas na Amazônia, reiterou sua rejeição ao "globalismo": "Não estamos aqui para apagar nacionalidades e soberanias em nome de um 'interesse global' abstrato. Esta não é a Organização do Interesse Global! É a Organização das Nações Unidas."

No bolsonarismo, a adesão às políticas neoliberais não decorre apenas do propósito de promover equilíbrio fiscal. É ideológica. O objetivo é restabelecer a ordem econômica natural, em que os produtores podem empreender livres de pressões redistributivas.[6] O bolsonarismo deslegitima a intervenção estatal nas relações sociais, sobretudo nas relações de trabalho, para proteger a parte hipossuficiente. Na cosmologia bolsonarista, o empresário é que é visto como *vítima* da intervenção estatal, que impede o livre

bastante para não perceber, hoje em dia, que a abertura das fronteiras arrisca não produzir um paraíso de liberdade econômica, e sim a proliferação de legislações e controles em escala global – o Leviatã dos leviatãs. A incompatibilidade lógica traduz-se, no plano da ação política, como briga de foice entre os liberais clássicos e os planejadores-legisladores econômicos globais." (Carvalho, O., 2005). Em artigo de 1999, Carvalho já defendia que não havia "nada de ilógico ou de impossível na combinação de economia liberal com política externa nacionalista" (Carvalho, O. 1999).

5 Porém, em novembro de 2019, os EUA notificaram a ONU informando a intenção de deixar o acordo de Paris, o que pode produzir, no futuro, nova reversão da decisão brasileira.

6 As múltiplas vertentes do progressismo investiram contra diferentes hierarquias engendradas pela história e pela cultura. Tais hierarquias são vistas como "naturais" pelos conservadores, em geral. Mas também encontram guarida no neoliberalismo, pelo menos na versão formulada por Hayek: "mais que um projeto de ampliação da esfera da competição e valoração de mercado [...], o neoliberalismo hayekiano é um projeto político-moral que visa proteger as hierarquias tradicionais negando a própria ideia do social e restringindo radicalmente o alcance do poder político democrático nos Estado-nação". (Brown, W., 2019, p. 23).

desenvolvimento de sua iniciativa individual.[7] O discurso de vitimização do mais forte é um dos elementos centrais do neoliberalismo autoritário, para o qual o papel do Estado é garantir o funcionamento do mercado em conformidade com as leis econômicas naturais e proteger as empresas das pressões sociais. O desequilíbrio entre empregados e empregadores é visto como natural, e, como tal, não pode ser justo ou injusto.[8] Ao proteger os mais vulneráveis, o Estado impede que os melhores prevaleçam, onerando--os com impostos, regulação e fiscalização. Quem perde, para esse ponto de vista, é toda a sociedade, por não se beneficiar do impulso criador dos empreendedores individuais.

Ao adotar o *princípio aristocrático* como norte para a organização da economia, o bolsonarismo não recepciona apenas o neoliberalismo. Em muito do que defende, ecoam elementos de darwinismo social, para o qual a proteção dos mais fracos é tida como subversão das leis da natureza, por interromper o mecanismo da seleção natural, o que conduziria ao enfraquecimento do corpo social. Para o bolsonarismo, devem ser revogadas leis de proteção de vulneráveis, como leis trabalhistas e leis que estabelecem hipóteses de discriminação positiva para minorias étnicas e de gênero; a atividade policial deve se tornar mais letal, e os direitos reprodutivos dos pobres devem ser restringidos. Como se sabe, o darwinismo social conduziu ao pior do pior. No século XIX, justificou o expansionismo imperialista europeu; no início do século XX, as políticas de controle social da hereditariedade

---

7 Considere-se, por exemplo, o que disse Bolsonaro a propósito dos direitos da trabalhadora gestante: "Eu tenho pena do empresário no Brasil, porque é uma desgraça você ser patrão no nosso país, com tantos direitos trabalhistas. Entre um homem e uma mulher jovem, o que o empresário pensa? 'Poxa, essa mulher tá com aliança no dedo, daqui a pouco engravida, seis meses de licença-maternidade...' Bonito pra c..., pra c...! Quem que vai pagar a conta? O empregador. No final, ele abate no INSS, mas quebrou o ritmo de trabalho. Quando ela voltar, vai ter mais um mês de férias, ou seja, ela trabalhou cinco meses em um ano". (*Zero Hora*, 10 dez. 2014).

8 O neoliberalismo rejeita a própria noção de justiça social. Para Nozick, a tributação da renda, para fins redistributivos, assimilar-se-ia ao "trabalho forçado", implicando a "violação de direitos das pessoas". (Nozik, R., 1991, p. 188 e 191). Para Hayek, "a expressão 'justiça social' não pertence à categoria do erro, mas do absurdo, como a expressão 'uma pedra moral'" (Hayek, F., 1985, p. 98).

humana (eugenia), as quais envolviam desde a esterilização heterônoma até a eliminação física de portadores de doenças hereditárias.[9]

Na história das ideias políticas, a conjugação de autoritarismo político e liberalismo econômico tem como precedente o liberalismo autoritário do início do século XX, defendido, por exemplo, por Carl Schmitt, a partir de sua rejeição ao constitucionalismo de Weimar.[10] O modelo era apresentado como reação ao Estado social, que haveria deixado de ser "neutro" em relação à atividade econômica, atuando para proteger trabalhadores e para atenuar o rigor dos ciclos econômicos.[11] Schmitt o denominava "Estado total". Tendo em vista suas novas tarefas, o Estado não mais podia operar por meio de leis gerais e abstratas, convertendo-se em um "Estado administrativo", no qual se esvaia a distinção rígida entre criação e aplicação da lei, e o poder se deslocava do Legislativo para a burocracia estatal. Schmitt entendia que essa forma de organizar o Estado era paradoxal: ao mesmo tempo que ampliava suas esferas de atuação, sofria múltiplas pressões, advindas dos distintos setores da vida econômica e social. Tais setores, para disputar a intervenção do Estado, politizavam-se, passando a sustentar de modo organizado suas reinvindicações distributivas. A República de Weimar seria um Estado desse tipo – um "Estado total quantitativo" –, cuja fraqueza residia ainda na disputa parlamentar entre partidos, que paralisaria a atuação estatal. Como alternativa a esse modelo, Schmitt propunha que o Estado alemão se convertesse em um "Estado total qualitativo": autoritário na esfera política, mas fiador da liberdade individual na esfera econômica. O liberalismo político seria incompatível com o liberalismo econômico: a liberdade econômica só poderia ser garantida por meio de um Estado autoritário, comandado por

---

[9] Cf. *i. a.*: Hofstadter, R., 1992; Hawkins, M., 1977; Weikart, R., 2013.

[10] Cf.: Schmitt, C., 2007a, p. 105 ss.; 2007b, p. 61 ss.; 1998.

[11] A Constituição de Weimar adotou esse modelo de Estado. O texto se dividia em duas partes: na Parte I, estruturava o Estado alemão, disciplinando a relação entre os entes federativos (Capítulo I) e entre os poderes do Estado (Capítulos II-VII); na Parte II, estabelecia o catálogo de direitos fundamentais. Deste último, constavam tanto direitos individuais, de origem liberal, quanto direitos sociais. Além disso, determinava que a economia deveria ser "organizada sobre os princípios da justiça", com o propósito de realizar a "dignidade para todos" (art. 151); instituía a função social da propriedade, utilizando a expressão canônica "a propriedade obriga" (art. 153); e estabelecia direitos trabalhistas (arts. 157-165) e previdenciários (art. 161).

um líder plebiscitário.[12] Apenas um Estado forte poderia se retirar da economia e operar a "despolitização" das esferas não estatais. Como o modelo conjugava autoritarismo político e "economia livre", H. Heller, seu principal crítico contemporâneo, o denominou de "liberalismo autoritário".[13]

O modelo que o bolsonarismo pretende importar para o Brasil remonta às ideologias autocráticas do início do século XX. A conjugação de autoritarismo com neoliberalismo não é estranha tampouco à história latino-americana: ideias neoliberais, desenvolvidas na Escola de Chicago, foram aplicadas no Chile, sob a ditadura de Pinochet. Aquele governo cortou em 27% os gastos públicos; reduziu as tarifas de importação, abrindo o mercado a produtos industrializados estrangeiros; demitiu milhares de servidores públicos; privatizou mais de 400 empresas; devolveu aos antigos proprietários cerca de 30% das terras que haviam sido objeto de reforma agrária; o trabalho foi desregulamentado, com a revogação de grande parte da legislação trabalhista; a saúde foi entregue à iniciativa privada, assim como a previdência social. Todas essas medidas foram tomadas enquanto o governo perseguia, torturava e matava opositores. Naquele contexto, sem reprimir violentamente a oposição, não seria possível implementar um programa tão radical, que implicava a revogação de tantos direitos.

Em visita ao Chile, os principais formuladores das bases do neoliberalismo condescendiam com a ruptura democrática se isso fosse necessário para promover a liberdade econômica. O próprio Hayek, em entrevista concedida durante sua permanência no Chile, declarou que sua "preferência pessoal [ia] na direção de uma ditadura liberal em vez de um governo democrático sem liberalismo". Para ele, era possível ter "liberdade econômica sem liberdade política", mas não "liberdade política sem liberdade econômica".[14]

---

[12] Cf.: Bercovici, G., 2004. p. 93 ss.; Wilkinson, M. A., 2018; Kaynar, A. K., 2020; Jayasuriya, K., 2000.

[13] Heller, H., 2015 (a primeira versão foi publicada em 1933). O termo tem sido empregado hoje para criticar as dimensões tecnocrática e aristocrática da União Europeia, que impõe medidas de austeridade a despeito da deliberação democrática que possa ter lugar em âmbito nacional. (Wilkinson, M. A., 2013; Bonefeld, W., 2017). Entre nós, Valim sustenta que o "estado de exceção" é a "forma jurídica do neoliberalismo": a normatividade inerente ao Estado Democrático de Direito seria suspensa para fazer prevalecer os interesses do mercado. (Valim, R., 2017).

[14] Grandin, G., 2006.

O liberalismo político, ao contrário do neoliberalismo, sustenta a prioridade da liberdade política sobre a liberdade econômica. A liberdade pessoal contra a prisão arbitrária, a liberdade religiosa, a liberdade de expressão e o direito de escolher os governantes são os princípios fundacionais de uma sociedade erigida com base na liberdade. O liberalismo político não confere legitimidade a governos que torturam, censuram e não foram escolhidos pelo povo, mas apossados pelas armas. O liberalismo político dá suporte a um ambiente democrático de pluralismo, em que defensores de diferentes modelos econômicos disputam votos nas eleições periódicas, mas mantêm consenso em torno das instituições que integram o Estado Democrático de Direito.[15]

Iniciado o governo, Bolsonaro apresentou ao Congresso Nacional proposta de *reforma da Previdência* que, como ocorreu no Chile, incluía a adoção do modelo de "capitalização", em substituição ao de "repartição". No modelo de repartição, adotado no Brasil, as contribuições de empresas, trabalhadores e governo, de hoje e do passado, concorrem para o pagamento dos benefícios previdenciários atuais: o modelo se baseia no princípio da solidariedade. Todo empregado e todo servidor são filiados obrigatórios aos respectivos regimes previdenciários. Tanto o Regime Geral de Previdência quanto o Regime Próprio dos Servidores possuem natureza de seguro social. Algumas vezes, as contribuições realizadas ao longo da vida excedem os benefícios recebidos; outras vezes, os benefícios é que excedem as contribuições realizadas. O que importa é que o sistema, globalmente considerado, mantenha seu equilíbrio atuarial, como prescreve a Constituição da República, nos artigos 40 e 201. A proposta de Guedes rompia com a solidariedade que informa a organização da previdência brasileira. No modelo de "capitalização", apresentado pelo governo, cada empregado teria sua conta individual, alimentada por recursos próprios. A previdência pública, com isso, passava a se equiparar à previdência privada, hoje já existente no Brasil, como previdência complementar de adesão facultativa.[16]

---

[15] Cf.: Souza Neto, C. P. e Mendonça, J. V. S., 2008.

[16] Segundo o artigo 202 da Constituição Federal, "O regime de previdência privada, de caráter complementar e organizado de forma autônoma em relação ao regime geral de previdência social, será facultativo, baseado na constituição de reservas que garantam o benefício contratado, e regulado por lei complementar".

A Proposta de Emenda à Constituição apresentada pelo governo, porém, foi amplamente modificada no Congresso. A capitalização, tida como imoderada, foi rejeitada. A Emenda Constitucional n.º 103, que veiculou a reforma da Previdência, preservou o modelo de repartição. Como em outros casos, o Congresso Nacional, ao aprovar outros elementos importantes da PEC, cooperou com o governo, ao invés de lhe fazer oposição intransigente, mas também podou o que considerou excessivo, moderando seu extremismo, ainda que incorporando algumas inconstitucionalidades, ora submetidas à apreciação do STF.

Também sob a inspiração do governo de Pinochet, ainda em campanha, Bolsonaro defendia a adoção da "carteira verde e amarela": os trabalhadores que optassem por ela apenas teriam direito ao que constasse da Constituição Federal, não ao que estivesse previsto na CLT. Assim formulada, em termos extremistas, a proposta não encontrou acolhida no Parlamento. Para se esquivar da rejeição de plano, o governo, por meio da MP n.º 905/2019, criou uma versão mais restrita do "contrato de trabalho verde e amarelo". A nova modalidade de contratação também desonerava o empregador de observar parte dos direitos previstos na CLT – não todos –, além de lhe conceder significativos benefícios fiscais, incidentes sobre a folha de pagamento.[17] Além de criar o "contrato verde e amarelo", como modalidade especial de contratação, a MP retirava direitos da generalidade dos trabalhadores e criava, para eles, novas obrigações. Entre estas, estavam a incidência de contribuição previdenciária sobre o valor recebido pelos trabalhadores a título de seguro-desemprego; a possibilidade ilimitada de trabalho aos domingos, ainda que sem previsão em norma coletiva; a abertura do banco de horas aos sábados; a retenção, pelos empregadores, de 1/3 das gorjetas destinadas aos empregados; a impossibilidade de se qualificarem como acidentes de trabalho aqueles ocorridos no trajeto para a empresa. A MP caducou, isto é, não foi aprovada pelo Congresso Nacional. Novamente

[17] O contrato, porém, só poderia ser utilizado quando os trabalhadores recebessem até 1,5 salário mínimo e tivessem entre 18 e 29 anos. O período de aplicação também era limitado: os contratos teriam vigência apenas entre 1.º de janeiro de 2020 e 31 de dezembro de 2022. Por fim, as empresas só poderiam ter até 20% dos empregados contratados nessa modalidade.

o Legislativo podava excessos e radicalismos, como fez com a reforma da Previdência.

Uma das principais medidas adotadas pelos neoliberais autoritários é reduzir a capacidade reivindicatória dos sindicatos. A tarefa foi cumprida por Temer, que, por meio da Reforma Trabalhista (Lei n.º 13.467/2017), pôs fim à contribuição sindical obrigatória. Bolsonaro tem tentado aprofundar a neutralização dos sindicatos, que sempre concebeu como obstáculos ao desenvolvimento.[18] No governo, sua hostilidade em relação aos sindicatos se revelou em diversos atos editados com o propósito de impedir o desconto em folha de contribuições sindicais e associativas: em 1.º de março de 2019, foi editada a Medida Provisória n.º 873; em 21 de março, o Decreto n.º 9.735; em 29 de março, o Decreto n.º 9.742. Todos esses atos serviram para vedar ou restringir a possibilidade do desconto em folha de contribuições em favor tanto de sindicados quanto de associações – as contribuições só poderiam ser feitas por meio de boleto bancário. A opção pelo pagamento da mensalidade associativa por meio de desconto em folha não implicava nenhum prejuízo ao associado. Assim como o consumidor inscreve suas contas habituais em débito automático, o trabalhador pode autorizar o desconto em folha de mensalidade que deseja pagar. Se não deseja mais contribuir, basta solicitar a interrupção do desconto. A natureza discriminatória dos referidos atos normativos se revelava pela circunstância de não estabelecerem, por exemplo, qualquer vedação ao desconto de parcelas de empréstimos bancários ou de mensalidades de planos de saúde, que usualmente são pagos da mesma maneira. Foram propostas ADIs contra a Medida Provisória n.º 873. Antes de seu julgamento, porém, a MP caducou, sem ter sido aprovada pelo Congresso, razão pela qual as ADIs perderam objeto. Mais uma vez o Congresso Nacional moderava os excessos de Bolsonaro, permitindo que os descontos em folha permanecessem.

Além de podar direitos trabalhistas e restringir a capacidade de organização dos trabalhadores, o neoliberalismo autoritário procura também

[18] Como esclarece Stanley, "de acordo com a política fascista, os sindicatos devem ser esmagados para que os trabalhadores individuais tenham que se virar sozinhos no mar do capitalismo global e passem a depender de um partido ou líder. A aversão pelos sindicatos é um tema tão importante na política fascista que o fascismo não pode ser totalmente compreendido sem um entendimento disso." (Stanley, J., 2018, p. 165).

reduzir os gastos sociais. Com esse propósito, durante a campanha eleitoral, Guedes havia sustentado a necessidade de revogar as normas constitucionais que fixavam gastos obrigatórios mínimos com saúde e educação. Havia boas razões para se sustentar a inconstitucionalidade da proposta. De acordo com a Constituição, os gastos federais com saúde devem corresponder, no mínimo, a 15% da "receita corrente líquida do respectivo exercício financeiro" (CF, art. 198, § 2.º, I) e os gastos com educação, a 18% da "receita resultante de impostos" (CF, art. 212). A Emenda Constitucional n.º 95 havia congelado esses gastos: de acordo com o atual artigo 110 do ADCT, a partir de 2017, os valores mínimos seriam apenas corrigidos em conformidade com a inflação. A obrigatoriedade da observância do patamar mínimo, porém, permanecia. A inconstitucionalidade da proposta de revogação dos referidos limites era derivada da "fundamentalidade" das normas. As previsões constitucionais de pisos para os gastos com saúde e educação são "garantias institucionais" dos respectivos direitos fundamentais. Como garantias de direitos fundamentais, são cláusulas pétreas, conforme dispõe o artigo 60, § 4.º, IV, da Constituição Federal.[19]

Em novembro de 2019, considerando a possibilidade de rejeição total da proposta pelo Parlamento, Guedes foi persuadido a não insistir na desvinculação total. Ao invés disso, apresentou a PEC n.º 22/2019, prevendo a unificação dos limites mínimos de gastos com saúde e educação. Eventual emenda à Constituição que resulte da proposta será também questionada sob o argumento da violação das cláusulas pétreas – a tendência é que governantes, tendo em vista a obtenção de resultados eleitorais de curto prazo, priorizem os gastos com saúde, em detrimento dos gastos com educação,

---

[19] Ressalte-se que o fato de tais pisos estarem previstos em normas que se situam fora do Título II da Constituição Federal, que delimita a esfera dos direitos providos de "fundamentalidade formal", não impede que lhes seja atribuída "fundamentalidade material" e, portanto, o status de cláusula pétrea. Tal possibilidade decorre do que estabelece o §2.º do artigo 5.º da Constituição Federal. Com fundamento nessa norma, o STF declarou inconstitucional o § 2.º do art. 2 º da EC n.º 3/93, que excluía o imposto sobre movimentação financeira (IPMF) do âmbito de incidência do princípio da anterioridade tributária, estabelecido no artigo 150, III, *b*. (STF, ADI 939-7/DF, relator min. Sydney Sanches, *DJU* 18.03.94).

limitando os efeitos redistributivos das políticas educacionais, reduzindo a mobilidade social e perpetuando a ineficiência da economia brasileira.[20]

Como se observará adiante, na reação à epidemia do coronavírus, o neoliberalismo autoritário de Bolsonaro revelaria sua total ausência de solidariedade e empatia pelos vulneráveis. A opção pelo mercado em detrimento das vidas era coerente com o darwinismo social subjacente a muitas de suas ideias sobre economia, política e sociedade. As demais dimensões do bolsonarismo, a seguir examinadas, parecem confirmá-lo.

IV.2. Violência, inimizade política e assédio a pactos pré-constitucionais

É justificável apenas em parte a comparação de Bolsonaro com políticos como Donald Trump, Marine Le Pen, Viktor Orbán. Bolsonaro sustenta padrões de virulência política com um radicalismo só verificado nos movimentos fascistas do início do século XX. A própria Marine Le Pen, quando da eleição de Bolsonaro, procurou se distanciar: "ele diz coisas extremamente desagradáveis que são instransponíveis para a França". O extremismo de Bolsonaro talvez hoje só se compare à promoção aberta de execuções extrajudiciais por esquadrões da morte, feita por Duterte, presidente filipino, no âmbito de sua guerra às drogas.[21] Em entrevista concedida na década de 1990, Bolsonaro revelava sua crença de que "através do voto" nada mudaria no país. Para ele, as mudanças de que o país necessitava só poderiam resultar de uma "guerra civil", que deveria "matar 30 mil".[22] A mesma propensão à violência política foi revelada durante toda a sua trajetória posterior. Na sessão da Câmara dos Deputados em que se autorizou a instauração do processo de *impeachment* de Dilma, em 2016, o então deputado Jair Bolsonaro, ao jus-

[20] Durante a campanha eleitoral, Guedes defendeu a "vaucherização" da educação e da saúde (*Folha de São Paulo*, 17 jan. 2019). Os cidadãos receberiam *vauchers* para pagar as escolas e os hospitais privados. A rede pública, por seu turno, teria suas dimensões reduzidas. Concebido por Milton Friedman, o sistema é adotado em alguns estados norte-americanos e no Chile.

[21] Duterte não deixa espaço para dúvidas: "Hitler massacrou três milhões de judeus. Agora, há aqui três milhões de viciados. Gostaria de matá-los a todos".

[22] A conhecida afirmação foi feita em 1999, no programa Câmara Aberta, da TV Bandeirantes.

tificar seu voto, não podia ser mais explícito: "Perderam em 64! Perderam agora em 2016! [...] Contra o comunismo! [...] Pela memória do coronel Carlos Alberto Brilhante Ulstra, o pavor de Dilma Rousseff! [...] O meu voto é sim!". Ulstra comandava a unidade militar em que Dilma havia sido torturada na década de 1970.

Um dos aspectos mais graves do bolsonarismo é a tentativa de criminalizar os movimentos sociais e os partidos de esquerda, os quais têm sido tratados por ele como inimigos, não como adversários que, a despeito das divergências, são reconhecidos como integrantes legítimos da mesma comunidade política. Bolsonaro tem feito sucessivas manifestações taxando o MST – Movimento dos Trabalhadores Rurais sem Terra – e o MTST – Movimento dos Trabalhadores sem Teto – de grupos terroristas. A classificação é absolutamente inadequada. Ambos os movimentos ocupam propriedades privadas, sobretudo propriedades que não cumprem sua função social, como prédios abandonados. Após isso, buscam promover a regularização da posse, ou obter junto ao governo a habilitação em algum programa de reforma agrária ou de moradia popular. Em todo o Brasil, decisões determinando a reintegração de posse são cumpridas pelos representantes da Justiça, que encontram, quando muito, resistência passiva, não armada. O MST e o MTST são movimentos integrados por pessoas que desejam obter acesso à terra e à moradia, não causar terror. [23] Os atos ilícitos praticados por esses movimentos têm sido reprimidos por meio da aplicação das leis vigentes.[24] Terroristas explodem bombas, matam as pessoas, praticam atentados, procuram, pela generalização do medo, solapar as bases de legitimação do regime. Ao inflacionar o conceito de terrorismo, Bolsonaro pretende, na verdade, ampliar o poder repressivo e utilizá-lo sem limites.

Um dos elementos do fascismo é a caracterização dos *adversários* como *inimigos* a serem combatidos, expulsos ou eliminados. Como antes consignado, a relação de inimizade política é radical: no limite, concebe-se

---

[23] O terrorismo, ao contrário, se caracteriza pela prática de ato violento, motivado por "xenofobia, discriminação ou preconceito de raça, cor, etnia e religião", com a "finalidade de provocar terror social ou generalizado, expondo a perigo pessoa, patrimônio, a paz pública ou a incolumidade pública" (Lei n.º 13260/2016, art. 2.º).

[24] Nenhum dos dois grupos é armado ou possui natureza paramilitar, o que é expressamente vedado pela Constituição Federal de 1988 (art. 5.º, XVII e XLIV, e art. 17, § 4.º).

a eliminação física do inimigo. O bolsonarismo elegeu a esquerda, o PT, os comunistas, o MST e o MTST como inimigos, com o que foi capaz de angariar o voto antipetista, alimentado por anos de radicalização política. O bolsonarismo atua pela via da criação de "estereótipos hostis": "bandidos", "marginais vermelhos", "quadrilha", "terroristas".[25] Na campanha eleitoral de 2018, enquanto os demais concorrentes acusavam o PT de corrupção e de ter destruído a economia nacional, Bolsonaro se propunha a "fuzilar a petralhada". Manifestações como essas, que, anos antes, assustariam o eleitor, passaram a atraí-lo: a rejeição ao PT se converteu em apoio a Bolsonaro. No último ato de campanha, em transmissão de vídeo dirigida ao público reunido na Avenida Paulista, Bolsonaro expressava nos seguintes termos a sua hostilidade à esquerda:

> A faxina agora será muito mais ampla. [...] Esses marginais vermelhos serão banidos de nossa pátria. [...] Essa pátria é nossa. Não é dessa gangue que tem uma bandeira vermelha. [...] Petralhada, vai tudo vocês para a ponta da praia. Vocês não terão mais vez em nossa pátria. [...] Vocês, petralhada, verão uma Polícia Civil e Militar com retaguarda jurídica para fazer valer a lei no lombo de vocês. [...] Bandidos do MST, bandidos do MTST, as ações de vocês serão tipificadas como terrorismo.

No final de 2019, ocorreria uma "explosão social" no Chile, dando lugar a massivas manifestações populares. As imagens vindas todos os dias de Santiago mostravam protestos reunindo multidões e conflitos violentos nas ruas, com mortos. No mesmo contexto, Lula, recém libertado, convocou o povo a se mobilizar "como no Chile". Em reação, Bolsonaro não só ameaçou empregar as Forças Armadas em operações para a garantia da lei e da ordem – GLO –, mas também apresentou projeto de lei para desonerar de responsabilização jurídica os policiais e soldados que atuassem nessas operações.[26] A notícia de que o projeto de lei havia sido apresentado foi

---

[25] Casara, R., 2018, p. 80.

[26] No projeto de lei, a hipótese é caracterizada como de "legítima defesa". De acordo com o seu art. 2.º, "em operações de garantia da lei e da ordem, considera-se em legítima defesa o militar ou o agente que repele injusta agressão, atual ou iminente, a direito seu ou de outrem." Segundo o parágrafo único do mesmo artigo, "considera-se injusta agressão,

dada no ato de lançamento de seu novo partido, o "Aliança pra o Brasil", que adotou o número 38, calibre de arma de fogo mais utilizado no Brasil. No mesmo contexto, Eduardo Bolsonaro, aludindo aos episódios acontecidos no Chile, ameaçava com a decretação de um "novo AI n.º 5": "Se a esquerda radicalizar a esse ponto, a gente vai precisar ter uma resposta. E uma resposta pode ser via um novo AI-5".[27] Perguntado sobre a possibilidade de se adotar a medida proposta por Eduardo Bolsonaro, o ministro Chefe do Gabinete de Segurança Institucional, gen. A. Heleno, não a rechaçou: "tem de estudar como vai fazer".[28] Por fim, em viagem aos EUA, Guedes voltou a afirmar a possibilidade da decretação da medida de exceção: "Não se assustem se alguém pedir o AI-5. Já não aconteceu uma vez? Ou foi diferente?".[29] A partir de março de 2020, Bolsonaro apoiaria sucessivas manifestações convocadas para pedir o fechamento do Congresso Nacional e do Supremo Tribunal Federal.

É fora de dúvida que a decretação de estado de exceção figura como possibilidade preferencial na estratégia do bolsonarismo. É frequente em sua propaganda a associação entre corrupção e democracia parlamentar, deslegitimada sob a acusação de se tratar de "velha política". O fascismo sempre denunciou a decadência da política parlamentar;[30] e sempre alimentou, por meio da propaganda de massas, o impulso irracional da multidão contra a

---

hipótese em que estará presumida a legítima defesa: I – a prática ou a iminência da prática de: a) ato de terrorismo nos termos do disposto na Lei n.º 13.260, de 16 de março de 2016; ou b) conduta capaz de gerar morte ou lesão corporal; II – restringir a liberdade da vítima, mediante violência ou grave ameaça; ou III – portar ou utilizar ostensivamente arma de fogo." Por fim, conforme o artigo 3.º, "em qualquer das hipóteses de exclusão da ilicitude previstas na legislação penal, o militar ou o agente responderá somente pelo excesso doloso e o juiz poderá, ainda, atenuar a pena".

[27] *Correio Brasiliense*, 31 out. 2019.

[28] *Congresso em Foco*, 04 out. 2019. Convocado a comparecer ao Congresso para explicar suas declarações, afirmou que possuía pleno compromisso com a democracia.

[29] *Folha de São Paulo*, 26 nov. 2019.

[30] Era o que se lia, por exemplo, em texto de Francisco Campos, datado de 1935: "O centro de gravidade do corpo político não cai onde reina a discussão, mas onde impera a vontade. Os corpos deliberativos deixaram de deliberar. A linguagem política do liberalismo só tem um conteúdo de significação didática, ou onde reinam os professores, cuja função é conjugar o presente e o futuro nos tempos do pretérito. Para as decisões políticas uma sala de parlamento tem hoje a mesma importância que uma sala de museu". (Campos, F., 2001, p. 33-34).

política e os políticos. A novidade está em que, a gora, a propaganda fascista tem sido feita prioritariamente pela internet. Antes vista com entusiasmo pelos teóricos da democracia,[31] hoje a internet tem dado lugar à expressão política de ideias radicais, hostis à democracia liberal. O bolsonarismo se vale da internet para propagar o ódio, tal como os regimes fascistas do início do século XX se valiam dos jornais e do rádio.[32] Um dos estímulos básicos que levou à emergência do bolsonarismo é a manipulação política do sentimento legítimo de reprovação à prática da corrupção. Como costuma acontecer com os movimentos de corte fascista, a *campanha anticorrupção* é a força motriz do bolsonarismo.[33] Hoje e sempre, a forma mais fácil de executivos autoritários destruírem a democracia parlamentar – e se desonerarem da função moderadora – é apresentá-la como essencialmente corrupta. Apropriado pelo bolsonarismo, o movimento anticorrupção se converteu, assim, em movimento "antipolítica", o que foi facilitado pela adesão de Moro ao governo de Bolsonaro. A nomeação deixou às claras a relação de continui-

[31] Na internet, não há apenas o expectador, que recebe passivamente informações. Cada usuário é, ao mesmo tempo, autor e destinatário de informações. Os custos envolvidos na organização de empresas de comunicação caem drasticamente. Não há a necessidade de gráficas e de sistemas de distribuição. A internet era vista, por isso, como o meio que possibilitaria a ruptura com os monopólios e oligopólios que, em muitos países, impedem que a comunicação social cumpra suas finalidades democráticas, associadas ao pluralismo, à diversidade e à desconcentração de poder econômico e comunicativo.

[32] Convém, a propósito, recordar a descrição que, em 1935, Francisco Campos fazia da comunicação no fascismo: "É possível hoje, com efeito, e é o que acontece, transformar a tranquila opinião pública do século passado em um estado de delírio ou alucinação coletiva, mediante os instrumentos de propagação, de intensificação e de contágio de emoções, tornadas possíveis, precisamente graças ao progresso que nos deu a imprensa de grande tiragem, a radiodifusão, o cinema, os recentes processos de comunicação que conferem ao homem um dom aproximado ao da ubiquidade [...]. Não é necessário o contato físico para que haja multidão. [...] Nessa atmosfera de conturbação emotiva, seria ridículo admitir que os pronunciamentos da opinião possam ter outro caráter que não seja o ditado por preferências ou tendências de ordem irracional". (Campos, F., 2001, p. 31).

[33] Sampson esclarece o ponto: "O conceito de 'corrupção' acabou inflacionado, englobando a decadência geral do regime político em que as pessoas se encontram. [...]. A luta contra a corrupção chegou a todos os aspectos da vida social e política, não ficando mais restrita aos negócios ou à filantropia internacionais, mas alcançado setores como a saúde pública, a educação, o meio ambiente, a segurança e as próprias medidas antiterrorismo." (Sampson, S., 2015). A inflação do conceito é um risco associado ao movimento mundial de combate à corrupção, cf.: Stanley, J., 2018, p. 38 ss.

dade entre o populismo penal e o populismo político, que caracteriza o fascismo, em geral, e o bolsonarismo, em particular.

Ao assumir o Ministério da Justiça, no governo de Bolsonaro, Sérgio Moro elaborou um conjunto de propostas destinadas a recrudescer a persecução criminal. A proposta recebeu o nome de Pacote Anticorrupção. Algumas medidas tinham mérito e não se chocavam com o que dispõe a Constituição Federal. Outras, porém, estavam em total contradição. A que se chocava de modo mais eloquente era a que previa a "excludente de ilicitude" para policiais que, no exercício de suas atividades, matassem suspeitos.[34] Inserida no Pacote Anticrime por determinação do presidente, a referida "excludente de ilicitude" tendia a aumentar a letalidade da polícia brasileira, que já é uma das mais letais de todo o mundo, e revelava total ausência de empatia em relação a seus alvos preferenciais: negros, pobres e moradores de favelas. Também quanto a esse tema, Bolsonaro nunca escondeu suas intenções. Na campanha de 2018, Bolsonaro dizia que os policiais que matassem "10, 15 ou 20, com 10 ou 30 tiros cada um" teriam que "ser condecorados, não processados".[35] Em evento para investidores do mercado financeiro, organizado pelo Banco BGT Pactual, chegou a afirmar que, para combater o tráfico, metralharia a Rocinha, favela no Rio de Janeiro onde vivem 64 mil pessoas: "mandaria um helicóptero derramar milhares de folhetos sobre a favela, avisando que daria um prazo de seis horas para os bandidos

---

[34] A medida se identificava com a política segurança pública que a concebe como estratégia de guerra, não como a prestação de um serviço público à comunidade. Para as diferentes concepções de segurança pública, cf.: Cerqueira, C. M. N., 2001; Dornelles, J. R. W., 1997; Sulocki, V. A. B. C. G., 2007; Muniz, J. e Proença Junior, D., 2006; Souza, L. A. F., 2003; Silva, J., 2003, p. 189 ss.; Souza Neto, C. P., 2007. No contexto da pandemia do coronavírus, o STF proferiu importante decisão proibindo a realização de operações policiais nas favelas do Rio de Janeiro, senão em hipóteses absolutamente excepcionais (ADPF n.º 635 MC-TPI/RJ, rel. min. Edson Fachin, D. 05.06.2020). A ADPF n.º 635, subscrita pelos professores Daniel Sarmento e Ademar Borges, foi proposta para impugnar a política de segurança pública adotada por W. Witzel, governador eleito em 2018 na esteira do bolsonarismo – e com apoio ostensivo de Flávio Bolsonaro –, cuja principal proposta era o abate de traficantes por *snipers*: "A polícia vai mirar na cabecinha e... fogo". Em 2018, a taxa de homicídios causados por policiais, no Rio de Janeiro, já era de 8,9 por 100 mil habitantes, próxima à taxa total de homicídios do Estado de São Paulo, que, em 2018, era de 9,5 mortes por 100 mil habitantes. Durante o ano de 2019, no Rio de Janeiro, ocorreu um aumento de 16% do número de mortes por policiais.

[35] *Carta Capital*, 29 out. 2018.

se entregarem. Findo este tempo, se a bandidagem continuasse escondida, metralharia a Rocinha".[36] A Lei n.º 13.964, de 24 de dezembro de 2019, originada do "Pacote Anticrime", acabou por não incluir a "excludente de ilicitude". O Congresso Nacional, mais uma vez, exercia a importante função de moderar os excessos do governo.[37]

Não é apenas a força de órgãos policiais, sem controle, que Bolsonaro pretende empregar em sua guerra contra a esquerda, os movimentos sociais e as minorias. Em muitas de suas manifestações públicas, evidencia-se que o seu intento de *armar a população* também serve a propósitos políticos. Em 26 de junho de 2015, Bolsonaro afirmava que "o cidadão armado é a primeira linha de defesa de um país".[38] Já no governo, em 15 de junho de 2019, voltou a afirmá-lo: "além das Forças Armadas, defendo o armamento individual para o nosso povo, para que tentações não passem na cabeça de governantes para assumir o poder de forma absoluta. Temos exemplo na América Latina. Não queremos repeti-los".[39] Em especial, Bolsonaro pretende armar os "domiciliados em imóvel rural", "cuja posse seja justa"[40], ao passo que sustenta que os sem-terra são terroristas. Legitimava, com isso, a formação de milícias privadas no campo. Com o advento do bolsonarismo, os clubes de tiro, caça e coleção de armas (CACs) se multiplicaram de modo exponencial. Logo no início do governo, por meio da edição de sucessivos decretos, hoje já revogados, os CACs tiveram muito facilitado o acesso a armas e munições: passaram a poder adquirir mesmo armas de grande potencial ofensivo, como fuzis de assalto.[41] Um dos Decretos multiplicava em cem vezes, para os cida-

---

[36] *O Globo*, 11 fev. 2018.

[37] Para uma análise das propostas aprovadas, cf.: Nucci, G. S., 2020.

[38] *O Tempo*, 26 jun. 2015.

[39] *Folha de São Paulo*, 15 jun. 2019.

[40] De acordo com o Decreto n.º 9.797/2019, agora já revogado, devia se considerar cumprido o requisito da necessidade, previsto no inciso I do § 1.º do art. 10 da Lei n.º 10.826, de 2003, quando o requerente fosse "colecionador ou caçador" ou quando fosse "domiciliado em imóvel rural" (art. 20, § 4.º, I e II). O "imóvel rural" era definido como "aquele que se destina ou possa se destinar à exploração agrícola, pecuária, extrativa vegetal, florestal ou agroindustrial, nos termos do disposto na Lei n.º 8.629, de 25 de fevereiro de 1993, *cuja posse seja justa*, nos termos do disposto no art. 1.200 da Lei n.º 10.406, de 10 de janeiro de 2002 – Código Civil."

[41] O que justifica, por exemplo, o disposto no artigo 19, § 1.º, do Decreto n.º 9.785/19? Segundo o preceito, "o proprietário de arma de fogo poderá adquirir até mil munições

dãos em geral, a quantidade de munição que poderia ser adquirida por cada arma de fogo.[42] Para os caçadores, colecionadores e atiradores, o Decreto suprimia, por completo, o limite. A medida confirmava a pertinência da preocupação de que os CACs se tornassem embriões de milícias urbanas, postas a serviço da violência política. O receio decorre do juízo positivo que Bolsonaro sempre fez a respeito de milícias privadas, como os "esquadrões da morte". Em 2003, por exemplo, Bolsonaro fez, no Plenário da Câmara de Deputados, apologia aos que estavam em atuação na Bahia:

> Quero dizer aos companheiros da Bahia – há pouco ouvi um parlamentar criticar os grupos de extermínio – que enquanto o Estado não tiver coragem de adotar a pena de morte, o crime de extermínio, no meu entender, será muito bem-vindo. Se não houver espaço para ele na Bahia, pode ir para o Rio de Janeiro. Se depender de mim, terão todo o meu apoio, porque no meu estado só as pessoas inocentes são dizimadas. Na Bahia, pelas informações que tenho – lógico que são grupos ilegais –, a marginalidade tem decrescido. Meus parabéns![43]

A generalização da posse e do porte de armas de fogo é defendida por Bolsonaro em termos anarcocapitalistas.[44] Ao editar o Decreto n.º 9785/19 – um dos sete que editou sobre o tema no primeiro semestre de governo –, Bolsonaro esclareceu que o armamento da população não era "um projeto de segurança pública": correspondia a "um direito individual".[45] Sem contar com o apoio do Congresso Nacional na matéria, Bolsonaro buscou promover a referida generalização por meio da edição de uma sequência de decretos. A legislação aplicável condicionava a posse e o porte de armas à

---

anuais para cada arma de fogo de uso restrito e cinco mil munições para as de uso permitido registradas em seu nome".

[42] Segundo as regras antes em vigor, estabelecidas na Portaria n.º 012 - COLOG, de 26 de agosto de 2009, do Exército Brasileiro, cada cidadão poderia adquirir apenas 50 cartuchos por arma de fogo registrada, por ano.

[43] *Congresso em Foco,* 13 out. 2018.

[44] O anarcocapitalismo propugna até mesmo pela privatização dos serviços de segurança e proteção. A defesa mais conhecida da tese foi feita por Molinari, em texto de 1848 (Molinari, G., 2014).

[45] *Conjur*, 07 maio 2019.

observância do requisito da "efetiva necessidade". O Decreto n.º 9.685, de 2019, relativo à *posse* de armas de fogo, isto é, à autorização para mantê-la em casa, estabelecia que a observância do requisito era presumida para todos os moradores de entes da federação em que a taxa de homicídios fosse superior à de 10 por 100 mil habitantes, segundo os dados do Atlas da Violência de 2016. O critério era inautêntico: todos os estados possuíam taxas maiores. Já o Decreto n.º 9785/19 estabelecia a presunção de efetiva necessidade para *portar* armas, isto é, conduzi-las nas ruas, para um amplo rol de profissionais, não apenas para os que atuavam na área da segurança pública. A efetiva necessidade passava a se presumir relativamente a advogados, motoristas, residentes em área rural, dirigentes de clubes de tiros, detentores de mandados eletivos, entre outros. Em 2018, havia cerca de 36,7 mil pessoas autorizadas a portar armas de fogo no Brasil.[46] Com o Decreto n.º 9.785/19, hoje revogado[47], estimava-se que cerca de 19,1 milhões de pessoas estariam aptas a pleitear a respectiva autorização. Às vésperas da deliberação do Congresso e do STF sobre os dois decretos, o governo os revogou, diante da perspectiva de decisões negativas em ambas as esferas.

Na distopia bolsonarista, o monopólio do uso legítimo da força, característica fundamental do Estado moderno, é substituído por uma sociedade armada, em que todos exercem seu direito à autodefesa por meio de armas de sua propriedade. No campo, em especial, o impacto da política de arma-

---

[46] O porte de armas de fogo sempre acarreta risco para quem o detém e para as demais pessoas. Por isso, o Estatuto do Desarmamento estabeleceu, como regra geral, a proibição do porte de armas de fogo (artigo 6.º). O porte de arma de fogo é excepcional em nosso sistema jurídico; só se justifica quando há ameaça concreta e específica à integridade física do requerente. A necessidade deve ser *efetiva* e não abstrata.

[47] Diante da perspectiva de suspensão da eficácia do Decreto n.º 9.785/19 pelo Congresso Nacional e de exame de sua constitucionalidade pelo STF, Bolsonaro retrocedeu e o revogou, impedindo a deliberação do Parlamento e do Judiciário. No dia 25 de junho de 2019, Bolsonaro editou os Decretos n.º 9.844/2019, 9.845/2019 e 9.846/2019, que revogavam e reeditavam disposições do Decreto n.º 9.785/2019, com o propósito claro de impedir que o STF e a Câmara se manifestassem sobre o Decreto anterior. Verificando a ineficácia da manobra, no mesmo dia, logo após a publicação dos Decretos n.º 9.844/2019, 9.845/2019 e 9.846/2019, editou o Decreto n.º 9.847/2019, o qual revogou o Decreto n.º 9.844/2019 e reestabeleceu, em grande parte, a disciplina anterior ao início de seu mandato. Em seguida, encaminhou ao Congresso Nacional o Projeto de Lei n.º 3.723/2019, dispondo sobre a matéria.

mento generalizado tende a ser devastador.[48] Ao propugnar pelo armamento generalizado da população, o bolsonarismo está em total contradição não só com a Constituição Federal de 1988,[49] mas também com nosso pacto pré-constitucional, que transcende a nossas constituições históricas.[50] Desde o *contratualismo* dos séculos XVII e XVIII, preservar a "ordem pública" e a "incolumidade das pessoas e do patrimônio" é a função primordial do Estado, que justifica a sua própria instituição.

Já se disse que "Bolsonaro não é o anti-Lula; é o anti-Geisel".[51] No movimento de redemocratização da América Latina, nas décadas de 1980 e 1990, foram frequentes *transições pactuadas*, operadas por políticos moderados vinculados à antiga e à nova ordem.[52] Uma transição pactuada também ocorreu no Brasil, ainda que os seus termos não tenham se formalizado em acordo escrito.[53] Para torná-la viável, Geisel, o 4.º presidente militar, disci-

---

48 Segundo dados da Comissão Pastoral da Terra – CPT –, 71 pessoas foram assassinadas no campo em 2017 em razão de envolvimento em conflitos pela posse da terra. Em todo o mundo, no mesmo ano, foram assassinados 197 defensores de direitos humanos. O Brasil liderou o *ranking*: daqueles, 46 morreram no país. Em diatribe de 15 de novembro de 2017, Bolsonaro não deixava espaço para dúvidas: "No que depender de mim, o agricultor, o homem do campo, vai apresentar como cartão de visita para o MST um cartucho (de) 762". E concluía: "Àqueles que me questionam se eu quero que mate esses vagabundos, quero, sim. A propriedade privada numa democracia é sagrada. Invadiu, pau nele". Em setembro de 2018, Bolsonaro retomava a hostilidade: "Toda ação do MST e do MTST devem ser tipificadas como terrorismo. A propriedade privada é sagrada".

49 O Estado tem o dever de proteger os direitos à vida (artigo 5.º da Constituição Federal) e à segurança pública (artigos 5.º e 144 da Constituição Federal). O art. 5.º da Constituição Federal, em seu *caput*, classifica a segurança como direito fundamental. De acordo com o *caput* do art. 144, a segurança pública é "dever do Estado" e "direito de todos".

50 Na fórmula clássica de Hobbes, para sair do estado de natureza – concebido como um estado de guerra de todos contra todos –, os indivíduos renunciam à liberdade natural, celebrando um contrato social, por meio do qual concedem ao Estado o monopólio do uso legítimo da força. (Hobbes, T., 1974).

51 Barros, C. R, 2018. Como Barros esclarece, com precisão, "Jair Bolsonaro não representa o regime de 64. Representa sua dissidência extremista, que se revoltou contra a abertura de Geisel. O ídolo de Bolsonaro não é o moderado Castelo Branco [...]. Não é o Geisel, que matou gente, mas deu início à restauração. Não é nem, vejam só, o Médici. O ídolo de Bolsonaro [...] é o torturador Brilhante Ustra".

52 Cf.: Przeworski, A., 1994; Valadés, D., 2004, p. 141-147; Rolla, G, 2002.

53 Como disse o então presidente do STF, Ministro Moreira Alves, no discurso de abertura da Constituinte de 1987-88, "Ao instalar-se esta Assembleia Nacional Constituinte, chega-se ao termo final do período de transição com que, sem ruptura constitucional, e por via de conciliação, se encerra o ciclo revolucionário". (Alves, J. C. M., 1987, p. 12).

plinou os elementos radicais das Forças Armadas, associados à repressão violenta aos grupos da esquerda armada.[54] Bolsonaro nunca deixou de idealizar o regime militar, e, por anos, propugnou por seu retorno. Mas um retorno mais violento: "o erro da ditadura foi torturar e não matar".[55] Tudo o que Bolsonaro tem afirmado nos últimos vinte anos conduz à conclusão de que a instauração da ditadura é o fim último que persegue, e não será levado a termo apenas se o mandatário não tiver força política e apoio militar para decretá-la.[56] Jarbas Passarinho, em 1968, era ministro do trabalho de Costa e Silva. Quando instado a se manifestar a respeito da decretação do AI n.º 5, para apoiá-lo, mandou "às favas" os "escrúpulos de consciência". Para Bolsonaro, a decretação da ditadura não exige a relativização de imperativos éticos nem provoca dramas de consciência: para ele, o governo desonerado de limites jurídicos e de freios institucionais é a melhor forma de organizar o exercício do poder político.

IV.3. Anti-intelectualismo e a deslegitimação da ciência

Diversos aspectos da gestão de Bolsonaro estão diretamente vinculados ao contexto de pós-verdade. O atual presidente não é, em nada, deferente ao conhecimento científico: atribui maior credibilidade a preconceitos e teorias da conspiração, divulgados nas redes sociais, que a pesquisas produzidas por universidades. Frequentemente, a ciência é vista não como subsídio, mas como obstáculo à imposição de suas políticas.

A negação reiterada de evidências científicas tem produzido danos gravíssimos, por exemplo, na política ambiental. O presidente entende que o desenvolvimento da Amazônia passa pela redução das áreas destinadas à preservação do meio ambiente. Um aumento das queimadas, em 2019, foi detectado pelo Instituto Nacional de Pesquisas Espaciais – INPE. O órgão era responsável pelo monitoramento do desmatamento da Amazônia, ativi-

---

[54] Geisel foi capaz de impedir a ascensão de Silvio Frota, ministro de Exército que pretendia sucedê-lo na Presidência da República. A candidatura de Frota era identificada com o propósito de se promover a perenização daquele regime (Frota, S., 2006).

[55] A afirmação foi feita em 1999, no programa Câmara Aberta, da TV Bandeirantes.

[56] Não surpreende o juízo que Geisel fazia a respeito do hoje presidente: "Não contemos o Bolsonaro, porque o Bolsonaro é um caso completamente fora do normal, inclusive um mau militar". (D'Araújo, M. C. e Castro, C., 1997, p. 113).

dade conduzida por cientistas de alto nível. O sistema era objeto de amplo reconhecimento internacional. Em 2 de agosto de 2019, confrontado com dados científicos que davam conta do aumento do desmatamento, Bolsonaro anunciou a demissão do diretor do Instituto, Dr. Ricardo Galvão, pesquisador de 71 anos de idade, PhD em Física de Plasmas Aplicada pelo MIT. Bolsonaro, dias antes, havia dito que os dados do INPE, que indicavam um aumento de 50% no desmatamento da Amazônia em 2019, eram falsos e acusado o diretor do Instituto de "estar a serviço de alguma ONG".[57] Inconformado com a interferência do presidente na produção de dados científicos, Ricardo Galvão manifestou o seu repúdio: "Ele tem um comportamento como se estivesse falando em botequim. Ele fez acusações indevidas a pessoas do mais alto nível da ciência brasileira. [...] Isso é uma piada de um garoto de 14 anos que não cabe a um presidente da República fazer".[58] A comunidade internacional também reagiria. Em 28 de agosto, o presidente Francês, Emmanuel Macron, criticava a demissão do cientista: "Quando nos encontramos pela primeira vez, ele disse que faria tudo pelo reflorestamento e o Acordo de Paris tendo em vista o acordo com o Mercosul. Quinze dias depois, ele estava fazendo o oposto, demitindo cientistas".[59]

O anti-intelectualismo é uma das características centrais do fascismo; manifesta-se por meio da desvalorização da educação, da especialização e da linguagem.[60] Para o bolsonarismo, trata-se, em parte, de estratégia de comunicação com seus eleitores antissistema. Bolsonaro procura se apresentar como pessoa simples. Seus apoiadores o têm como alguém que diz "o que pensa", a "verdade nua e crua", de forma "autêntica".[61] O anti-intelectualismo de Bolsonaro não se esgota, todavia, na sua forma de se comunicar. O presidente atua reiteradamente contra as ciências e as artes. Um de seus alvos preferenciais são as universidades, cuja autonomia é entendida como fonte

---

[57] A convicção de Bolsonaro era de que "os dados [eram] mentirosos" ou "poderiam não estar condizentes com a verdade" e "prejudica[vam] e atrapalha[vam] o país" (*O Estado de São Paulo*, 28 jul. 2019).

[58] *O Globo*, 02 ago. 2019.

[59] *Época*, 26 ago. 2019.

[60] Cf., *i. a.*: Stanley, J., 2018, p. 48 ss.

[61] Trata-se de dimensão do chamado "elitismo popular" ou "elitismo de massas", a que alude Humberto Eco. (Eco, H., 2018, p. 53).

de "coisas absurdas".[62] Logo no início do governo, em abril de 2019, o ministro Abraham Weintraub manifestou o propósito de restringir os recursos dirigidos a cursos como sociologia e filosofia. As universidades do Nordeste, em especial, deveriam abolir as duas disciplinas.[63] O ministro, ao anunciar, no início de 2019, o corte de gastos das universidades públicas, afirmou que seriam afetadas, sobretudo, as universidades que faziam "balbúrdia".[64] O governo acabou promovendo cortes horizontais na proporção de 30% do orçamento – no final do ano, os cortes seriam, em parte, revertidos. Também no início de 2019, o governo cortou bolsas de estudo em larga escala, esvaziando instituições de fomento à pesquisa como a CAPES e o CNPq – no final do ano, os recursos também seriam, em parte, liberados.[65] Com

---

62 *Folha de São Paulo*, 11 jul. 2019.

63 Em tuíte do dia 24 de abril de 2019, Bolsonaro apoiava a manifestação do ministro: "O objetivo é focar em áreas que gerem retorno imediato ao contribuinte, como: veterinária, engenharia e medicina".

64 O ministro mencionou, em especial, a UFF, a UFBA e a UnB, instituições que, durante a campanha eleitoral, haviam abrigado movimentos de crítica à candidatura de Bolsonaro. Na fachada da Faculdade de Direito da UFF, havia sido colocada uma faixa com os dizeres "*Direito UFF Antifascista*". A juíza da 199ª Zona Eleitoral do Tribunal determinou a retirada da faixa sob o argumento de que se tratava de "propaganda negativa" contra Bolsonaro, o que seria vedado pelos artigos 37 e 73 da Lei das Eleições e pelos artigos 243 e 323 do Código Eleitoral: "A distopia simulada nas propagandas negativas contra o candidato Jair Bolsonaro encontradas dentro da Faculdade de Direito da UFF permite o reconhecimento do caráter político-eleitoral dos dizeres constantes da faixa em questão, o que, no cenário conflituoso de polarização e extremismos observado no momento político atual, pode criar, na opinião pública, estados passionais com potencial para incitar comportamentos violentos". Tendo em vista decisões como essas, proferidas por juízes eleitorais de todo o Brasil, a PGR propôs perante o STF a ADPF n.º 458. Em 31.10.2018, o STF referendou a liminar proferida pela relatora, min. Carmen Lucia, concedida para proteger a liberdade de expressão e a autonomia universitária: "Não há direito democrático sem respeito às liberdades, não há pluralismo na unanimidade, pelo que contrapor-se ao diferente e à livre manifestação de todas as formas de pensar, de aprender, apreender e manifestar uma compreensão do mundo é algemar liberdades, destruir o direito e exterminar a democracia. Impor-se a unanimidade universitária, impedindo ou dificultando a manifestação plural de pensamento, é trancar a universidade, silenciar estudantes e amordaçar professores. A única força legitimada a invadir uma universidade é a das ideias livres e plurais, qualquer outra que ali ingresse sem causa jurídica válida é tirana, e tirania é o exato contrário da democracia".

65 Em 15.08.2019, o CNPq anunciou a suspensão de 4.500 bolsas. Em 01.09.2019, a instituição advertiu que não podia mais assegurar o pagamento de bolsas de pesquisa. A CAPES noticiou, em 2 de setembro de 2019, o corte de 5.613 bolsas de pós-graduação (mestrado, doutorado e pós-doutorado). No final de 2019, os cortes seriam, em parte,

o advento da epidemia do coronavírus, novamente os primeiros cortes de gastos se deram também por meio da suspensão do pagamento de bolsas da CAPES e do CNPQ.

Cabe às instituições zelar para que a atividade administrativa não se desenvolva sob o império da pós-verdade. O estabelecimento de critérios para a autorização do porte de armas de fogo ou para o registro de agrotóxicos não pode ocorrer senão com base em informações consistentes, nunca com fundamento em percepções superficiais, preconceituosas e dissociadas dos fatos. O presidente da República, para fixar tais critérios, deve se apoiar em dados confiáveis e apresentá-los ao público. É comum que, diante da cobrança de satisfações por jornalistas, o presidente responda com a afirmação: "Ganhei a eleição, porra!". Ganhar a eleição, porém, embora necessário, não é suficiente para legitimar as decisões governamentais, as quais devem ser justificadas perante toda a sociedade, não apenas perante os eleitores do governante.[66] A imposição de decisões irracionais é arbítrio estranho ao constitucionalismo democrático.

Com a chegada do coronavírus ao Brasil, o potencial destrutivo do anti-intelectualismo de Bolsonaro alcançaria o paroxismo. O mandatário desqualificava a cobertura da imprensa sob a acusação de "histeria"; sustentava que "o poder destruidor do vírus" estava sendo "superdimensionado"; dizia que a crise era "pequena", e que havia muita "fantasia" na forma como se estava lidando com o problema. A infecção pelo coronavírus não passaria de uma "gripezinha", de um "resfriadinho". Bolsonaro dizia se sentir imune às complicações associadas à infecção em razão de seu "histórico de atleta"; acreditava que o brasileiro seria resistente porque "pula no esgoto e não pega nada"; condenava a paralisação das aulas pelo fato de apenas pessoas idosas estarem no grupo de risco, revelando desconhecer a dinâmica da propagação da epidemia. A imprensa internacional, atônita, o caracte-

---

revertidos, com o oferecimento de 1,8 mil bolsas de pós-graduação. Em 22.11.2019, os recursos necessários ao pagamento das bolsas da CAPES foram liberados.

[66] Como sustenta J. Rawls, "Enquanto razoáveis e racionais, sabendo-se que endossam uma grande diversidade de doutrinas religiosas e filosóficas razoáveis, os cidadãos devem estar dispostos a explicar a base de suas ações uns para os outros em termos que cada qual razoavelmente espere que os outros possam aceitar, por serem coerentes com a liberdade e igualdade dos cidadãos." (Rawls, J., 2000b, p. 267).

rizava como "BolsoNero".[67] Ao invés de liderar o país no enfrentamento da emergência sanitária, Bolsonaro desqualificava as autoridades médicas e demitia ministros da saúde que se negassem a seguir seu roteiro de mistificação e negacionismo.[68]

Como será a seguir sustentado, na crise do coronavírus, o anti-intelectualismo de Bolsonaro serviu como anteparo para que o presidente se desonerasse de conduzir a administração federal em conformidade com as recomendações dos médicos e cientistas e com as evidências que podiam ser extraídas da experiência internacional. A ignorância bruta simulada pelo mandatário o desincumbia de apresentar com sinceridade e clareza em que medida havia optado pela economia ou pela vida das pessoas. Sua conduta contrastava com a de líderes de outras nações, que aquilatavam a pandemia como um desafio de grandes dimensões.[69] Entre as maiores nações, o "negacionismo" de Bolsonaro só se comparava ao de Lopes Obrador, presidente do México, o qual, de início, também havia se negando a adotar medidas de distanciamento social.[70] Obrador, porém, no final de março, mudou de

[67] Sá, N., 2020.

[68] Da desqualificação da gravidade da pandemia, transitava para teorias da conspiração. Desconfiava do fato de a "pandemia da gripe A" não ter sido enfrentada com medidas de distanciamento social: "no Brasil o PT que estava no governo, e nos EUA eram os democratas". (*Estadão*, 21 mar. 2020). Nas redes sociais, o bolsonarismo disseminava mensagens xenófobas contra a China, mostrando pessoas com traços orientais comendo morcegos, cachorros e rãs, e insinuando que a epidemia teria origem nesses hábitos alimentares. (*El País*, 19 mar. 2020). Sem meias palavras, seu filho Eduardo Bolsonaro acusava a China: "Mais uma vez, uma ditadura preferiu esconder algo grave a expor, tendo desgaste, mas que salvaria inúmeras vidas. A culpa é da China e liberdade seria a solução". *(Folha de São Paulo*, 10 fev. 2020).

[69] A chanceler alemã Angela Merkel, por exemplo, afirmava que a pandemia do coronavírus era o maior desafio à solidariedade social enfrentado pelo país desde a Segunda-Guerra Mundial, desafio ainda maior que o propiciado pela reunificação alemã. Macron "declarou guerra" ao coronavírus, estabelecendo quarentena nacional, mas também suspendendo a exigibilidade de impostos e créditos privados. Populistas de direita também tomaram medidas duras de enfrentamento da pandemia. Narendra Modi, primeiro-ministro da Índia, decretou quarentena nacional, pedindo perdão pelas dificuldades econômicas que seriam enfrentadas pela população, especialmente pelos mais pobres. Mesmo Trump, que, de início, minimizara a gravidade da pandemia – a atitude parece ter sido copiada por Bolsonaro –, tomou medidas tanto para preservar a saúde da população quanto para salvar a economia.

[70] "Why are these three presidents downplaying coronavirus warnings?". *CNN*, 25 mar. 2020.

posição e orientou os mexicanos a ficarem em casa. Durante a pandemia, Bolsonaro, o "último dos negacionistas", se deixava filmar andando nas ruas de Brasília, interagindo com as pessoas sem qualquer proteção.[71] Em abril, já estava na companhia apenas dos presidentes da Nicarágua, da Bielorrússia e do Turcomenistão. Em 30 de março de 2020, o Twitter, o Facebook e o Instagram apagaram mensagens postadas pelo presidente do Brasil por disseminarem "desinformação" que poderia "causar danos reais às pessoas".[72]

Em decisões que serão examinadas adiante, o STF (a) vedou a veiculação de propaganda do governo federal que pregava a inobservância das medidas de distanciamento social; (b) estabeleceu a prevalência das decisões estaduais sobre as federais no tocante ao controle da epidemia; e (c) esclareceu que a desconsideração dos dados da ciência poderia levar à responsabilização dos administradores. Retornaremos ao tema na seção IV.5.

IV.4. Ataques à independência dos poderes e à autonomia das instituições

Pouco antes das eleições, Eduardo Bolsonaro, filho do atual presidente, afirmava que, para "fechar o STF", bastava "mandar um soldado e um cabo".[73] Durante a campanha eleitoral, Bolsonaro propunha a ampliação do número de ministros da Corte de 11 para 21: "é uma maneira de você botar 10 isentos lá dentro."[74] Desde o *impeachment* de Dilma, a máquina de *fake news* nunca cessou de pressionar a Corte para que sucumbisse ao populismo penal.[75] Iniciado o mandato de Bolsonaro, as *fake news* passaram a ser utilizadas para desestabilizar a instituição. Com o propósito

---

[71] *Folha de São Paulo*, 29 mar. 2020.

[72] "Depois do Twitter, Facebook também apaga postagem de Bolsonaro". *Correio Braziliense*, 30 mar. 2020.

[73] *Folha de São Paulo*, 21 out. 2018.

[74] *Conjur*, 25 out. 2018.

[75] O Tribunal Superior Eleitoral, no curso das eleições, também foi pressionado com agressividade. Bolsonaro questionava a seriedade do voto eletrônico e suscitava recorrentes suspeitas de fraude eleitoral: "Pelo que vejo nas ruas, não aceito resultado diferente da minha eleição. [...] Em 2015, eu aprovei o voto impresso, mas o Supremo derrubou. Não temos como auditar o resultado disso" (*Folha de São Paulo*, 28 out. 2018). O que se passou no Brasil reproduzia o que havia ocorrido, pouco antes, na campanha eleitoral de Trump. O então candidato, algumas vezes, afirmou que rejeitaria o resultado das urnas caso não fosse eleito, sustentando que só a fraude poderia derrotá-lo.

de investigar esse assédio, logo no começo do governo, o STF instaurou o Inquérito n.º 4781, o que gerou protestos, sobretudo do Ministério Público, que sustentava caber à instituição e às autoridades policiais realizar investigações, não ao STF, que julgaria as ações resultantes das investigações realizadas.[76] Em defesa da possibilidade do inquérito, sustentava-se que qualquer órgão atacado, para preservar sua autonomia, poderia apurar previamente os ataques.[77] Desde sua instauração, o inquérito tem produzido eficácia variável. Ao longo de 2019, foi exitoso na contenção do ímpeto dos ataques bolsonaristas. Porém, em fevereiro de 2020, os ataques já haviam

[76] A procuradora-geral da República, Raquel Dogde, em manifestação de 16.04.2019, exarada nos autos do inquérito, tentou, sem êxito, promover o seu arquivamento: "A providência tem como fundamento o respeito ao devido processo legal e ao sistema penal acusatório estabelecido na Constituição de 1988, segundo o qual o Ministério Público é o titular exclusivo da ação penal, fato que provoca efeitos diretos na forma e na condução da investigação criminal." Porém, o novo procurador-geral da República, Augusto Aras, se manifestou alterando a posição da PGR, para passar a sustentar a validade do inquérito. A nova orientação foi apresentada nos autos da ADPF n.º 572: "Embora esteja entre as atribuições da polícia do STF a investigação das infrações penais cometidas 'na sede ou na dependência do Tribunal' (art. 43 do RISTF), esse poder também alcança a persecução de crimes e contravenções praticados em detrimento de seus bens e serviços, da incolumidade e da segurança de seus ministros, juízes e servidores". A Advocacia-Geral da União, também em manifestação juntada aos autos da ADPF n.º 572, igualmente sustentou a validade do inquérito: "Trata-se de interpretação sistemática do Regimento Interno do STF, que não desconsidera a referência espacial à 'sede ou dependência do Tribunal', presente no artigo 43, *caput*, mas enfatiza que sua literalidade não exaure as responsabilidades administrativas do presidente do Supremo Tribunal Federal, na defesa da Corte, sobretudo nas hipóteses em que estejam sob ameaça as prerrogativas institucionais do Tribunal. Na espécie, essa parece ter sido a principal causa motivadora das diligências adotadas".

[77] Atos ilícitos eventualmente identificados são noticiados ao Ministério Público, para que a instituição os investigue e proponha a respetiva ação penal, que não será julgada pelo STF, mas por outros órgãos do Poder Judiciário. O inquérito devia ser compreendido, assim, como apuração prévia de atos de ataque à própria instituição. No despacho inicial proferido no Inquérito n.º 4781, o ministro relator, Alexandre de Moraes, definia o seu escopo e justificava sua instauração: "O objeto deste inquérito é a investigação de notícias fraudulentas (*fake news*), falsas comunicações de crimes, denunciações caluniosas, ameaças e demais infrações revestidas de animus *caluniandi, diffamandi* ou *injuriandi*, que atingem a honorabilidade e a segurança do Supremo Tribunal Federal, de seus membros; bem como de seus familiares, quando houver relação com a dignidade dos Ministros, inclusive o vazamento de informações e documentos sigilosos, com o intuito de atribuir e/ou insinuar a prática de atos ilícitos por membros da Suprema Corte, por parte daqueles que têm o dever legal de preservar o sigilo; e a verificação da existência de esquemas de financiamento e divulgação em massa nas redes sociais, com o intuito de lesar ou expor a perigo de lesão a independência do Poder Judiciário e ao Estado de Direito".

reaparecido, em movimento que culminaria com manifestações realizadas em março, abril e maio, que, entre outras reivindicações, propugnava pelo fechamento do STF. A partir de junho, porém, voltariam a arrefecer, sobretudo após várias diligências de busca e apreensão realizadas em domicílios vinculados aos operadores da rede de *fake news* e a seus financiadores.[78]

A pressão sobre o Congresso Nacional também foi intensa nos primeiros meses do governo Bolsonaro. A democracia parlamentar vinha sendo taxada de "velha política". Bolsonaro se negava a reproduzir as negociações típicas do presidencialismo de coalizão – a partir de 2020, passaria a realizá-las, associando-se a parte do "centrão". Diante da resistência oposta pelo Congresso, Bolsonaro deslegitimava a democracia parlamentar: "O que é articulação? O que está faltando eu fazer? O que foi feito no passado? Eu não seguirei o mesmo destino de ex-presidentes".[79] Ao mesmo tempo, Bolsonaro sugeria que o Brasil, sem atender às pressões ilegítimas dos parlamentares, seria ingovernável. O caminho para a ruptura institucional ia, assim, sendo construído. De fato, Bolsonaro nunca acreditou nas instituições. Anos antes, declarava acreditar que, pela via democrática, "não se muda nada".[80] Os movimentos iniciados no começo do governo indicavam que, diante de impasse com o Legislativo, Bolsonaro poderia tentar o caminho do autogolpe. Mas, no começo de 2020, já estava claro que não seria fácil para o mandatário reunir as condições necessárias para deflagrá-lo.

A crescente deterioração das relações com o Poder Legislativo foi temporariamente interrompida por dois fatores. Em primeiro lugar, pelas notícias de irregularidades na contratação e na remuneração de assessores por um dos filhos do presidente.[81] As investigações desempenharam o papel crucial de deslocar Bolsonaro, logo no início do governo, da posição de paladino da moralidade, que o habilitava para ameaçar o Congresso, sob o

---

[78] Inq n.º 4781/DF, rel. min. Alexandre de Moraes, D. 26.05.2020.

[79] *O Globo*, 23 mar. 2019.

[80] *Isto É,* 13 out. 2019.

[81] Em investigações realizadas no Rio de Janeiro, foi quebrado o sigilo bancário de mais de 90 assessores e ex-assessores do então deputado estadual Flávio Bolsonaro. As investigações policiais punham em risco a estabilidade do governo. O próprio Queiroz, principal assessor investigado, era, na origem, amigo de Jair Bolsonaro, e sua filha se vinculava ao seu gabinete, não ao de Flávio. Em 28 anos, Bolsonaro e seus filhos nomearam como assessores 102 pessoas com laços familiares.

argumento de que se tratava de instituição corrupta. Em segundo lugar, o próprio Congresso Nacional sempre cooperou com o governo para a aprovação de propostas pró-mercado. Em 2019, enquanto Bolsonaro tentava se desonerar das investigações policiais e se enredava em polêmicas com os mais variados setores da sociedade, o Congresso deliberava sobre a pauta econômica. A aprovação da reforma da Previdência, no contexto em que se deu, não foi creditada ao governo. A percepção predominante é de que foi aprovada apesar dos desastrados movimentos do presidente. No Brasil, o Congresso Nacional não cumpriu o papel de opositor intransigente, o que poderia levar a um impasse institucional que acelerasse o colapso da democracia. A maioria parlamentar, desde o início do governo, apoiou propostas governamentais dotadas de razoabilidade e vetou medidas ostensivamente irrazoáveis. Na reforma da Previdência, por exemplo, embora o Congresso tenha aprovado inúmeros aspectos constantes da PEC encaminhada pelo presidente, rejeitou o modelo da "capitalização" e outras medidas socialmente insensíveis, como a fixação do BPC – Benefício de Prestação Continuada – em valor inferior ao salário mínimo. No primeiro ano de governo, o Congresso Nacional exerceu imprescindível função moderadora, sem se converter em força de obstrução à atividade governamental.

Não é apenas a independência dos demais poderes que se encontra sob permanente ameaça com Bolsonaro na Presidência. Hoje, a separação de poderes não mais se traduz como o regime que reparte competências entre Executivo, Legislativo e Judiciário.[82] Há uma separação de poderes "interna" a cada poder,[83] no âmbito de um Estado que é cada vez mais policêntrico.[84] Na Constituição Federal de 1988, estão previstos órgãos dotados de autonomia plena, como o Tribunal de Contas, o Ministério

[82] Bruce Ackerman sugere ter chegado a hora de dar um "carinhoso adeus a Montesquieu": "Quase três séculos depois, já passa da hora de repensar a santíssima trindade de Montesquieu. Apesar de seu status canônico, ela nos mantém cegos para o surgimento, em nível mundial, de novas formas institucionais que não podem ser categorizadas como legislativas, judiciárias ou executivas. Embora a tradicional fórmula tripartite falhe ao capturar os modos característicos de operação de tais formas, essas unidades novas e funcionalmente independentes estão desempenhando um papel cada vez mais relevante em governos modernos. Uma 'nova separação de poderes' está emergindo no século XXI." (Ackerman, B., 2014).

[83] Cf., *i. a.*: Katyal, N. K., 2006; Walters, D., 2013.

[84] Cf.: Chevallier, J., 1989; Moreira, V., 1997; Aragão, A. S., 2001; Binenbojm, G., 2008.

Público e a Defensoria Pública. Estão previstas autarquias, como as universidades e as agências reguladoras, também dotadas de autonomia, embora não tão ampla.[85] Há "carreiras de Estado", integradas por servidores que se dedicam a funções inerentes ao Estado, que não se confundem com as funções de governo, como é o caso da fiscalização tributária e da atividade policial.[86] Essas instituições e servidores semi-independentes são um importante obstáculo à implantação de medidas autoritárias e irracionais.[87] O presidente também tem se voltado contra o funcionamento desse sistema freios e contrapesos interior ao Poder Executivo, podando a autonomia relativa conferida a organizações que devem realizam suas finalidades institucionais de modo relativamente independente.[88]

O caso da FUNAI – Fundação Nacional do Índio – tem provocado perplexidade no Brasil e no mundo. Já durante a campanha eleitoral, Bolsonaro dizia que mais nenhum metro do território nacional seria demarcado como terra indígena. Ao tomar posse, deslocou a FUNAI do Ministério da

---

[85] É o que tem entendido o STF: "A previsão da autonomia universitária vem consagrada no art. 207 da Carta Política. Embora não se revista de caráter de independência [...], atributo dos Poderes da República, revela a impossibilidade de exercício de tutela ou indevida ingerência no âmago próprio das suas funções, assegurando à universidade a discricionariedade de dispor ou propor (legislativamente) sobre sua estrutura e funcionamento administrativo, bem como sobre suas atividades pedagógicas. [...] Peca, portanto, o diploma legislativo em sua totalidade, porque fere a autonomia administrativa, a financeira e, até mesmo, a didático-científica da instituição, uma vez que ausente seu assentimento para a criação/modificação do novo serviço a ser prestado". (ADI n.º 3.792, rel. min. Dias Toffoli, j. 22.09.2016, *DJE* 01.08.2017).

[86] O conceito de "carreiras típicas de Estado" é recepcionado pela Constituição Federal de 1988, em seu artigo 247: "As leis previstas no inciso III do § 1.º do art. 41 e no § 7.º do art. 169 estabelecerão critérios e garantias especiais para a perda do cargo pelo servidor público estável que, em decorrência das atribuições de seu cargo efetivo, desenvolva atividades exclusivas de Estado."

[87] T. Cowen esclarece, relativamente ao caso norteamericano, que "não importa quem é eleito, os fascistas não podem controlar a burocracia, os demais ramos do governo americano, o Judiciário, as instituições semi-independentes como o Banco Central, e muito menos aquilo que se reconhece como "Estado profundo". O resultado é que eles simplesmente não podem controlar suficientemente o Estado Moderno sob uma direção essencialmente fascista." (Cowen, T., 2018).

[88] Como alertam Ginsburg e Huq, "Os ataques à burocracia autônoma são uma parte importante da erosão democrática. Em certas ocasiões, atacam-se distintos elementos da burocracia, que foram concebidos a fim de exercer uma função de controle inerente ao Estado Democrático de Direito." (Ginsburg, T. e Huq, 2018, p. 105).

Justiça para o novo Ministério da Mulher, da Família e dos Direitos Humanos. Além disso, transferiu a atribuição de processar a demarcação de terras indígenas da FUNAI para o Ministério da Agricultura e do Abastecimento (MP n.º 870). Em janeiro de 2019, nomeou para a Presidência da FUNAI o general Franklimberg Ribeiro de Freitas. Mas, em 11 de junho de 2019, já o demitiu, por pressão dos ruralistas. A medida provisória que reorganizava a administração federal, quanto à FUNAI, foi rejeitada pelo Legislativo, que, ademais, manteve a demarcação de terras indígenas em seu âmbito de atribuições. O presidente editou, então, no mesmo dia da promulgação da Lei n.º 13.844/2019, nova MP com o mesmo objeto, reeditando normas que haviam sido rejeitadas pelo Congresso (artigo 1.º da MP n.º 886/2019). Em razão da vedação constante do artigo 62, § 10, da Constituição da República[89], o Supremo Tribunal Federal declarou a inconstitucionalidade da nova MP, impedindo que a vontade do governo prevalecesse.[90] O presidente não deixava espaço para dúvida: o que pretendia era enfraquecer a proteção ao indígena.[91]

O mesmo propósito de impedir o trabalho dos técnicos do governo dedicados à preservação ambiental fez com que o presidente cerceasse o funcionamento regular do IBAMA. Assim que tomou posse, Bolsonaro revelou a pretensão de fundir os Ministérios do Meio Ambiente e da Agricultura. A resistência foi grande, e o presidente desistiu da ideia. Ao assumir, porém,

---

89 De acordo com o preceito, "é vedada a reedição, na mesma sessão legislativa, de medida provisória que tenha sido rejeitada ou que tenha perdido sua eficácia por decurso de prazo."

90 A decisão foi proferida nos seguintes termos: "2. A MP 886/2019 reedita a norma rejeitada pelo Congresso Nacional e o faz na mesma sessão legislativa em que ela vigorou e na qual foi rejeitada, o que configura violação ao teor literal do art. 62, §10, da Constituição, bem como ao princípio da separação dos poderes. [...] 5. A rejeição da MP n.º 870/2019 pelo Congresso Nacional e a medida cautelar ora deferida implicam a manutenção da vinculação da FUNAI ao Ministério da Justiça, competindo-lhe proteger e promover os direitos dos povos indígenas e dar cumprimento ao mandamento constitucional de demarcação das suas terras." (ADI n.º 6062 MC-Ref, relator min. Roberto Barroso, Tribunal Pleno, J. 01.08.2019, *DJe*-261 29.11.2019).

91 Fundada em dezembro de 1967, por meio da Lei n.º 5371/67, a FUNAI sempre foi instituição do Estado brasileiro. O órgão tem origem no antigo Serviço de Proteção ao Índio – SPI –, criado pelo marechal Cândido Rondon. A política indigenista do governo renega, até não mais poder, as melhores tradições do próprio Exército Brasileiro. Rondon dedicou a vida à causa indígena, sob o lema, por ele estabelecido, "morrer se for preciso, matar nunca".

manifestou seu propósito de "acabar com a indústria das multas", referindo-se às exações impostas pelos órgãos de proteção ambiental.[92] Bolsonaro pretendia "tirar o Estado do cangote de quem produz, daqueles que investem e dos grandes empreendedores", para o que prometia "fazer uma limpa no IBAMA".[93] O mandatário passou a intervir em operações específicas do IBAMA, como a ocorrida em Rondônia, em abril de 2019, para reprimir a extração ilegal de madeira. Na ocasião, proibiu que fiscais do IBAMA exercessem as atribuições previstas no artigo 11 do Decreto n.º 6.514/2008, de queimar caminhões, tratores e artefatos utilizados na prática de infrações ambientais, quando, em razão das dificuldades de acesso ao local, não houvesse a possibilidade efetiva de realizar a apreensão.[94] Ao longo de 2019, as viaturas do IBAMA é que passaram a ser incendiadas por madeireiros atuantes na região amazônica,[95] tornando inviável a realização de operações. O presidente novamente deixava claros seus objetivos: "Nós não podemos ter uma política ambiental como tínhamos há pouco tempo, da indústria da demarcação das terras indígenas, da indústria de quilombolas, da indústria de estações ecológicas".[96] Durante a pandemia do coronavírus, o presidente demitiria o diretor do IBAMA que determinou a retirada de madeireiros e garimpeiros de terras indígenas do sul do Pará – o episódio será examinado mais adiante.

Ataques igualmente contundentes foram dirigidos contra o COAF – Conselho de Controle de Atividades Financeiras –, com o propósito de inibir sua cooperação com os órgãos responsáveis pela persecução criminal.[97] A Lei n.º 9.613/1998, nos artigos 10 e 11, comina a pessoas físicas e

---

[92] A primeira medida concreta adotada pelo governo foi a edição do Decreto n.º 9760/2019, instituindo o "Núcleo de Conciliação Ambiental", cujos integrantes seriam nomeados por meio de portaria conjunta do ministro do Meio Ambiente e do presidente da autarquia ambiental (IBAMA ou ICM-Bio). Caberia ao núcleo rever as sanções aplicadas pelos fiscais e converter as multas em serviços e projetos.

[93] *EBC*, 29 abr. 2019.

[94] *Valor Econômico*, 14 abr. 2019.

[95] *Veja*, 16 ago. 2019.

[96] *O Eco*, 12 jun. 2019.

[97] Como ressaltado, desde o final da década de 1980, a legislação brasileira vem sendo aprimorada por meio da adoção de instrumentos adequados ao enfrentamento da corrupção, da lavagem de dinheiro e do financiamento do terrorismo. A Lei n.º 9.613/1998 tipificou o crime de lavagem de capitais e promoveu, ainda, a criação de Unidade de Inteligência Financeira, denominada COAF – Conselho de Controle de Atividades Financeiras.

jurídicas que operam com recursos financeiros, câmbio e valores mobiliários (artigo 9.º da Lei) o dever de identificar seus clientes e de comunicar suas operações irregulares ao COAF. Recebidas e processadas as informações, o COAF as encaminha aos órgãos responsáveis pela investigação policial e pela persecução criminal. Entre as investigações instauradas a partir de dados organizados pelo COAF, como antes ressaltado, estava a que identificou movimentações suspeitas realizadas por assessores do senador Flávio Bolsonaro, durante seu mandato como deputado estadual. Quando essa investigação veio a público, o COAF foi objeto de intervenção, levada a termo para alterar a composição do órgão, tornando-o mais permeável à captura política. Suprimia-se a vinculação dos integrantes do COAF aos órgãos responsáveis pela condução de políticas de Estado, antes exigida, abrindo-se espaço para nomeações, destituídas de requisitos objetivos.[98] A MP chegou a alterar o nome do órgão, que passou a se denominar "Unidade de Inteligência Financeira". O Congresso, porém, por ocasião da edição da lei de conversão, rejeitou a alteração do nome, embora tenha aprovado o deslocamento para o Banco Central e a mudança na sua composição.

A cooperação do COAF com o Ministério Público e a Polícia Judiciária foi, ainda, temporariamente restringida por decisão, de natureza cautelar, do Supremo Tribunal Federal, que suspendeu, em julho de 2019, todos os processos judiciais deflagrados a partir de dados compartilhados pelos órgãos de fiscalização e controle, sem autorização judicial. A decisão foi proferida no âmbito do RE n.º 1.055.941.[99] A suspensão de tais investigações crimi-

[98] O COAF, em sua composição original, prevista no art. 16 da Lei n.º 9.613/1998, congregava representantes oriundos do Banco Central, da Comissão de Valores Mobiliários, da Superintendência de Seguros Privados, da Procuradoria-Geral da Fazenda Nacional, da Secretaria da Receita Federal, de órgão de inteligência do Poder Executivo, do Departamento de Polícia Federal e do Ministério das Relações Exteriores. A Medida Provisória n.º 893, de 19 de agosto de 2019, além de transferir o órgão para a estrutura do Banco Central, alterou sua composição: o órgão passou a ser integrado por "cidadãos brasileiros com reputação ilibada e reconhecidos conhecimentos na área e nomeados pelo presidente do Banco Central do Brasil".

[99] No RE n.º 1.055.941, discute-se a "possibilidade de compartilhamento com o Ministério Público, para fins penais, dos dados bancários e fiscais do contribuinte, obtidos pela Receita Federal no legítimo exercício de seu dever de fiscalizar, sem autorização prévia do Poder Judiciário". (RE n.º 1055941, rel. min. Dias Toffoli, J. 15.07.2019, publicado em *DJe*-167 01.08.2019).

nais atendeu a pedido da defesa do senador Flávio Bolsonaro, que sustentava a impossibilidade de tal cooperação ocorrer sem que houvesse decisão judicial prévia.[100] Em 27 de agosto de 2019, para garantir a efetividade da decisão anterior, nova liminar, proferida na Rcl n.º 36.679, determinou a suspensão de todos os processos envolvendo a quebra do sigilo do senador Flávio Bolsonaro, derivados das investigações relativas às movimentações financeiras de seus assessores na Assembleia Legislativa do Rio de Janeiro.[101] O Plenário do STF, porém, não confirmou a cautelar prolatada no RE n.º 1.055.941. A Corte, em decisão tomada por maioria 10x1, reinstituiu a capacidade do órgão de cooperar com as investigações criminais e, em muitos casos, deflagrá-la. Segundo dados do Ministério Público Federal, a liminar concedida pelo STF, em atendimento a requerimento da defesa de Flávio Bolsonaro, interrompia mais de 700 investigações em curso no Brasil.[102] Seu impacto era tão significativo que chegou a motivar manifestação crítica do *Grupo de Ação Financeira contra a Lavagem de Dinheiro e o Financiamento do Terrorismo* (GAFI/FATF) – organismo internacional, integrado pelo Brasil, responsável por promover a cooperação internacional e a harmonização legislativa com vistas ao enfrentamento da corrupção e da lavagem de dinheiro. O órgão publicou comunicado a respeito daquela decisão, consignando que estaria "seriamente preocupado" com a capacidade do país "de combater a lavagem de dinheiro e o financiamento ao terrorismo".[103]

A Receita Federal é outro órgão cuja autonomia foi objeto de restrição no início do governo Bolsonaro. O dever de compartilhar, com o Ministério

[100] A decisão do relator no STF possui o seguinte dispositivo: "Ante o exposto e observada a ressalva acima destacada : 1) determino, nos termos do art. 1.035, § 5.º, do CPC, a suspensão do processamento de todos os processos judiciais em andamento, que tramitem no território nacional e versem sobre o Tema 990 da Gestão por Temas da Repercussão Geral; 2) determino, com base no poder geral de cautela , a suspensão do processamento de todos os inquéritos e procedimentos de investigação criminal (PICs), atinentes aos Ministérios Públicos Federal e estaduais, em trâmite no território nacional, que foram instaurados à míngua de supervisão do Poder Judiciário e de sua prévia autorização sobre os dados compartilhados pelos órgãos de fiscalização e controle (Fisco, COAF e BACEN), que vão além da identificação dos titulares das operações bancárias e dos montantes globais, consoante decidido pela Corte [...]" (RE n.º 1055941, rel. min. Dias Toffoli, J. 16.07.2019).

[101] Rcl n.º 36679, rel. min. Gilmar Mendes, J. 27.09.2019, *DJe*-215 03.10.2019.

[102] *Folha de São Paulo*, 26 out. 2019.

[103] *O Globo*, 18 out. 2019.

Público e com as autoridades policiais, dados relativos a eventuais ilícitos é atribuído aos auditores da Receita Federal seja pela previsão genérica contida no art. 116, VI, da Lei n.º 8.112/1990, seja pelas disposições específicas constantes do art. 198 do Código Tributário Nacional, do art. 83 da Lei n.º 9.430/96 e do Decreto n.º 2.730/1998. Por meio da MP n.º 870, de 1.º de janeiro de 2019, o governo limitou essa atribuição. Os auditores apenas deveriam informar ao Ministério Público crimes fiscais, não outros crimes identificados no curso da fiscalização, como, por exemplo, os de lavagem de dinheiro ou corrupção. A MP, no ponto, foi rejeitada pela Câmara de Deputados, que preservou a atribuição, conferida à Receita, de informar ao Ministério Público e à Polícia Judiciária sempre que, no curso de fiscalização, se deparasse com a prática de delitos. Eleito com base em um discurso de combate à corrupção, Bolsonaro, com essa medida, atuava exatamente no sentido inverso.[104] Enquanto o público bolsonarista se preocupava com a preservação de arranjos incompatíveis com a Constituição, como a execução da pena de prisão a partir da 2ª instância, o núcleo do sistema brasileiro de enfrentamento da corrupção era desestruturado. O STF e o Congresso Nacional, que se mantém sob a mira permanente das redes bolsonaristas, sob a acusação de leniência com a corrupção, é que atuaram para preservar o sistema em funcionamento.

No início de 2020, Sérgio Moro pediu exoneração do cargo de ministro da Justiça, contrariado com a substituição do diretor-geral da Polícia Federal. Na primeira entrevista dada para imprensa, informou que sua saída ocorria porque a referida substituição teria como motivação permitir que o presidente controlasse investigações, protegesse seus familiares, tivesse acesso a informações relativas às atividades da Polícia Federal. A entrevista fez com

[104] A fiscalização de "pessoas politicamente expostas" corresponde ao que prescreve a comunidade internacional sobre a matéria. A Convenção das Nações Unidas contra a Corrupção, internalizada pelo Decreto n.º 5.687/2006, determina que as instituições financeiras realizem vigilância especial em relação a "pessoas politicamente expostas" (PPPEs). A Ação n.º 7, de 2013, da ENCCLA – Estratégia Nacional de Combate à Corrupção e Lavagem de Dinheiro –, organizou o cadastro das PPEs. Nesse contexto, deu-se a edição da Nota n.º 48/2018 – RFB/Copes, de 2 de março de 2018 –, em que foram estabelecidos parâmetros para seleção e fiscalização de agentes públicos, incluídas nesse universo as PPEs. A regulamentação do conceito de PPE é, ademais, realizada por meio da Deliberação Coremec n.º 2, de 1.º de dezembro de 2006; da Circular n.º 3.339, de 22/12/2006, do Banco Central do Brasil; da Instrução MPS/SPC n.º 26, de 01/09/2008, da Secretaria de Previdência Complementar do Ministério da Previdência Social.

que o procurador-geral da República requeresse ao STF a instauração de inquérito para apurar supostos crimes de obstrução de justiça e prevaricação. As medidas judiciais tomadas no âmbito dessas investigações, bem como no inquérito das *fake news*, tornaram-se progressivamente mais incisivas. Em razão desse episódio, objeto de investigação enquanto este livro é escrito, se passou a discutir a possibilidade da instauração de um novo processo de *impeachment* no Brasil – teriam sido praticados os crimes de responsabilidade previstos no art. 9.º, 4, 5 e 7, da Lei n.º 1.079/1950. O presidente, porém, já havia inserido o "Centrão" em seu governo, o que tornava a deflagração desse tipo de procedimento circunstancialmente menos provável.

Desde o início de 2020, o bolsonarismo vinha lançando ameaças abertas à autonomia do Legislativo e do Judiciário. O primeiro episódio ocorreu em fevereiro. O Congresso discutia a possibilidade de cassar o veto presidencial a preceito da Lei n.º 13.898/19 (art. 64-A), incluído pela Lei n.º 13.957/19, que transferia para o relator do Orçamento da União o poder de dispor sobre a execução das emendas de sua autoria.[105] Ao verificar a perspectiva de queda do veto, o ministro-chefe do Gabinete de Segurança Institucional, gen. Heleno, manifestou indignação, afirmando que o governo não podia "aceitar esses caras chantagearem o tempo todo" – a manifestação foi captada de conversa privada, mantida com os ministros Guedes e Ramos, em solenidade pública.[106] Após a divulgação da manifestação de A. Heleno, os apoiadores do presidente convocaram manifestação, para o dia 15 de março, com o objetivo de protestar contra o Congresso Nacional e o STF, e apelar por uma intervenção militar. O país esteve prestes a entrar em ebulição quando se noticiou que o próprio Bolsonaro teria encaminhado a seus grupos de *WhatsApp* vídeo convocatório – a defesa de "intervenção militar", até então, ainda era um tabu. A reação das forças democráticas foi imediata,

---

[105] De acordo com o preceito vetado, "a execução das programações das emendas deverá observar as indicações de beneficiários e a ordem de prioridades feitas pelos respectivos autores." (art. 64-A, *caput*). O parágrafo § 1.º do mesmo artigo fixava ainda o prazo de 90 dias para a realização do empenho.

[106] A primeira resposta foi dada por Rodrigo Maia: "É uma pena que o ministro com tantos títulos tenha se transformado em um radical ideológico contra a democracia, contra o parlamento". (*O Globo*, 19 fev. 2020).

mas não pararam Bolsonaro.[107] A caminho de viagem aos EUA, no dia 7 de março, o mandatário pousou em Roraima e, em pronunciamento público, convocou para as manifestações do dia 15 de março: "Político que tem medo de movimento de rua não serve para ser político. Então participem. Não é um movimento contra o Congresso, contra o Judiciário. É um movimento pró-Brasil." No mesmo evento, o gen. Heleno também se manifestou: "O presidente Jair Bolsonaro fará um novo Brasil. Está dando certo. Ele tem encontrado uma resistência muito grande, porque a rede de corrupção que se criou neste país está sendo desbaratada por esse governo".[108] Bolsonaro retomava com toda a força a estratégia de atacar o Parlamento e o Supremo Tribunal Federal.

O que, de início, conteve Bolsonaro foi a chegada do coronavírus. Os primeiros casos foram noticiados no final de fevereiro.[109] Mas os brasileiros só se conscientizaram da seriedade da epidemia em razão de seu agravamento na Itália[110] e da decisão da Organização Mundial de Saúde – OMS – de classificá-la como pandemia, o que ocorreu no dia 11 de março. A primeira medida significativa foi a tomada, no Brasil, pelo governo do Distrito Federal. Em 11 de março, aquele governo suspendeu as aulas e os eventos públicos, além de determinar que, nos bares e restaurantes, se observasse uma distância mínima de dois metros entre as mesas (Decreto n.º 40.509/20). O Distrito Federal já tinha 74 casos suspeitos. Medidas semelhantes e progressivamente mais rigorosas foram tomadas pelos demais estados. Nada obstante, as manifestações bolsonaristas contra o STF e o Congresso Nacional não foram canceladas. No dia 15, Bolsonaro foi ao encontro dos manifestantes que se aglomeravam na frente do Palácio

---

[107] O ministro Celso de Mello, decano do STF, declarou que a atitude de Bolsonaro revelava "a face sombria de um presidente da República que desconhece o valor da ordem constitucional, que ignora o sentido fundamental da separação de Poderes [...]". O presidente da OAB, Felipe Santa Cruz, no mesmo tom, advertia que a conduta de Bolsonaro poderia caracterizar crime de responsabilidade: "a Constituição e a democracia não podem tolerar um presidente que conspira por sua supressão". O ex-presidente Fernando Henrique também reagiu: "Estamos com uma crise institucional de consequências gravíssimas. Calar seria concordar. Melhor gritar enquanto se tem voz [...]".

[108] *Congresso em Foco*, 07 mar. 2020.

[109] *IstoÉ*, 28 fev. 2020.

[110] Em 20 de fevereiro de 2020, ocorreu a primeira morte na Itália por contaminação com o coronavírus. No dia 27 de março, já se contavam 9.134 óbitos.

do Planalto, pedindo a decretação de um novo AI 5. Diversas manifestações do mesmo tipo se realizariam nos meses seguintes em várias cidades brasileiras, a despeito da pandemia. As realizadas em Brasília novamente contariam com a presença de Bolsonaro, cujas declarações públicas subiam de tom, em uma espiral ininterrupta de agressividade.

No primeiro semestre de 2020, além de se proteger contra a possibilidade do *impeachment*, por meio da concessão de espaço no governo ao Centrão, Bolsonaro intensificou suas ameaças ao Supremo Tribunal Federal. Passou a mencionar publicamente a possibilidade de descumprir decisões judiciais proferidas contra ele, contra seus colaboradores no governo e contra integrantes de suas milícias digitais: manifestou-se com esse tom especificamente em relação a requerimento para apreensão de seu telefone celular, o qual veio a ser indeferido.[111] Para não apresentar o descumprimento das decisões da Corte como ato de ruptura institucional, Bolsonaro passou a sustentar a possibilidade da aplicação do artigo 142 da Constituição Federal. O presidente o fez em reunião ministerial, da qual o público tomou conhecimento em decorrência de decisão do ministro Celso de Mello, proferida por ocasião da saída de Moro do governo.[112] A manifestação do presidente seguia a interpretação proposta pelo jurista Ives Gandra – o mesmo que, anos antes, havia sustentado a mutação *impeachment* em moção de desconfiança –, segundo a qual "se um Poder sentir-se atropelado por outro, poderá solicitar às Forças Armadas que ajam como Poder Moderador para repor, naquele ponto, a lei e a ordem, se esta, realmente, tiver sido ferida pelo Poder em conflito com o postulante".[113] Bolsonaro levava ao limite a estratégia da erosão institucional. Para descaracterizar a intervenção das

[111] Apesar de indeferir o pedido, o ministro Celso de Mello, relator, reprovou enfaticamente a ameaça de Bolsonaro: "Tal insólita ameaça de desrespeito a eventual ordem judicial emanada de autoridade judiciária competente, de todo inadmissível na perspectiva do princípio constitucional da separação de poderes, se efetivamente cumprida, configuraria gravíssimo comportamento transgressor, por parte do Presidente da República, da autoridade e da supremacia da Constituição Federal" (Pet n.º 8813, rel. min. Celso de Mello, D. 01.06.2020).

[112] O presidente, na mencionada reunião, afirmou o que se segue: "Nós queremos fazer cumprir o artigo 142 da Constituição. Todo mundo quer fazer cumprir o artigo 142 da Constituição. E, havendo necessidade, qualquer dos Poderes pode, né? Pedir às Forças Armadas que intervenham para restabelecer a ordem no Brasil".

[113] Martins, I. G. S., 2020.

Forças Armadas como golpe de Estado, atribuía-lhe o exercício da função moderadora, quando tivesse lugar o conflito entre poderes, extraindo sua possibilidade jurídica do texto constitucional.

A interpretação, da conveniência de Bolsonaro, não estava em conformidade com o texto constitucional. O STF se manifestou sobre o tema em decisão monocrática da lavra do ministro Roberto Barroso: "Em nenhuma hipótese, a Constituição submete o poder civil ao poder militar. É simplesmente absurda a crença de que a Constituição legitima o descumprimento de decisões judiciais por determinação das Forças Armadas".[114] De fato, a atual redação do artigo 142 da Constituição é resultado da rejeição à experiência passada de quarteladas e manifestos de coronéis. No século XX, as Forças Armadas, por meio de intervenções subsequentes, impediram a consolidação institucional da democracia no país. As cartas constitucionais brasileiras sempre contiveram preceitos que dispunham sobre o mesmo âmbito material.[115] Porém, empregavam conceitos que davam lugar a manipulações.

[114] MI n.º 7311, rel. min. Roberto Barroso, J. 10.06.2020. Em liminar proferida na ADI n.º 6457, em 12.06.2020, o ministro Luiz Fux, do mesmo modo, rejeitou a interpretação acima mencionada, conferindo interpretação ao artigo 142 compatível com o restante do sistema constitucional. Na decisão, foram estabelecidos os seguintes parâmetros: "(i) A missão institucional das Forças Armadas na defesa da Pátria, na garantia dos poderes constitucionais e na garantia da lei e da ordem não acomoda o exercício de poder moderador entre os poderes Executivo, Legislativo e Judiciário; (ii) A chefia das Forças Armadas é poder limitado, excluindo-se qualquer interpretação que permita sua utilização para indevidas intromissões no independente funcionamento dos outros Poderes [...]; (iii) A prerrogativa do Presidente da República de autorizar o emprego das Forças Armadas, por iniciativa própria ou em atendimento a pedido manifestado por quaisquer dos outros poderes constitucionais – por intermédio dos Presidentes do Supremo Tribunal Federal, do Senado Federal ou da Câmara dos Deputados –, não pode ser exercida contra os próprios Poderes entre si; (iv) O emprego das Forças Armadas para a 'garantia da lei e da ordem', embora não se limite às hipóteses de intervenção federal, de estado de defesa e de estado de sítio, presta-se ao excepcional enfrentamento de grave e concreta violação à segurança pública interna, em caráter subsidiário [...]".

[115] Constituição de 1824, art. 147: "A Força Militar é essencialmente obediente; jamais se poderá reunir, sem que lhe seja ordenado pela autoridade legitima". Constituição de 1891, art. 14: "As forças de terra e mar são instituições nacionais permanentes, destinadas à defesa da Pátria no exterior e à manutenção das leis no interior. A força armada é essencialmente obediente, dentro dos limites da lei, aos seus superiores hierárquicos e obrigada a sustentar as instituições constitucionais". Constituição de 1934, art 162: "As forças armadas são instituições nacionais permanentes, e, dentro da lei, essencialmente obedientes aos seus superiores hierárquicos. Destinam-se a defender a Pátria e garantir

Referências à "segurança nacional", à subordinação ao poder civil apenas "dentro dos limites da lei", ao emprego das Forças Armadas na "manutenção da ordem" e na garantia dos "poderes constituídos" sempre foram objeto de interpretações obtusas.[116] A Constituição de 1988 buscou superar as ambiguidades que caracterizavam os textos anteriores. Para isso, inseriu o capítulo reservado às Forças Armadas no título da "Defesa do Estado e das instituições democráticas", superando a denominação "segurança nacional", e conferiu às Forças Armadas a função de garantir os "poderes constitucionais", não os "poderes constituídos", e excluiu a ressalva de que a subordinação ao poder civil se daria "nos limites da lei".[117]

Na Constituição de 1988, a função moderadora não é cominada a um único órgão: é extraída da relação entre os poderes e seus departamentos autônomos no âmbito do sistema de freios e contrapesos. A evocação do art. 142 para descumprir decisões judiciais não é senão mais uma ameaça de ruptura institucional. O papel de dirimir controvérsias a respeito das atribuições de cada órgão do Estado é do Judiciário. Deixar de cumprir suas decisões não é uma alternativa posta à disposição do Executivo.

---

os Poderes constitucionais, a ordem e a lei". Constituição de 1937, art. 161: "As Forças Armadas são instituições nacionais permanentes, organizadas sobre a base da disciplina hierárquica e da fiel obediência à autoridade do presidente da República". Constituição de 1946, art. 176: "As forças armadas, constituídas essencialmente pelo Exército, Marinha e Aeronáutica, são instituições nacionais permanentes, organizadas com base na hierarquia e na disciplina, sob a autoridade suprema do presidente da República e dentro dos limites da lei"; art. 177: "Destinam-se as forças armadas a defender a Pátria e a garantir os poderes constitucionais, a lei e a ordem". Constituição de 1967, art. 92, § 1.º: "Destinam-se as Forças Armadas a defender a Pátria e a garantir os Poderes constituídos, a lei e a ordem". Emenda Constitucional n.º 1 de 1969, art. 91: "As Forças Armadas, essenciais à execução da política de segurança nacional, destinam-se à defesa da Pátria e à garantia dos poderes constituídos, da lei e da ordem".

[116] Cf., *i. a.*: Carvalho, J. M., 2005; Vieira, J. R., 1988; Zaverucha, J., 2005

[117] Para realçar a subordinação das Forças Armadas aos civis, foi criado, com hierarquia constitucional, o Ministério da Defesa (art. 12, § 3.º, VII, 91, V), em substituição aos extintos ministérios militares da Marinha, do Exército e da Aeronáutica (Emenda Constitucional nº 23, de 1999).

IV.5. Pandemia, vidas, negócios e estado de exceção

IV. 5.1. A opção pelos negócios em detrimento das vidas

Com a chegada do coronavírus ao Brasil, o cenário de conflito institucional deu lugar, em parte, à controvérsia a respeito das formas adequadas de enfrentar a emergência sanitária. Na reação de Bolsonaro à pandemia, revelaram-se todos os piores aspectos da atual guinada neoliberal-autoritária.[118] Enquanto outras nações mobilizavam o melhor de seus recursos para enfrentar a pandemia, Bolsonaro insistia em diminuir sua importância, para se apresentar como defensor da atividade econômica. A atitude lhe rendeu, na imprensa internacional, a alcunha de "o último negacionista".[119]

A percepção geral era de que, a despeito da gravidade que já se podia deduzir do cenário global, as autoridades brasileiras não estavam preparadas para a pandemia. Sem deliberação pública prévia e diálogo federativo, não se estabeleceu um compromisso minimamente afinado entre as diversas esferas de governo quanto às medidas a serem adotadas. Como o governo federal não exercia liderança e coordenação, os governos dos estados tiveram que conduzir a cooperação federativa por meio de fóruns interestaduais.[120] Os governadores procuravam se alinhar às diretrizes fixadas pela Organização Mundial de Saúde, enquanto o presidente da República negava os dados produzidos pela ciência e desconsiderava a experiência dos demais países. É certo que o Ministério da Saúde, de início, também estava inclinado a seguir a orientação da OMS – era o que se deduzia de múltiplas manifestações de Mandetta, ministro da Saúde e, ainda mais, da equipe técnica do Ministério. Os técnicos, porém, não tinham respaldo do presidente da República. Bolsonaro se negava a liderar o país no enfrentamento da pandemia, em cuja gravidade dizia não acreditar. Mais que isso: ao estimular a população a ir às ruas e voltar ao trabalho, sua atitude era de sabotagem das medidas

---

118 Cf.: Levitsky, S., 2020.

119 Sá, N., 2020.

120 Foi um dos poucos momentos em nossa história recente em que a União perdeu seu poder de coordenação nacional. Uma das atribuições da direção nacional do Sistema Único de Saúde (SUS) é "definir e coordenar" o "sistema de vigilância epidemiológica" e "coordenar e participar na execução das ações de vigilância epidemiológica" (Lei n.° 8.080/90, art. 16, III, c, e VI).

adotadas. Como o ministro da Saúde não aderiu ao negacionismo, demitiu-o, o que ocorreu em 16 de abril. Seu sucessor, N. Teich, um mês depois de sua posse, também se demitiu, incapaz de harmonizar sua formação médica com as diretrizes que Bolsonaro pretendia estabelecer. Substitui-o um general, que não era médico. No final de julho, Bolsonaro ainda o mantinha como ministro da Saúde.

Logo ficou claro que a aparente desinformação de Bolsonaro escondia uma opção pelo que deveria ser priorizado pelas ações governamentais. Em pronunciamento do dia 24 de março, realizado em cadeia nacional de rádio e TV, Bolsonaro criticou as medidas adotadas pelos governadores por serem propensas a "prejudicar e muito a nossa economia". Para conservá-la em funcionamento, Bolsonaro defendia que o país "voltasse à normalidade". Ficava claro o propósito subjacente à aparente desorganização do governo federal: deslegitimar medidas de distanciamento social com o objetivo de reduzir os danos à economia. A manifestação de Bolsonaro foi acompanhada da disseminação, nas redes sociais, de declarações de empresários bolsonaristas, defendendo a imediata retomada das atividades econômicas.[121] O movimento culminou com a convocação de carreatas contra as medidas determinadas pelos governadores. O presidente brasileiro era favorável mesmo à continuidade de eventos públicos, como cerimônias religiosas. Por meio do Decreto n.º 10.292, de 25 de março de 2020, ao listar as atividades consideradas essenciais, que não poderiam ser interrompidas, o governo federal incluiu as "atividades religiosas de qualquer natureza" (Decreto n.º 10.282, art. 3.º, § 3.º, XXXIX).[122] O governo chegou a contratar a realização de companha publicitária, intitulada "O Brasil não pode parar", para defender o fim do distanciamento social. O *slogan* reproduzia o empregado na fatídica campanha de Milão, depois renegada pelas autorida-

[121] Um empresário do ramo da *fast food* lançava advertência aos trabalhadores que se encontravam em casa: "Você que é funcionário, que talvez esteja em casa numa boa, numa tranquilidade, curtindo um pouco esse *home office*, esse descanso forçado, você já se deu conta de que, ao invés de estar com medo de pegar esse vírus, você deveria também estar com medo de perder o emprego?" ("Empatia ou pragmatismo, o dilema de empresas entre o respeito a vidas e a retomada da economia". *El País*, 27 mar. 2020).

[122] Para Bolsonaro, se o templo estivesse cheio de gente, caberia aos sacerdotes adotarem as providências que entendessem adequadas: "Eu acho que o pastor vai saber conduzir o seu culto. Ele vai ter consciência – o pastor, o padre –, se a igreja está muito cheia, falar alguma coisa. Ele vai decidir lá". (*Folha de São Paulo*, 21 mar. 2020).

des locais.[123] Em face da experiência internacional, a campanha brasileira se revelava flagrantemente ilegítima, razão pela qual foi suspensa por liminares da Justiça Federal[124] e do Supremo Tribunal Federal.[125]

A estratégia de Bolsonaro pode ser adequadamente dimensionada quando examinada à luz da tipologia das medidas não farmacêuticas para o enfrentamento da epidemia cogitadas em março de 2020. Como, para combater o coronavírus, ainda não havia vacina ou fármacos de eficácia comprovada, as medidas para enfrentar a epidemia envolviam a reorganização dos padrões de interação social. Havia duas estratégias básicas reunindo medidas desse tipo: (a) a supressão e (b) a mitigação.[126] Havia ainda a possibilidade de (c) não se tomar medida nenhuma. De acordo com o tipo de epidemia, considerando-se aspectos como a letalidade da patologia, a capacidade do sistema de saúde e as formas de contágio, devem ser adotadas medidas de outro tipo. As estratégias disponíveis podiam ser sintetizadas da seguinte maneira:

Na estratégia da *supressão*, o governo determina que toda a população se mantenha em casa, saindo apenas em caso de efetiva necessidade. É o que se chama "*distanciamento social*". A medida é acompanhada de "*isolamento*" de pessoas pertencentes ao grupo de risco, como idosos. Por fim, *testa-se* a população em larga escala, com o que são identificados os portadores assintomáticos. Verifica-se, então, com quem esses portadores estiveram, e novos testes são feitos. Com a conjugação dessas três medidas – distanciamento, isolamento e testagem –, a contaminação da população é retardada, e o sis-

[123] *G1*, 27 mar. 2020.

[124] A suspensão da campanha foi determinada nos autos da Ação Civil Pública nº 5019484-43.2020.4.02.5101/RJ pela juíza Laura Bastos Carvalho, no plantão judiciário da Seção Judiciária do Rio de Janeiro: "Assim, na análise preliminar do pedido de tutela de urgência, verifica-se que o incentivo para que a população saia às ruas e retome sua rotina, sem que haja um plano de combate à pandemia definido e amplamente divulgado, pode violar os princípios da precaução e da prevenção, podendo, ainda, resultar em proteção deficiente do direito constitucional à saúde, tanto em seu viés individual, como coletivo. E essa proteção deficiente impactaria desproporcionalmente os grupos vulneráveis, notadamente os idosos e pobres."

[125] ADPF n.º 669/MC, rel. min. Roberto Barroso, J. 31.03.2020.

[126] "Imperial College COVID-19 Response Team. Impact of non-pharmaceutical interventions (NPIs) to reduce COVID-19 mortality and healthcare demand." DOI: https://doi.org/10.25561/77482

tema de saúde consegue atender aos doentes graves. O objetivo é permitir que a propagação da epidemia acompanhe a capacidade do sistema de saúde. Nessa estratégia, o impacto econômico é maior. Como a maioria das pessoas se mantém em casa, a atividade econômica desacelera bruscamente. Por isso, as medidas sanitárias precisam ser acompanhadas de medidas econômicas e assistenciais para proteger empregos e empresas e para permitir a retomada do crescimento ao final da epidemia.

Na estratégia da *mitigação*, adotam-se diferentes graus de distanciamento social. No mínimo, evitam-se as aglomerações e tomam-se cuidados especiais de higiene. As pessoas que tenham contraído o vírus ou que estejam no grupo de risco também são isoladas do convívio social, como na estratégia acima. Não há, porém, testagem generalizada da população. O ritmo dos contágios é desacelerado, mas de modo menos acentuado que na estratégia anterior. O cume do ciclo de contaminações é atenuado, mas não como seria se medidas supressivas fossem adotadas. Grande número de pacientes graves tende a não conseguir leito de UTI, mas se sacrificam menos vidas que seriam sacrificadas se a epidemia simplesmente não fosse enfrentada (50% a menos). Como a população é imunizada mais rapidamente que na estratégia da supressão, a epidemia também termina em menos tempo e a economia retoma mais rapidamente seu funcionamento normal.

Por fim, se *nenhuma medida* é tomada – opção também possível –, a epidemia se alastra com maior velocidade, e a imunização, por consequência, também se conclui mais rapidamente. O princípio é o da "imunização de rebanho". Das três estratégias, é a que, a princípio, produz menor impacto econômico. Mas morre o dobro das pessoas que morreriam se uma abordagem mitigadora eficiente for adotada. Isso ocorre porque uma proporção maior da sociedade é contaminada simultaneamente e, no momento de pico da epidemia, a demanda supera em muitas vezes a quantidade de leitos disponíveis. Não é, de modo algum, uma estratégia adequada para se lidar com a pandemia do coronavírus, tendo em vista o grau de letalidade das infecções. Adotá-la significaria levar à morte um número muito maior de pessoas.

No contexto em que a pandemia chegou ao Brasil, ocorreu a divulgação de estudo científico de grande impacto. A Inglaterra pretendia adotar a estratégia da mitigação. Porém, o *Imperial College,* instituição científica inglesa, apresentou dados, revelando que, com a estratégia elegida, morreriam 250 mil pessoas – se nenhuma medida fosse tomada, morreriam 500 mil. De imediato, o gabinete de Boris Johnson a abandonou e passou a adotar a estratégia da supressão: na Inglaterra, como em inúmeros outros países europeus, tem se praticado o distanciamento social, em conjunto com o isolamento das pessoas que estão no grupo de risco e testagem em massa.[127] Com base no mesmo modelo, os cientistas do *Imperial College* concluíram também que, nos EUA, a estratégia da mitigação levaria à morte de 1 a 1,2 milhões de pessoas. Diante dos dados, também os EUA passaram a tomar medidas supressivas, o que se deu, sobretudo, na esfera dos governos estaduais – à União, coube apoiar os estados e adotar medidas econômicas de atenuação dos efeitos econômicos da crise sanitária. A despeito de, no início da pandemia, adotar um discurso que não era tão distante do de Bolsonaro, Trump[128] progressivamente alterou sua orientação, além de ter obtido a aprovação de um orçamento de US$ 2 trilhões para preservar a economia norte-americana.

No Brasil, até o final de março, haviam sido tomadas pelos governadores medidas de distanciamento social e isolamento de pacientes localizados nos grupos de risco. O presidente da República, porém, defendia a suspensão da principal medida de distanciamento social, que era manter as pessoas em casa. Para o presidente, os idosos deveriam ficar em isolamento, assim como os doentes. As demais pessoas deviam levar uma vida normal, prevenindo-se apenas por meio do uso de máscaras e outros cuidados especiais de higiene. A estratégia seria inexequível para milhões de famílias brasileiras. De acordo com dados do IBGE de 2016, no Brasil, 35% dos brasileiros com mais de 60 anos moram em casas com outras três pessoas ou mais – são 7 milhões de pessoas.[129] A adoção da estratégia de Bolsonaro seria especialmente gravosa nas áreas mais pobres das grandes cidades brasileiras, muitas das quais são os "aglomerados subnormais", conforme classificação do IBGE, em que predominam casebres de um cômodo, divididos por vários parentes, de crianças a idosos. Nesses locais, não é possível isolar a população de risco.[130] Apenas

[127] https://www.bbc.com/news/health-51915302
[128] Cf.: Sachs, J. D., 2020.
[129] *Folha de São Paulo*, 05 abr. 2020.
[130] Como lembra o médico sanitarista Valcler Rangel, da Fiocruz, "Muitas das medidas que estão sendo adotadas ou recomendadas, todas elas corretas, não são acessíveis a essas

na Favela da Maré, no Rio de Janeiro, há cerca de 10 mil pessoas com mais de 65 anos. Esses fatores podiam agravar significativamente a letalidade da pandemia no Brasil. Mais uma vez, as políticas de Estado tendiam a atingir desproporcionalmente um dos segmentos mais vulneráveis da população brasileira: os negros pobres.[131] Se deixar essa população à própria sorte, o Estado brasileiro reincidiria em mais uma trágica manifestação de "racismo estrutural".[132]

O resultado previsível da estratégia escolhida pelo presidente era a aceleração da expansão da pandemia e, por conseguinte, da imunização, com o que a emergência sanitária terminaria mais rapidamente, mas com um número muito maior de mortos. Por mais relevante que fosse conter a crise econômica, era manifestamente incompatível com o princípio da dignidade humana deixar as pessoas à própria sorte com o propósito de realizar metas coletivas: todo ser humano é um fim em si mesmo.[133] A proteção da higidez da economia nacional não desonera o Estado de cumprir seu dever primordial de evitar a morte de centenas de milhares de pessoas.[134] Vazio de empatia,

populações que vivem nas favelas do Rio ou de São Paulo, por exemplo. Limpar as mãos com álcool gel, usar lenço de papel, isolar os doentes em um dos cômodos das casas... Como fazer quarentena em casas que possuem apenas um cômodo, com vários moradores vivendo ali e onde muitas vezes não há sequer um banheiro?" (E quando o coronavírus chegar às favelas? Especialista da Fiocruz diz que bairros populares precisam receber tratamento diferenciado para evitar uma catástrofe maior. Disponível em: https://projetocolabora.com.br/ods3/e-quando-o-coronavirus-chegar-nas-favelas/).

131 Isso já vem ocorrendo nos EUA, onde o coronavírus tem produzido o dobro de óbitos entre negros e latinos que entre brancos. Cf.: Mays, J. C. e Newman, A., 2020.

132 Como esclarece Silvio Almeida, "o racismo é uma decorrência da própria estrutura social, ou seja, do modo 'normal' com que se constituem as relações políticas, econômicas, jurídicas e até familiares, não sendo uma patologia social e nem um desarranjo institucional. O racismo é estrutural. Comportamentos individuais e processos institucionais são derivados de uma sociedade cujo racismo é regra e não exceção". (Almeida, S., 2019).

133 A fórmula, como se sabe, deve-se a Kant: "O homem, e, duma maneira geral, todo o ser racional, existe como fim em si mesmo, não só como meio para o uso arbitrário desta ou daquela vontade. Pelo contrário, em todas as suas ações, tanto nas que se dirigem a ele mesmo como nas que se dirigem a outros seres racionais, ele tem sempre de ter considerado simultaneamente como fim." (Kant, I., 2004. p. 78).

134 Habermas esclarece o ponto, em entrevista sobre os dilemas éticos que emergem da epidemia do coronavírus: "Para decidir sobre o momento apropriado para pôr fim ao confinamento, [...] podemos nos deparar com as lógicas utilitaristas de cálculo. Quando é necessário arbitrar entre, de um lado, os danos econômicos ou sociais e, de outro lado, as mortes evitáveis, os homens e as mulheres públicas devem resistir à 'tentação utilitá-

sobretudo pelos mais vulneráveis, Bolsonaro não surpreendeu quem acompanha suas manifestações de hoje e de sempre. Embora Bolsonaro não tenha um sistema organizado de ideias, colhem-se de reiteradas declarações suas elementos evidentes de darwinismo social.[135] Bolsonaro sempre acreditou na necessidade de expurgar da sociedade seus elementos indesejáveis, seja por meio da eliminação de delinquentes, seja por intermédio de um "controle rigoroso de natalidade" dos pobres.[136] Em sucessivas manifestações, reverberou a tese de que parte da população era um "lastro social".[137] Já, durante o governo, a total ausência de empatia pelas pessoas vulneráveis tem se revelado na forma com que o presidente tem lidado com os direitos de trabalhadores, aposentados, portadores de HIV, quilombolas e indígenas.[138] Para ele, simplesmente não fazia sentido sacrificar os movimentos que vinha fazendo para promover a retomada do crescimento econômico com o propósito de enfrentar uma doença que atingiria, prioritariamente, os idosos e portadores de comorbidades.

Ao longo da pandemia, as recorrentes tentativas de Bolsonaro de boicotar as medidas de distanciamento social foram, repetidas vezes, clas-

---

ria': devemos arriscar a 'saturação' do sistema de saúde e, portanto, ampliar as taxas de mortalidade, a fim de impulsionar a economia e, assim, mitigar o desastre social de uma crise econômica? Os direitos fundamentais proíbem que as instituições estatais tomem qualquer decisão que se conforme com a morte de pessoas". (Habermas, J., 2020).

[135] Cf.: Oliveira, F., 2020; Löwy, M., 2020.

[136] O atual presidente, em diversos momentos, demonstrou considerar parte da população um fardo para o país. A forma que Bolsonaro sempre concebeu para lidar com a pobreza inclui, além da violência policial, o controle de natalidade. É eliminar os pobres que descumpram a lei e evitar a reprodução dos demais. Em 1992, discursava na Câmara dos Deputados sustentando a necessidade de o País adotar "uma rígida política de controle da natalidade", considerando que o governo não teria meios para "atender a esses miseráveis que proliferam cada vez mais por toda esta nação". Em 2013, novamente no Plenário da Câmara, criticando o programa Bolsa Família, sustentava que "o pobre só tem uma utilidade no nosso país: votar". No contexto da campanha eleitoral de 2018, Bolsonaro anunciava a pretensão de retomar a ideia do controle de natalidade: "Um homem e uma mulher com educação dificilmente vão querer ter um filho a mais para engordar um programa social." Tais manifestações foram reunidas pela *Folha de São Paulo*, na edição de 13.06.2018.

[137] Sobre a noção de lastro social, cf.: Mueller, T. e Beddies, T., 2006; Hohendorf, G., 2016.

[138] Já no governo, Bolsonaro afirmava que os portadores do vírus HIV são "uma despesa para todos no Brasil". (*Exame*, 06 fev. 2020). Em palestra proferida no Rio de Janeiro, em abril de 2017, dizia ter ido a "um quilombola em Eldorado Paulista" e constatado que "o afrodescendente mais leve lá pesava 7 arrobas" e que "nem para procriador ele servia mais".

sificadas como crime de responsabilidade (Lei n.º 1.079/50, art. 6.º, 7 e 8; art. 7.º, 9). Mas, além disso, vozes dotadas de autoridade jurídica reconhecida mencionavam a possibilidade de que a conduta também pudesse ser classificada como crime contra a humanidade. Em texto de 25 de março de 2020, o ministro do Superior Tribunal de Justiça, Rogério Schietti, lançou severa advertência:

> Governos responsáveis, cientes dos gravíssimos efeitos na vida financeira de cada país e das deletérias e duradouras consequências sociais de suas decisões, marcham no front, com postura corajosa, determinada, certos de que não cabe timidez ou hesitação para o combate ao inimigo comum. O temor, portanto, de uma inevitável crise econômica não pode prevalecer ante a necessidade de preservar vidas.
>
> [...]
>
> Em poucas semanas, a se confirmarem os prognósticos – trágicos, mesmo os menos dantescos – a população se dará conta, olhando para o passado, da responsabilidade assumida, deliberadamente, por seus governantes. E os julgará, de um modo ou de outro.
>
> A par disso, a responsabilidade de cada um poderá ser medida no âmbito dos tribunais nacionais e internacionais, por ações que possam configurar, a depender das motivações e do âmbito de cognição de seus autores, crimes contra a humanidade.
>
> No Estatuto de Roma, de 1998, prevê-se como crime contra a humanidade, qualquer ato, elencado no seu art. 7.º, cometido 'no quadro de um ataque, generalizado ou sistemático, contra qualquer população civil', na forma de homicídios, extermínio, perseguição de um grupo ou coletividade que possa ser identificado, por motivos políticos, raciais, nacionais, étnicos, culturais, religiosos ou de gênero, e vários outros tipos de ações criminosas. E, deixando em aberta a possibilidade de responsabilização, o Estatuto prevê também que constituem crimes contra a humanidade 'outros atos desumanos de cará-

> ter semelhante, que causem intencionalmente grande sofrimento, ou afetem gravemente a integridade física ou a saúde física ou mental.'
>
> [...]
>
> Augura-se, em vozes e textos reproduzidos nas redes sociais, que de toda essa crise possa emergir uma Nova Ordem Mundial, balizada por comportamentos mais responsáveis, solidários, fraternais, dignos de serem qualificados como humanos. Por sua vez, será inevitável cobrar, com o rigor das leis, nacionais ou internacionais, a conta de quem se tenha colocado como um consciente entrave para a minoração dos efeitos dolorosos de que todos iremos padecer.[139]

No mesmo sentido, em 28 de março de 2020, o Papa Francisco, a propósito da pandemia global – o pontífice não mencionou Bolsonaro em sua manifestação –, afirmou que o mundo passaria por um "genocídio viral" se se priorizasse a economia em detrimento das vidas. Em carta dirigida ao presidente do Comitê Pan-Americano de Juízas e Juízes pelos Direitos Sociais, divulgada na página do Vaticano, o Papa enfatizou o imperativo da proteção da vida:

> A todos nos preocupa o crescimento, em progressão geométrica, da pandemia. [...] Alguns governos tomaram medidas exemplares com prioridades bem assinaladas para defender a população.

É verdade que estas medidas incomodam alguns que são obrigados a cumpri-las, mas sempre é para o bem comum, e a maioria das pessoas as aceita e se move com uma atitude positiva. Os governos que enfrentam assim a crise mostram a prioridade de suas decisões: primeiro as pessoas. E isso é importante porque todos sabemos que, para alguns, defender as pessoas supõe um descalabro econômico. Seria triste que se optasse pelo contrário, o que levaria à morte muitíssima gente, algo assim como um genocídio viral.

As manifestações acima enfatizavam que a proteção da pessoa humana era a medida da legitimidade do poder público. Governantes que entregam

[139] Cruz, R. S., 2020.

seu próprio povo em sacrifício para proteger negócios privados violam, até não mais poder, não só os direitos fundamentais positivados nas constituições democráticas, mas também os princípios básicos do direito internacional dos direitos humanos. Conforme a epidemia se agravava, mesmo os Ministros do Supremo Tribunal Federal aumentavam o tom da advertência, falando abertamente em *genocídio*. Em 6 de abril, Roberto Barroso consignava que "a ciência defendeu o isolamento social para impedir um genocídio de pessoas".[140] Não era menos contundente o alerta dado, em 8 de abril, pelo min. Gilmar Mendes: "a Constituição não permite que o presidente adote políticas genocidas. Políticas que afetem de maneira crucial, global, a vida da população."[141]

O conflito entre presidente e governadores foi resolvido pelo Supremo Tribunal Federal, que decidiu não competir ao governo federal afastar as medidas sanitárias estabelecidas pelos governos dos estados, dos municípios e dos Distrito Federal. Na decisão, da lavra do min. Alexandre de Moraes, lê-se grave reprovação à conduta do presidente da República:

> Em momentos de acentuada crise, o fortalecimento da união e a ampliação de cooperação entre os três poderes, no âmbito de todos os entes federativos, são instrumentos essenciais e imprescindíveis a serem utilizados pelas diversas lideranças em defesa do interesse público, [...] evitando-se o exacerbamento de quaisquer personalismos prejudiciais à condução das políticas públicas essenciais ao combate da pandemia de COVID-19. Lamentavelmente, contudo, na condução dessa crise sem precedentes recentes no Brasil e no Mundo, mesmo em assuntos técnicos essenciais e de tratamento uniforme

[140] *UOL*, 06 abr. 2020.

[141] *UOL*, 08 abr. 2020. Em 11 de julho, o min. Gilmar Mendes voltou a mencionar a possibilidade da prática de genocídio, dirigindo especial reprovação à participação de oficiais do Exército na condução do Ministério da Saúde: "Não podemos mais tolerar essa situação que se passa no Ministério da Saúde. Não é aceitável que se tenha esse vazio. Pode até se dizer: a estratégia é tirar o protagonismo do governo federal, é atribuir a responsabilidade a estados e municípios. Se for essa a intenção é preciso se fazer alguma coisa. Isso é péssimo para a imagem das Forças Armadas. É preciso dizer isso de maneira muito clara: o Exército está se associando a esse genocídio, não é razoável. É preciso pôr fim a isso". (*O Globo*, 13 jul. 2020). Em reação, o Ministério da Defesa representou contra o min. Gilmar Mendes perante o procurador-geral da República, sustentando que o magistrado teria violado dispositivos da Lei de Segurança Nacional.

> em âmbito internacional, é fato notório a grave divergência de posicionamentos entre autoridades de níveis federativos diversos e, inclusive, entre autoridades federais componentes do mesmo nível de Governo, acarretando insegurança, intranquilidade e justificado receio em toda a sociedade.[142]

Com dificuldades para tornar efetiva sua orientação em escala nacional, o presidente se voltou contra um de seus alvos preferenciais e mais vulneráveis: os indígenas. Durante a pandemia, Bolsonaro determinou a exoneração do diretor de Proteção Ambiental do IBAMA pelo fato de servidores sob seu comando terem expulsado garimpeiros e madeireiros de terra indígena situada no sul do Pará e destruído seu maquinário, como prevê o art. 111 do Decreto n.º 6.514/2008. Por séculos, os indígenas foram dizimados por vírus e bactérias trazidos pelo colonizador europeu. A ação do IBAMA tinha como propósito impedir que 1700 indígenas, que vivem na localidade, padecessem do mesmo destino de seus antepassados. A decisão de Bolsonaro era significativa da forma como o mandatário lidou com os indígenas brasileiros durante toda a pandemia, deixando de formular qualquer política consistente considerando sua especial vulnerabilidade. A questão foi submetida à apreciação do STF, por meio da ADPF n.º 709, proposta por entidade representativa dos povos indígenas e por partidos de oposição. Em decisão cautelar, o relator, min. Roberto Barroso, determinou que fossem tomadas pelo Executivo medidas para proteger as comunidades

---

[142] ADPF n.º 672/MC, rel. min. Alexandre de Moraes, J. 08.04.2020. A decisão deve ser considerada em conjunto com duas outras decisões proferidas pelo STF no mesmo contexto. Na ADI n.º 6341, a Corte referendou decisão monocrática do ministro Marco Aurélio, acrescida de intepretação conforme, a fim de explicitar que "preservada a atribuição de cada esfera de governo, nos termos do inciso I do art. 198 da Constituição, o Presidente da República poderá dispor, mediante decreto, sobre os serviços públicos e atividades essenciais" (ADI n.º 6341/MC, rel. min. Marco Aurélio, rel. p./acórdão, min. Edson Fachin, J. 15.04.2020). Na ADI n.º 6343, o STF conferiu interpretação conforme ao disposto no art. 3.º, VI, b, e §§ 6.º e 7.º, II, da Lei nº 13.979/2020 a fim de "excluir estados e municípios da necessidade de autorização ou observância ao ente federal" e de afirmar que as medidas previstas no preceito "dev[iam] ser precedidas de recomendação técnica e fundamentada, devendo ainda ser resguardada a locomoção dos produtos e serviços essenciais definidos por decreto da respectiva autoridade federativa, sempre respeitadas as definições no âmbito da competência constitucional de cada ente federativo" (ADI n.º 6343/MC, rel. min. Marco Aurélio, rel. p. acórdão, min. Alexandre de Moraes, J. 06.05.2020).

indígenas, entre as quais: (a) a criação de barreiras sanitárias; (b) a instalação da Sala de Situação, para gestão de ações de combate à pandemia quanto aos povos indígenas em isolamento e de contato recente; (c) a contenção e o isolamento dos invasores em relação às comunidades indígenas, quando se verificasse a inconveniência de removê-los de imediato; (d) o acesso ao Subsistema Indígena de Saúde a todos os indígenas aldeados, ainda que suas terras ainda não tivessem sido homologadas; (e) a elaboração de Plano de Enfrentamento da Covid-19 para os Povos Indígenas Brasileiros.[143]

No Brasil contemporâneo, é tragicamente pertinente o emprego do conceito de "necropolítica": "a soberania é a capacidade de definir quem importa e quem não importa, quem é 'descartável' e quem não é."[144] O descaso pela vida dos negros, dos indígenas, dos pobres, que caracteriza o governo Bolsonaro, tem nos conduzido a tragédia humanitária sem precedentes, atenuada apenas pelos mecanismos que integram o sistema de freios e contrapesos, ainda em funcionamento. Como antes consignado, diante desse cenário, não surpreenderá se o desfecho do atual momento brasileiros se der sob a jurisdição do Tribunal Penal Internacional.

IV.5.2. Neoliberalismo, pandemia e estado de exceção

As medidas inicialmente apresentadas para enfrentar as consequências econômicas da pandemia também foram repudiadas. Foi especialmente rejeitada a previsão, veiculada na MP n.º 927, de 22 de março de 2020, da possibilidade de suspensão dos contratos de trabalho por quatro meses, sem o pagamento de salários, pelos empregadores (art. 18), ou de bolsa-qualificação, pelo sistema previdenciário – o pagamento da bolsa estava previsto no art. 476-A da CLT (art. 18, § 5.º). A Medida Provisória, subscrita por Bolsonaro e Guedes, revelava com eloquência que o compromisso do governo se circunscrevia apenas à proteção das empresas e à preservação do ajuste fiscal.[145] Talvez essa tenha sido a medida em que se verifica mais fortemente

[143] ADPF/MC n.º 709, rel. min. Roberto Barroso, D. 08.07.2020.

[144] Mbembe, A., 2016.

[145] A medida não guardaria qualquer compromisso com os valores do liberalismo: "De que modo classificar como liberal um ministro que, em suas MPs, hiper-responsabiliza os indivíduos por seu futuro, ao mesmo tempo em que promove a desresponsabilização de

uma das características centrais do governo Bolsonaro: romper com a conciliação dos conflitos distributivos que se buscou praticar no Brasil desde o fim da República Velha, para patrocinar unilateralmente os interesses do empresariado. Se a suspensão do contrato de trabalho fosse acompanhada de pagamento, pelo governo, da referida bolsa qualificação, a medida seria razoável: ao mesmo tempo que protegia as empresas, garantia a sobrevivência dos trabalhadores. Mas, como estava, a medida era absolutamente insustentável. Na hipótese de demissão, o trabalhador tem acesso ao FGTS e à ao seguro desemprego. A MP de Bolsonaro, na verdade, impedia que os trabalhadores desfrutassem desses benefícios sociais durante a pandemia, já que naturalmente as empresas postergariam as demissões, para se desonerar do pagamento imediato das verbas rescisórias. Diante da rejeição enfática e generalizada dos mais amplos setores da sociedade, o art. 18 foi revogado no dia seguinte à sua edição da MP n.º 927, o que se deu por meio da MP n.º 928/2020.

Poucos dias antes, no início da segunda quinzena de março, haviam surgido notícias de que Bolsonaro havia dirigido aos ministérios consulta sobre a possibilidade da decretação de estado de sítio. Ao que parece, o presidente pensava em manter a ordem pública por meio de medidas repressivas, de contenção das massas que se conflagrariam em razão da ausência total de renda. Essa seria a reação previsível dos trabalhadores informais, mas tendia a ser também a dos trabalhadores formais, vitimados pela suspensão dos contratos de trabalho. A reprovação da sociedade foi imediata. O Conselho Federal da OAB, em manifestação amplamente apoiada, expressou o entendimento predominante de que a decretação do estado de sítio, na hipótese, não estava em conformidade com a Constituição Federal:

---

agentes econômicos? O que chama de liberalismo é assim uma vulgata de um libertarismo que prevê uma economia desregulamentada onde a regra é a exploração ilimitada da conjuntura, com os agentes procurando maximizar a qualquer preço todas as vantagens possíveis. Uma economia onde esses agentes buscam, egoisticamente, vantagens de curto prazo ao mesmo tempo em que desprezam suas responsabilidades para com os outros e para com a comunidade. É como se o mercado fosse dotado de um poder constituinte absoluto, rejeitando qualquer possibilidade de regulação estranha à economia e aos seus cálculos de oportunidade." (Faria, J. E., 2020).

> A excepcionalidade, que não pode se confundir com arbitrariedade, restringe o estado de sítio a situações absolutamente atípicas e anormais. O princípio da necessidade estabelece que o recurso à medida somente se justifica na ausência de meio menos gravosos, apresentando-se como última *ratio* na defesa do Estado Democrático de Direito. Por sua vez, a temporariedade impõe a fixação de um prazo determinado de vigência do estado de sítio, e a obediência estrita à Constituição requer o cumprimento diligente e rigoroso de todos os termos, procedimentos e condições previstas.
>
> [...]
>
> À luz dos princípios norteadores do nosso sistema constitucional de crises e das regras sobre estado de sítio previstas na Constituição, o recurso a tal medida extrema no contexto atual se mostra flagrantemente inconstitucional e descabido. Não há um cenário de impossibilidade de atuação do Estado dentro das regras democráticas que autorize a suspensão da própria Constituição.
>
> Não há dúvida de que a situação atual produz sensações de pânico e de temor na população. Esses sentimentos não podem, no entanto, ser explorados para autorizar medidas repressivas e abusivas que fragilizem direitos e garantias constitucionais. A resposta esperada do Estado não deve ser a ampliação de seu arsenal repressivo, mas sim a expansão de sua capacidade de assistência e de proteção social dos cidadãos, principalmente os mais vulneráveis.

A reação inicial do governo revelava que a estratégia adotada seria a de enfrentar a pandemia mantendo as políticas de austeridade fiscal. Isso, porém, não era possível, o que ficaria claro no final de março, quando vários países anunciaram pacotes prevendo gastos estatais vultosos com assistência social, apoio às empresas e financiamento da retomada econômica. Como mencionado, os EUA aprovaram um orçamento de US$ 2 trilhões com essa destinação. A União Europeia e seus integrantes anunciaram pacotes também significativos, que envolviam medidas de proteção de trabalhadores e de empresas e de estímulo à economia. Em todo o mundo, políticas de austeridade eram substituídas pelo emprego de recursos públicos na proteção social e na salvação das economias.[146] É precipitado predizer o ocaso do neoliberalismo. Mas é certo que as dimensões catastróficas da pandemia, associadas aos movimentos geopolíticos que se processam em escala global, abrem espaço para a reabilitação de políticas intervencionistas e para a experimentação na esfera econômica.[147]

Talvez em decorrência das críticas advindas mesmo de economistas ortodoxos, talvez em razão dos exemplos internacionais, o governo brasileiro também passou a adotar políticas circunstanciais de proteção social, apoio às empresas e estímulo à economia. A medida de proteção social de maior impacto imediato foi a concessão de auxílio no valor de R$ 600 mensais, por três meses, para os trabalhadores informais – na verdade, o governo propusera um auxílio de R$ 200 mensais, mas, no curso do processo legislativo, o valor foi aumentado para R$ 600.[148] Acuado pelo coronavírus, o

[146] Cf., *i. a.*: Pizarro, R. P., 2020; Melo Filho, H., 2020.

[147] Nesse sentido, cf. a advertência de Boaventura de Souza Santos: "Torna-se possível ficar em casa e voltar a ter tempo para ler um livro e passar mais tempo com os filhos, consumir menos, dispensar o vício de passar o tempo nos centros comerciais, olhando para o que está à venda e esquecendo tudo o que se quer mas só se pode obter por outros meios que não a compra. A ideia conservadora de que não há alternativa ao modo de vida imposto pelo hipercapitalismo em que vivemos cai por terra. Mostra-se que só não há alternativas porque o sistema político democrático foi levado a deixar de discutir as alternativas. Como foram expulsas do sistema político, as alternativas irão entrar cada vez mais frequentemente na vida dos cidadãos pela porta dos fundos das crises pandêmicas, dos desastres ambientais e dos colapsos financeiros. Ou seja, as alternativas voltarão da pior maneira possível." (Santos, B. S., 2020).

[148] Para instituir o benefício, Bolsonaro e Guedes não empregaram o instrumento da medida provisória. Preferiram negociar com o parlamento essa inclusão em processo legislativo em curso (PL n.º 9.236/17). A hipótese era de edição de medida provisória: nada pode ser mais relevante e urgente que enfrentar os efeitos deletérios de uma pandemia – como se sabe, as medidas provisórias só podem ser editadas em casos de "relevância" e "urgência" (CF, art. 62). Além disso, Bolsonaro propôs ADI perante o STF para obter decisão que desonerasse o governo de cumprir a Lei de Responsabilidade Fiscal. O Ministro Alexandre de Moraes deferiu a liminar, em decisão em que esclareceu o que se segue: "Há, porém, situações onde o surgimento de condições supervenientes absolutamente imprevisíveis afetam radicalmente a possibilidade de execução do orçamento planejado, tendo a própria LRF, em seu artigo 65, estabelecido um regime emergencial para os casos de reconhecimento de calamidade pública, onde haverá a dispensa da recondução de limite da dívida, bem como o cumprimento da meta fiscal; evitando-se, dessa maneira, o contingenciamento de recursos; além do afastamento de eventuais sanções pelo descumprimento de limite de gastos com pessoal do funcionalismo público. Na presente hipótese, o Congresso Nacional reconheceu, por meio do Decreto Legislativo nº 6, de

governo suspendia a política de austeridade . Para tanto, fez aprovar emenda à Constituição estabelecendo o que se chamou de "orçamento de guerra". Por meio da EC n.º 106, criava-se um "regime extraordinário fiscal, financeiro e de contratações" que serviria para atender às necessidades decorrentes da emergência sanitária. O Poder Executivo ficava desonerado de respeitar os limites legais à expansão dos gastos governamentais. Com a EC n.º 106, afastava-se temporariamente a incidência do regime de austeridade instituído pela Emenda Constitucional n.º 95.[149]

Em outros lugares do mundo, a decretação de medidas de exceção, para enfrentar a pandemia do coronavírus, a despeito da ampla aprovação, tem despertado críticas fundadas no propósito de proteger a liberdade.[150] Na Europa, a prevenção foi estimulada por consecutivos episódios de suspensão de direitos e liberdades (alude-se, nesse sentido, à "normalização do estado de exceção"), justificados não apenas pelo objetivo de combater o terrorismo, mas também pelo de implementar políticas de austeridade. Na Ásia, como o controle da epidemia se baseou no rastreamento digital, em câmeras de vigilância e no emprego do *big data*, cuidava-se de, mais um vez, registrar a rejeição ao excessivo controle estatal da vida quotidiana.[151]

---

20 de março de 2020, a ocorrência de estado de calamidade pública em decorrência da pandemia de COVID-19 declarada pela Organização Mundial de Saúde, atendendo à solicitação do Presidente da República encaminhada por meio da Mensagem nº 93, de 18 de março de 2020". (ADI n.º 6.357-MC, rel. min. Alexandre de Moraes, J. 29.03.2020).

[149] Na verdade, o governo já tinha a sua disposição instrumentos para realizar gastos excepcionais. A Constituição, em seu art. 167, § 3.º, previa a possibilidade de abertura de crédito extraordinário, para "atender a despesas imprevisíveis e urgentes, como as decorrentes de guerra, comoção interna ou calamidade pública". Já o artigo 107, § 6.º, II, estabelecia que os créditos extraordinários não se inseriam na base de cálculo dos limites de gastos fixados pela EC n.º 95. A insistência na aprovação, desnecessária, de um regime orçamentário específico revelava a inversão de valores que vitima o país. Bolsonaro temia mais relativizar a observância dos limites instituídos pela política de austeridade que adotar medidas que punham em risco iminente a vida das pessoas.

[150] Agamben, G., 2020.

[151] Na China, o controle da epidemia foi fortemente baseado no rastreamento digital. Por meio do monitoramento do comportamento pela internet era possível, inclusive, identificar possíveis portadores do vírus. Na Coreia, as pessoas que se aproximavam de locais em que haviam circulado pessoas infectadas recebiam advertência pelo "Corona-App", em seus celulares. Daí a conclusão de Han: "No que diz respeito à pandemia, o futuro está na digitalização. Tendo em vista a epidemia, talvez devêssemos redefinir até mesmo a soberania. É soberano aquele que detém os dados. Quando a Europa proclama o estado

No Brasil, as eventuais críticas às medidas de distanciamento social não decorreram dos defensores tradicionais das liberdades. A Constituição de 1988 condiciona a legitimidade da ordem econômica à promoção da dignidade da pessoa humana e dos valores sociais do trabalho (CF, art. 170). A reação dos estados brasileiros à pandemia se apoiou em opção dos governos locais pela preservação da vida, a qual contou com amplo apoio popular. Os cidadãos, ainda que isolados em suas casas, se sentiram coparticipantes plenos da mesma comunidade política. O enfrentamento da pandemia, no Brasil, ocorreu apesar do presidente da República, não sob sua liderança, e a possibilidade de decretação de estado de sítio foi repelida não para evitar medidas de distanciamento social, mas justamente para preservá-las.

IV.5.3. Estado de emergência em saúde pública e jurisprudência de crise

No contexto presente, não só no Brasil, mas em todo o Mundo, discute-se a possibilidade de se restringirem direitos fundamentais para se implementarem as medidas necessárias ao enfrentamento da pandemia.[152] Entre nós, no dia 6 de fevereiro de 2020, entrou em vigor a Lei n.º 13.979[153], que prevê, entre outras medidas, as de isolamento, quarentena, testagem e vacinação compulsórias. Tais medidas poderiam ser aplicadas durante a "emergência de saúde pública", decretada por ato do Ministro da Saúde (art. 1.º, § 2.º), a qual não poderia se estender por período superior ao fixado pela OMS (art. 1.º, § 3.º). A lei era absolutamente excepcional quanto ao seu âmbito de incidência: apenas podia ser aplicada para fazer frente ao "coronavírus responsável pelo surto de 2019" (art. 1.º).[154] No projeto de lei não havia a referência ao ano de 2019. A

de vigilância ou fecha fronteiras segue aferrada a velhos modelos de soberania." (Han, B.-C., 2020).

[152] Cf.: Brandão, R., 2020.

[153] A Lei n.º 13.979 é resultante de projeto de lei (PL n.º 23/2020) apresentado pelo Executivo Federal três dias antes da aprovação. Naquele contexto, o governo ainda não havia sido tomado pelo negacionismo. Por meio do Ministério da Saúde, sustentava, em especial, que a lei seria necessária para se promover a repatriação dos brasileiros que se encontravam na China. (Governo do Brasil propõe lei para repatriar brasileiros. Disponível em: https://www.saude.gov.br/noticias/agencia-saude/46284-governo-do-brasil-propoe-lei-para-repatriar-brasileiros.).

[154] No dia 4 de fevereiro, o Ministro da Saúde já havia editado portaria declarando o "estado de emergência na saúde pública".

inclusão, no curso do processo legislativo, revela o propósito do Congresso Nacional de impedir que as medidas voltassem a ser empregadas em outro momento, sem nova apreciação parlamentar.

Embora o PL n.º 23/2020 tenha sido iniciativa do governo federal, a União se absteve de empregar as medidas mais restritivas, como a quarentena. Coube aos estados fazê-lo. Criou-se, no Brasil, uma situação *sui generis* de conflito federativo. Na prática, a maioria dos cidadãos optou por seguir as orientações mais restritivas dos governadores. Por isso, não se manifestou aqui, de maneira aguda, a controvérsia sobre os limites jurídicos do estado de emergência sanitária, necessários para se preservarem os direitos fundamentais.[155]

Não há dúvida, porém, que, em razão da extensão e da gravidade das medidas mencionadas, a Lei n.º 13.979/2020 criou nova modalidade de estado de exceção, não prevista na Constituição Federal, comparável ao estado de sítio.[156] Nada obstante sua atipicidade constitucional, há boas razões para concluir que se trata de instituto constitucionalmente legítimo: (1) a Lei n.º 13.979 foi aprovada com a participação do Executivo e do Legislativo, como ocorre com o estado de defesa e o estado de sítio; (2) as medidas excepcionais têm a finalidade de proteger direitos dotados de máxima fundamentalidade – a saúde e a vida –, que estavam sob ameaça concreta e imediata; (3) os direitos fundamentais cujo exercício não acarreta risco sanitário são plenamente preservados, como é o caso da liberdade de expressão e do direito à informação; (4) a emergência sanitária está circunscrita no tempo,

---

[155] A controvérsia se situa no limite do direito constitucional. Até que ponto o governo pode limitar a liberdade individual, em sua dimensão pessoal, para preservar a vida e a saúde das pessoas? Na verdade, o que teve lugar no Brasil foi a adesão espontânea de parte significativa da população à orientação dos governos estaduais. Os cidadãos inconformados com a decisão governamental, porém, têm legitimidade para sustentar que sua posição minoritária deve ser observada. Como definir em que extensão essa pretensão deve ser atendida remanescerá como problema da filosofia moral e do direito constitucional nos próximos anos.

[156] A decretação da emergência sanitária em razão da epidemia do coronavírus tem sido caracterizada como estado de exceção também em outros contextos: "A restrição de um grande número de liberdades importantes deve naturalmente permanecer na ordem da exceção com uma duração muito determinada. Mas essa exceção, como tentei mostrar, é exigida pela proteção, com prioridade, do direito fundamental à vida e à integridade física. Na França e na Alemanha, não há razão para duvidar da fidelidade dos governantes à Constituição." (Habermas, J. 2020).

submetendo-se, nesse aspecto, ao que for determinado pela OMS; (5) a Lei n.º 13.979 condiciona a legitimidade do estado de emergência sanitária à harmonia com as orientações da OMS. O princípio da proporcionalidade é plenamente observado: a Lei n.º 13.979 congrega medidas que, em face da pandemia atual, têm se mostrado adequadas, necessárias e justificáveis pelo propósito maior de proteger a vida e a saúde.[157]

Controvérsias sensíveis têm recaído sobre a constitucionalidade de medidas específicas que vêm sendo tomadas durante a vigência do estado de emergência em saúde pública. Formou-se a propósito uma "jurisprudência de crise".[158] Confira-se, por exemplo, a decisão proferida no julgamento da ADI n.º 6363, em que se impugnava a MP n.º 936/2020, que permitia, durante a emergência em saúde pública, a redução de jornada de trabalho e de salários por meio de acordos individuais entre trabalhadores e empregadores, sem a necessidade da interveniência dos sindicatos. A medida violava o texto expresso da Constituição Federal, cujo art. 7.º, VI, estabelece, como direito fundamental do trabalhador, a "irredutibilidade do salário, salvo o disposto em convenção ou acordo coletivo". Não há interpretação constitucional possível que possa conduzir à conclusão de que a mediação sindical é dispensável. A inobservância contumaz, pelo Judiciário, dos limites interpretativos a que se abrem os textos normativos é um dos elementos do atual processo de erosão do Estado Democrático de Direito no Brasil. No caso de emergências da magnitude da pandemia do coronavírus, porém, a própria superação dos limites textuais pode se justificar. O que não pode ter lugar é a transposição do mesmo parâmetro para períodos de normalidade. O fundamental da noção de jurisprudência de crise é justamente estabelecer que os precedentes fixados durante a crise não são aplicáveis posteriormente.[159] Podem, quando muito, servir de referência para a solução de controvérsias surgidas em nova crise de dimensões equiparáveis. A excepcionalidade do precedente fixado no julgamento da cautelar na ADI n.º 6363 foi ressaltada pela maioria dos magistrados

[157] A compatibilidade do instituto com o princípio da proporcionalidade é especialmente garantida pelo que determina art. 3.º, § 1.º: "As medidas previstas neste artigo somente poderão ser determinadas com base em evidências científicas e em análises sobre as informações estratégicas em saúde e deverão ser limitadas no tempo e no espaço ao mínimo indispensável à promoção e à preservação da saúde pública."

[158] Cf.: Mendes, G., 2020; Leal, F., 2020.

[159] Cf.: Leal, G. P., 2016.

que integra a Corte. O ministro Gilmar Mendes, por todos, exortava a Corte a reconhecer que "um direito constitucional de crise não poderia negar validade" à norma em exame.[160]

Apesar de, em face da emergência sanitária, se legitimar a formação de jurisprudência de crise, o Judiciário deve se manter permanentemente "vigilante". As exceções à observância das garantias constitucionais, embora possam se legitimar, devem ser minuciosamente justificadas. Deve ser repelida qualquer restrição a direito fundamental que não sirva ao propósito de preservar a saúde e os empregos. O STF, operando com precisão essa distinção, suspendeu a eficácia da norma constante da Medida Provisória n.º 929/20, que interrompia a análise de pedidos de acesso a informações até o final da pandemia.[161] O enfrentamento da emergência em saúde pública requer mais informação, mais transparência, não menos. A medida não mantinha qualquer relação com a preservação da saúde. Não se legitimava, portanto, como jurisprudência de crise. A atual emergência em saúde pública não dá aos governos mandato para escolher quais normas jurídicas contingencialmente deixará de aplicar. Na verdade, a liberdade de ação dos governantes se mantém restrita: a epidemia legitima a previsão legal de hipóteses excepcionais, com o propósito de preservar a vida e a saúde. Se o governo atua contra esses valores, como Bolsonaro procurou atuar, a Constituição impõe que seus atos sejam rechaçados.

---

[160] Nos EUA, a Suprema Corte, em algumas ocasiões, já adotou o que denomina "*crisis thesis*". Cf. Epstein, L. et al., 2005. Em Portugal, o conceito foi empregado recentemente para legitimar as decisões do Tribunal Constitucional produzidas a propósito das medidas econômicas adotadas para enfrentar a crise econômica de 2008. Cf., *i. a.*: Urbano, M. B., 2014.

[161] O min. Alexandre de Moraes, relator, enfatizou a inadequação do argumento da excepcionalidade à hipótese: "O art. 6.º-B da Lei 13.979/2020, incluído pelo art. 1.º da Medida Provisória 928/2020, não estabelece situações excepcionais e concretas impeditivas de acesso à informação, pelo contrário, transforma a regra constitucional de publicidade e transparência em exceção, invertendo a finalidade da proteção constitucional ao livre acesso de informações a toda Sociedade." (ADI n.º 6351 MC, rel. min. Alexandre de Moraes, J. 26.03.2020, *DJe*-076 30.03.2020). A cautelar foi confirmada pelo Plenário do STF em 30.04.2020.

– V –

Cultura constitucional, defesa da democracia e dinâmica institucional

V.1. Defesa da democrácia e cooperação social

V.1.1. Patriotismo constitucional, amizade cívica e pluralismo

A sobrevivência, no tempo, da democracia constitucional está associada à presença de uma cultura política democrática, cultivada pela cidadania para além dos conflitos ideológicos e orientações partidárias, que abrigue um sentimento de "amizade cívica" entre cidadãos que professam diferentes orientações ideológicas e religiosas. O povo brasileiro havia levado mais de um século para consolidar uma cultura constitucional democrática que distinguisse a esfera do consenso em torno dos valores constitucionais básicos da seara da disputa sobre as políticas públicas a serem implementadas. Apenas na vigência da Constituição Federal de 1988, a estabilidade constitucional foi capaz de prevalecer sobre os impasses institucionais e os conflitos entre interesses facciosos, os quais, no passado, se resolviam rotineiramente por intermédio de insurreições militares. Sob a vigência da Constituição federal de 1988, parecia ganhar consistência progressiva o chamado "patriotismo constitucional".[162] A adesão aos princípios que estruturam o

---

[162]O conceito foi proposto por Dolf Sternberger, no início da década de 1980, para identificar as transformações ocorridas na cultura política alemã, que substituiu o antigo nacionalismo chauvinista pela adesão ao constitucionalismo democrático, em cuja tradição se insere a Lei Fundamental daquele país. (Sternberger, D., 2001). Habermas incorporou o conceito no final da década de 1980. O patriotismo constitucional, para ele, se traduz como a adesão a uma identidade "pós-convencional", isto é, a uma identidade que não é herdada de uma tradição cultural particular, mas adquirida por meio da avaliação racional de princípios dotados da pretensão de universalidade, como os princípios da democracia e

Estado Democrático de Direito já era tida como razoavelmente enraizada na cultura política brasileira. A despeito das disputas entre diferentes agremiações partidárias e das sucessivas reformas constitucionais, a democracia e o Estado de Direito vigoravam sem ressalvas, como bases sólidas e inquestionáveis da vida política nacional.

Desde a explosão social de 2013, essa adesão à estrutura básica da democracia constitucional vem se dissolvendo, para dar lugar a visões antagônicas não apenas sobre a economia e as políticas públicas em geral, mas também sobre a própria democracia representativa. O não reconhecimento do resultado das eleições por foças políticas de centro, fortemente identificadas com o processo de redemocratização, era indício de que entraríamos em uma era de erosão da política democrática. O processo de degradação da cultura constitucional avançou por meio do *impeachment*, sem a prática de crime de responsabilidade, e da ampla aclamação popular da Lava Jato, a despeito das ostensivas ilegalidades cometidas durante sua condução. A emergência da nova direita, cuja versão mais extrema é o bolsonarismo, dá lugar ao surgimento de relações de hostilidade política radical; torna-se frequente a defesa aberta da decretação da ditadura, com o fechamento do Congresso Nacional e do STF. A democracia não é, obviamente, incompatível com a discordância entre aqueles que pensam diferente, nem com aguerridas disputas partidárias. O que a democracia não comporta é o "antagonismo disruptivo", que se verifica quando as hostilidades se radicalizam a ponto de interromper a cooperação social. As divergências passam a ser processadas sem se observarem as regras constitucionais, e o adversário, a ser tratado como inimigo, tendo sua legitimidade contestada.

O fato de o Brasil, desde a reabertura democrática, ter produzido consenso em torno da resolução pacífica dos conflitos sociais é de importância decisiva para garantir o progresso político e econômico do país. Nações fraturadas não provêm segurança para seus povos e não conseguem sustentar, no longo prazo, o desenvolvimento econômico. O exemplo das vizinhas Colômbia e Venezuela serve de advertência eloquente. O antagonismo irreconciliável entre grupos políticos tem impedido, há décadas, que

---

do Estado de Direito. Habermas o empregou, com esse sentido, para conferir significado ao sentido de pertencimento a comunidades políticas supranacionais, como a União Europeia. (Habermas, J., 1995). Cf.: Maia, A. C., 2006; Bunchaf, M. E., 2007.

essas nações vivenciem a realização plena de suas potencialidades. Não há nada mais contrário aos interesses nacionais que simular terrorismos inexistentes, ameaçar opositores, reprimir minorias, propugnar por rupturas institucionais. Se o colapso da democracia se desse no Brasil, o país passaria à condição de Estado pária, e gerações de brasileiros seriam necessárias para reestabelecer a integridade nacional. Ser patriota no Brasil é atuar no sentido de recompor o consenso em torno das regras e instituições que estruturam o Estado Democrático de Direito e preservar as condições para a cooperação social. O principal desafio com que se confronta a presente geração é o de manter o Brasil unido e democrático.

Bolsonaro costuma dizer com frequência que pretende resgatar a *unidade social*. O que o mandatário deseja dizer com isso não corresponde à noção de unidade concebida pela democracia constitucional. O fascismo, de modo geral, e o bolsonarismo, em particular, almejam produzir unidade pela via da *supressão do pluralismo e da diversidade*.[163] A unidade política da tradição liberal-democrática, ao contrário, é produzida por meio da adesão às instituições que protegem a diversidade e o pluralismo. Seu escopo é delimitado: abrange apenas o sistema de direitos fundamentais e o princípio das eleições livres, iguais e periódicas.[164] A unidade perseguida pelo fascismo, ao contrário, é abrangente: vai além da esfera da política, abarcando o propósito de produzir um corpo de cidadãos culturalmente homogêneos. Quando Bolsonaro insistia, durante a campanha eleitoral, em "unir o Brasil", referia-se ao seu propósito de abafar as diferenças. Já no governo, repetia: "Vamos fazer o Brasil para as maiorias; as minorias têm que se curvar às maiorias. As leis devem existir para defender as maiorias; as minorias se adéquam ou simplesmente desaparecem."[165] Bolsonaro, em sua crítica recorrente à "ideologia de gênero" e ao "politicamente correto", evoca um passado em que

[163] Como esclarece Galston, "Mais perigosa ainda é a compreensão populista que concebe o 'povo' como homogêneo e unitário, o que se inclina contra o pluralismo que caracteriza todas as sociedades livres da modernidade. Como a presunção de homogeneidade é sempre falsa, ela leva primeiro à negação e depois à supressão. Ao encarar o desacordo, o populismo responde com anátemas: os dissidentes são elites auto-interessadas, famintas de poder, que não fazem parte do povo virtuoso unido. Elas são antes inimigas do povo e merecem ser tratadas como tais." (Galston, W. A., 2018, p. 5).

[164] Rawls, J., 2000a., 2000b, p. 27.

[165] *Valor Econômico*, 05 out. 2018.

prevalecia a família patriarcal, por cujo resgate propugna.[166] Não por outra razão, em campanha, afirmava pretender fazer "o Brasil semelhante àquele que tínhamos há 40, 50 anos atrás".[167] Na distopia bolsonarista, os empregados domésticos voltam para os quartinhos das áreas de serviço; os gays, para o "armário"; e os "vermelhos", para o pau de arara. No Brasil idealizado por Bolsonaro, os fortes devem ser livres para dominar os fracos.

A rejeição bolsonarista à diversidade não se restringe à esfera da política. O bolsonarismo pretende reformar o domínio da cultura, dos costumes, da organização familiar. Inspirado pela extrema direita norte americana, trava uma guerra contra o "marxismo cultural", ao qual imputa o papel de ter corroído valores e instituições tradicionais, como a família, o mercado e a nação.[168] Com o ocaso do bloco soviético, o marxismo operaria hoje por intermédio da conquista de hegemonia nos meios universitário, artístico e jornalístico[169], buscando criar "um mundo de pessoas 'de gênero fluido' e 'cosmopolitas sem pátria'".[170] O "marxismo cultural" é qualificado como a maior

[166]A promessa de resgate de um passado mitificado costuma ser feita pelos movimentos de orientação fascista. Cf.: Stanley, J., 2018, p. 23 ss.

[167]*Folha de São Paulo*, 15 out. 2018.

[168]A expressão é empregada no âmbito de *teorias da conspiração* desenvolvidas nos EUA. Tais teorias denunciam, em especial, a influência da Escola de Frankfurt sobre a cultura ocidental. Exemplo de teoria conspiratória desse tipo pode ser encontrado em: Minnicino, M. J., 1992; Lind, W. S., 2005. Para um inventário crítico dessas teorias, cf.: Mirrlees, T., 2018. Olavo de Carvalho, recentemente, chega ao extremo de afirmar que, como "os Beatles eram semianalfabetos em música", "quem compôs as canções foi o Theodor Adorno" (*Folha de São Paulo*, 07 set. 2019). A elaboração de teorias da conspiração é elemento presente em todos os fascismos. O antissemitismo alemão, no início do séc. XX, foi alimentado pela divulgação dos "protocolos dos sábios do Sião" – como se sabe, tratava-se de documento falso que descreveria um projeto de dominação mundial que teria sido concebido pelos judeus. Cf.: Arendt, H., 1978. p. 89 ss.; Stanley, J., 2018, p. 66 ss.

[169]Olavo de Carvalho, o mencionado ideólogo do bolsonarismo, vislumbra a influência marxista nas mais diversas expressões culturais: "Dificilmente se encontrará hoje um romance, um filme, uma peça de teatro, um livro didático onde as crenças do marxismo cultural, no mais das vezes não reconhecidas como tais, não estejam presentes com toda a virulência do seu conteúdo calunioso e perverso". (Carvalho, O. 2002).

[170]Araújo, E., 2017. Ao sustentar que o marxismo cultural seria responsável pela desestruturação da família, por apoiar políticas de reconhecimento das diferenças de gênero e de orientação sexual, o bolsonarismo desconsidera a forte associação entre aquelas políticas e a tradição liberal. Tais políticas emergem justamente no contexto pós-socialista, quando as reivindicações por igualdade deixam de se concentrar no problema da redistribuição da riqueza,

ameaça à "civilização ocidental": artistas, jornalistas e professores são concebidos como potenciais inimigos. Mesmo instituições conservadoras, como as grandes empresas brasileiras do setor da comunicação social, que sempre atuaram na oposição aos governos de centro-esquerda, são pateticamente taxadas de "comunistas". Sob essa inspiração, a diplomacia "antiglobalista" de Bolsonaro nos constrange solicitando alterações em documentos internacionais para excluir o termo "gênero". Os diplomatas brasileiros haviam sido instruídos a sustentar o entendimento de que o termo só poderia significar o sexo biológico, não a orientação sexual.[171]

A rejeição do bolsonarismo às políticas de reconhecimento das diferenças se manifesta de modo especialmente disruptivo na forma como concebe a liberdade de expressão. A nova direita, em geral, e o bolsonarismo, em particular, rejeitam o discurso "politicamente correto" e sustentam a possibilidade do *hate speech*.[172] Em diversas manifestações, Bolsonaro reivindica

---

para passar a priorizar o reconhecimento cultural. Um dos principais fundamentos para o reconhecimento das diferenças é, sobretudo, o princípio da dignidade da pessoa humana. Cf., por todos: Fraser, N., 2001.

[171] *Folha de São Paulo*, 26 jun. 2019. Foi o que aconteceu, por exemplo, em reunião da Comissão de Direitos Humanos da ONU realizada em junho de 2019. Na proposta, o Brasil foi apoiado apenas pelos governos da Rússia, do Paquistão e da Arábia Saudita. Já países como Noruega, França, Finlândia, Dinamarca e Suíça rejeitaram-na enfaticamente.

[172] Nos EUA, a Suprema Corte decidiu que a liberdade de expressão apenas pode ser limitada quando a manifestação se destina diretamente a "incitar ou produzir uma conduta ilegal". O parâmetro foi estabelecido em *Brandemburg Vs. Ohio*. Brandemburg era um líder local da Ku Klux Klan que, em uma de suas reuniões, pronunciou discurso de ódio contra negros e judeus e incitou os participantes a comparecerem a marcha que se realizaria na cidade de Washington. Brandemburg foi condenado ao pagamento de multa e ao cumprimento de dez anos na prisão, com base em lei de Ohio que, originariamente, havia sido aprovada para reprimir os "excessos do sindicalismo". Após reveses em sucessivos julgamentos, o caso foi submetido à apreciação da Suprema Corte dos EUA, que considerou inconstitucional a lei de Ohio em que se fundou a condenação. No ponto, a jurisprudência brasileira diverge da norte-americana. O STF, em decisão de 2003, examinada mais adiante, rejeitou a possibilidade do *Hate Speech*. No caso, o STF confirmou a condenação de Elwanger, escritor e editor de livros antissemitas. A Corte entendeu que a vedação ao racismo era limite insuperável para a liberdade de expressão (HC n.º 82424/RS, rel. min. Moreira Alves, rel. p/Acórdão min. Maurício Corrêa, J. 17.09.2003, *DJ* 19.03.2004). Na Europa, como aqui, também predomina a vedação ao *hate speech*. No caso *Pavel Ivanov v. Russia* (2007), por exemplo, o Tribunal Europeu de Direitos Humanos decidiu que, ao incitar o ódio contra judeus, Pavel Ivanov não estava protegido pela cláusula da liberdade de expressão.

o retorno a um passado em que a maioria podia manifestar livremente os seus preconceitos, ainda que isso implicasse ofender e ridicularizar minorias. Novamente, Bolsonaro procura vitimizar os grupos dominantes, sustentando que a exigência do comportamento politicamente correto os oprime. Foi o que disse em seu discurso de posse, quando prometeu libertar o povo da "inversão de valores". As minorias é que deveriam ter sua liberdade de expressão limitadas, para não afrontar os valores majoritários. Os gays, por exemplo, deveriam deixar de manifestar em público sua orientação sexual. Do contrário, chegaríamos a uma "ditadura gay", por conta da influência sobre o comportamento das crianças.[173]

Stefan Zweig, na década de 1930, publicou o livro "*Brasil, o país do futuro*".[174] O escritor sustentava que a vocação para a tolerância, a miscigenação, o sincretismo habilitava o país como modelo de futuro ético para a humanidade – não menos. Zweig havia deixado a Áustria, em 1934, sob o impacto da ascensão de Hitler, e estava exilado no Brasil. Em 1935, o *Reichstag*, por unanimidade, havia aprovado a "Lei para a Proteção do Sangue Alemão e da Honra Alemã", proibindo o casamento e as relações sexuais entre judeus e alemães. Tais circunstâncias explicam a eloquência daquele juízo positivo sobre a cultura brasileira – trata-se de uma afirmação enfática do mito da "democracia racial". Embora não captasse a violência subjacente às hierarquias sociais enraizadas em nossa sociedade, derivadas da escravidão negra e do genocídio indígena, a narrativa de Zweig apreendia um sentido teleológico inspirador,

---

[173]Não por outra razão, sob o impacto da eleição de Bolsonaro, em junho de 2019, o STF criminalizou a homofobia, aplicando, por analogia, as normas hoje em vigor para tipificar o crime de racismo – examinaremos a decisão mais adiante. Pouco antes, em abril de 2019, a ministra Cármen Lúcia havia cassado liminar concedida por magistrado federal que autorizava psicólogos a ministrarem "terapia de reversão sexual", a dita "cura *gay*", em desconformidade com o que prescrevia o Conselho Federal de Psicologia, que a proibia. (RCL n.º 31818/DF, rel. min Cármen Lúcia, *DJ* 25.04.2019). O fundamento da decisão, porém, foi processual. Na origem, foi proposta ação popular com vistas à declaração de inconstitucionalidade de Resolução do Conselho Federal de Psicologia que proibia a mencionada prática. O emprego de ação popular com o propósito exclusivo de se obter declaração de inconstitucionalidade de norma federal, porém, implica usurpação de competência do STF para realizar o controle abstrato de constitucionalidade. O efeito prático da decisão da ministra Cármen Lúcia era restabelecer a plena observância da Resolução do Conselho Federal de Psicologia. A decisão foi confirmada pela 2ª Turma em sessão de 20 de abril de 2020.

[174]Zweig, S., 2006, p. 23.

que, no Brasil, além de se identificar com o discurso oficial, era compartilhado, com contradições e ambiguidades, pela cultura popular. O nacionalismo, na Europa, promovia a exclusão da diferença; no Brasil, a afirmação orgulhosa da diversidade, do sincretismo e da miscigenação.[175]

O juízo positivo sobre esse sentido teleológico do processo de formação do Brasil não implica desconsiderar a violência, inerente à relação senhor-escravo, igualmente constitutiva da cultura nacional: "Todos nós, brasileiros, somos carne da carne daqueles pretos e índios supliciados. Todos nós, brasileiros, somos, por igual, a mão possessa que os supliciou. A doçura mais terna e a crueldade mais atroz aqui se conjugaram para fazer de nós a gente sentida e sofrida que somos e a gente insensível e brutal que também somos."[176] Apenas quando nos distanciamos do contexto presente e consideramos o processo de formação da nacionalidade, conseguimos conferir a dimensão adequada à eleição de Bolsonaro. O seu advento nega o sentido positivo do processo de formação nacional, a pretensão de se constituir aqui a "república morena e tropical" a que aludia Darcy Ribeiro. Em 2018, o "país do futuro" elegeu um capitão do mato, um caçador de índios. Prevaleceu a face "insensível e brutal" do Brasil. Eleito o atual presidente, o jornalista Philipp Lichterbeck publicou artigo com o título inevitável: "Brasil, um país do passado". Bolsonaro é, provavelmente, o primeiro presidente brasileiro, pelo menos desde o fim da República Velha, cujo projeto é podar nossa rica variedade humana, ao invés de promovê-la; oprimir a diferença, ao invés de estimular sua força criadora.[177] A eleição

[175] É por isso que, para Maia, "Falar de patriotismo e nacionalismo no Brasil não sugere qualquer tipo de característica racista ou xenófoba. Ao contrário, nossa miscigenação racial e composição étnica híbrida devem ser aceitas e louvadas. Elas nunca incitarão qualquer nacionalismo expansivo, mas sim um nacionalismo integrativo – uma ideia política que poderia funcionar como referência simbólica para um país com proporções quase continentais". (Maia, A. C. C., 2005).

[176] Ribeiro, D., 1995.

[177] Na verdade, o discurso da democracia racial é fomentado pelo governo desde o Império. Em 1843, foi lançado concurso pelo Instituto Histórico e Geográfico Brasileiro para se saber qual seria a melhor forma de se escrever a história do Brasil. O vencedor foi Karl Philip Von Martius, médico alemão que havia chegado ao Brasil em 1817, integrando a comitiva científica de Dona Leopoldina. Depois de percorrer parte considerável do território nacional, embrenhando-se, em conjunto com outro médico alemão, Johann Baptist von Spix, pelos sertões brasileiros, escreveu, em coautoria com ele, o livro *Viagem pelo Brasil*, em três volumes, além de outros livros sobre o país e as populações indíge-

de Bolsonaro não tem o significado de reafirmar a identidade nacional em face de influências estrangeiras impostas heteronomamente. Significa o seu contrário: a negação de nosso projeto nacional, identificado com o propósito de erigir uma nação diversa, plural e democrática, melhor porque capaz de "incorporar em si mais humanidades".[178]

V.1.2. Ação política, cultura constitucional e unidade social.

É fora de dúvida que apenas a própria sociedade pode efetivamente garantir que a democracia seja preservada. Se o regime perde suporte social, agrava-se o processo de erosão democrática, e o risco do colapso se torna real. Quando a sociedade adere aos princípios da democracia constitucional, conspirações de elites, ainda que com expressão no meio militar, tendem a não prosperar. As instituições e o direito cumprem função fundamental na preservação da ordem democrática, mas complementar em relação à opinião e à vontade predominantes no meio social. O fato de, no presente texto, se enfatizar o papel das instituições e do direito, não da sociedade, não implica qualquer hierarquização, que seria inadequada quer sob o prisma descritivo quer sob o ponto de vista normativo. Deve-se apenas à circunstância de outros estudos, produzidos a partir dos instrumentos das ciências sociais, já se terem se ocupado da dinâmica social com mais propriedade. Por outro lado, a análise da atuação institucional também é imprescindível para formarmos um quadro mais completo do momento presente.

---

nas. Venceu o concurso do IHGB com o estudo "Como se deve escrever a história do Brasil". Sua proposta era de que a história do Brasil deveria considerar "os elementos que aí concorrerão para o desenvolvimento do homem": "estes elementos são de natureza muito diversa tendo para a formação do homem convergido de um modo particular três raças: a de cor de cobre ou americana, a branca ou caucasiana e, enfim, a preta ou etíope". (Martius, C. F. P. V., 1845). Martius venceu o concurso do IHGB pelo fato de esta ser a versão da história do Brasil que interessava ao Império, que pretendia criar uma narrativa positiva, apta a conferir um sentido promissor à nacionalidade em formação. Cf.: Schwarcz, L. M., 2019. Depois, essa tradição foi desenvolvida de múltiplas formas. O principal livro a sustenta-la é *Casa-grande e senzala*, de Gilberto Freire.

[178]Ribeiro, D., 1995.

As notas oferecidas nesta seção se circunscrevem a aspectos políticos e sociais que podem possuir especial significado constitucional.[179] Enfatiza-se, sobretudo, a importância de a atividade política considerar a necessidade de se recomporem consensos em torno da estrutura básica do Estado Democrático de Direito. Tais consensos devem ser transversais em relação tanto ao pluralismo político quanto ao pluralismo religioso.

Para enfrentar ameaças graves à democracia, é fundamental congregar direita e esquerda em torno da causa democrática. Não é imprescindível produzir unidades eleitorais entre correntes que, há décadas, disputam os pleitos em polos opostos, o que seria irrealista. O importante é generalizar a compreensão de que o restabelecimento pleno da democracia política possui importância superior à atribuída à realização imediata de outras dimensões dos programas partidários.[180] Sob a orientação desse princípio de ética política, a cooperação entre adversários democratas pode ir além da crítica conjunta ao arbítrio e se converter, por exemplo, em alianças eleitorais de 2.º turno, ainda que envolvam apenas o apoio crítico, não extensível ao período governamental. A adesão à democracia liberal deve conduzir socialistas democráticos a apoiar democratas pró-mercado quando concorrem com fascistas, ainda que estes possuam uma pauta social – o que não ocorre no caso de Bolsonaro. Do mesmo modo, democratas pró-mercado devem apoiar socialistas-democráticos quando concorrem com fascistas, ainda que estes defendam teses liberais em economia. É assim que ocorre nas democracias mais avançadas desde o 2.º pós-guerra: não há tergiversação com o fascismo.[181] No Brasil, talvez por não

[179] Seria inapropriado prescrever recomendações estratégicas para se reverter a presente guinada autoritária a quem exerce, com vocação e espírito público, a atividade política. A própria dinâmica social engendra as formas adequadas para se enfrentar a ameaça do fascismo. Como advertia Weber, os "políticos por vocação [...] são em toda a parte as únicas figuras decisivas nas correntes cruzadas da luta política pelo poder". (Weber, M., 2006).

[180] Essa é uma das dimensões da "prioridade do justo sobre o bem", sustentada pelo liberalismo político (Rawls, J., 2000b; 2000c).

[181] Na Alemanha, por exemplo, desde o segundo pós-guerra, sobre os escombros deixados pelo nazismo, emergiu um sistema partidário em que tem predominado o entendimento de que, mais importante que qualquer divergência, mesmo aguda, entre democratas, é evitar que o país permita a ascensão da autocracia. O maior rival histórico da Democracia Cristã (CDU), partido de centro-direita, é o Partido Social-Democrata (SPD), de centro-esquerda. Nenhum deles cogita se coligar com a Alternativa para a Alemanha (AfD) ou outro partido de extrema direita para formar governos majoritários no parlamento.

termos vivido, como os europeus, a experiência do totalitarismo e da guerra total, a centro-direita deu apoio a Bolsonaro no 2.º turno das eleições de 2018. Um dos desafios do tempo presente é restabelecer o princípio segundo o qual a contradição entre democracia e autocracia deve ser resolvida com prioridade sobre a oposição entre esquerda e direita democráticas. Se Bolsonaro chegar ao 2.º turno em 2022, é dever moral de todo democrata optar por qualquer opositor que demonstre compromisso com a preservação da democracia.

Na reconstrução de consensos em torno do Estado Democrático de Direito, a comunicação social possui importância decisiva. A democracia ainda se adapta ao meio digital, que tende a pronunciar antagonismos, ao invés de atenuá-los. A força da propaganda populista na internet se deve, em parte, ao emprego massivo de *fake news* e de robôs, mas se deriva também da natureza disruptiva da forma como o "engajamento" dos usuários é fomentada. No plano nacional, dois tipos de medida são importantes para que a defesa da democracia possa prevalecer na comunicação digital. Em primeiro lugar, é urgente estabelecer regulamentação legal da comunicação social na internet, que não restrinja a livre manifestação do pensamento, mas impeça a adoção de práticas ilegítimas. Entre essas, deve-se impedir, por exemplo, o emprego de robôs, o financiamento empresarial de campanhas eleitorais e de campanhas de achaque às instituições, a utilização contumaz de *fake news*, o "garimpo" de informações pessoais para customização de mensagens políticas, sem que os eleitores tenham efetivo conhecimento de que seus dados estejam sendo coletados. Ao mesmo tempo, é necessário que as forças políticas democráticas aperfeiçoem a sua comunicação na internet, passando, em especial, a conceber conteúdo capaz de transpor os limites das bolhas de identidade. O populismo autoritário, no Brasil e no Mundo, tem conseguido fazer um uso da internet bem mais eficaz que das forças políticas democráticas. A preservação da democracia exige que a comunicação possa aproximar quem pensa diferente e reconstruir o sentido de amizade cívica no âmbito de comunidades plurais.

É fundamental ainda não perder de vista que o bolsonarismo a cada dia revela novas contradições com os valores básicos de muitos dos eleitores de Bolsonaro em 2018. A construção da unidade em torno da causa democrática

---

Apesar da rivalidade, CDU e SPD hoje formam a "grande coalizão", que dá suporte ao governo de Angela Merkel.

tende a encontrar um ambiente progressivamente ampliado. Muitos eleitores que se seduziram pelo discurso antissistema não apoiam, por exemplo, o desprezo pela vida humana demonstrado durante a pandemia. Há muitas *pautas concretas*, das quais se pode partir para se estabelecerem consensos a respeito dos valores básicos da democracia constitucional. Bolsonaro é populista na informalidade com que lida com os assuntos de governo e na grosseria com que trata adversários e jornalistas. Mas o conteúdo de suas políticas é não só elitista, mas também autoritário, reprimindo as reivindicações redistributivas dos pobres e da classe média. É natural que os trabalhadores percebam que seus interesses não têm sido considerados. A classe média, forte apoiadora do atual presidente, também tem tido seus interesses recorrentemente desatendidos, nada obstante o restabelecimento de hierarquias sociais que a privilegiem. Na pandemia do coronavírus, em especial, foi com indignação que muitos de seus eleitores reagiram à percepção de que o governo estava tratando suas vidas e de seus familiares mais vulneráveis como descartáveis.

Além de resgatar o consenso democrático entre forças políticas, é também necessário restabelecê-lo entre as diversas denominações religiosas que têm lugar no Brasil. Como antes ressaltado, Bolsonaro não teria vencido as eleições se não fosse a ampla adesão dos eleitores evangélicos à sua candidatura. Embora o candidato não tenha uma vida dedicada à religião, conseguiu obter o apoio desse segmento da sociedade com base em seus ataques às políticas identitárias, sobretudo às "políticas de gênero", no mais das vezes com base em *fake news*. Também aqui não há dificuldades insuperáveis. A associação entre os setores evangélicos e o neoliberalismo autoritário é recente, e não se sabe até quando durará. Muitos conflitos já eclodiram durante o governo. Bolsonaro, por meio da MP n.º 905/2019, autorizou, de modo irrestrito, o trabalho aos domingos, dia de ir à Igreja. Sua política econômica e suas medidas na área social entram em contradição direta com os interesses da maioria evangélica, que, no Brasil, é feminina, negra e pobre. É difícil conceber ideias mais incompatíveis com o cristianismo que as do darwinismo social de Bolsonaro.

Por outro lado, embora as mencionadas políticas identitárias se identifiquem com a esquerda, as principais medidas concretas tomadas nesse campo não advieram dos governos pós-1988, mas do Supremo Tribunal Federal.[182] O Executivo sempre assumiu a atitude de se abster de interferir decisivamente no domínio dos costumes, reconhecendo que, nessa esfera, as inovações devem se dar por iniciativa do Legislativo, onde a bancada evangélica é expressiva. O ativismo do STF era resultado justamente da percepção de que a deliberação legislativa sobre temas de gênero e orientação sexual estava bloqueada.[183] Nunca houve rompimento entre neopentecostais e a centro-esquerda enquanto esta manteve condições reais de se manter no poder. O rompimento se deu apenas no contexto do *impeachment* de Dilma, em conjunto com o Centrão. As razões foram predominantemente políticas, não religiosas ou morais. Não há, portanto, motivos insuperáveis que conduzam os evangélicos a bloquear o diálogo com forças políticas democráticas.

É fato que o projeto de tornar o Brasil um Estado confessional parece ser alentado por algumas das denominações religiosas que apoiaram Bolsonaro.[184] Com esse projeto, não é possível transigir, por ser incompatível com o princípio republicano, que pressupõe a liberdade e o pluralismo religiosos. No entanto, trata-se de projeto defendido por grupos minoritários. O protestantismo sempre prosperou onde há liberdade religiosa, direito que está

---

[182] O reconhecimento jurídico das uniões homoafetivas derivou de decisão do Supremo Tribunal Federal, proferida em julgamento de 2011 (ADI n.º 4277 e ADPF n.º 132). O casamento civil entre pessoas do mesmo sexo foi estabelecido pelo Conselho Nacional de Justiça, por meio da Resolução n.º 175, de 14 de maio de 2013. Mais recentemente, a criminalização da homofobia também foi instituída por decisão do STF, proferida na ADO n.º 26, em 2019.

[183] Desde Fernando Henrique, os presidentes se mostravam claramente favoráveis às políticas de reconhecimento das diferenças, mas se abstinham de encaminhar ao Congresso projetos de lei, tendo em vista, sobretudo, preservar o apoio de parlamentares vinculados às igrejas evangélicas. Assim ocorreu também durante os governos Lula e Dilma, os quais, na maior parte do tempo, contaram com o apoio desses parlamentares, alguns dos quais integraram seus ministérios. Com o agravamento da crise política, em 2016, os parlamentares ligados às igrejas evangélicas foram rompendo com o governo Dilma. O PRB, controlado pela Igreja Universal do Reino de Deus, deixou o governo em março de 2016, encerrando 14 anos de cooperação com os governos do PT. Malafaia havia apoiado a eleição de Lula em 2002 e 2006. O PSC, comandado pelo Pastor Everaldo, da Assembleia de Deus, rompeu com o governo de Dilma ainda antes das eleições de 2014, depois de anos de cooperação.

[184] Cf.: Ramos, A.; Zacarias, N. V., 2017.

associado à secularização do Estado.[185] Na gênese histórica do protestantismo estava justamente a afirmação da autonomia individual, potencializada por meio da tradução da bíblia para os vernáculos, o que permitia que cada um realizasse sua própria leitura e interpretação, reduzindo a importância da mediação das igrejas. Se o movimento pelo estabelecimento de um Estado confessional ganhasse maior expressão política no Brasil, sobretudo por intermédio de união com o bolsonarismo, certamente as mencionadas denominações religiosas atrairiam para si grande resistência, não só no Brasil, mas também em outros países no mundo, que se tornariam refratários à presença neopentecostal de origem brasileira.

Se o colapso do sistema democrático não sobrevier, como se espera, nas eleições de 2022, o povo brasileiro poderá escolher um governante que seja comprometido com a democracia. Mas, se ocorrer a reeleição de Bolsonaro – ou a eleição de outro político de extrema direita –, a decisão popular tende a equivaler à confirmação do programa do neoliberalismo autoritário. Nas eleições de 2018, Bolsonaro se elegeu contra o PT, a política e os políticos; nas eleições de 2022, se se reeleger, poderá sustentar que terá sido em decorrência da adesão popular a seu programa. O voto terá um significado positivo, não negativo. Além dos dois ministros do STF, que indicará no atual mandato, reeleito, Bolsonaro nomearia ainda mais dois magistrados

[185] A eclosão de conflitos religiosos radicais no Brasil poderia resultar não na conversão da República em um Estado confessional, mas, ao contrário, na imposição de limites ao ativismo político de correntes religiosas radicais. Adiante, examinaremos o princípio da democracia militante, segundo o qual devem ser proscritos da vida política democrática os partidos que defendam a supressão da própria democracia. Em outros países, uma das razões dadas para se promover a dissolução de partidos políticos é a circunstância de promoverem a adoção de leis religiosas. O tema foi examinado pelo Tribunal Europeu de Direitos Humanos no caso Refah Partisi e outros v. Turquia, julgado em 13.02.2003. O TEDH entendeu que a proposta de imposição da Sharia, propugnada pelo Partido, estava em contradição com a Convenção Europeia de Direitos Humanos: "Após uma análise rigorosa para verificar se existiam razões convincentes e substanciais para justificar a dissolução do Refah e a perda temporária dos direitos políticos imposta aos requerentes, a Corte considerou que tais interferências correspondiam a uma 'necessidade social premente' e que eram 'proporcionais aos objetivos almejados'. Portanto, a dissolução do Refah pode ser considerada como 'necessária em um contexto democrático', em conformidade com o que preconiza o parágrafo 2.º do artigo 11". Cf.: Boyle, K., 2004, p. 1-16.

para a Corte – teria, então, nomeado 4 de 11 ministros.[186] Não chego ao ponto de sustentar a pertinência da aplicação da teoria de Ackerman, que confere natureza constituinte à reeleição de presidentes que se opõem à constituição em vigor.[187] O compromisso com o Estado Democrático de Direito não reconhece legitimidade a ideologias contrárias à própria tradição do constitucionalismo, da qual se extrai, no mínimo, o dever estatal de proteger a segurança das pessoas e lhes cominar liberdade igual.[188] No entanto, a experiência internacional tem demonstrado que, quando há reeleição, as instituições são progressivamente capturadas, e o líder autoritário se consolida no poder.[189] Poderá, de fato, ter lugar a mutação da natureza do regime.

Caberá à sociedade pôr fim ao presente momento autoritário e reiniciar um ciclo de desenvolvimento democrático. O principal papel das instituições nacionais, como a seguir será esclarecido, é cooperar com a sociedade na preservação da democracia durante a travessia, em que hoje nos encontramos enredados.

---

[186] Com isso, as nomeações de Bolsonaro podem ter impacto significativo na forma como a Constituição é concebida e interpretada no Brasil. Porém, é frequente no país que magistrados, depois de nomeados, não guardem qualquer compromisso não só com os interesses do presidente responsável pela nomeação, mas também com a própria filosofia constitucional que aquele presidente professava.

[187] Cf.: Ackerman, B., 1998, p. 410 ss.; 2019, p. 397 ss.; Leuchtenburgt, W. E., 1999.

[188] Faltaria à eventual reeleição de Bolsonaro – ou de outro extremista – um requisito básico para se lhe atribuir dimensão constituinte: a aptidão para gerar consenso e unidade social. Ao negar a minorias igual respeito e consideração, o bolsonarismo, na eventualidade de instituir uma nova ordem, radicalmente injusta, legitimaria a desobediência civil. Segundo a "fórmula de Radbruch", "O conflito entre justiça e segurança jurídica deve ser capaz de ser resolvido no sentido de que o direito positivo assegurado pela lei e pelo poder também tenha precedência quando seja injusto e inadequado em termos de conteúdo, a menos que a contradição entre a lei positiva e a justiça atinja uma medida tão insuportável que a lei deva ceder como 'direito injusto' à justiça. É impossível traçar uma linha mais nítida entre casos de injustiça legal e as leis válidas, apesar de seu conteúdo injusto; mas outra linha divisória pode ser estabelecida com total precisão: onde a justiça não é sequer pretendida, onde a igualdade, que é o núcleo da justiça, é conscientemente negada no estabelecimento do direito positivo, onde a lei não é apenas 'direito injusto', mas carece totalmente de natureza jurídica." (Radbruch, G., 1962, p. 37). Alexy confere à fórmula redação suscinta: "As normas promulgadas em conformidade com o ordenamento e socialmente eficazes perdem seu caráter jurídico ou sua validade jurídica quando são extremamente injustas." (Alexy, R., 2001).

[189] Mounk, Y., 2019, p. 226 ss.

V.1.3. A possibilidade de impeachment, a posse do vice-presidente e o risco de constitucionalismo abusivo

Na eventualidade de o mandato presidencial se interromper em razão da admissibilidade de processo de *impeachment* ou de ação penal proposta pelo PGR, assumiria o vice-presidente da República, general Mourão. Nesse cenário, embora não haja qualquer garantia quanto à preservação da democracia, provavelmente seriam reduzidos alguns riscos extremos associados ao bolsonarismo, tais como a criação de um partido fascista de massas; a formação de grupos paramilitares; a deflagração de conflito violento entre entes da Federação; o genocídio indígena; e a perseguição a minorias. Bolsonaro é um fascista, violento e irracional, próximo de milicianos, entusiasta de esquadrões da morte; Mourão parece ser também conservador e autoritário, mas sem identidade com o extremismo bolsonarista.[190]

Porém, mesmo com a eventual posse de Mourão, o risco de colapso da democracia não está afastado, e ainda menos o de aprofundamento do atual processo de erosão. Mourão se candidatou à Vice-Presidência na chapa de Bolsonaro: tem, portanto, alguma identidade com ele. Em 2015, Mourão perdeu o Comando Militar do Sul por apelar, em palestra para reservistas, ao "despertar de uma luta patriótica", sugerindo que o *impeachment* de Dilma

---

[190]Karen Stenner distingue três categorias de conservadorismo: o autoritarismo, o conservadorismo do *status quo* e o conservadorismo do *laissez-faire*. O autoritarismo "é o fator determinante da intolerância em relação à diferença, através do tempo e do espaço, em toda a história, todas as culturas, em todos os aspectos, incluindo a intolerância racial, política ou moral." O conservadorismo, por seu turno, é "notavelmente pouco inclinado a adotar posições autoritárias quando o conflito se apresenta em níveis controláveis, permanecendo confiante em que as instituições podem gerenciá-lo. Definitivamente, não estará de acordo com uma revolução autoritária, a não ser que a incerteza e a instabilidade antevistas não pareçam piores que as da situação enfrentada." (Stenner, K., 2009). Como esclarecem Stenner e Haidt, "Ao contrário do conservadorismo do *status quo*, o autoritarismo é primariamente conduzido não pela aversão a mudanças (diferenciação através do tempo), mas por aversão à complexidade (diferenciação através do espaço). (...) Esta distinção é importante pelos desafios que se apresentam atualmente à democracia liberal, uma vez que em caso de uma 'revolução autoritária', os autoritários podem buscar transformações sociais massivas na busca de um sentimento de maior unicidade e pertencimento, almejando excluir instituições e práticas que os seus pares conservadores defenderiam e preservariam." (Srenner, K.; Haidt, J., 2018).

não seria suficiente, pois "não traria mudança significativa no *status quo*".[191] Já durante o governo Temer, em 2017, ainda na condição de militar da ativa, defendeu a intervenção das Forças Armadas caso as instituições "não resolvessem o problema político", o que dependeria da exclusão da vida pública desses "elementos envolvidos em todos os ilícitos".[192] Durante a campanha eleitoral, Mourão sustentou a conveniência da elaboração de uma nova Constituição. O texto seria redigido por uma "comissão de notáveis" e, depois, submetido a referendo popular: "Uma Constituição não precisa ser feita por eleitos pelo povo".[193] A proposta de Mourão demonstra simultaneamente duas tendências estranhas à democracia liberal: é tecnocrática – a nova constituição deveria ser elaborada por técnicos – e plebiscitária – a nova constituição seria legitimada por meio de aclamação, em plebiscito, prescindindo da assembleia constituinte, integrada por representantes eleitos.[194]

Em oposição a esta última proposta de Mourão, é necessário registrar que as constituições não podem representar a visão unilateral de um grupo que transitoriamente ocupa o poder. Em sociedades plurais, as constituições, para vigorar acima das disputas partidárias, devem ser tendencialmente consensuais. Em contextos de erosão democrática, a convocação de constituinte tem ocorrido, na verdade, para desonerar o governante de observar os limites inscritos na constituição vigente. Trata-se da manifestação mais incisiva do chamado "constitucionalismo abusivo". Foi o que ocorreu, por exemplo, durante o atual mandato de Maduro, que, ao perder as eleições parlamentares, convocou nova constituinte. A Assembleia Nacional Constituinte passou a compartilhar competências legislativas com a Assembleia Nacional da Venezuela, majoritariamente integrada por oposicionistas.[195]

---

[191] *Estadão*, 29 out. 2015.

[192] *Estadão*, 17 out. 2017.

[193] *Folha de São Paulo*, 13 set. 2018.

[194] Na história constitucional brasileira, só se adotou esse tipo de procedimento para se elaborar a Constituição de 1937. Escrita por Francisco Campos, ministro de Vargas – o texto deveria ter sido submetido a plebiscito, mas este nunca ocorreu.

[195] Nada obstante as críticas que se possam dirigir à oposição venezuelana, é fato que, em dezembro de 2015, se realizaram eleições parlamentares, e a oposição venceu, obtendo 67% das cadeiras do Parlamento. Em 2016, fazendo uso de prerrogativa prevista na Constituição, a maioria da assembleia tentou convocar referendo revocatório (*recall*) do mandato presidencial. Porém, os órgãos judiciários impediram a realização do *recall*. Em maio de 2017, em meio à grave crise política e econômica – a crise econômica, na

Em cenários como o venezuelano, de forte divisão social, as constituintes tendem a não prover as bases para a unidade política entre grupos partidários e orientações ideológicas diversas. Quando a Constituição não é objeto de reconhecimento amplo, não é apta a dar fundamento para um novo ciclo de estabilidade política e institucional.

V.2. O Congresso Nacional e a defesa da democracia

V.2.1. Sistema de freios e contrapesos e moderação anticíclica

No início do séc. XXI, tornou-se lugar comum atribuir função moderadora às cortes constitucionais. Cabe-lhes podar os excessos do Executivo e das maiorias parlamentares. O Legislativo, porém, também exerce a função moderadora. Não sem razão a "Constituição da Inglaterra", caracterizada pela supremacia parlamentar, foi escolhida por Montesquieu para exemplificar a aplicação do princípio da separação de poderes.[196] No caso brasileiro, a função moderadora, na Nova República, foi amplamente desempenhada pelo Legislativo, como antes ressaltado. No *impeachment*, a Câmara de Deputados, sob a presidência de Eduardo Cunha, se afastou desse papel, e foi o principal algoz do Estado Democrático de Direito, sem que o Senado tenha oferecido resistência eficaz. Após a eleição de Bolsonaro, porém, Câmara e Senado têm se concentrado na moderação dos excessos do Executivo, sem se converterem em oposição ao governo. As propostas oriundas do Planalto têm sido apreciadas com independência: quando meritórias, são aprovadas; quando desarrazoadas, rejeitadas. Uma oposição incondicional daria pretexto para que o presidente atentasse contra a autonomia do Congresso Nacional. Uma postura de subserviência aceleraria o processo de erosão democrática. Ao moderar os excessos do Executivo, o Congresso está cumprindo um dever fundamental, que se extrai não só da Constituição de 1988, mas também da tradição do

Venezuela, está fortemente associada à queda do preço do Petróleo –, o presidente N. Maduro convocou nova Assembleia Nacional Constituinte, esvaziando as atribuições do Legislativo, de maioria oposicionista. Cf., p. ex.: Barrios Benatuil, A. G.; Gonzalez Plessmann, A.; Grajales Pineda, M. L., 2017.

[196] Montesquieu, B. B., 1956.

constitucionalismo democrático. Convém, a propósito, lembrar a conhecida advertência de Hamilton:

> Se os homens fossem anjos nenhuma espécie de governo seria necessária. Se fossem os anjos a governar os homens, não seriam necessários controles externos nem internos sobre o governo. Ao construir um governo em que a administração será feita por homens sobre outros homens, a maior dificuldade reside nisso: primeiro é preciso habilitar o governo a controlar os governados; e, seguidamente, obrigar o governo a controlar-se a si próprio. A dependência do povo é, sem dúvida, o controle primário sobre o governo; mas a experiência ensinou à humanidade a necessidade de precauções auxiliares.[197]

Essa máxima, extraída da experiência, deve ser concebida em termos *dinâmicos*, não estáticos: quanto mais autoritário se mostra o governante, mais intensa deve ser a moderação legislativa. Se a função do sistema de freios e contrapesos é evitar o arbítrio, os mecanismos que integram esse sistema devem se manter em estado de prontidão diante do governante autoritário, como é o caso do atual presidente. O sistema de freios e contrapesos deve exercer "função anticíclica". Governos democráticos merecem deferência, seus atos se presumem válidos e devem, sempre que possível, ser preservados. Já governos autoritários devem ser vistos com desconfiança. A atitude adequada do Congresso Nacional é de rigor na contenção dos excessos autoritários: *in dubio* pró-democracia. Essa atitude não se confunde com a obstrução da atividade governamental, como ocorreu durante o segundo mandato de Dilma, com a aprovação da chamada "pauta bomba". O que se reclama é a guarda rigorosa das garantias fundamentais, dos procedimentos democráticos, dos direitos das minorias, do pluralismo político. Diante de um governo que não para de dirigir ameaças aos valores básicos da democracia constitucional, qualquer medida concreta que possa afetá-los deve deflagrar prontamente os mecanismos de contenção do arbítrio e de defesa da democracia. Nas seções seguintes, são examinados e contextualizados

[197] Madson, J., 1898, n.º 51.

os principais artifícios de controle postos à disposição do Legislativo para conter a expansão da atual guinada autoritária.

V.2.2. A atribuição do Congresso Nacional de sustar atos normativos que exorbitem o exercício do poder regulamentar

Uma das principais características dos governos autocráticos é governar por meio de decretos, apoderando-se de parcelas crescentes do processo de elaboração normativa, em detrimento das competências do Poder Legislativo. No Brasil, a possibilidade de o Executivo ser exitoso nessa usurpação da função legiferante encontra obstáculo no *caput* do art. 37, da Constituição da República, que determina que a administração pública observe o princípio da legalidade. À administração, só é facultado agir quando a lei o determina ou permite.[198] Os atos normativos, editados pela administração, que não sirvam à regulamentação de normas legais – os chamados "regulamentos autônomos" –, na tradição do direito brasileiro, não são admitidos, fora das hipóteses expressamente previstas no texto constitucional.

Porém, desde a década de 1990, essa vinculação da administração à legalidade tem se flexibilizado.[199] A vinculação à lei em sentido formal passou a ser entendida como "vinculação ao Direito" [200], e o "Direito" também é

[198] Cf., p. ex.: "O ato administrativo, no Estado Democrático de Direito, está subordinado ao princípio da legalidade (CF/88, arts. 5.º, II, 37, *caput*, 84, IV), o que equivale a assentar que a administração só pode atuar de acordo com o que a lei determina. Desta sorte, ao expedir um ato que tem por finalidade regulamentar a lei (decreto, regulamento, instrução, portaria etc.), não pode a Administração inovar na ordem jurídica, impondo obrigações ou limitações a direitos de terceiros" (STJ, RESP n.º 584798/PE, rel. min. Luiz Fux, Primeira Turma, J. 04.11.2004, *DJ* 06.12.2004).

[199] É o que ocorreu, por exemplo, em decorrência da atribuição de poder normativo às *agências reguladoras*. Esse seria um corolário da "autonomia gerencial" que lhe deveria ser atribuída (CF, art. 37, § 8.º). Verificar-se-ia, quanto às agências, até mesmo um processo de "*deslegalização*", caracterizado pela reserva de determinadas matérias à administração, vedando-se que o legislador as disciplinasse em detalhe. Cf.: Moreira Neto, D. F., 2003, p. 122; Aragão, A. S., 2002, p. 418. Para uma crítica ao processo de "deslegalização", cf.: Binenbojm, G., 2006, p. 100.

[200] A própria Lei n.º 9784/99, que regula o processo administrativo no âmbito da União, já incorpora, no art. 2.º, parágrafo único, I, essa referência à vinculação à lei e ao direito. Essa nova tendência, hoje já consolidada, caracterizou, por exemplo, um dos primeiros atos de grande repercussão editados pelo Conselho Nacional de Justiça. A Resolução n.º 7, de 18 de outubro de 2005, foi editada com vistas à concretização dos princípios da

integrado por princípios constitucionais.[201] Antes do início da vigência da Constituição de 1988, a vinculação positiva do administrador à lei resultava das preocupações dos publicistas com o arbítrio governamental. Era natural, vivia-se em um regime militar. Com a promulgação da Constituição Federal de 1988 e a recomposição do ambiente democrático, na Nova República, fazia sentido reduzir o rigor da vinculação do Executivo à legislação. Agora, porém, com o retorno do autoritarismo, volta a ser necessário controlar com mais rigidez a legalidade dos atos administrativos. Embora não seja provável que ocorra um retorno à doutrina precedente, o exercício da atividade normativa pelo Executivo deve, hoje, se submeter a controles mais rigorosos por parte do Legislativo e do Judiciário. É o que já se tem verificado desde o início de 2019.

O instrumento principal de que o Legislativo pode se valer para controlar excessos do Executivo na edição de atos normativos é o previsto no artigo 49, V, da Constituição Federal.[202] Por meio de decreto legislativo, o Congresso Nacional realiza o controle de sua legitimidade constitucional.[203] No exercício dessa atribuição, o Plenário do Senado, por exemplo, em junho de 2019, aprovou o Projeto de Decreto Legislativo n.º 233/19, sustando o Decreto n.º 9785/19, editado por Bolsonaro – o Decreto, já citado, era um dos vários que ampliavam o acesso a armas de fogo. Concluída a votação no Senado, o PDL foi enviado à Câmara. Antes de a Câmara deliberar, Bolso-

---

moralidade e da impessoalidade, positivados no art. 37, *caput*, da Constituição. Ainda que sem prévia previsão legal, o CNJ proibiu, no âmbito do Poder Judiciário, a prática do nepotismo, e definiu quais condutas poderiam ser assim classificadas. O Supremo Tribunal Federal considerou a Resolução n.º 7, do CNJ, compatível com a Constituição, julgando procedente a ADC n.º 12 (ADC n.º 12/MC, rel. min. Carlos Britto, Tribunal Pleno, J. 16.02.2006, *DJ* 01.09.2006).

[201] Cf., por todos: Binenbojm, G., 2008.

[202] Segundo o preceito, o Congresso Nacional pode "sustar os atos normativos do Poder Executivo que exorbitem do poder regulamentar". Cf. *i. a.:* Ferraz, A. C. C., 1994; Ramos, D. T., 1995; Valadão, M. A. P., 2002; Casagrande, C. L.; Tibúrcio, D. R., 2019.

[203] De acordo com o STF, "O abuso de poder regulamentar, especialmente nos casos em que o Estado atua *contra legem* ou *praeter legem*, não só expõe o ato transgressor ao controle jurisdicional, mas viabiliza, até mesmo, tal a gravidade desse comportamento governamental, o exercício, pelo Congresso Nacional, da competência extraordinária que lhe confere o art. 49, V, da Constituição da República e que lhe permite 'sustar os atos normativos do Poder Executivo que exorbitem do poder regulamentar' [...]". (AC n.º 1.033 AgR-QO, rel. min. Celso de Mello, J. 25.05.2006, *DJ* 16.06.2006).

naro o revogou, diante da perspectiva de derrota. Sem reações como essa, o Executivo tende a se apropriar de parcelas crescentes da função legislativa.

O controle legislativo é especialmente importante para preservar as instituições em funcionamento, evitando-se a desorganização, a paralisação e a captura dos entes e órgãos que integram a administração pública brasileira. No Brasil, também se exigia a edição de lei para dispor sobre a organização administrativa. A regra foi excepcionada pela Emenda Constitucional n.º 32/2001, que deu nova redação ao inciso VI do art. 84 da Constituição Federal.[204] Mesmo com a redação atual, porém, o Executivo não pode editar decretos dispondo sobre a "criação e a extinção de órgãos públicos". A Constituição, em seus artigos 48, XI, e 61, § 1.º, confere a competência ao Poder Legislativo.[205] O mesmo ocorre com os entes da administração indireta, dos quais trata o art. 37, XIX, da Constituição da República.[206] É do Legislativo, não do Executivo, a atribuição de criar e, por paralelismo, extinguir autarquias.[207] Se as autarquias são criadas por lei, só a lei pode extingui-las, não ato administrativo, que está situado em um patamar hierárquico inferior. Como a Constituição veda ao Executivo a extinção de órgãos da administração direta, isto é, de órgãos que lhe são "diretamente" subordinados, *a fortiori*,

---

[204] A redação do preceito é a seguinte: "Compete privativamente ao presidente da República: dispor, mediante decreto, sobre: a) organização e funcionamento da administração federal, quando não implicar aumento de despesa nem criação ou extinção de órgãos públicos". Na jurisprudência do STF, cf., p. ex.: STF, ADI 2.564, rel. min. Ellen Gracie, *DJ* 06.02.04.

[205] Segundo o art. 48, "cabe ao Congresso Nacional, com a sanção do presidente da República [...] dispor sobre todas as matérias de competência da União, especialmente sobre: [...] XI - criação e extinção de Ministérios e órgãos da administração pública". De acordo com o art. 61, § 1.º, da Constituição Federal: "são de iniciativa privativa do presidente da República as leis que: [...] II - disponham sobre: [...] e) criação e extinção de Ministérios e órgãos da administração pública, observado o disposto no art. 84, VI".

[206] De acordo com o preceito, "somente por lei específica poderá ser criada autarquia e autorizada a instituição de empresa pública, de sociedade de economia mista e de fundação, cabendo à lei complementar, neste último caso, definir as áreas de sua atuação"

[207] Aplica-se à hipótese o princípio do paralelismo das formas: "um ato jurídico só se modificar mediante o emprego de formas idênticas àquelas adotadas para elaborá-lo" (Bonavides, P., 2006, p. 206).

impede-o também de extinguir entes da administração indireta[208], os quais são dotados de autonomia, ainda que relativa.[209]

Como acima ressaltado (IV. 4), a intervenção indevida de Bolsonaro em órgãos e entes públicos, como a Secretaria da Receita Federal, o COAF, a FUNAI, o IBAMA, o INPE e as universidades federais, é um dos elementos centrais do atual processo de erosão do Estado Democrático de Direito. Tais órgãos e entes da administração, criados há décadas, são fundamentais para que sejam implementadas políticas públicas de caráter permanente. [210] O controle legislativo da atividade do Executivo é decisivo para impedir que o atual governo leve a termo seu programa de "desconstrução do Estado brasileiro", sob o pretexto de "tirar o estado do lombo de quem produz". É também imprescindível para impedir que sejam capturados e passem a funcionar como instrumentos do arbítrio governamental e da perenização do bolsonarismo no poder.

Tema também sensível no presente contexto é o da extinção de empresas públicas e sociedades de economia mista. Em decorrência do artigo 37, XIX, da Constituição Federal a criação desses entes depende da edição de lei.[211] Quanto à extinção, aqui também incide o princípio do "paralelismo

[208] Como sustenta Di Pietro, "se a exigência é feita para órgãos (que não têm personalidade jurídica própria), com muito mais razão se justifica em relação aos entes da administração indireta, que são pessoas jurídicas distintas da pessoa política que as instituiu" (Di Pietro, M. H., 2002, p. 385).

[209] De acordo com o Art. 5.º, I, do Decreto-Lei 200/67, considera-se autarquia "o serviço autônomo, criado por lei, com personalidade jurídica, patrimônio e receita próprios, para executar atividades típicas da Administração Pública, que requeiram, para seu melhor funcionamento, gestão administrativa e financeira descentralizada". Como esclarece Medauar, "isto significa que os bens e receitas das autarquias não se confundem com os bens e receitas da Administração direta a que se vinculam. Tais bens e receitas, atendidos os preceitos legais para a matéria, são geridos pela própria autarquia" (Medauar, O., 2003).

[210] Muitos desses órgãos são integrados por servidores vinculados a "carreiras de Estado". De acordo com o art. 247 da Constituição Federal, "as leis previstas no inciso III do § 1.º do art. 41 e no § 7.º do art. 169 estabelecerão critérios e garantias especiais para a perda do cargo pelo servidor público estável que, em decorrência das atribuições de seu cargo efetivo, desenvolva atividades exclusivas de Estado".

[211] Nesse caso, contudo, a lei não é seu ato constitutivo: apenas autoriza que o Executivo o edite. As empresas públicas e as sociedades de economia mista são pessoas jurídicas de direito privado, e seu ato constitutivo é o registro, no ofício próprio, do estatuto ou do contrato social. A sua criação, efetivamente, apenas se dará com o devido arquivamento do ato constitutivo, isto é, somente após o registro no órgão competente é que a empresa

das formas". É, como no caso das autarquias, necessária a edição de lei formal para que se extingam empresas públicas ou sociedades de economia mista.[212] A exigência da edição de lei se estende também às controladas em razão do que dispõe o artigo 37, XX, da Constituição Federal – o preceito exige que a criação de controladas seja precedida da edição de lei "em cada caso".[213] O tema foi enfrentado recentemente pelo STF. No julgamento conjunto de cautelar nas ADIs n.º 5.624, 5.846, 5.924 e 6.029, a Corte decidiu que "i) a alienação do controle acionário de empresas públicas e sociedades de economia mista exige autorização legislativa e licitação; e ii) a exigência de autorização legislativa, todavia, não se aplica à alienação do controle de suas subsidiárias e controladas". Como se verifica, a despeito do que determina o art. 37, XX, o STF decidiu que a autorização legislativa específica não seria exigível no caso de controladoras.[214] A União, hoje, possui 134 estatais, das quais 88 são subsidiárias ou controladas. A decisão da Corte deixou de considerar que a participação do Legislativo no processo de reorganização da administração pública é fundamental para se evitar que extremismos ideológicos destruam, de modo irreparável, empresas construídas por gerações, com o emprego de recursos que dificilmente a sociedade brasileira poderia

pública e a sociedade de economia mista adquirem personalidade jurídica e passam a ter existência no mundo jurídico (arts. 45 e 1150 do CC). Por isso, a Constituição Federal (art. 37, XIX) passou a utilizar, após a Emenda 19/98, a correta dicção "somente por lei específica poderá ser [...] autorizada a instituição de empresa pública, de sociedade de economia mista e de fundação".

212 A lei, contudo, autoriza a extinção, a qual é promovida pela administração pública junto aos ofícios competentes. O mesmo ocorre com as *fundações*. Aqui, contudo, é necessário fazer uma distinção. Entre as fundações instituídas pelo poder público, há as de direito privado e as de direito público. Para a extinção, em ambos os casos, exigir-se-á a edição de lei específica. Mas a lei autorizará a extinção de fundações de direito privado, e extinguirá as fundações de direito público, como ocorre com as autarquias.

213 Segundo o preceito, "depende de autorização legislativa, em cada caso, a criação de subsidiárias das entidades mencionadas no inciso anterior, assim como a participação de qualquer delas em empresa privada".

214 A decisão, no ponto, confirmou a jurisprudência do STF. Cf.: ADI n.º 234, rel. min. Néri da Silveira, Tribunal Pleno, J. 22.06.1995; ADI n.º 1703 MC, rel. min. Ilmar Galvão, Tribunal Pleno, J. 27.11.1997; STF, ADI n.º 1348, rel. min. Cármen Lúcia, Tribunal Pleno, J. 21.02.2008.

voltar a mobilizar.[215] Essa é uma das vias pelas quais o bolsonarismo pode produzir danos irreparáveis ao país.

V.2.3. O controle legislativo da decretação de medidas de exceção

Governos autoritários muitas vezes provocam o colapso do regime democrático por meio da decretação de *estado de exceção*, com o qual se desoneram de cumprir total ou parcialmente a Constituição.[216] As duas formas de conceber a unidade política – a democrática e a autoritária –, antes examinadas, determinam, em grande medida, o modo como são exercidos os poderes que lhe são inerentes .[217] Para a concepção democrática, o estado de

[215]Igualmente questionável é a opção do STF de afastar a exigência de licitação para se alienar o controle de subsidiária ou controlada, considerando o que estabelecem os artigos 37, XXI, e 173, § 1.º, III, da Constituição Federal. Já no governo Bolsonaro, sem autorização legislativa e sem procedimento licitatório, foi privatizada a controlada da Petrobras TAG – Transportadora Associada de Gás. A empresa foi adquirida por cerca de R$ 34 bilhões. O caso ilustra, com precisão, a incoerência produzida pelo precedente. Para adquirir merenda para uma escola, é necessário fazer licitação. Para alienar um ativo de R$ 34 bilhões, a licitação é desnecessária.

[216]O elemento essencial do estado de exceção é justamente a suspensão da eficácia das normas jurídicas, de modo a permitir que o governante decida sem ter que observar a limites normativos: "O estado de exceção não é uma ditadura (constitucional ou inconstitucional, comissária ou soberana), mas um espaço vazio de direito, uma zona de anomia em que todas as determinações jurídicas – e, antes de tudo, a própria distinção entre público e privado – estão desativadas" (Agamben, G., 2004, p. 78). Na Constituição Federal de 1988, estão previstos o *estado de defesa* e o *estado de sítio*, os quais autorizam a suspensão parcial, não total, dos direitos fundamentais. No caso do estado de defesa, podem se restringir o direito de reunião e os sigilos de correspondência, de comunicação telegráfica e de comunicação telefônica (art. 136, § 1.º, I). No do estado de sítio, mais grave, possibilita-se que o governo determine a permanência dos cidadãos em localidade específica; a detenção de suspeitos em edifício não destinado a acusados ou condenados por crimes comuns; a quebra do sigilo de correspondência e das comunicações; a restrição da liberdade de imprensa e do direito à prestação de informações; a suspensão da liberdade de reunião; a realização de buscas e apreensões em domicílio sem prévia autorização judicial; a intervenção em empresas prestadoras de serviços públicos; e a requisição de bens (CF, art. 139).

[217]O estado de exceção pode servir para se preservar o núcleo material da Constituição, suspendendo-se, para isso, apenas parte do texto constitucional. Mas também pode ocorrer que seja utilizado para se tomar uma nova "decisão política fundamental", sem nenhum compromisso com a constituição anterior. Aí reside a distinção entre "ditadura comissária", que suspende a constituição para preservá-la, e "ditadura soberana", que não apenas suspende a Constituição vigente: cria nova Constituição (Agamben, G., 2008, p. 55).

exceção é instrumento para a preservação da unidade em torno da estrutura básica do Estado Democrático de Direito. Suspendem-se certos direitos fundamentais temporariamente para se preservar a substância democrática e pluralista do regime. Para a concepção autoritária, inversamente, o estado de exceção é meio para se estabelecerem novos limites para a comunidade política, por meio da exclusão de inimigos. Schmitt, em passagem célebre, define o soberano como aquele que "decide sobre o estado de exceção".[218] A noção está associada a seu conceito de política, como esfera de relações de inimizade. É a decisão, tomada no estado de exceção, que põe fim ao conflito político, estabelecendo a nova unidade. A constituição não é compreendida como "contrato" entre diferentes fontes de poder e legitimidade, mas como "decisão política fundamental", tomada por quem, de fato, detém o poder político, que é empregado para instituir uma nova forma particular de unidade política.[219] A soberania se traduz justamente como o poder para decidir no momento do desfecho do processo de luta política.

A história constitucional é repleta de exemplos de emprego de medidas de exceção como instrumento para o exercício do poder sem limites. Na ascensão do nazismo, o estado de exceção foi decretado como via para se chegar à ditadura, em 1933. Como se sabe, embora a Constituição de Weimar tenha se mantido formalmente vigente durante o período nazista, sua eficácia foi suspensa por intermédio da decretação do estado de emergência previsto em seu artigo 48. O preceito permitia a instituição de uma espécie de "ditadura constitucional", cuja função seria "restabelecer a segurança e a ordem públicas".[220] Empregada de modo abusivo, a "ditadura constitucional" se degenerou em "ditadura totalitária".[221] Como se sabe, foi o que ocorreu em fevereiro de 1933, com a edição do "Decreto do Incêndio do *Reichstag*". Um mês depois, com base no mesmo artigo 48, seria aprovada a "Lei Habilitante", transferindo ao Executivo o poder de editar leis no lugar do

[218]Schmitt, C., 1988.

[219]Cf.: Bercovici, G., 2004, p. 65 ss.

[220]O texto possui o seguinte teor: "Caso a segurança e a ordem pública sejam seriamente perturbadas ou feridas no Reich alemão, o presidente do Reich deve tomar as medidas necessárias para restabelecer a segurança e a ordem públicas, com ajuda se necessário das Forças Armadas. Para este fim ele deve total ou parcialmente suspender os Direitos fundamentais definidos nos artigos 114, 115, 117, 118, 123, 124 e 153".

[221]Cf.: Friedrich, C. J., 1950, p. 572 ss.

Parlamento. A ditadura totalitária perdurou até o final da 2ª Guerra Mundial. A experiência de Weimar serviu de exemplo a ser evitado nos processos de elaboração de constituições posteriores em todo o mundo. Desde então, os textos constitucionais passaram a prever limites temporais, materiais, circunstanciais e procedimentais para o estado de exceção.

No Brasil, a decretação de "estado de sítio" foi frequente durante a República Velha – ocorreu 11 vezes no período.[222] Naquele contexto, a concepção autoritária de estado de exceção o equiparava à lei marcial, a qual suspendia a totalidade da Constituição para colocar o país sob tutela militar. Em contraposição, a concepção liberal sustentava que a decretação de estado de sítio poderia resultar na suspensão de alguns direitos, mas deveria preservar a eficácia da maior parte do texto constitucional.[223] No período, a recorrência da decretação de medidas de exceção se deveu, em grande parte, a sucessivas revoltas regionais, que foram debeladas pela União. A tentativa de fazer com que prevalecesse a concepção liberal está documentada nos diversos *habeas corpus* impetrados perante o Supremo Tribunal Federal. De início, as decisões do chefe do Executivo, tomadas durante o estado de sítio, não eram submetidas a controle jurisdicional, mesmo depois de sua vigência ter se esgotado: o STF entendia que a decretação de estado de sítio era *questão política*.[224] Rui

[222]Sobre o uso abusivo do instituto na história constitucional brasileira, cf.: Lynch, C. E. C.; Souza Neto, C. P., 2012; Vieira, R., 2011.

[223]Cf.: Lynch, C. E. C., 2012.

[224]A orientação foi fixada no julgamento do HC n.º 300, em 1892: "Ainda quando na situação criada pelo estado de sítio, estejam ou possam estar envolvidos alguns direitos individuais, esta circunstância não habilita o Poder Judicial a intervir para nulificar as medidas de segurança decretadas pelo presidente da República, visto ser impossível isolar esses direitos da questão política, que os envolve e compreende". (HC n.º 300, relator min. Costa Barradas, Tribunal Pleno, J. 27.04.1892). Para justificar essa conclusão, a Corte aplicou o artigo 80, § 3.º, da Constituição de 1891, segundo o qual era de competência privativa do Congresso Nacional "aprovar ou suspender o sítio". A orientação foi fortemente criticada por Rui Barbosa, que havia impetrado o *habeas corpus*: "Se a pena por tempo indeterminado é intolerável; se a determinação do tempo é requisito substancial da pena em todas as legislações, como admitir para os atos do arbítrio, o que não se admite para as sentenças da justiça? Como admitir prisão por tempo indeterminado, ao talante do executivo, quando a não admitimos aos tribunais? Mas é precisamente o que se teria de aceitar, a prevalecer a teoria inaudita do acórdão." (Barbosa, R., 1892, p. 178). A orientação só seria superada no julgamento do HC n.º 1073, em 1898. O Judiciário poderia conhecer tais medidas, com o esgotamento da vigência do estado de sítio, para "amparar e restabelecer os direitos individuais que tais medidas hajam violado, quando

Barbosa, confrontado com essa orientação, sugeria a necessidade de se adotar o parâmetro da interpretação estrita, na apreciação, judicial ou legislativa, das medidas adotadas durante a vigência de estado de sítio:

> A interpretação aqui, há de ser estritíssima; porque o contrário importaria o mesmo que permitir a transformação do estado de sítio em providência usual, converter o regime constitucional em regime de intermitências ditatoriais; fazer da vontade do Executivo a só Constituição verdadeira do Estado; entregar o direito nacional, nas suas garantias supremas, às emoções pessoais do presidente da República, às suas fraquezas, às suas iras, às suas obsessões.[225]

A partir de experiências como essas, a Constituição Federal de 1988 previu extenso regramento para evitar que o estado de exceção se convertesse em instrumento para a imposição de uma autocracia, (arts. 136 a 139).[226] Desse regramento, extrai-se que a finalidade do estado de exceção é preservar o núcleo essencial da ordem constitucional. Para promover essa finalidade, o controle da legitimidade da decretação é feito pelo Congresso Nacional (art. 49, IV, e 137, parágrafo único) . No texto constitucional, estão previstas duas modalidades: o estado de defesa e o estado de sítio. No caso do estado de defesa, a decretação é "aprovada": a manifestação do Legislativo é posterior. No caso do estado de sítio, a decretação é "autorizada": a

---

delas venha regularmente a conhecer por via de pedido de *habeas corpus*" (HC n.º 1073, rel. min. Ribeiro de Almeida, relator p/acórdão min. Lúcio de Mendonça, Tribunal Pleno, J. 16.08.1898, Obras completas de Rui Barbosa [1898], v. 25, t. 4, 1948, p. 341). Sobre os precedentes o STF no período, cf.: Peixoto, R. L., 2017.

225 Barbosa, R., 1892, p. 32.

226 A decretação de estado de defesa pode ocorrer nos casos de "grave e iminente instabilidade institucional" ou "calamidades de grandes proporções na natureza." (CF, art. 136). A duração do estado de defesa não pode ser superior a 30 dias, prorrogáveis, uma única vez, por igual período (art. 136, § 2.º). As medidas a serem adotadas devem ser descritas no ato que veicula sua decretação, o qual deve dispor ainda sobre o seu âmbito territorial (art. 136, § 1.º). O estado de sítio, por seu turno, é decretado nos casos de "comoção grave de repercussão nacional", "ineficácia de medida tomada durante o estado de defesa" e "declaração de estado de guerra ou resposta a agressão armada estrangeira" (CF, art. 137, I e II). O estado de sítio vigorará por, no máximo, trinta dias, mas pode ser prorrogado "de cada vez" por igual período. A exceção é a hipótese de guerra ou agressão armada estrangeira. Nesse caso, o estado de sítio pode se estender pelo tempo em que perdurarem as hostilidades (art. 138, § 1.º).

manifestação é anterior.[227] Em ambos os casos, o Congresso Nacional deve decidir por maioria absoluta (CF, arts. 136, § 4.º, e 137, parágrafo único). Durante a vigência das medidas excepcionais, o Congresso continuará em funcionamento (CF, art. 136, § 6.º, e 138, § 3.º), e os parlamentares terão suas prerrogativas resguardadas (CF, art. 53, § 8.º), podendo permanecer ativos na defesa da Constituição. As medidas determinadas devem se mostrar necessárias material, temporal e geograficamente, não podendo ser excessivas (CF, art. 136, *caput*, e § 1.º, e 138, *caput*).

Dada a orientação autoritária de Bolsonaro, a adoção de medidas de exceção pelo governo federal deve ser submetida ao escrutínio mais estrito pelo Parlamento. Afastar-se do parâmetro da interpretação restrita significaria confiar a preservação da ordem democrática a um presidente repleto das "fraquezas", "iras" e "obsessões" mencionadas por Rui Barbosa na passagem acima citada. Apenas se houver necessidade real, objetivamente aferível, o Congresso Nacional pode chancelar a adoção de medidas excepcionais, e estas devem se circunscrever a limites estritamente definidos. O acompanhamento sobre sua execução deve ser rigoroso, cabendo ao Congresso constituir Comissão com esse propósito (CF, art. 140). A decretação do estado de sítio fora das hipóteses constitucionais e a adoção de medidas repressivas fora dos limites constitucionais são crimes de responsabilidade (Lei n.º 1049/50, art. 7.º, 10, e 8.º, 3), passíveis de serem sancionados por meio do *impeachment*. Se, como queria Schmitt, soberano é quem decide sobre o estado de exceção, o Congresso Nacional não pode permitir que um autocrata desprovido de solidariedade e empatia assuma essa posição, para suprimir o Estado Democrático de Direito.

Durante a epidemia do coronavírus, em vários países do mundo, houve a decretação de medidas de exceção.[228] No Brasil, se adotou modalidade atípica, por meio da edição da Lei n.º 13.979, de 6 de fevereiro de 2020, que previu,

---

[227] Ressalve-se apenas a hipótese de declaração de guerra e de mobilização nacional para repelir invasão estrangeira ocorrida durante o intervalo das sessões legislativas. É o que determina o art. 84, XIX, da Constituição Federal.

[228] Em alguns casos, ocorreram abusos evidentes, como no caso da Hungria, em que o parlamento conferiu, sem limites temporais, competências legislativas plenas ao primeiro ministro, o iliberal Victor Orban. Além de estender indefinidamente o chamado "estão de alarme", o parlamento limitou o exercício da liberdade de expressão, cominando pena de até 5 anos para quem divulgasse notícias falsas sobre a pandemia e sobre as medidas governamentais.

com validade restrita à pandemia do coronavírus, o instituto do "estado de emergência em saúde pública". Tal como conformado na referida lei, o instituto congrega todas as características de um estado de exceção. Acima foram apresentadas razões para não se declarar a sua inconstitucionalidade: a possibilidade da decretação do estado de emergência em saúde pública, prevista na lei, contou com a aprovação do Legislativo; as medidas decretadas seguiram o padrão internacional e as recomendações da ciência; sua aplicação é restrita, temporal e materialmente, à atual epidemia do coronavírus.[229] É inegável, porém, que se trata de hipótese não contemplada no texto constitucional, apenas admissível em momento de excepcionalidade inexcedível, como o da pandemia. Para evitar abusos, o Legislativo também deve acompanhar a execução das medidas, como faria se houvesse a decretação de estado de sítio ou de estado de defesa. Durante a vigência do regime excepcional, o Legislativo terá a prerrogativa de sustar os atos normativos editados pelo Executivo, em conformidade com o já examinado art. 49, V, da Constituição Federal. Passado o período de vigência, como deve ocorrer com o estado de defesa e o estado de sítio, caberá ao presidente prestar contas de seus atos ao Congresso Nacional, justificando as providências adotadas – pertinente a aplicação analógica do que dispõe o artigo 141 da Constituição Federal.[230]

V.2.4. Autonomia estadual, cooperação federativa e controle legislativo da decretação de intervenção federal

Na história constitucional brasileira, até a promulgação da Constituição Federal de 1988, a intervenção federal era medida empregada com frequência. Sob a vigência da atual Constituição, porém, o governo federal passou a assumir postura decididamente deferente em relação à autonomia

[229] As medidas previstas na lei que não guardavam relação com o controle da epidemia foram afastadas pelo STF. Foi o que ocorreu por meio de decisão cautelar proferida pelo ministro Alexandre de Moraes, no âmbito da ADI n.º 6351, que suspendeu a eficácia do artigo 6.º-B da Lei n.º 13.979/2020, incluído pela Medida Provisória n.º 928/2020, que restringia o acesso às informações a serem prestadas pelos órgãos públicos durante a emergência de saúde pública. Cf.: ADI n.º 6351 MC, rel. min. Alexandre de Moraes, *DJe*-076 30.03.2020.

[230] O controle legislativo dos atos praticados durante a emergência em saúde pública pode ser feito, por analogia, com o auxílio da Comissão parlamentar a que alude o art. 140 da Constituição Federal.

estadual.[231] A regra foi quebrada apenas pela intervenção federal decretada pelo presidente Temer na área da segurança pública do Estado do Rio de Janeiro. Na ocasião, a intervenção foi prontamente aprovada pelo Congresso Nacional, a despeito de o problema da violência no Estado do Rio de Janeiro, então, não ser mais grave que o enfrentado ao longo de décadas. Também em 2018, Temer decretou intervenção federal em Roraima, que duraria apenas pelo mês de dezembro. Os agentes penitenciários e policiais civis haviam entrado em greve, no contexto da crise migratória decorrente do ingresso massivo de venezuelanos naquele Estado.[232] Com a intervenção, houve a nomeação, como interventor, do governador recém eleito, Antônio Denarium, do PSL. Ainda que a intervenção se justificasse, deveria se circunscrever às áreas afetadas: segurança e sistema prisional. Temer, perigosamente, abria espaço para o emprego político do instituto: a intervenção funcionou como uma espécie de antecipação da posse do governador eleito.

[231] A excepcionalidade da intervenção deflui principalmente do princípio da *autonomia estadual*, que figura entre os que estruturam a organização política brasileira (art. 1.º da Constituição Federal). Não por outra razão a Constituição emprega a fórmula *"a União não intervirá nos Estados nem no Distrito Federal, exceto para ..."* (CF, art. 34). Não só as hipóteses de intervenção devem ser interpretadas restritivamente. A intensidade e a extensão da intervenção também devem ser concebidas de modo estrito. As intervenções podem se processar por meio da mera sustação de ato de poder público estadual; podem abranger apenas uma área do governo; mas podem implicar até a nomeação de interventor para substituir o governador do Estado. Como exceção à autonomia federativa, a intervenção só se legitima na extensão e na intensidade necessárias para que se proteja efetivamente o bem jurídico sob ameaça. Se há medida menos gravosa igualmente apta a protegê-lo, esta deve ser sempre preferida: também a intervenção federal deve ser concebida em conformidade com o princípio da proporcionalidade. Cf., entre outros precedentes: IF n.º 2915, rel. min. Marco Aurélio, relator p/acórdão min. Gilmar Mendes, Tribunal Pleno, *DJ* 28.11.2003; IF n.º 5179, rel. min. Cezar Peluso, Tribunal Pleno, *DJe*-190 08.10.2010.

[232] Temer se afastava do padrão adotado pelos presidentes anteriores, de empregar, por meio de convênio com os estados, a Força Nacional de Segurança. A criação desse arranjo cooperativo entre os entes da federação – a FNS é integrada por policiais oriundos da União e de todos os entes da federação – ocorreu justamente com o propósito de prover ajuda aos estados em situações excepcionais. A Força Nacional de Segurança (FNS) foi criada pelo Decreto n.º 5.289, de 29 de novembro de 2004. De acordo com o Decreto, trata-se de "programa de cooperação federativa", "ao qual poderão voluntariamente aderir os Estados interessados" (art. 1.º). Seu papel é o de "atuar em atividades de policiamento ostensivo" (art. 2.º), e seu emprego só pode ocorrer "mediante solicitação expressa do respectivo Governador de Estado ou do Distrito Federal" (art. 4.º).

A atribuição congressual de controlar o ato de intervenção tem um papel imprescindível a cumprir na preservação da democracia.[233] Uma das funções da forma federativa de Estado é impedir que a concentração de poder junto à União dê lugar ao arbítrio.[234] Na quadra atual, em que muitos governadores foram escolhidos por Bolsonaro como inimigos preferenciais, a moderação no exercício do poder está diretamente vinculada à garantia da autonomia federativa.[235] Como os governadores dos estados são de diferentes agremiações partidárias, a autonomia federativa funciona como garantia do pluralismo político. Enquanto os governadores de oposição se mantêm no exercício pleno de suas competências e prerrogativas, o pluralismo preserva sua sustentação institucional. Ao reprimir eventuais tentativas inadequadas de

[233]O controle pelo Poder Legislativo se dá por intermédio da atribuição prevista no art. 36, § 1.º, da Constituição da República, segundo o qual o decreto de intervenção deve ser submetido ao Congresso Nacional em 24 horas. Se o Congresso Nacional não estiver reunido, deve ser convocado para sessão extraordinária no prazo também de 24 horas (CF, art. 36, § 2.º). Trata-se de "controle político" do ato do presidente da República. Os parlamentares podem aprovar a intervenção e determinar sua continuidade; aprová-la, mas determinar sua suspensão; rejeitá-la, declarando a ilegitimidade dos atos já praticados. A apreciação do Congresso Nacional só é dispensável quando o decreto de intervenção se limitar a suspender a execução de ato estadual, impugnado por descumprir lei ou decisão judicial, ou por violar os "princípios constitucionais sensíveis" (CF, art. 36, § 3.º). Nesses casos, porém, é necessário o provimento prévio do STF em representação interventiva proposta pelo PGR (CF, art. 36, III) – no caso de desobediência a ordem judicial, depende de requisição do STF, do STJ ou do TSE (CF, art. 36, II). Se a intervenção for suspensa ou rejeitada pelo Congresso Nacional, seus efeitos devem cessar imediatamente. Se isso não ocorrer, o presidente terá praticado crime de responsabilidade (CF, art. 85, II; Lei n.º 1.079, art. 6.º, 8).

[234]No Brasil, a associação entre descentralização e liberdade nem sempre foi verdadeira. Pelo contrário, na República Velha, por exemplo, a pressão pela descentralização federativa se vinculava, muitas vezes, aos interesses dos líderes locais, que costumavam gerir os governos como se fossem patrimônio privado. Cf., por todos: Leal, V. N., 1997. O estabelecimento de eleições livres e sérias, por exemplo, somente veio a ocorrer com a Revolução de 1930: em sua obra política, destaca-se o Código Eleitoral de 1932, com o qual se instituiu o voto secreto e se criou a Justiça Eleitoral, reduzindo o poder das elites locais de comandarem o processo eleitoral.

[235] Jorge Miranda enfatiza o ponto: "Um poder autocrático é um poder fortemente centralizado: daí a subsistência apenas no Estado unitário ou a redução do federalismo a mera fachada. Um poder democrático e liberal propenderá a acolher a descentralização ou o federalismo [...] uma espécie de separação de poderes de âmbito territorial." (Miranda, J., 2007).

intervenção, o Congresso Nacional preservará não apenas a forma federativa de Estado: protegerá a própria democracia no Brasil.

Um dos riscos mais graves entre os identificados sob a presidência de Bolsonaro é da tentativa de desestabilização dos governos estaduais para legitimar intervenções. O apoio do bolsonarismo ao motim de policiais militares cearenses, em fevereiro 2020, revela que se trata de risco concreto e imediato. A greve de policiais militares, ainda que pacífica, é ilícita: a Constituição Federal a proíbe (CF, art. 142, § 3.º, IV).[236] Porém, no Ceará, um contingente de policiais, mesmo após a Assembleia Legislativa lhes conceder aumento expressivo, não só permaneceu em greve, mas também buscou impedir que toda a organização militar funcionasse, fazendo bloqueios nas portas dos quartéis. A hipótese era de motim. Os amotinados usavam máscaras e portavam armas de fogo.[237] O ambiente era de quebra da hierarquia e da disciplina.[238] Os policiais amotinados chegaram a determinar que o

[236] O STF interpreta que não só os policiais militares mas também os policiais civis são proibidos de realizar greves. O critério adotado pela Corte é o de que quem trabalha armado e é responsável pela manutenção da ordem pública não pode fazer greve: "A carreira policial é o braço armado do Estado, responsável pela garantia da segurança interna, ordem pública e paz social. E o Estado não faz greve. O Estado em greve é anárquico. A Constituição Federal não permite." (ARE n.º 654432, rel. min. Edson Fachin, relator p/ acórdão min. Alexandre de Moraes, Tribunal Pleno, J. 05.04.2017, *DJe*-114 11.06.2018).

[237] O movimento reteve a atenção nacional em decorrência de episódio envolvendo o senador Cid Gomes, que, ao tentar furar o bloqueio com o emprego de uma retroescavadeira, para ter acesso ao batalhão da Polícia Militar em Sobral, foi alvejado com dois tiros no peito – os tiros não o mataram. Com o episódio, o apoio ao movimento se aqueceu ainda mais junto ao bolsonarismo. A percepção, no início de 2020, era de que as polícias militares estavam envenenadas pela inconsequência bolsonarista e poderiam se voltar contra os governadores. Segundo dados do IBGE, os efetivos das Polícias Militares estaduais contavam em 2014 com 425.248 policiais.

[238] Segundo o art. 142 da Constituição Federal, "as Forças Armadas [...] são instituições nacionais permanentes e regulares, organizadas com base na hierarquia e na disciplina [...]". Já de acordo com o art. 42, "os membros das Polícias Militares e Corpos de Bombeiros Militares, instituições organizadas com base na hierarquia e disciplina, são militares dos Estados, do Distrito Federal e dos Territórios." Segundo o art. 14 da Lei n.º 6.880/1980, "a hierarquia e a disciplina são a base institucional das Forças Armadas". A hierarquia militar se traduz como "a ordenação da autoridade, em níveis diferentes, dentro da estrutura das Forças Armadas" (art. 14, § 1.º). A disciplina se define como "a rigorosa observância e o acatamento integral das leis, regulamentos, normas e disposições que fundamentam o organismo militar e coordenam seu funcionamento regular e harmônico, traduzindo-se pelo perfeito cumprimento do dever por parte de todos e de cada um dos componentes desse organismo" (art. 14, § 2.º).

comércio local fechasse as portas, reproduzindo práticas comuns na milícia e no tráfico de drogas do Rio de Janeiro. O presidente procurava diminuir a gravidade do movimento dizendo se tratar de greve, não de motim.[239] A deputada federal bolsonarista pelo Rio de Janeiro, Major Fabiana, foi ao Ceará se reunir com os amotinados, dando seguidas declarações públicas em seu favor.

Fora das fileiras do bolsonarismo, a recriminação ao motim foi generalizada. Afastado do presidente havia pouco, o senador pelo PSL de São Paulo, Major Olímpio, egresso da PM daquele Estado, sustentava a ilegalidade do movimento e se dizia contrário mesmo à concessão de anistia aos rebelados: "com a ocupação de quartéis, homens encapuzados andando armados pelas ruas, viaturas destruídas, não creio que [a anistia] prospere".[240] Diante da perspectiva de caos – entre 19 e 24 de fevereiro, cerca de 170 pessoas foram assassinadas no Estado –, Bolsonaro concordou em atender ao pedido do governador Camilo Santana e enviou ao Estado a Força Nacional de Segurança e o Exército Brasileiro.

Qualquer participação do governo federal na desestabilização dos governos estaduais é crime de responsabilidade, previsto na Lei n.º 1.079/1950, art. 6.º, 8. Quando a desestabilização se dá por intermédio do estímulo à quebra da hierarquia e da disciplina militares, incorre-se ainda na conduta tipificada no art. 7.º, 7 e 8, da mesma Lei. Uma das possibilidades mais sérias de agravamento da crise brasileira é a conflagração de forças militares estaduais, no âmbito das quais o bolsonarismo possui amplo apoio. Em todo mundo, a atual guinada autoritária tem se caracterizado pela tentativa de retirar a capacidade da oposição de enfrentar o governante autoritário nas urnas. Em 2020, é possível que os maiores adversários de Bolsonaro, na direita e na esquerda, sejam governadores de estado que possam apresentar êxitos administrativos. A atuação do Congresso Nacional será decisiva para preservar não só a autonomia federativa, mas também o pluralismo político,

[239] *Folha de São Paulo*, 05 mar. 2020.

[240] *G1*, 21 fev. 2020. A respeito do episódio do Ceará, Olímpio se preocupava com o "efeito cascata" que a concessão de aumento, extorquido por meio de motim, poderia produzir nos demais estados. A preocupação era procedente. Aterrorizado, o governador de Minas Gerais, nada obstante a dramática situação fiscal do Estado, concedeu aumento de 41% para os policiais militares – depois se viu obrigado a voltar atrás.

permitindo que a oposição mantenha a capacidade para desafiar de modo efetivo o autoritarismo governamental.[241]

Também atentatória contra o princípio federativo é a interferência da União em assuntos dos estados ainda que não haja decreto formal de intervenção.[242] Durante a pandemia do coronavírus, Bolsonaro, com frequência, editou atos interferindo na forma como os governadores estavam conduzindo a política de emergência sanitária em seus estados, o que foi reprovado pelo STF no julgamento da cautelar na ADPF n.º 672, já citada. Também durante a emergência sanitária , o governo federal cortou 158 mil bolsas do programa Bolsa Família: 61% das bolsas cortadas eram pagas a beneficiários do Nordeste, região na qual todos os governadores são de oposição. Dentre as novas bolsas concedidas, 75% eram para famílias das regiões Sul e Sudeste; apenas 3% eram para beneficiários do Nordeste. Os governadores do Nordeste, conjuntamente, recorreram ao STF, e obtiveram decisão liminar para suspender os cortes. A fundamentação da decisão é eloquente:

> O Programa Bolsa Família é de transferência direta de renda, voltado a famílias, de todo o País, de modo a fazer frente à situação de pobreza e vulnerabilidade. O artigo 2.º, incisos I a IV, da Lei n.º 10.836/2004 prevê o benefício sem restrição atinente a Região ou Estado. Não se valora a extrema pobreza conforme a unidade da Federação, devendo haver isonomia no tratamento, tendo em conta o objetivo constitucional de erradicação da pobreza e redução das desigualdades sociais, a teor dos artigos 3.º, incisos II e III, 19, inciso III, 203 e 204, da Carta da República, bem como da Lei n.º 10.836/2004. Não se pode conceber comportamento discriminatório da

[241] Como ressalta a ministra Cármen Lúcia, "Na história constitucional brasileira, a Federação é mais que apenas a forma de Estado escolhida e acolhida pelo sistema de Direito: é uma garantia contra as investiduras centralizadoras e antidemocráticas que teimam em rondar o poder. Federação é garantia de democracia no Brasil, por isso mesmo impõe uma vigília permanente". (Rocha, C. L. A., 1996, p. 257). Cf., também: Soares, M. M., 1998.

[242] Foi o que ocorreu no caso da requisição de bens e serviços de hospitais do Município do Rio de Janeiro pela União. O STF entendeu que se tratava, na verdade, de intervenção da União em município, o que é vedado o pela Constituição Federal – cabe aos estados, não à União, intervir nos municípios, salvo quando estes se localizem em território federal (CF, art. 35). Cf.: MS n.º 25295, rel. min. Joaquim Barbosa, Tribunal Pleno, *DJe*-117 05.10.2007.

> União, em virtude do local onde residem, de brasileiros em idêntica condição. A diferença numérica aludida pelos autores sinaliza desequilíbrio tanto na concessão de novos benefícios quanto na liberação daqueles já inscritos na Região Nordeste. A postura de discriminação, ante enfoque adotado por dirigente, de retaliação a alcançar cidadãos – e logo os mais necessitados –, revela o ponto a que se chegou, revela descalabro, revela tempos estranhos. A coisa pública é inconfundível com a privada, a particular. A coisa pública é de interesse geral. Deve merecer tratamento uniforme, sem preferências individuais. É o que se impõe aos dirigentes. A forma de proceder há de ser única, isenta de paixões, especialmente de natureza político-governamental.[243]

A discriminação se explica, em parte, pelo propósito de impedir o surgimento de candidatos de oposição e, em parte, pelo desprezo de Bolsonaro pelos cidadãos do nordeste. Referindo-se ao governador do Maranhão, Flávio Dino, o presidente já havia feito comentário discriminatório: "Daqueles governadores de... 'paraíba', o pior é o do Maranhão." E recomendou: "Não tem que ter nada com esse cara".[244] Bolsonaro empregava a forma discriminatória com que, no Rio de Janeiro, os cidadãos do Nordeste eram cognominados, por meio da referência genérica à naturalidade paraibana, independentemente de seus estados de origem. A atitude de Bolsonaro, além de ser, em si, intolerável, era ainda incompatível com a natureza cooperativa da federação brasileira.[245] O trancamento do diálogo e, pior, a sabotagem reiterada do sistema de cooperação, são comportamentos que se caracterizam pela "deslealdade federativa".[246] Diante da ausência de cooperação federal,

[243]ACO n.º 3359/MC, rel. min. Marco Aurélio, J. 20.03.2020.

[244]*O Globo*, 19 jul. 2019.

[245]No Brasil, vige o *federalismo cooperativo*, que se caracteriza pelo exercício de competências comuns por meio da cooperação entre os entes federados. No modelo cooperativo, é indispensável o diálogo entre as unidades da Federação na busca de soluções para os complexos problemas comuns. O ministro Marco Aurélio, no mesmo sentido, em voto proferido perante o STF, sustenta que "o constituinte de 1988 adotou a técnica alemã do 'federalismo cooperativo', no qual se atribuem aos entes federativos competências comuns, visando que eles se articulem para o exercício conjunto." (ADI n.º 4597 MC, rel. min. Marco Aurélio, Tribunal Pleno, J. 30.062011, *DJe*-170 05.09.2011). Sobre o federalismo cooperativo brasileiro, cf., *i. a.*: Bercovici, G., 2002; 2008; Torres, H. T., 2014.

[246]O conceito de lealdade federativa é empregado pelo Tribunal Constitucional Alemão nos seguintes termos: "No Estado Federal alemão, toda a relação constitucional entre o Estado como um todo e seus membros, bem como a relação entre seus membros entre

desde março de 2019, os estados do Nordeste formaram consórcio[247] – o "Consórcio Nordeste" –, por meio do qual têm cooperado para a consecução de finalidades comuns – no enfrentamento da epidemia do coronavírus, por exemplo, o Consórcio criou um comitê científico incumbido de conceber, integrar e coordenar as ações nos estados consorciados.

Os atos de deslealdade federativa são crimes de responsabilidade que, já praticados no primeiro ano de governo, vêm se repetindo, com gravidade progressiva.

V.2.5. O controle das nomeações para os órgãos do Poder Judiciário

No contexto de erosão da democracia, convém que o Senado exerça com máximo rigor a atribuição de examinar a escolha de magistrados para o STF, os tribunais superiores e o Tribunal de Contas da União (art. 52, III).[248] Por intermédio de nomeações para tais cargos, que são vitalícios, o bolsonarismo pode se perenizar nas instituições judiciárias. O Senado Federa deve apenas chancelar a nomeação de magistrados comprometidos com a preservação da democracia e do Estado de Direito, superando a tendência brasileira de confirmar qualquer indicação feita pelo Executivo. A nomeação

---

si, é regida pelo princípio constitucional não escrito do dever recíproco da União e dos Estados-membros, de comportamento leal ao princípio federativo [...]. O presente caso dá ensejo ao desenvolvimento de um outro lado do princípio constitucional do dever de comportamento leal à federação. Também o procedimento e o estilo das negociações tornadas necessárias entre a União e seus membros e entre Estados-membros entre si na vida constitucional encontram-se sob o mandamento de comportamento leal à federação." (2 BvG 1, 2/60).

[247] Os consórcios são previstos no art. 241 da Constituição Federal: "a União, os Estados, o Distrito Federal e os Municípios disciplinarão por meio de lei os consórcios públicos e os convênios de cooperação entre os entes federados, autorizando a gestão associada de serviços públicos, bem como a transferência total ou parcial de encargos, serviços, pessoal e bens essenciais à continuidade dos serviços transferidos". Os consórcios públicos foram disciplinados na Lei n.º 11.107/2005. Trata-se de associação dotada de personalidade jurídica própria (art. 6.º).

[248] De acordo com o artigo 52, III, da Constituição Federal, compete ao Senado Federal, "aprovar previamente, por voto secreto, após arguição pública, a escolha de: a) Magistrados, nos casos estabelecidos nesta Constituição; b) Ministros do Tribunal de Contas da União indicados pelo presidente da República; [...]; e) Procurador-Geral da República".

de magistrados extremistas, justiceiros ou desonestos pode produzir danos, por décadas, ao sistema de justiça.

É especialmente sensível o exame, pelo Senado, da nomeação de ministros do Supremo Tribunal Federal, atribuição prevista no art. 101, parágrafo único, da Constituição Federal.[249] Bolsonaro tem se manifestado de modo absolutamente inapropriado a respeito das nomeações que pretende fazer para a Corte. Tem revelado, por exemplo, a pretensão de nomear um ministro "terrivelmente evangélico". Não há qualquer óbice jurídico, político ou moral à nomeação de um jurista evangélico para o STF. Há inúmeros juristas brasileiros que mantêm vida religiosa ativa e que, para além do notável saber jurídico e da reputação ilibada – requisitos constitucionais expressos (CF, art. 101) –, cultivam compromisso inequívoco com a preservação da democracia e do sistema de direitos fundamentais. O que não é compatível com a jurisdição constitucional é a indicação de magistrado para que, afastando-se da esfera da imparcialidade política, aplique os valores particulares de seu credo religioso.[250] Caberá ao Senado impedir que prevaleça qualquer indicação que tenha como significado distanciar o STF de sua missão de preservar os valores básicos do constitucionalismo democrático.

Para que essa atribuição senatorial seja exercida com propriedade é necessária uma importante mudança na cultura institucional daquela casa. Desde 1894, o Senado não recusa nenhuma das nomeações para o Supremo Tribunal Federal realizadas pelo Executivo. Naquele ano, porém, o Senado

[249]De acordo com o art. 101, parágrafo único, "Os Ministros do Supremo Tribunal Federal serão nomeados pelo presidente da República, depois de aprovada a escolha pela maioria absoluta do Senado Federal". Sobre o procedimento de sabatina, cf.: Paes, T. S., 2011.

[250]Cabe aos juízes apenas fazer um "uso público da razão", abstendo-se de adotar, como fundamento para as suas decisões, os valores particulares de seu credo religioso: "Enquanto razoáveis e racionais, sabendo-se que endossam uma grande diversidade de doutrinas religiosas e filosóficas razoáveis, os cidadãos devem estar dispostos a explicar a base de suas ações uns para os outros em termos que cada qual razoavelmente espere que os outros possam aceitar, por serem coerentes com a liberdade e igualdade dos cidadãos. Procurar satisfazer essa condição é uma das tarefas que esse ideal de política democrática exige de nós. Entender como se comportar enquanto cidadão democrático inclui entender um ideal de razão pública." (Rawls, J., 200b, p. 267). O uso da razão pública "importa afastar dogmas religiosos ou ideológicos – cuja validade é aceita apenas pelo grupo dos seus seguidores – e utilizar argumentos que sejam reconhecidos como legítimos por todos os grupos sociais dispostos a um debate franco, ainda que não concordem quanto ao resultado concreto." (Barroso, L. R., 2004a).

Federal exerceu em plenitude a atribuição, recusando cinco indicações feitas pelo presidente Floriano Peixoto, cujo mandato, exercido em grande parte sob a vigência de estado de sítio, foi marcado pelo autoritarismo.[251] A primeira indicação recusada foi a de Cândido Barata Ribeiro. O motivo apresentado foi eloquente: Barata Ribeiro era médico, não jurista, e havia praticado atos arbitrários quando prefeito da Capital.[252] No mesmo ano, foram rejeitadas ainda as indicações do general Ewerton Quadros e do diretor dos Correios Demóstenes Lobo, também desprovidos de formação jurídica.[253] Por fim, foram rejeitados o general Galvão de Queiróz e o subprocurador da República Antônio Seve Navarro, os quais, embora fossem formados em direito, não possuiriam "notável saber".[254] O motivo político subjacente às decisões do Senado era o autoritarismo de Floriano, que pode ser aquilatado por sua conhecida reação à controvérsia sobre a concessão de *habeas corpus* pelo STF durante o estado de sítio: "Se os seus ministros concederem ordens de *habeas corpus* contra os meus atos, eu não sei quem amanhã lhes dará *habeas corpus* de que, por sua vez, necessitarão".

---

[251] Cf.: Rodrigues, L. B., 1965.

[252] No parecer elaborado pela Comissão de Justiça e Legislação do Senado, leem-se as seguintes razões: "Considerando que para o regular e completo desempenho dessas funções é absolutamente necessário que os ministros que compõem aquele tribunal notáveis por seu saber em quaisquer ramos de conhecimentos humanos, não menos o sejam nos diversos e vastos ramos de jurisprudência que entendem com a organização política do país, legislação federal e estadual, tratados e convenções internacionais, direito marítimo, direito criminal e civil, internacional e criminologia política; [...] Considerando que esse requisito de notável saber, exigido pela Constituição, refere-se principalmente à habilitação científica em alto grau nas matérias sobre as que o Tribunal tem de pronunciar-se, *jus dicere*, o que supõe nos nomeados a inteira competência e sabedoria que no conhecimento de direito devem ter os jurisconsultos; [...] Considerando que, em vez disso, o nomeado, no exercício de importante cargo administrativo em que anteriormente se achou, revelou não só ignorância do direito mas até uma grande falta de senso jurídico, como é notório e evidencia-se da discussão havida no Senado de diversos atos seus, praticados na qualidade de prefeito municipal, desta cidade e pelo Senado rejeitados; é de parecer a comissão: Que a nomeação do Dr. Candido Barata Ribeiro para Ministro do Supremo Tribunal Federal, não está no caso de ser aprovada. Sala das Comissões, 22 de setembro de 1894. João Barbalho. J. L. Coelho e Campos." (Anais do Sedado Federal, sessão de 25.09.1894).

[253] O General Ewerton Quadros, ademais, era acusado da prática de atos arbitrários durante o combate à Revolução Federalista (1892-1895). Por ordem sua, vários colaboradores dos maragatos teriam sido fuzilados sumariamente, como o barão do Serro Azul, detido em 1893. O gen. Ewerton Quadros não chegou a responder por esses crimes.

[254] Sobre a rejeição dessas indicações, cf.: Oliveira, M. A., 2009; Silva, M. R.., 2012.

Desde 1894, além de não se encontrarem rejeições formais na história constitucional brasileira, o Senado tampouco tem oferecido oposição informal a nomeações. Ao contrário do que costuma ocorrer nos EUA, não se tem notícia recente de resistência do Senado que tenha levado o Chefe do Executivo a substituir a indicação. O STF é responsável por apreciar casos que são do interesse dos senadores. Muitos parlamentares examinam as indicações pensando que podem ser julgados pela Corte. Por isso, é comum que as sabatinas não sejam efetivamente rigorosas, embora já haja registro de exceções recentes. O mais comum é que a oportunidade se transforme em ato de congraçamento entre o magistrado indicado e o Senado Federal. Predominam os discursos laudatórios, não o escrutínio público da trajetória do indicado. O espírito de rejeição ao autoritarismo, que predominou em 1894, hoje pode inspirar senadores no exercício de seu múnus de preservar a ordem constitucional democrática.

Os EUA, que possuem sistema de seleção dos juízes para a Suprema Corte análogo ao brasileiro,[255] provê alguns bons exemplos, ao lado de outros reprováveis. O ponto que ora importa ressaltar é que, naquele país, o Senado Federal examina as nomeações feitas pelo presidente da República com máximo rigor.[256] Em alguns casos, o Senado chega ao excesso de obstruir o processo de chancela do indicado.[257] É comum que ocorra senão rejeição, pelo menos, forte resistência ao indicado, o que leva o presidente a eventualmente alterar a indicação. Em 230 anos, houve 119 confirmações da indicação presidencial; 12 rejeições; 12 ocasiões em que o presidente retirou a indicação; 7 desistências; 3 adiamentos; 10 oportunidades em que o Senado não deliberou sobre a indicação.[258] Em muitos casos, o principal elemento considerado foi a ideologia professada pelo indicado.[259] A última rejeição formal se deu de 1987: o Senado rejeitou a nomeação de Robert Bork, tentada por R. Reagan. Tratava-se de jurista sobre o qual não se faziam ressalvas quanto a sua honestidade e seu conhecimento jurídico – tratava-se

[255]Para uma síntese do procedimento, cf.: Rutkus, D. S., 2006.

[256]Cf.: Johnson, T. R.; Roberts, J. M., 2004.

[257] Wible, B., 2005.

[258] Supreme Court Nominations (Present-1789). Disponível em: https://www.senate.gov/legislative/nominations/SupremeCourtNominations1789present.htm.

[259] Cf.: Epstein, L.; Segal, J. A.; Westerland, C., 2007-2008.

de jurista notável, líder de uma vertente da filosofia constitucional norte-americana, denominada "originalismo". O problema de Bork residia justamente no extremismo com que sustentava sua filosofia constitucional,[260] a qual propugnava pela interpretação da Constituição daquele país em conformidade com o que pensavam os constituintes, reunidos na Convenção de Filadélfia.[261] Anos depois, em 2005, a indicação Harriet Miers, feita por George W. Bush, foi objeto de intensas críticas, advindas até mesmo de senadores republicanos, que enfatizavam a ausência de experiência para o exercício da função. O presidente, diante da possibilidade de rejeição, retirou a indicação. Mais recentemente, em 2016, na presidência de Obama, o Senado se negou a deliberar sobre a indicação de Merrick B. Garland. Nada obstante se tratasse de jurista moderado e de máxima qualificação, que seria aprovado por unanimidade em outra conjuntura, como se tratava do último ano do governo Obama, o Senado, de maioria republicana, deixou de votar, sob o argumento de que a indicação deveria ser feita pelo próximo presidente. Como se vê, nos EUA, o Senado exerce a atribuição, análoga à brasileira, de modo ativo, chegando a incidir em excessos.

No Brasil, se o presidente indicar juristas que não demonstrem história de moderação e compromisso democrático, é dever do Senado rejeitar as indicações. O sistema constitucional comporta magistrados conservadores e progressistas, mas não extremistas. Sobretudo, não comporta magistrados que pretendam fazer do cargo uma plataforma para a realização de seu credo religioso, sua filosofia moral, sua ideologia econômica ou seu programa de reforma social.

O exame das sabatinas realizadas ao longo do tempo no Brasil produz, porém, ceticismo a propósito da capacidade de o Senado Federal exercer a atribuição de modo pleno. Por isso, no início de 2020, ganhavam relevância

---

[260] A propósito da nomeação de Bork, o jurista R. Dworkin ressalvava justamente o extremismo de sua filosofia constitucional: "A nomeação pelo Presidente Ronald Reagan do juiz Robert H. Bork para suceder a Lewis Powell na Suprema Corte se apresenta como um problema incomum ao Senado, uma vez que as opiniões de Bork não se inserem no âmbito do debate de longa data entre conservadores e liberais sobre o papel que a Suprema Corte exerce. Bork é um constitucionalista radical que rejeita o requisito do Estado Democrático de Direito que todas as partes deste debate já haviam previamente aceitado." (Dworkin, R. M., 1987-1988).

[261] Bork, R. H., 1993.

as PECs propostas para alterar o sistema de escolha de ministros do Supremo Tribunal Federal. Uma das que tem sido objeto de discussão recente é de autoria do senador Lasier Martins, do Rio Grande do Sul, apresentada em 2015, no curso do governo Dilma.[262] A proposta de Martins é resgatada agora, em momento em que o Congresso teme as nomeações que possam vir a ser feitas pelo presidente. De acordo com a PEC n.º 35, os ministros seriam indicados pelo presidente entre os integrantes de lista tríplice elaborada por colegiado formado pelos presidentes do STF, do STJ, do TST, do STM, do TCU, da OAB e pelo procurador-geral da República.[263] Em condições normais, a PEC tenderia a não prosperar. Uma das virtudes do atual sistema de nomeações é evitar que o corporativismo do Judiciário prevaleça. A nomeação pelo presidente da República, sem a elaboração prévia de listas, tem levado à escolha de magistrados com especial qualificação. A PEC poderia, contextualmente, evitar a indicação de candidatos extremistas, minorando os danos institucionais que podem ser produzidos pela presidência de Bolsonaro. No longo prazo, porém, o modelo tenderia a piorar a qualidade das escolhas, impedindo que recaíssem sobre candidatos não oriundos dos tribunais superiores. Juristas sem assento nessas cortes, que desde sempre têm enriquecido o exercício da jurisdição constitucional, dificilmente seriam selecionados, o que empobreceria a diversidade da composição do STF.

Não é impossível que outras propostas de reforma do procedimento de escolha dos ministros surjam e prosperem. Uma proposta simples e provavelmente mais eficaz seria a qualificação da maioria requerida para se aprovarem as indicações. Hoje, exige-se maioria absoluta (CF, art. 101, parágrafo único). Uma das alterações tendentes a produzir indicações moderadas é o estabelecimento da exigência de maioria qualificada. Pode-se optar, por exemplo, por uma maioria de 3/5, a mesma requerida para se alterar a Constituição (CF, art. 60, § 2.º): afinal, embora novos ministros não possam promover a alteração formal do texto constitucional, podem provocar, pela via interpretativa, mutações constitucionais, isto é, alterações

[262] Para retirar o poder da então presidente de realizar duas nomeações para o STF, o Congresso acabou aprovando a chamada "PEC da Bengala", que ampliou de 70 para 75 anos a idade para a aposentadoria compulsória dos magistrados.

[263] Cf.: Anastasia, A. 2015.

da Constituição sem a mudança de seu texto.[264] Se o conflito entre o Executivo e os demais poderes se aprofundar, não é impossível que se chegue a uma conformação como essa ou semelhante, com o propósito de estimular a indicação de nomes moderados.

De lege lata, é necessário que o Senado Federal procure evitar que as nomeações feitas por Bolsonaro se convertam em instrumento de erosão da democracia. Para isso, é necessário que a Câmara Alta se desincumba com maior rigor do dever de examinar a vida pregressa do indicado, verificando como atuou quando exerceu cargos públicos relevantes, quais ideias defendeu na esfera pública, o que escreveu nos livros que publicou. A ocupação de cargo tão importante para a República não pode ocorrer sem que os senadores deliberem de modo efetivamente informado. Se, quando magistrado, o indicado praticou arbitrariedades, não há razão para que não volte a fazê-lo no exercício da magistratura. Se, em suas manifestações públicas, defendeu ideias autoritárias, não é realista esperar que, como juiz, atue com moderação. Na sabatina, é inadequado que o indicado tenha que adiantar de que modo julgará controvérsias importantes que possam vir a ser submetidas à Corte. Mas deve ser instado a prestar contas de sua história. A nomeação de ministro do Supremo Tribunal Federal é ato complexo, do qual participam não só o presidente da República, mas também os senadores. Cabe ao presidente escolher o indicado de sua predileção que, além de cumprir os requisitos constitucionais, possa ser chancelado também pelos parlamentares. O Senado Federal, no presente momento, não tem como deixar de exigir a indicação de nome moderado e efetivamente deferente às instituições, aos valores constitucionais e às leis brasileiras.

Ressalte-se que, além de representar os estados, compete ao Senado Federal moderar os excessos dos demais poderes e da própria Câmara dos

[264] Ackerman propõe, para os EUA, a adoção de uma maioria de 2/3, justamente para evitar que "um Presidente ideológico, com um mandato fraco, utilize uma apertada maioria no Senado para perpetrar uma revolução constitucional. Como o partido da oposição quase invariavelmente possui um terço dos votos, os Presidentes não podem esperar ter êxito ao nomear constitucionalistas visionários. O governante ficaria obrigado a consultar a oposição e a selecionar profissionais que adotassem uma visão evolutiva da interpretação constitucional". (Ackerman, B., 1998, p. 407).

Deputados.[265] É por essa razão que (a) o candidato ao Senado só é elegível com a idade mínima de 35 anos – a palavra "Senado" tem origem em *senex*, que significa idoso; (b) o mandato de senador é longo, de 8 anos, enquanto os demais mandatos eletivos são de 4 anos; (c) e cada estado elege apenas três senadores, pelo sistema majoritário[266] – essa última característica se deve ainda à circunstância de que cabe ao Senado também representar os estados da federação. Essas três características associadas conduzem à eleição de políticos experientes, muitas vezes ex-governadores, habilitados para exercer função moderadora,[267] a qual pode implicar, eventualmente, a tomada de decisões contramajoritárias. A Constituição Federal, no artigo 52, III, confere ao Senado a competência de aprovar a indicação de ministros do STF justamente para aumentar a probabilidade de escolha de juristas moderados.

---

[265] Como sustentava Hamilton, "A necessidade do Senado é igualmente indicada pela tendência de todas as assembleias únicas e numerosas cederem ao impulso das paixões súbitas e violentas, que tantas vezes se desenvolvem no seu seio, e pela funesta facilidade com que podem ser arrastadas por chefes facciosos a resoluções precipitadas e imprudentes." (Hamilton, A., 2001, n.º 62). Cf., *i. a.*: Araújo, P. M., 2017; 2012; Neiva, P. R., 2004.

[266] A adoção do sistema majoritário para eleição de senadores faz com que seja mais frequente a eleição de candidatos de centro – a Câmara, por outro lado, pelo fato de seus integrantes serem eleitos pelo sistema proporcional, é mais apta a representar minorias (Araújo, P. M., 2009, p. 209 ss.).

[267] Segundo Hamilton, "esta diferença funda-se na natureza das funções dos senadores: como elas exigem mais instrução e mais estabilidade de caráter, é necessário que quem as desempenhar tenha chegado à idade em que aquelas duas qualidades se achem mais frequentemente reunidas." (Hamilton, A. 2001, n.º 62). Na Constituição francesa de 1799, era do "senado conservador" a atribuição de exercer controle de constitucionalidade. Na Inglaterra, a Câmara dos Lordes era integrada pela nobreza, para conformar, em conjunto com a Câmara dos Comuns, que representava o povo, e com o Rei, a chamada "constituição mista", capaz de conjugar, em uma mesma forma de governo, os princípios monárquico, aristocrático e democrático. Às constituições mistas se atribuía justamente a virtude da moderação. Mesmo nos EUA o Senado também exerce função moderadora, bem sintetizada na expressão "*senatorial saucer*". A expressão teria surgido em diálogo entre Washington e Jefferson. O primeiro teria dito ao segundo que o Senado tem a função de esfriar o processo legislativo, assim como o pires é usado para esfriar o chá quente. No Brasil, durante o Império, embora o Estado fosse unitário, também havia Senado, integrado por membros vitalícios (Constituição de 1824, art. 40), com idade superior a 40 anos, devendo ser pessoa de "saber, capacidade, e virtudes, com preferência os que tiverem feito serviços à Pátria" (art. 45). Cf., *i. a.*: Silveira Neto, H., 1976.

V.2.6. A fiscalização do Executivo pelo Legislativo, as comissões parlamentares de inquérito e outras formas de promover a accountability horizontal

Há dois tipos de *accountability*: a *horizontal* e a *vertical*.[268] A primeira se refere ao controle exercido por cada um dos poderes do Estado sobre os demais. A segunda, ao controle exercido pelos cidadãos. A *accountability* horizontal se concretiza na competência prevista no artigo 49, X, da Constituição Federal, segundo o qual cabe ao Congresso Nacional "fiscalizar e controlar, diretamente ou por qualquer de suas casas, os atos do Poder Executivo".[269] Entre todos os instrumentos previstos na Constituição Federal para se exercer essa atribuição, dois deles têm cumprido importante papel no controle do atual governo.

Segundo o artigo 50 da Constituição Federal, cabe a cada casa do Congresso Nacional, bem como a qualquer de suas comissões, convocar "ministro de Estado ou quaisquer titulares de órgãos diretamente subordinados à Presidência da República para prestarem, pessoalmente, informações sobre assunto previamente determinado, importando crime de responsabi-

[268] Cf., p. ex.: O'Donnell, G. A., 1998.

[269] Para exercer a competência prevista no art. 49, X, as casas parlamentares podem realizar audiências públicas (CF, art. 58, § 2.º, II; RISF, art. 90, II); convocar ministros de Estado e titulares de órgãos diretamente subordinados à Presidência da República para prestarem informações sobre assuntos inerentes a suas atribuições (CF, arts. 50 e 58, § 2.º, III; RISF, art. 90, III; RICD, art. 24, IV); receber petições, reclamações, representações ou queixas de qualquer pessoa contra atos ou omissões das autoridades ou entidades públicas (Const., art. 58, § 2.º, IV; RISF, art. 90, IV; RICD, art. 24, VI); solicitar depoimento de qualquer autoridade ou cidadão (Const., art. 58, § 2.º, V; RISF, art. 90, V); sustar atos normativos do Poder Executivo que exorbitem do poder regulamentar, como antes mencionado; acompanhar, fiscalizar e controlar as políticas governamentais (RISF, art. 90, IX; RICD, art. 60 e 61); exercer a fiscalização e o controle dos atos do Poder Executivo (Const., arts. 49, X, e 52, V, a IX, RISF, art. 90, X; RICD, art. 24, XI); realizar diligência (RISF, art. 90, XIII); solicitar informações dos ministros de Estado (CF, art. 50, § 2.º). Por meio de todos esses instrumentos, o Poder Legislativo pode instar o Executivo a oferecer as razões que justificaram a prática de seus atos, demonstrando sua racionalidade e compatibilidade com a ordem jurídica. Se as autoridades públicas não atenderem às solicitações do Parlamento ou não se desincumbirem de justificar as medidas tomadas, podem ser responsabilizadas. Se, por exemplo, os ministros de Estado não prestarem as informações solicitadas ou prestarem informações falsas, incorrerão na prática de crime de responsabilidade (CF, art. 50, § 2.º).

lidade a ausência sem justificação adequada" (CF, art. 50). Em um contexto de pós-verdade, é fundamental que as casas do Congresso Nacional convoquem ministros e titulares de órgãos federais para apresentar suas razões. A convocação, diferentemente do convite, é de atendimento obrigatório. A prerrogativa tem sido utilizada com frequência, com bons resultados. Da equipe de Bolsonaro, a Câmara já convocou, por exemplo, o ex-ministro da Educação Abraham Weintraub. O requerimento foi aprovado, em 14 de maio de 2019, por 307 votos favoráveis e 82 contrários. O ministro deveria ir à Câmara explicar o corte de verbas das universidades federais, que havia vinculado, em manifestações públicas, à orientação ideológica que seria predominante nas instituições. Na audiência, seu ímpeto já havia arrefecido: "não é um corte, é um bloqueio momentâneo".[270]

Com o propósito de apurar fatos, as casas do Congresso Nacional, em conjunto ou separadamente, podem ainda criar comissões parlamentares de inquérito (CF, art. 58, § 3.º).[271] As CPIs podem ter como objeto não apenas condutas que, em tese, violem a moralidade pública. As CPIs também servem para aferir a consistência do processo decisório ocorrido na esfera do Executivo.[272] No momento atual de pós-verdade, as CPIs podem ser especialmente importantes para evitar que a atuação estatal se oriente pelo propósito de alcançar finalidades irracionais. Essa função é especialmente potencializada pelo fato de as CPIs serem instrumentos da minoria para

[270] Em fevereiro de 2020, Weintraub foi ouvido pela Comissão de Educação do Senado. O ministro teve que justificar os inúmeros incidentes ocorridos durante a aplicação do Enem – Exame Nacional do Ensino Médio. Ainda que as explicações não tenham sido satisfatórias, é certo que, para o próximo ano, o governo tende a multiplicar esforços para que o exame seja devidamente aplicado.

[271] Cf., *i. a.*: Baracho, J. A. O., 2001; Meirelles, H. L., 1991; Peixinho, M. M. e Guanabara, R., 2001.

[272] Podem ainda servir para que se reúnam informações para subsidiar o processo legislativo: "Além da função contramajoritária fiscalizatória do Poder Executivo, reiteradamente assentada por esta Corte, as CPIs figuram como instrumento essencial das atividades parlamentares como um todo, na medida em que objetivam 'reunir dados e informações para o exercício das funções constitucionais conferidas ao Parlamento' [...], de forma que viabilizam a atividade parlamentar em sua plenitude. Em outras palavras, incumbe às Comissões em apreço não apenas as atividades de fiscalização. As CPIs também têm como horizonte instrumentalizar a atividade legiferante do Parlamento, a avaliação da conveniência de alocação de recursos e de financiamento de políticas públicas etc.". (MS n.º 33.751, voto do rel. p/o acórdão min. Edson Fachin, J. 15.12.2015, *DJE* de 31.03.2016).

fiscalizar os governos.[273] A sua convocação pode se dar por decisão de 1/3 da Câmara ou 1/3 do Senado, não sendo necessário que a maioria a confirme. A CPI deve ser instaurada mesmo contra a vontade majoritária em cada casa legislativa.[274]

Das CPIs já convocadas durante o governo Bolsonaro, destaca-se justamente a CPI das *fake news*. Trata-se, na verdade, de CPMI – Comissão Parlamentar Mista de Inquérito –, a qual reúne membros do Senado e da Câmara. Sua instalação se deu em 4 de setembro de 2019 com o propósito de investigar "os ataques cibernéticos que atentam contra a democracia e o debate público" e "a utilização de perfis falsos para influenciar os resultados das eleições de 2018", entre outras condutas praticadas na internet. Como costuma ocorrer nas CPIs, têm sido ouvidos especialistas e testemunhas dos fatos. Da CPI, podem resultar informações que sirvam de subsídio (a) para que o TSE anule as eleições de 2018; (b) para que os responsáveis pela distribuição de notícias falsas sejam responsabilizados civil e criminalmente; (c) para que o Poder Legislativo aprove leis que disponham sobre a comunicação digital e seus impactos institucionais e eleitorais.

Como antes examinado, na epidemia do coronavírus, o presidente da República tem atuado contra as recomendações da ciência. As manifestações reiteradas do mandatário, espalhando desinformação, têm levado muitas pessoas a desrespeitarem as recomendações de distanciamento social feitas pelos governos estaduais. Passada a presente emergência sanitária, a conduta

---

[273] Cf.: Bim, E. F., 2005.

[274] A convocação de CPI é, no direito brasileiro, um dos principais instrumentos de que a minoria é dotada para interferir na atividade parlamentar. Trata-se de dimensão fundamental do "direito de oposição". A participação crítica da minoria no processo legislativo é fundamental para evitar que decisões irracionais e desfundamentadas prevaleçam: "Existe, no sistema político-jurídico brasileiro, um verdadeiro estatuto constitucional das minorias parlamentares, cujas prerrogativas – notadamente aquelas pertinentes ao direito de investigar – devem ser preservadas pelo Poder Judiciário, a quem incumbe proclamar o alto significado que assume, para o regime democrático, a essencialidade da proteção jurisdicional a ser dispensada ao direito de oposição, analisado na perspectiva da prática republicana das instituições parlamentares. [...] A maioria legislativa não pode frustrar o exercício, pelos grupos minoritários que atuam no Congresso Nacional, do direito público subjetivo que lhes é assegurado pelo art. 58, § 3.º, da Constituição e que lhes confere a prerrogativa de ver efetivamente instaurada a investigação parlamentar, por período certo, sobre fato determinado". (MS n.º 26.441, rel. min. Celso de Mello, J. 25.04.2007, P, *DJE* 18.12.2009).

do presidente da República deve se submeter a investigação parlamentar minuciosa.

V.2.7. O processo de **impeachment** *e a necessária criação de um procedimento cautelar de afastamento do mandatário*

Uma das atribuições do Legislativo mais importantes para a defesa da democracia é a possibilidade de processar e julgar o presidente, em processo de *impeachment*, pela prática de crime de responsabilidade. As duas casas do Congresso devem concorrer para que o impedimento do presidente tenha lugar. O papel da Câmara de Deputados é "*autorizar*", por maioria de 2/3, o processamento da denúncia (CF, art. 51, I). Ao Senado Federal, compete "processar" e "julgar" o presidente (CF, art. 52, I). Se o Senado decidir pela instauração do processo, de sua decisão resultará a suspensão do presidente da República de suas funções (CF, art. 86, § 1.º, II). Um dos momentos decisivos da crise brasileira pode ser o afastamento do atual mandatário por intermédio desse procedimento. Entre condutas descritas na Lei n.º 1.079/50, até maio de 2020, já se havia cogitado de Bolsonaro ter praticado as seguintes:

a. discriminação de órgão de imprensa (Folha de São Paulo) em licitação pública (Constituição Federal, art. 37, *caput*, c./c. Lei n.º 9.784/1999, arts. 2.º; da Lei n.º 10.520/2002, art. 9.º; da Lei n.º 8.666/2002, art. 3.º, *caput* e parágrafo 1.º, I e II; e Lei n.º 1.079/1950, art. 9.º, 4);
b. sucessivas declarações indecorosas, como as dirigidas contra o pai do presidente da OAB, Felipe Santa Cruz, em julho de 2019, e contra a jornalista Patrícia Campos Mello, em fevereiro de 2020 (Lei n.º 1.079/1950, art. 9.º, 7);
c. discriminação por origem regional, levada a termo ao caracterizar os governadores do nordeste como "governadores de Paraíba" e ao discriminar os estados do Nordeste no cadastramento do bolsa família (Lei n.º 7.716/1989, art. 20, c./c. art. 9.º, 7, da Lei n.º 1.079/1950);

d. interferência em assuntos internos de países estrangeiros, como ocorreu com a Venezuela e a Argentina (CF, art. 4.º, III e IV, c./c. Lei n.º 1.079/1950, art. 5.º, 3);
e. determinação de que órgãos públicos celebrassem o Golpe Militar de 1964 (CF, art. 5.º, XLIV, c./c. Lei n.º 1.079/1950, art. 8.º, 4, e Lei n.º 7.170/1983, art. 22, I);
f. exoneração de servidor do IBAMA que, no passado, havia lhe aplicado multa (Lei n.º 1.079/1950, art. 9.º, 4, 5 e 7);
g. incentivo ao motim de policiais militares no Ceará (Lei n.º 1.049/50, art. 6.º, 7 e 8, e art. 7.º, 7 e 8);
h. apoio a manifestações em favor do fechamento do Congresso e do STF (Lei n.º 1.049/50, art. 6.º, 1 e 5);
i. durante a epidemia do coronavírus, incentivo às pessoas a não observarem as medidas de distanciamento social, sabendo do impacto negativo sobre a saúde pública, indicado pela OMS e por seu próprio Ministério da Saúde (Lei n.º 1049/50, art. 7.º, 9).

Um dos obstáculos à deflagração do processo de *impeachment,* tal como conformado no Brasil, é a sua inadequação para lidar com algumas modalidades de crime de responsabilidade, sobretudo crimes que demandem repressão imediata, ainda no momento em que estão sendo praticados. Tentar aplicar um golpe de Estado, para fechar o Congresso Nacional, é uma dessas condutas. Mas o processo de *impeachment* só pode ser eficaz na repressão a esse delito se incluir medida que possa levar ao afastamento imediato do presidente, a qual, porém, não está prevista expressamente no ordenamento brasileiro. No caso do *impeachment* de Dilma, a denúncia foi recebida por Eduardo Cunha em 2 de dezembro de 2015; a presidente foi afastada em 12 de maio de 2016; e a decisão final condenatória foi tomada em 31 de agosto de 2016. A princípio, esse tempo não é adequado para afastar um presidente que ameaça as instituições. Deflagrado o processo de *impeachment* na Câmara, Bolsonaro só não reagiria com virulência se não conseguisse angariar apoio militar ou paramilitar. O procedimento do *impeachment,* tal como estruturado na Lei n.º 1.079 e na decisão proferida pelo STF na ADPF n.º 378, abre espaço para um grave paradoxo: quando os ataques mais graves à Constituição são bem sucedidos, o Congresso

Nacional já não tem mais condições políticas de reprimi-los, julgando com independência o presidente da República.

Por essas razões, é importante incluir, no procedimento de *impeachment,* medida cautelar de afastamento imediato do presidente da República. Observe-se, por exemplo, o que dispõe o art. 6.º, 1, da Lei n.º 1.079, segundo o qual é crime contra o livre exercício dos poderes constitucionais "tentar dissolver o Congresso Nacional, impedir a reunião ou tentar impedir por qualquer modo o funcionamento de qualquer de suas Câmaras". Se esse tipo de conduta está sendo praticada pelo presidente da República, apenas por meio de procedimento especialmente rápido, é possível ao Congresso atuar de modo eficaz, evitando que o crime seja consumado. No processo judicial, há a possibilidade de *decisões cautelares* serem tomadas, as quais produzem efeitos imediatos, preservando a integridade do próprio processo e impedindo que os crimes continuem a ser praticados. Por meio de decisão cautelar, no âmbito do processo penal, é possível determinar, por exemplo, a "suspensão do exercício de função pública [...] quando houver justo receio de sua utilização para a prática de infrações penais" (CPP, art. 319, VI). O processo de *impeachment,* do mesmo modo, deve abarcar procedimento que permita o afastamento imediato do mandatário que esteja provocando danos de especial gravidade à Constituição Federal.

A melhor alternativa parece ser inserir alteração na Lei n.º 1.079/1950 que reúna os seguintes elementos: (a) o afastamento imediato só pode se dar diante da prática de crimes de responsabilidade especialmente graves, aptos a produzir danos irreparáveis à ordem constitucional; (b) a deliberação sobre a *autorização* para o processamento do *impeachment*, pela Câmara, e sobre a *instauração* do processo, pelo Senado, deve ocorrer em sessão conjunta (CF, art. 57, § 3.º), iniciada e concluída no mesmo dia; (c) deve-se exigir a observância da maioria de 2/3 para a deliberação nas duas casas; (d) a manifestação preliminar da defesa deve ter lugar na própria sessão conjunta; (e) o exercício pleno do direito de defesa deve ocorrer durante o processo no Senado, que, uma vez afastado o presidente, deverá seguir o rito normal, já previsto na Lei n.º 1.079 e na decisão proferida pelo STF na ADPF n.º 378. O procedimento é consequente com a natureza cautelar do afastamento do presidente, que se dá com a decisão do Senado que admite o processo (CF, art. 86, 1.º, II). O texto constitucional estabelece que o presidente fica "suspenso", não perde o cargo: a decisão é reversível. Na hipótese de suspensão, o vice-presidente apenas substitui o presidente, não o sucede (CF, art. 79), o que só ocorrerá ao final do processo, se a condenação se confirmar.[275] Além disso, trata-se de imperativo constitucional a adoção de instrumentos adequados para se lidar com a ameaça de ruptura com a democracia, de guerra civil, de risco para a integridade nacional ou hipóteses de gravidade equivalente.

Em um aspecto importante – o da exigência de maioria qualificada de 2/3 em ambas as casas –, o procedimento acima recomendado é mesmo mais garantista que o previsto na Lei n.º 1.079/1950 e no acórdão da ADPF n.º 378. Trata-se de garantia com que nem Collor nem Dilma contaram. Em ambos os processos, a Câmara deliberou por maioria de 2/3 de seus membros; mas o juízo de admissibilidade do processo, realizado pelo Senado, foi feito por maioria simples. Apenas para o julgamento final se exigiu a maioria de 2/3. O tema foi discutido no julgamento da ADPF n.º 378, já no contexto do *impeachment* de Dilma; mas o STF preferiu estabelecer apenas a exigência de maioria simples, não de maioria qualificada de 2/3, aplicando a mesma regra que havia valido para o *impeachment* de Collor. A presente proposta, nesse aspecto de máxima relevância, é substancialmente mais garantista que o procedimento hoje em vigor.

Se a alteração legislativa não sobrevier, e uma situação excepcional se verificar, não é impossível a aplicação analógica do art. 319, do Código de Processo Penal, segundo o qual cabe aos magistrados determinar a "suspensão do exercício de função pública [...] quando houver justo receio de sua utilização para a prática de infrações penais" . Tal aplicação se apoiaria no artigo 38 da própria Lei n.º 1.079, segundo o qual "No processo e julgamento do Presidente da República [...], serão subsidiários desta lei, naquilo em que lhes forem aplicáveis, assim os regimentos internos da Câmara dos Deputados e do Senado Federal, como o Código de Processo Penal."

A outra via que pode levar ao afastamento do presidente é a condenação nos processos hoje instaurados no TSE para investigar o emprego das *fake news* nas eleições. Até julho de 2020, os processos ainda não haviam sido jugados. O julgamento pode resultar na cassação do mandato do pre-

[275] Cf.: Souza Neto, C. P., 2020.

sidente e do vice-presidente, já que o vício recai sobre a própria campanha eleitoral, que levou à eleição de ambos. Com isso, provisoriamente, o presidente da Câmara de Deputados tomaria posse (CF, art. 80), e novas eleições diretas deveriam ser realizar no prazo de 90 dias (CF, art. 81), cabendo ao novo presidente cumprir o restante do mandato (CF, art. 81, § 2.º). Se a vacância ocorrer nos dois últimos anos do mandato, a eleição seria indireta, realizando-se no prazo de 1 mês (CF, art. 81, § 1.º).[276] Se for esse o desfecho do mandato de Bolsonaro, a crise seria debelada muito mais rapidamente, e a legitimidade do sistema, renovado por uma nova eleição presidencial – segundo a jurisprudência do STF, não é necessário o trânsito em julgado para que se realize nova eleição.[277] O julgamento, porém, está condicionado ao que se apurar nas referidas AIJEs e deve considerar os fatos ocorridos durante as eleições, não no curso do mandato hoje exercido. Diferentemente do que se passa no julgamento do *impeachment*, a apreciação de ações pela Justiça Eleitoral deve se calcar em aspectos tão-somente jurídicos. No entanto, o continuado emprego de *fake news*, perfis fantasmas e robôs, agora para atacar as instituições nacionais, ajuda a compreender como os mesmos procedimentos foram utilizados nas eleições de 2018. Quanto mais o bolsonarismo emprega o artifício do ataque virtual, insuflando seus seguidores contra o Congresso Nacional e o STF, mais se torna possível que o atual governo autoritário tenha fim com uma decisão do TSE.

[276] No § 4.º do art. 224 do Código Eleitoral, na redação dada pela Lei n.º 13.165/2015, dispunha de modo diverso. O preceito, porém, foi declarado inconstitucional pelo STF: "O legislador ordinário federal pode prever hipóteses de vacância de cargos eletivos fora das situações expressamente contempladas na Constituição, com vistas a assegurar a higidez do processo eleitoral e a preservar o princípio majoritário. Não pode, todavia, disciplinar o modo de eleição para o cargo vago diferentemente do que estabelece a Constituição Federal." (ADI n.º 5.525, rel. min. Roberto Barroso, J. 08.03.2019, *DJE* 29.11.2019).

[277] O assunto também é disciplinado na decisão proferida na ADI n.º 5.525, rel. min. Roberto Barroso, J. 08.03.2019, *DJE* 29.11.2019.

V.3. O STF e a defesa da democracia

V.3.1. A função representativa, a função contramajoritária e a defesa dos direitos fundamentais

A defesa institucional do Estado Democrático de Direito é a incumbência precípua do Supremo Tribunal Federal. A Corte Constitucional é instância contramajoritária a que se cominam os deveres de proteger as minorias e manter a democracia viva. Ao limitar sua atuação a essa esfera material, a jurisdição constitucional não viola a democracia: preserva-a, ainda que anulando decisões majoritárias.[278] As maiorias podem muito. Mas não podem romper o pacto social que confere a todos os cidadãos iguais direitos. Como demonstrado, em um sem número de ocasiões, o atual presidente da República atuou de modo arbitrário contra minorias e adversários e ameaçou a autonomia das instituições. O voto majoritário que lhe foi dado em 2018 não lhe confiou esse mandato. Diante da reincidência do comportamento abusivo do mandatário, é imprescindível que o Supremo Tribunal Federal exerça sua função contramajoritária.[279]

A afirmação pode parecer trivial, já que a função contramajoritária é a que tradicionalmente se atribui às cortes constitucionais . Recentemente, porém, vem se sustentando que o STF, além da função contramajoritária, deve exercer também "função representativa", o que suscita controvérsias que se relacionam diretamente com o problema da preservação da democracia. É papel das cortes constitucionais substituírem o legislador demo-

[278] Para um inventário crítico das teorias produzidas sobre o tema, cf., *i. a.*: ; Sarmento, D. e Souza Neto, C. P., 2015.

[279] A propósito dessa função, cabe mais uma vez mencionar a já citada ADI n.º 4650, em que o STF declarou a inconstitucionalidade do financiamento empresarial das campanhas eleitorais, considerando, ao lado de outros fundamentos, a necessidade de a Corte proteger a igualdade de participação política dos cidadãos na vida democrática. Na ocasião, o relator esclareceu que era apropriada a atuação do STF "nas hipóteses de salvaguarda das condições de funcionamento das instituições democráticas, de sorte (i) a corrigir as patologias que desvirtuem o sistema representativo, máxime quando obstruam as vias de expressão e os canais de participação política, e (ii) a proteger os interesses e direitos dos grupos políticos minoritários, cujas demandas dificilmente encontram eco nas deliberações majoritárias." (ADI n.º 4650, rel. min. Luiz Fux, Tribunal Pleno, J. 17.09.2015, *DJe*-034 24.02.2016). A formulação mais importante do parâmetro se deve à Ely, no já citado *Democracy and Distrust.*

crático? O STF, para atender às expectativas normativas que se apresentam na esfera pública, pode decidir contra o que dispõe o texto constitucional expresso? Em que medida a função representativa não é manifestação de um "populismo jurisdicional", também assentado na deslegitimação dos representantes eleitos pelo povo, como o populismo autoritário? Como exercer a função representativa sem incidir em um "tenentismo de toga"? Nesta seção, serão esclarecidos alguns aspectos conceituais importantes para se delimitar a extensão em que a jurisdição constitucional pode ser adequadamente exercida no contexto de crise da democracia, tema que será desenvolvido no presente capítulo.

A postulação recente de que as cortes constitucionais exerçam função representativa se assenta na distinção entre a vontade dos *representantes* e a vontade do *povo*. O Judiciário deveria fazer refletir, em suas decisões, a vontade do povo, tal como traduzida pela "opinião pública", ainda quando isso implicasse invalidar decisões dos representantes eleitos. O pressuposto contextual é de que os representantes eleitos perderam parte de sua "representatividade", isto é, da capacidade de representar efetivamente, em razão das disfunções do sistema político brasileiro. A atribuição de função representativa ao Judiciário, em termos semelhantes, obteve sua defesa mais eloquente em artigo do ministro Roberto Barroso.[280] No exercício da função representativa, o Judiciário decidiria contra a maioria do parlamento, não contra a maioria do povo: nesse sentido, as decisões da Corte Constitucional seriam "contra-representativas", não "contramajoritárias".[281] A partir da constatação de que os representantes eleitos não representariam, de fato, a vontade popular, legitimar-se-ia a substituição de suas decisões por acórdãos produzidos pela Corte Constitucional.

A representação exercida pela Corte se distinguiria pela circunstância de ser predominantemente "discursiva" ou "argumentativa". Caberia aos magistrados oferecer razões para que suas decisões pudessem ser tidas como plenamente justificadas. As casas legislativas, como se compõem eletivamente, poderiam combinar, com maior liberdade, elementos discursivos e volitivos. A legitimidade de suas decisões decorreria não apenas dos argu-

---

280 Barroso, L. R., 2017. Examinei o tema em: Souza Neto, C. P., 2017.

281 Sobre a distinção entre as funções "contrarrepresentativa" e "contramajoritária", cf.: Mendonça, E., 2014.

mentos oferecidos para fundamentá-las, mas também dos votos recebidos pelos representantes. Como a representação parlamentar estaria em crise, a força legitimadora do voto perderia densidade, e o tribunal constitucional poderia exercer de modo mais amplo suas funções representativas.[282] Para isso, porém, a justificação das decisões prolatadas deveria ser especialmente consistente.

A atribuição de função representativa a órgãos não eletivos não é estranha à arquitetura do Estado moderno. Pelo contrário: predomina nas formulações mais importantes de sua gênese. Considere-se, por exemplo, a forma como o tema foi tratado por Sieyès. O conceito de *soberania nacional,* em Sieyès, é formulado como alternativa ao de *soberania popular*. A nação é "um corpo de associados que vivem sob uma lei comum e representados pela mesma legislatura".[283] Os representantes da nação representam uma "*unidade orgânica permanente*",[284] com passado, presente e futuro, não o conjunto de indivíduos que a integra em um momento determinado da história. A ênfase na unidade e na permanência, como elementos da nação, fez com que a democracia se desonerasse de parte da exigência de participação efetiva do povo.[285] Por conta dessa distinção entre a nação, em sua "unidade orgânica",

---

[282] Barroso, L. R., 2005. O fato de se conferir ao STF a função de representar argumentativamente a sociedade não implica subtrair a mesma atribuição ao parlamento, que também exerce "representação argumentativa". O propósito da democracia representativa também é instituir um "governo das razões". Os órgãos de representação popular são, antes de tudo, fóruns de deliberação. Cf.: Souza Neto, C. P., 2011.

[283] Sieyès, E. J., 1989. No artigo 3.º da *Declaração dos Direitos do Homem e do Cidadão*, a ideia é recepcionada: "O princípio de toda a soberania reside essencialmente na Nação". Observe-se que se trata da ideia de "nação cívica", tal como formulada por Sieyès, não da de "nação histórica". Enquanto aquela é concebida em termos jurídicos, esta é entendida em sentido cultural, como "comunidade de destino". O conceito cívico de nação se desenvolveu na França; o histórico, na Alemanha, valendo-se da influência do historicismo e do romantismo alemão. Cf. Habermas, J., 1997; Lacroix, J., 2002.

[284] Cf.: Malberg, R. C., 1920, t. I., p. 288 ss.; Krulic, J., 2007; Maulin, É., 2001. Na literatura brasileira, cf.: Ferreira Filho, M. G., 1999. Como esclarece o autor, "a nação é a encarnação da comunidade em sua permanência, nos seus interesses constantes, interesses que eventualmente não se confundem nem se reduzem aos interesses dos indivíduos que a compõem em determinado instante". (p. 23).

[285] Para Rousseau, a "vontade geral" não podia ser representada. Rousseau só admitia a democracia direta, não a representativa (Rousseau, J. J., 1964). Sobre a forma como Rousseau trata do tema, cf.: Goyard-Fabre, S., 1989; Tyrsenko, A., 2000; Brunet, P., 2002; Garsten, B., 2009, p. 93 ss.

e a mera associação de indivíduos, participar da "representação" da vontade nacional, ao invés de ser um "direito do cidadão", convertia-se em "imputação" de um poder-dever.[286] Por isso, seria possível que a nação tivesse *reis* como representantes, como previsto nas constituições francesa, de 1791, e brasileira, de 1824. A condição de representante da nação era cominada aos monarcas, nos dois casos, em conjunto com assembleias eleitas.[287]

Embora não haja obstáculo intransponível, na tradição do constitucionalismo, à atribuição de função representativa a órgãos não eleitos, a esfera de atuação da representação não eletiva deve ser adequadamente delimitada. Do contrário, terá lugar a usurpação do poder político do povo em termos inequivocamente antidemocráticos. Na história, a possibilidade da representação sem voto sempre foi suscitada para legitimar governos de elites, inclusive elites militares. Nos movimentos antipolítica que conduzem às rupturas institucionais, a elite militar costuma se apresentar como mais representativa que os políticos civis eleitos pelo povo. Os militares, por não disputarem eleições, estariam imunes à degradação moral associada à luta permanente pelo poder. Como governam por meio do uso da força, legitimada por suposta aclamação pública, não precisam negociar com parlamentares para conquistar maiorias. Na ditadura militar, por isso, predominaria o governo da razão, em substituição ao irracionalismo dos demagogos. No curso do regime de 1964, o argumento aparecia para se propugnar pela "democracia possível": "consiste no governo por uma minoria democrática, ou seja, por uma elite formada na tendência democrática, renovada de acordo com o princípio democrático, imbuída do espírito democrático, voltada para o interesse popular: o bem comum".[288] Embora o povo não governasse, uma fração patriótica e desinteressada da elite governava "em nome" do povo. Essa modalidade de representação era extraída do art. 1.º,

---

[286] Cf.: Ferreira Filho, M. G., 1999, p. 25.

[287] De acordo com o art. 98 da Constituição de 1824, o monarca era o "primeiro Representante" da Nação, cabendo-lhe o exercício do "Poder Moderador", que era "a chave de toda a organização política": "O Poder Moderador é a chave de toda a organização Política, e é delegado privativamente ao Imperador, como Chefe Supremo da Nação, e seu Primeiro Representante, para que incessantemente vele sobre a manutenção da Independência, equilíbrio, e harmonia dos demais Poderes Políticos." Cf.: Lynch, C. E. C., 2007.

[288] Ferreira Filho, M. G., 1972, p. 29.

§ 1.º, da Emenda Constitucional n.º 1, de 1969: "Todo o poder emana do povo e em seu nome é exercido".

Nascida do movimento de redemocratização do Brasil, a Constituição de 1988, em seu artigo 1.º, parágrafo único, rejeita a usurpação elitista do poder: "Todo o poder emana do povo, que o exerce por meio de representantes eleitos ou diretamente, nos termos desta Constituição." Com a Constituição de 1988, não havia mais legitimidade na tese de que o poder poderia ser exercido "em nome do povo" por uma elite republicana, sem voto. O poder deve ser exercido pelo próprio povo, "por meio de seus representantes eleitos" ou "diretamente". Como, em face desse dispositivo, legitimar a atribuição de função representativa a magistrados não eleitos? Os limites constitucionais que impedem a atribuição de função representativa a elites militares não afastam também a possibilidade de seu exercício pelo STF? O contexto histórico de promulgação da Constituição de 1988 e os limites textuais do art. 1.º, parágrafo único, não dão espaço para dúvidas: não é possível cominar de forma ampla função representativa ao Judiciário.

Há, porém, uma hipótese em que, no exercício da jurisdição constitucional, a atuação do Judiciário se legitima inequivocamente: a que se verifica quando serve à preservação da própria democracia. A atribuição de função representativa a órgãos não eletivos só se legitima dentro desse âmbito material específico. Nas monarquias constitucionais, a intervenção dos monarcas também era reservada às ocasiões em que a unidade nacional estivesse ameaçada pela atuação facciosa dos grupos políticos.[289] O monarca representava a unidade, não a parte, ainda que majoritária; a permanência, não a volatilidade das maiorias eventuais. A representação argumentativa realizada pelo Judiciário, do mesmo modo, deve se restringir à preservação dos elementos que conferem unidade à sociedade plural: as regras do jogo democrático e o sistema de direitos fundamentais. Estas são as cláusulas do pacto social democrático que permitem a continuidade da cooperação social

[289] No exercício do "poder neutro", segundo a célebre proposição de Constant, o Monarca devia atuar como "ser superior às divergências de opiniões, cujo interesse maior é a manutenção da ordem e da liberdade, intangível por todas as paixões da condição comum". (Constant, B., 1989, p. 77).

ao longo do tempo.[290] A preservação da unidade política, em um ambiente de pluralismo, é a incumbência de instituições representativas neutras, que, ao não se identificarem com nenhum dos grupos divergentes, são legitimadas pelo apoio de todos. Ao conter o arbítrio dos governantes, as cortes constitucionais também representam o povo, mas o povo em sua unidade, não a facção mais numerosa ou mais ativa no espaço público. Cabe à Corte Constitucional estar atenta ao que advém da esfera pública, mas sem perder de vista que seu compromisso fundamental é com a preservação da unidade política, o que lhe demanda buscar não o aplauso das massas, mas o reconhecimento sereno de que a Corte decidiu como lhe impunha a Constituição.[291]

Antes de verificar como isso deve se dar no atual contexto, há a necessidade de se estabelecer uma última distinção prévia. Como órgãos tendencialmente neutros, em sociedades plurais, as cortes constitucionais devem perseguir, em tudo o que fazem, o objetivo de preservar a unidade política e as condições para a cooperação social. Toda vez que magistrados reproduzem dogmas religiosos ou ideológicos, manifestam adesão a doutrinas econômicas ou fazem proselitismo político, prestam um desserviço ao constitucionalismo democrático, contribuindo para dividir a sociedade, não para uni-la, como lhe cabe. No pior dos mundos, os magistrados decidem contra o que determinam as leis e a Constituição, para evitar retaliações das milícias digitais, promover ideologias particulares ou satisfazer o vício no aplauso fácil. Se sucumbe a esses impulsos, em detrimento do direito positivo e dos valores do constitucionalismo democrático, o juiz, comum ou constitucional, já não representa ninguém: é apenas mais um veículo para a erosão da democracia.

A atuação decidida e constante da Corte Constitucional na aplicação da Constituição produz um efeito "aliviante" sobre toda a cidadania,

---

[290] Bohmann, J., 1996, p. 23 ss.; Souza Neto, C. P., 2006. Em termos realistas, Stephenson sustenta que "um judiciário independente é um mecanismo por meio do qual os competidores políticos podem impor restrições mútuas. Porém, o apoio ao controle judicial independente só é sustentável quando (1) o sistema político é suficientemente competitivo, (2) a doutrina jurídica é suficientemente moderada e (3) os partidos são suficientemente avessos ao risco e olham para o futuro" (Stephenson, M. C., 2003).

[291] Legitimar a jurisdição constitucional pela via da comunicação direta da Corte com as massas equivaleria a criar uma espécie de *judiciarismo plebiscitário*, que é incompatível com a tradição do constitucionalismo democrático.

que passa a saber que as bases institucionais do sistema foram subtraídas à disputa política e, por conseguinte, não vale a pena desafiá-las.[292] Uma Corte que concorra com o Legislativo na busca do protagonismo na inovação normativa; que reproduza, nos debates em Plenário, o calor das arengas parlamentares; que, quanto ao conteúdo e quanto à forma, se pareça mais com um casa parlamentar que com um colegiado de magistrados, não conseguirá se sobrepor às forças políticas em disputa e instá-las a retornar à cooperação. A vislumbrada "revolução judiciarista", a que se refere Lynch,[293] em que o Judiciário assumia a posição de vanguarda moralizadora, não se coadunava com a função de preservar o Estado Democrático de Direito. É necessário restabelecer de modo vigoroso o princípio segundo o qual não há virtude em decidir contra a lei, ainda que a decisão possa ser aplaudida pela opinião pública. O desafio principal da geração atual de juízes é legar à próxima geração um regime tão democrático quanto o que receberam. No tempo presente, qualquer decisão pontual que, sob o pretexto de combater a corrupção, tenha violado o texto constitucional não se distinguirá do fluxo de acontecimentos que acarretou a ascensão do autoritarismo no Brasil.

V.3.2. Democracia militante e jurisdição constitucional anticíclica

Sob o impacto da emergência de governos fascistas na Europa, K. Loewenstein, em artigo de 1937, observava que a democracia liberal estava sendo usada para se promover a sua própria destruição: "Sob a proteção dos direitos fundamentais e do Estado de Direito, a máquina antidemocrática pôde ser construída e posta legalmente em ação. [...] O fundamentalismo democrático e a cegueira legalista não estavam dispostos a perceber que o mecanismo da democracia é o cavalo de Troia pelo qual o inimigo entra na cidade."[294] Anos antes, na Alemanha, as regras da democracia propiciaram

[292] Convém, a propósito, lembrar a lição de Hesse: "Não devem ficar abertas as bases da ordem da coletividade. [...] devem aquelas bases ser subtraídas da luta permanente dos grupos e correntes, deve ser criada uma existência firme daquilo que [...] não carece de novo entendimento e decisão. A constituição procura criar uma existência firme daquilo que deve ser considerado como decidido, produzir efeito estabilizador e aliviante" (Hesse, K., 1998, p. 40).

[293] Lynch, C. E. C., 2017.

[294] Loewenstein, K., 1937.

a ascensão do nazismo. Ao chegar ao poder, por intermédio dos meios de acesso previstos no sistema constitucional, Hitler não hesitou em destruí-lo[295] Para lidar com essa realidade, Loewenstein propôs a adoção de uma "legislação anti-extremista", que concretizaria um princípio que denominou "democracia militante", segundo o qual o regime democrático deve repelir as práticas tendentes a sua própria supressão.

Na ocasião do registro da candidatura de Bolsonaro para as eleições de 2018, Sarmento e Pontes cogitaram, em artigo, de seu indeferimento com fundamento no princípio da "democracia militante": o pluralismo democrático não abarca as ideologias políticas que propugnam pela sua destruição.[296] As bases normativas para a recepção do parâmetro no Brasil são dadas pelo artigo 17 da Constituição Federal: a criação de partidos políticos está condicionada à observância do regime democrático, do pluripartidarismo e dos direitos fundamentais da pessoa humana. São inconstitucionais os partidos que não estejam em conformidade com esses valores. Embora no exame, pelo TSE, do registro da candidatura de Bolsonaro, não tenha se aplicado esse princípio, sua aplicação tende a voltar a ser cogitada quando do registro de seu novo partido, o "Aliança pelo Brasil".

Na Alemanha, depois da 2ª Guerra, o princípio da democracia militante foi aplicado, pelo Tribunal Constitucional Federal, para se cassar o registro de partidos cujo ideário foi considerado incompatível com a democracia. As decisões da Corte se basearam no art. 21, § 2.º, da Lei Fundamental, segundo a qual "são inconstitucionais os partidos que, pelos seus objetivos ou pelas atitudes dos seus adeptos, tentarem prejudicar ou eliminar a ordem fundamental livre e democrática [...]." Em 1952, a Corte Constitucional, com base nesse preceito, dissolveu o SRP – *Sozialistische Reichspartei* –, que congregava egressos do extinto partido nazista e possuía um programa de orientação semelhante ao daquela agremiação. Nesse primeiro caso julgado após o início da vigência da Lei Fundamental, o Tribunal Constitucional Federal decidiu que os partidos poderiam ser declarados inconstitucionais "se, e somente se, procurassem derrubar os valores supremos da ordem livre e democrática que estão incorporados na Lei Fundamental".[297] A decisão da Corte impediu que

[295] É o que fazem, em geral, os autocratas. Cf.: Stanley, J., 2018, p. 44 ss.
[296] Cf.: Sarmento, D. e Pontes, J. G. M., 2018.
[297] 2 BVerfGE 1, 1952. (In Kommers, D. P. e Miller, R. A., 2012, p. 287 e 291).

se estabelecesse, no 2.º pós-guerra, um relação de continuidade com o movimento genocida que governara o país até 1945. Em 1956, o Tribunal Constitucional Federal, sob o impacto da Guerra-Fria, aplicou o princípio da democracia militante também para desconstituir o Partido Comunista da Alemanha (KPD – *Kommunistische Partei Deutschlands*). No julgamento desse caso, a Corte concluiu que o art. 21, § 2.º, da LF, criou uma "democracia militante"[298], incompatível com um partido que possuía como estratégia a implantação de uma "ditadura do proletariado", ressalvando que, na hipótese futura de reunificação alemã, a questão poderia ser rediscutida. Este último caso foi submetido à Comissão Europeia de Direitos Humanos, que, em decisão de 1957, confirmou o julgado alemão por entender que a mencionada estratégia era incompatível com a Convenção Europeia de Direitos Humanos.[299]

Em face desses precedentes do Tribunal Constitucional Federal, da década de 1950, houve quem propugnasse pela substituição da democracia militante pela "tolerância militante" e pela "democracia integradora", que evitam reproduzir a lógica amigo-inimigo subjacente à exclusão de agremiações partidárias.[300] De fato, toda vez que se exclui um partido da comunidade política, seus membros são reduzidas à condição de inimigos. A única via aberta à participação política se torna, então, a da organização clandestina. A medida, ao invés de promover a pacificação social e a unidade política, pode produzir o resultado contrário.

Já distante do contexto do 2.º Pós-Guerra, a jurisprudência recente do Tribunal Constitucional Federal, sensível a objeções como essa, tem sido mais restritiva ao apreciar pedidos de declaração de inconstitucionalidade de partidos, com base na incompatibilidade com o princípio democrático. Na verdade, desde a década de 1950, nenhum outro partido foi declarado inconstitucional, nada obstante também tenham sido apresentadas novas impugnações, que recaíram, por exemplo, sobre o DKP (*Deutsche Kommunistiche Partei*) e o NPD (*Nationaldemokratische Partei Deutschlands*). Em 2017, quando examinou a constitucionalidade deste último, a Corte entendeu que, a despeito de suas ideias políticas de extrema direita, não havia a perspectiva concreta de que partido pudesse vir a

[298] 5 BVerfGE 85, 1956.

[299] ECommHR, *Communist Party of Germany v. Federal Republic of Germany* (Appl. No. 250:57).

[300] Cf.: Rödel, U.; Frankenberg, G.; Dubiel, H., 1997 (a 1ª edição alemã é de 1989).

implementá-las. A jurisprudência criou, com isso, novo requisito para a aplicação do princípio da democracia militante. Além de o partido ser hostil à democracia, deve ter capacidade para desafiá-la com efetividade. O teor da decisão é o seguinte:

> 1. A proibição de um partido político com base no art. 21(2) da Lei Fundamental (Grundgesetz - GG) é a arma mais afiada, embora de dois gumes, que um Estado Democrático de Direito tem contra um inimigo organizado. Seu objetivo é combater os riscos associados à existência de um partido político de tendência fundamentalmente anticonstitucional, bem como às formas típicas por meio das quais, como uma associação, pode exercer influência.
>
> [...]
>
> 6. Para proibir um partido político, não basta que seus objetivos sejam direcionados contra a ordem fundamental livre e democrática. O partido deve 'procurar' minar ou abolir a ordem fundamental livre e democrácia.
>
> a. A noção de 'buscar' requer um comportamento ativo a esse respeito. A proibição de um partido político não constitui uma proibição de opiniões ou ideologia. Para proibir um partido político, é necessário que as ações da partido se equiparem a uma luta contra a ordem fudamental livre e democrática.
>
> b. Requer uma ação sistemática do partido político que se equipare uma preparação qualificada para minar ou abolir a ordem fundamental livre e democrática ou pôr em risco a existência da República Federal da Alemanha.
>
> c. Não é necessário que isso resulte em um risco específico para os bens protegidos pelo art. 21(2) GG. No entanto, requer indicações específicas e ponderadas que sugiram que é, pelo menos, possível que possam ser bem sucedidas as ações do partido político dirigidas contra a ordem fundamental livre e democrática da República Federal da Alemanha ou contra sua existência.
>
> d. O uso da força é, por si só, uma indicação grave que justifica a suposição de que a ação contra os bens protegidos pelo art. 21(2) GG é bem sucedi-

> da. O mesmo se aplica se um partido político cria, em áreas regionalmente restritas, uma 'atmosfera de medo' que provavelmente prejudicará a longo prazo a participação livre e igualitária de todos no processo de formação da vontade política.
>
> [...]
>
> 9. Em conformidade com esses parâmetros, o pedido de proibição é infundado:
>
> a. O defendente busca, em razão de seus objetivos e do comportamento de seus adeptos, abolir a ordem fundamental livre e democrática. O defendente pretende substituir o sistema constitucional vigente por um Estado nacional autoritário que adira à ideia de uma 'comunidade popular' etnicamente definida (Volksgemeinschaft). Esse conceito político desconsidera a dignidade humana de todos aqueles que não pertencem ao *Volksgemeinschaft* etnicamente definido e, portanto, é incompatível com o princípio da democracia, conforme estabelecido na Lei Fundamental.
>
> b. O defendente persegue objetivos que são direcionados contra a ordem fundamental livre e democrática e sistematicamente age para alcançar esses objetivos de forma qualificada.
>
> c. No entanto, não há indicações específicas e ponderadas sugerindo sequer a possibilidade de que esses esforços possam ser bem sucedidos.[301]

Entende-se a cautela do Tribunal Constitucional Federal. A restrição judicial à liberdade de organização partidária deve ocorrer apenas excepcionalmente.[302] É necessário, pelo menos, que "possam ser bem sucedidas as ações do partido político dirigidas contra a ordem fundamental livre e demo-

---

[301] Urteil vom 17. Januar 2017 - 2 BvB 1/13.

[302] O Tribunal Europeu de Direito Humanos – TEDH – possui importante acervo jurisprudencial a respeito da aplicação do princípio da democracia militante. Há precedentes sobre a Alemanha, a Holanda, a Turquia e a Espanha. Cf., *i. a.*: Sprenger, R. T., 2017.

crática". Sem essa potencialidade de a ação antidemocrática se concretizar, o melhor caminho é o da defesa da democracia por intermédio da crítica ao extremismo. O critério do risco efetivo precisa, porém, ser manejado com cuidado: quando um partido incompatível com a democracia já estiver em via de implementar seu programa autoritário, provavelmente o Judiciário já não terá forças para impedi-lo.[303]

É indiscutível, porém, que o critério de autocontenção adotado por aquela Corte não se aplicaria ao *Aliança pelo Brasil* já que, por se tratar do partido do atual presidente da República, reúne indubitavelmente as condições para atacar de modo eficiente o regime democrático. Bolsonaro, além de sua história de louvor a ditaduras, tem participado, já no exercício da Presidência, de atos públicos, antes mencionados, em que se apela pela decretação de "um novo AI 5". Mesmo à luz do critério restritivo hoje adotado pelo Tribunal Constitucional Federal, o partido do atual mandatário tenderia a ter seu registro indeferido, se aplicado o princípio da democracia militante.

No Brasil, o princípio da democracia militante, desde a década de 1940[304], não é adotado como justificativa para indeferimentos ou cassações

[303] Barreto Lima esclarece o ponto: "Ademais, parece possível imaginar que, caso o NDP venha a ganhar substância política na Alemanha, poderá então ser proibido, de acordo com a orientação do Tribunal Federal Constitucional. Nesse caso, ele seria declarado inconstitucional, porque suas ideias francamente nazistas poderiam agora destruir a democracia alemã. O desafio aqui é saber se, quando esse instante chegar, ainda haverá tribunal constitucional com força suficiente para assim decidir e fazer valer sua decisão. O eventual caráter repressivo dessa decisão, que proibisse o NDP desde logo, teria sinalizado a disposição do Tribunal Constitucional Federal de preservar a democracia, cujo defensor afirma ser." (Barreto Lima, M. M., 2017).

[304] Em tema de registro partidário, no Brasil, o princípio da democracia militante também não é aplicado há mais de 70 anos. Foi um dos fundamentos empregados pelo TSE para promover a cassação do Partido Comunista do Brasil – PCB –, na década de 1940. Isso também se deu no contexto do início da Guerra-Fria, com a edição da Resolução n.º 1.841, de 7 de maio de 1947. A aliança dos EUA com a URSS havia sido desfeita havia pouco tempo. O governo de Dutra, alinhado aos EUA, atuou para que o PCB tivesse seu registro cassado, além de romper relações diplomáticas com a URSS, o que ocorreu em outubro de 1947. A cassação do registro do PCB se baseou no art. 141, § 13, da Constituição Federal de 1946: "É vedada a organização, o registro ou o funcionamento de qualquer Partido Político ou associação, cujo programa ou ação contrarie o regime democrático, baseado na pluralidade dos Partidos e na garantia dos direitos fundamentais do homem." O fundamento preponderante, porém, foi extraído do art. 26, a e b, do Decreto-Lei n.º 9.258/1946,

de registros partidários – estas ocorreram, durante o regime militar, por atos de força. Porém, tem, recentemente, dado fundamento a preceitos legais e a decisões judiciais que limitam a liberdade de expressão. No art. 20, § 1.º, da Lei n.º 7.716/1989, comina-se pena de reclusão de dois a cinco anos e multa para as pessoas que incorrerem nas condutas de "fabricar, comercializar, distribuir ou veicular símbolos, emblemas, ornamentos, distintivos ou propaganda que utilizem a cruz suástica ou gamada, para fins de divulgação do nazismo". A propaganda nazista, no Brasil, não é apenas proibida: é tipificada como crime. Não haveria sentido em proibir a ostentação da cruz suástica e, simultaneamente, permitir que um partido que compartilhasse de ideias fascistas obtivesse o registro. Há ainda importante julgado do STF sobre os limites da liberdade de expressão. No conhecido "caso Ellwanger", a Corte entendeu que o sistema constitucional brasileiro não abrigava o *hate speech*, proscrevendo a publicação de textos com conteúdo antissemita:

> 10. A edição e publicação de obras escritas veiculando ideias antissemitas, que buscam resgatar e dar credibilidade à concepção racial definida pelo regime nazista, negadoras e subversoras de fatos históricos incontroversos como o holocausto, consubstanciadas na pretensa inferioridade e desqualificação do povo judeu, equivalem à incitação ao discrímen com acentuado conteúdo racista, reforçadas pelas consequências históricas dos atos em que se baseiam. [...] 14. As liberdades públicas não são incondicionais, por isso devem ser exercidas de maneira harmônica, observados os limites definidos na própria Constituição Federal (CF, artigo 5.º, § 2.º, primeira parte). O preceito fundamental de liberdade de expressão não consagra o 'direito à incitação ao racismo', dado

que, além de repetir o mencionado parâmetro, vedava que o partido recebesse "orientação político-partidária" de "procedência estrangeira". Naquela ocasião, o TSE entendeu que o partido possuiria caráter "internacionalista", não "nacional", funcionando como sucursal do PCUS (Partido Comunista da União Soviética). A decisão foi uma das mais controvertidas da década de 1940, tendo mobilizado a atenção nacional. A partir da 1942, com a entrada do Brasil na 2ª Guerra Mundial, junto aos aliados, o PCB passou a adotar política de união nacional em torno do esforço de guerra e a apoiar a redemocratização do país. Muitos democratas não interpretaram a decisão do TSE como ato de defesa da democracia, mas, pelo contrário, como ato inconstitucional, que violava a soberania popular. Na ocasião, mesmo a conservadora União Democrática Nacional – UDN – se manifestou contra a medida, nada obstante seu rechaço à ideologia promovida pelo PCB. Cf., *i. a.*: Silva, H. R., 2009.

> que um direito individual não pode constituir-se em salvaguarda de condutas ilícitas, como sucede com os delitos contra a honra.[305]

Para além de, eventualmente, servir para se aferir a validade do registro do "Aliança pelo Brasil", o princípio da democracia militante deve também funcionar como parâmetro de modulação da intensidade do controle dos atos do governo Bolsonaro.[306] Diante de governante extremista, com pretensões autocráticas, as instituições devem se manter de prontidão na defesa da democracia política, do pluralismo e dos direitos fundamentais. Um governante que, em suas manifestações, ataca com virulência esses valores está sob suspeição permanente. Um grupo político que trivializa referências ao AI-5 cria, para o Judiciário, o dever de submeter seus atos a um "escrutínio estrito".[307] A despeito de o princípio da democracia militante não ter servido para impedir a candidatura de Bolsonaro, agora, dele se extrai a exigência de que a validade dos atos do mandatário seja examinada com rigor. O parâmetro já aparece em precedente do Supremo Tribunal Federal, relativo ao Decreto n.º 10.003/2019, que dispôs sobre a composição e o funcionamento do Conselho Nacional da Criança e do Adolescente – Conanda. A suspeição a que se submete a produção normativa de Bolsonaro foi devidamente consignada em decisão monocrática da lavra do ministro Roberto Barroso:

> 12. O constitucionalismo e as democracias ocidentais têm se deparado com um fenômeno razoavelmente novo: os retrocessos democráticos, no mundo atual, não decorrem mais de golpes de Estado com o uso das armas. Ao contrário, as maiores ameaças à democracia e ao constitucionalismo são re-

---

[305] HC n.º 82424, rel. min. Moreira Alves, relator p/acórdão: min. Maurício Corrêa, Tribunal Pleno, J. 17.09.2003, *DJ* 19.03.2004.

[306] A teoria da validade dos atos jurídicos tem passado a adotar critérios não binários, mas gradualistas, que implicam identificar razões que operam no sentido do fortalecimento ou do enfraquecimento da presunção de validade. Cf.: Comella, V. F., 2007; Mendes, C. H., 2010; Sarmento, D. e Souza Neto, C. P., 2012; Sousa Filho, A. B., 2019, p. 239 ss.

[307] O parâmetro foi concebido pela jurisprudência norte-americana para se examinar a validade de leis restritivas de liberdades públicas básicas, como as liberdades de expressão e religião, e de normas que instituem discriminações com base em critérios considerados "suspeitos", como raça, religião ou origem nacional. A existência de parâmetros diferenciados para graduar de presunção de constitucionalidade teve origem na conhecida decisão, proferida em 1938, no caso *United Sates vs. Carolene Products* (304 U.S. 144 [308]).

sultado de alterações normativas pontuais, aparentemente válidas do ponto de vista formal, que, se examinadas isoladamente, deixam dúvidas quanto à sua inconstitucionalidade. Porém, em seu conjunto, expressam a adoção de medidas que vão progressivamente corroendo a tutela de direitos e o regime democrático.

13. Esse fenômeno tem recebido, na ordem internacional, diversas denominações, entre as quais: "constitucionalismo abusivo", "legalismo autocrático" e "democracia iliberal". Todos esses conceitos aludem a experiências estrangeiras que têm em comum a atuação de líderes carismáticos, eleitos pelo voto popular, que, uma vez no poder, modificam o ordenamento jurídico, com o propósito de assegurar a sua permanência no poder.

[...]

O resultado final de tal processo tende a ser a migração de um regime democrático para um regime autoritário, ainda que se preserve a realização formal de eleições.

15. [...] Nessa linha, as cortes constitucionais e supremas cortes devem estar atentas a alterações normativas que, a pretexto de dar cumprimento à Constituição, em verdade se inserem em uma estratégia mais ampla de concentração de poderes, violação a direitos e retrocesso democrático.[308]

Os economistas keynesianos costumam recomendar que os ciclos econômicos sejam equilibrados por meio da adoção de políticas anticíclicas: as recessões são atenuadas por investimentos públicos; no período de desenvolvimento acelerado, economiza-se. As cortes constitucionais devem assumir o mesmo papel diante dos ciclos políticos[309] – pode-se conceber, nesse sentido, uma *jurisdição constitucional anticíclica*. Diante de governos

[308] ADPF n.º 622 MC, relator min. Roberto Barroso, J. 20.12.2019, *DJe*-019 03.02.2020.

[309] Como esclarecem Ginsburg e Huq, "Preocupações sobre a democracia não são novas; são cíclicas. De fato, o Século XX se caracterizou por uma série de movimentos pendulares do otimismo a um melancólico pessimismo sobre as perspectivas da democracia." (Ginsburg, T. e Huq, A. Z., 2018, p. 32). Avritzer sustenta que a organização política brasileira se comporta de acordo com um movimento pendular. Há momentos em que

que não revelam compromisso com as instituições democráticas, a função anticíclica da jurisdição constitucional implica a "redução situacional da deferência", da qual resulta a adoção de parâmetros mais rigorosos de controle dos atos estatais.[310] As cortes não devem atuar como vanguardas de processos de transformação social, nada obstante, em temas pontuais, possam proferir decisões inovadoras. Cabe-lhes, antes, atenuar o extremismo dos ciclos políticos, com o propósito de proteger a democracia e proteger as minorias. A função anticíclica provê equilíbrio ao sistema, preservando, sobretudo, o que não pode ser posto à disposição das maiorias eventuais: o sistema de direitos fundamentais e os procedimentos para a eleição de governantes.[311]

a democracia se estabelece e parece se consolidar, e momentos em que se desestabiliza. Trata-se do "pêndulo da democracia" (Avritzer, L., 2019).

[310] Ao analisar o controle jurisdicional da decretação de estados de emergência, Tsai recomenda uma "perda situacional da deferência sempre que houver razões para crer que os funcionários públicos estão mentindo sobre uma emergência ou que tenham exagerado grosseiramente sobre a natureza, a gravidade ou a duração de um problema real". (Tsai, R. L., 2019).

[311] Cortes constitucionais reúnem atribuições e prerrogativas concebidas de modo a habilitá-las a preservar o constitucionalismo democrático: "Atualmente, as Cortes Constitucionais dispõem cada vez mais de poderes relacionados à proteção da democracia, incluindo a competência para supervisionar e certificar eleições, conduzir processos de *impeachment*, regular partidos políticos em nome da democracia militante ou aprovar declarações de estado de emergência. Os Tribunais tornaram-se instituições essenciais para que se impeça o retrocesso constitucional. Eles são o canivete suíço do desenho constitucional". (Ginsburg, T.; Huq, A., 2018, p. 187).

V.3.3. Preservação da consistência das decisões públicas e da suficiência do processo deliberativo. Princípios da deliberação informada e da deliberação suficiente

Como ressaltado, o atual governo cultiva um grave anti-intelectualismo. As prescrições da ciência são correntemente desrespeitadas pelo atual presidente. É comum que prefira seus preconceitos e suas teorias da conspiração ao que consta como consensual na esfera do conhecimento científico. Mesmo as *fake news* não são consideradas apenas instrumentos para se travar a luta política: são razões tidas como legítimas para justificar a edição de atos normativos. Como não há compromisso com a racionalidade, os procedimentos de elaboração normativa passam a prescindir da produção de pareceres técnicos e do cotejo com os estudos científicos disponíveis. A ciência é vista como entrave, não como subsídio indispensável à atividade administrativa.

Exemplo de medida reprovável, entre outras razões, pela inconsistência do procedimento que conduziu à sua edição, é o já citado Decreto n.º 9.785/19, que ampliava gravemente o porte de armas de fogo no Brasil. O decreto foi editado sem que o Ministério da Justiça e da Segurança Pública (MJSP) fosse ouvido de forma adequada. A Consultoria Jurídica do Ministério da Justiça só recebeu a minuta do Decreto, elaborada pela Casa Civil, quando faltava uma hora para a assinatura pelo presidente, em solenidade pública.[312] O parecer de mérito, exarado pelo assessor especial de assuntos legislativos do MJ no mesmo dia da cerimônia pública de assinatura, não examinava os impactos do Decreto na segurança pública. Limitava-se a sustentar que permitia o exercício do direito de defesa. A exposição de motivos, subscrita pelo ministro da Justiça, também datada do mesmo dia, tampouco apresentava qualquer prognóstico a respeito da segurança pública. No expediente em que se encontravam esses documentos (NUP: 08000.016276/2019-30), quando da edição do Decreto,

---

[312] Como o tempo concedido à consultoria jurídica do Ministério da Justiça foi absolutamente insuficiente, não foi possível se produzir uma "análise mais acurada": "Diante do requerimento de urgência e considerando a complexidade do tema e o exíguo prazo concedido para a análise, este órgão consultivo fica impedido de proceder a uma análise mais acurada no texto da proposta". (Os documentos constam dos autos da ADI n.º 6139).

não estava anexada qualquer manifestação do Ministério da Defesa, o que seria imprescindível, tendo em vista que a matéria afetava seriamente o setor.[313] O Decreto alterava, por exemplo, regras relativas à importação e à tributação das armas de fogo, criando situação desvantajosa para a indústria de defesa brasileira. Ao invés de apresentar dados e estudos, o presidente se limitou a sustentar que possuir armas de fogo era direito individual: "Esse nosso decreto não é um projeto de segurança pública. [...] É um direito individual [...]".[314] Diante da evidente inconsistência do processo deliberativo, o então ministro da Justiça e da Segurança Pública, Sérgio Moro, limitava-se a sustentar que o decreto "não tem a ver com a segurança pública. Foi uma decisão tomada pelo presidente em atendimento ao resultado das eleições".[315]

Um dos desafios impostos pelo momento atual de "pós-verdade" é preservar a consistência dos processos decisórios das autoridades públicas, as quais não podem se basear em *fake news*, em preconceitos ideológicos vulgares, no combate a espantalhos teóricos, como o já mencionado "marxismo cultural". O processo decisório, tanto no Legislativo quanto no Executivo, deve obedecer ao *princípio da deliberação informada,* isto é, as decisões devem se apoiar em informações consistentes, produzidas em conformidade com critérios objetivos e racionais.[316] Em uma democracia, os governantes, eleitos pela maioria, governam, mas devem prestar contas a todos os cidadãos, inclusive às minorias. É o que se denomina *accountability vertical*.[317] Embora as maiorias decidam, as minorias têm o direito de exigir que as decisões sejam precedidas de exame sério dos fatos e das consequências previsíveis que delas possam decorrer. Três inovações recentes da legislação brasileira refletem essa exigência:

- A Emenda Constitucional n.º 95 – no geral, reprovável – estabeleceu a exigência de que os projetos de lei que criarem despesas obrigatórias ou instituírem renúncia de receitas sejam

[313] Esses documentos constam dos autos da ADPF n.º 6139, ajuizada para impugnar o referido decreto.
[314] *Conjur*, 07 maio 2019.
[315] *Folha de São Paulo*, 08 maio 2019.
[316] Cf., *i. a.*: Rocha, M. M., 2010.
[317] Cf., *i. a.*: Campos, A. M., 1990; Gutmann, A. e Thompson, D., 1996, p. 129; Arato, A., 2002; Filgueiras, F., 2011.

acompanhados de *estudo de impacto orçamentário e financeiro* (ADCT, art. 113).

- O Decreto n.º 9191/2017 instituiu, em seu artigo 32, VI, a necessidade de que o parecer de mérito que subsidia a edição de atos normativos inclua a "*análise de impacto da medida*".

- Por fim, a Lei n.º 13.848/2019, originária da MP n.º 881, recepcionou o instituto da "*análise de impacto regulatório*": a edição de ato normativo deve ser acompanhada de estudo contendo "informações e dados sobre os possíveis efeitos", com o propósito de "verificar a razoabilidade do seu impacto econômico".[318]

O Judiciário brasileiro não tinha o costume de exigir que a administração fosse efetivamente consistente na fundamentação que oferece para justificar suas decisões. Eram residuais os casos em que anulava deliberações majoritárias com base na insuficiência ou na inconsistência da fundamentação. Porém, em face do ostensivo irracionalismo que acomete o atual governo, algumas decisões importantes vêm sendo tomadas. Foi o caso, por exemplo, da decisão monocrática proferida pelo ministro Ricardo Lewandowski na ADPF n.º 565, que impugnava a Portaria do Ministério da Agricultura, Pecuária e Abastecimento/Secretaria de Defesa Agropecuária n.º 43, de 21 de fevereiro de 2020, a qual estabelecia prazos para *aprovação tácita* de agrotóxicos e outros produtos químicos empregados na agricultura, ainda que não se tivesse concluído a análise pelos órgãos competentes. No prazo de 180 dias, seria concedido, tacitamente, o registro de fertilizantes, corretivos, inoculantes, biofertilizantes, remineralizadores e substratos para plantas; no de 60 dias, o de agrotóxicos e afins. Para o magistrado, a autorização indiscriminada do uso dessas substâncias, sem a análise adequada

[318] De acordo com o art. 5.º da Lei n.º 13.848/2019, "as propostas de edição e de alteração de atos normativos de interesse geral de agentes econômicos ou de usuários dos serviços prestados, editadas por órgão ou entidade da administração pública federal, incluídas as autarquias e as fundações públicas, serão precedidas da realização de análise de impacto regulatório, que conterá informações e dados sobre os possíveis efeitos do ato normativo para verificar a razoabilidade do seu impacto econômico".

pelos cientistas do próprio governo, poderia produzir danos graves à saúde de trabalhadores e consumidores. A autorização deveria necessariamente ser precedida de estudos técnicos, devendo resultar da deliberação informada das autoridades de vigilância ambiental e sanitária.[319]

Na jurisprudência do STF, a exigência de consistência no processo decisório se intensificou com o advento da epidemia do coronavírus. Como antes demonstrado, Bolsonaro reagiu desconsiderando as prescrições da ciência e as políticas defendidas pelas autoridades sanitárias. O governo tentou contratar campanha publicitária que defendia a suspensão das medidas de distanciamento social determinadas pelos governos estaduais, com o *slogan* "O Brasil não pode parar", que reproduzia o malsinado "Milão não pode parar". A campanha foi suspensa por decisões judiciais que enfatizaram o fato de a discricionariedade administrativa estar limitada pelos dados incontroversos da ciência. A decisão proferida pelo min. Roberto Barroso sustentava o que se segue:

> 2. As orientações da Organização Mundial de Saúde, do Ministério da Saúde, do Conselho Federal de Medicina, da Sociedade Brasileira de Infectologia, entre outros, assim como a experiência dos demais países que estão enfrentando o vírus, apontam para a imprescindibilidade de medidas de distanciamento social voltadas a reduzir a velocidade de contágio e a permitir que o sistema de saúde seja capaz de progressivamente absorver o quantitativo de pessoas infectadas. [...] Sem a adoção de tais medidas, o contágio de grande parcela da população ocorre simultaneamente, e o sistema de saúde não é capaz de socorrer um quantitativo tão grande de pessoas. [...] A necessidade de tais medidas constitui opinião unânime da comunidade científica sobre o tema, conforme manifestações da Organização Mundial de Saúde, do Ministério da Saúde, do Conselho Federal de

319 A decisão foi proferida nos seguintes termos: "Não é possível, salvo melhor juízo do Plenário do STF, admitir-se a liberação tácita de agrotóxicos e produtos químicos, sem uma análise aprofundada, de cada caso, por parte das autoridades de vigilância ambiental e sanitária. Placitar uma liberação indiscriminada, tal como se pretende por meio da Portaria impugnada, a meu ver, contribuiria para aumentar ainda mais o caos que se instaurou em nosso sistema público de saúde, já altamente sobrecarregado com a pandemia que grassa sem controle." (ADPF n.º 656 MC, rel. Min. Ricardo Lewandowski, J. 01.04.2020, *DJe*-082 03.04.2020).

> Medicina e da Sociedade Brasileira de Infectologia. [...] O Brasil tem, contudo, uma agravante. Diferentemente de outras nações examinadas, trata-se de país em desenvolvimento: com grandes aglomerações urbanas, muitas comunidades pobres e enorme quantitativo de pessoas vivendo em situação de precariedade sanitária. [...]. É igualmente importante ter em conta que não se trata aqui de uma decisão política do Presidente da República acerca de como conduzir o país durante a pandemia. Haveria uma decisão política, no caso em exame, se a autoridade eleita estivesse diante de duas ou mais medidas aptas a produzir o mesmo resultado: o bem estar da população, e optasse legitimamente por uma delas. Não é o caso. A supressão das medidas de distanciamento social, como informa a ciência, não produzirá resultado favorável à proteção da vida e da saúde da população. Não se trata de questão ideológica. Trata-se de questão técnica.[320]

Uma preocupação que motiva os tribunais a estabelecerem parâmetros de autocontenção é evitar a judicialização excessiva. Provavelmente, essa é uma das motivações do Judiciário para se negar a examinar a consistência dos processos decisórios. Ora não se propugna pela generalização da intervenção judiciária, mas pela verificação da consistência da deliberação apenas quando tenham lugar restrições *graves* a princípios constitucionais dotados de especial fundamentalidade. O ponto foi desenvolvido por R. Alexy, para o qual, na aferição da validade das normas restritivas de direitos fundamentais, um dos elementos a se considerar é (a) a "confiabilidade das premissas empíricas"[321] em que se assenta a decisão restritiva. Além desse elemento, porém, seria necessário considerar também (b) o peso abstrato dos princípios envolvidos e (c) a gravidade da restrição.[322] Quanto maior a importância do princípio restringido e maior a intensidade da restrição, maior a exigência de que as premissas empíricas sejam confiáveis. Apenas em casos em que tenha lugar restrição grave de princípios especialmente importantes, justifica-se perquirir a consistência do processo deliberativo que

[320] ADPF n.º 669/MC, rel. min. Roberto Barroso, J. 31.03.2020, *DJe*-082 03.04.2020.

[321] Alexy, R., 2003. Na jurisprudência do STF, o critério da confiabilidade das premissas empíricas foi empregado, por exemplo, no RE n.º 363.889/DF, em que se discutia, antes do início da vigência do novo CPC, a relativização da coisa julgada vis-à-vis o advento do exame de DNA.

[322] Cf.: Bustamante, T. , 2010; Souza Neto, C. P., 2005.

precedeu a edição da medida restritiva. É o que ocorre nos casos anteriormente discutidos, relativos a medidas que produziriam forte impacto na esfera da segurança, da vida e da saúde das pessoas. Assim concebido, o exame da observância do princípio da deliberação informada não implica judicialização excessiva do processo de elaboração normativa. No presente contexto de pós-verdade, essa modalidade de controle pode ser decisiva para preservar padrões básicos de racionalidade governamental.

No processo legislativo, para se preservar a consistência decisória, deve-se ainda exigir que haja *deliberação suficiente* sobre os projetos submetidos à apreciação parlamentar. A democracia envolve, além da decisão majoritária, também a possibilidade efetiva de se deliberar publicamente sobre as questões a serem decididas.[323] A troca de argumentos e contra-argumentos racionaliza e legitima as decisões legislativas.[324] Não por outra razão, em diversos preceitos constitucionais concernentes ao processo legislativo, a Constituição menciona que os projetos de lei serão submetidos não só à "votação", mas também à "discussão". É o que se verifica nos artigos 58, § 2.º, I, 60, § 2.º, 64 e 65 da Constituição Federal.[325] Um dos requisitos para se aferir a legitimidade do processo legislativo é a observância do "*princípio da deliberação suficiente*".[326] Em uma democracia, a maioria decide, mas apenas pode decidir depois de enfrentar os argumentos apresentados pelas minorias.[327] A participação no processo deliberativo é um direito de todos

[323] Cf., *i. a.:* Benhabib, S., 1996; Bohmann, J., 1998; Habermas, J., 1997.

[324] Trata-se de medida importante para ampliar a racionalidade da atividade de produção normativa em um ambiente dominado pelo sectarismo ideológico e pelas *fake news*. Uma das funções fundamentais da deliberação pública é a epistêmica. A regra da maioria já cumpre função epistêmica: é mais provável que o maior número esteja certo, e a minoria errada. Mas a troca de argumentos e contra-argumentos, ocorrida antes do voto, a potencializa. O esforço de dialogar com a oposição, justificando projetos de lei, faz com que a maioria aprimore seus argumentos e, em muitos casos, mude de ideia. A liberdade de expor a irracionalidade e o autoritarismo à crítica pública é fundamental não só para a contenção do arbítrio, mas também para a racionalização da atividade governamental. Cf.: Stlund, D. 1997; List, C.; Goodin, R. E., 2001.

[325] A discussão, como a votação, é indispensável para que as leis sejam elaboradas legitimamente. Cf.: Mello, C. S. M. F., 2011.

[326] Cf.: Sousa Filho, A. B., 2019, p. 409 ss.; Telles, C. A. C., 2019.

[327] Kelsen, em estudo clássico, esclarecia o ponto: "A vontade geral, formada segundo o princípio da maioria, não é manifesta sob a forma de um *diktat* imposto pela maioria à minoria, mas como resultado da influência mútua exercida pelos dois grupos, como resultado do

os parlamentares, inclusive dos que integram os grupos minoritários.[328] Na jurisprudência da Corte Constitucional Colombiana, pioneira na matéria, o princípio é formulado nos seguintes termos:

> O que o princípio da consecutividade persegue é garantir a formação adequada da vontade democrática das câmaras, de modo que cada um dos assuntos que se tornam parte do ordenamento jurídico positivo sejam precedidos por uma deliberação suficiente. Como salientou a Corte, a importância nodal da discussão destes casos reside fundamentalmente no fato de que, por seu intermédio, se permite amadurecer a decisão final a ser tomada sobre um projeto de lei ou ato legislativo no seio da respectiva célula legislativa. Em outras palavras, procura, por um lado, assegurar a análise dos parlamentares sobre as várias propostas em apreço, dando-lhes uma oportunidade de terem um impacto na posição individual que vão assumir e, por outro lado, para permitir também a avaliação coletiva sobre vantagens e desvantagens decorrentes da decisão a tomar. O debate, como elemento substancial do princípio da participação política parlamentar, é precisamente uma manifestação do direito de deliberação concedido aos membros do Congresso, do seu direito de falar, de se expressar, que encontra apoio na representação popular detida por todos e cada membro das câmaras. É, portanto, uma expressão da representação dos cidadãos, a quem assiste o interesse de que seus porta-vozes no Congresso tenham a oportunidade de debater, de apre-

---

embate de orientações políticas de suas vontades. Uma ditadura da maioria sobre a minoria não é possível a longo prazo, pelo simples fato de que uma minoria condenada a não exercer absolutamente influência alguma acabará por renunciar à participação – apenas formal e por isso, para ela, sem valor e até danosa – na formação da vontade geral, privando, com isso, a maioria – que, por definição, não é possível sem a minoria – de seu próprio caráter de maioria. Justamente essa possibilidade oferece à minoria um meio para influir sobre as decisões da maioria. [...] De fato, todo o procedimento parlamentar, com sua técnica dialético-contraditória, baseada em discursos e réplicas, em argumentos e contra-argumentos, tende a chegar a um compromisso. Este é o verdadeiro significado do princípio da maioria na democracia real". (Kelsen, H., 2000, p. 69-70).

[328] Como sustenta Ana Paulla de Barcellos, no núcleo do devido procedimento de elaboração normativa (DPEN), está o direito à obtenção de justificações: "O DPEN está ligado às exigências democráticas (nesse sentido é correto afirmar que ele pretende incrementar esse aspecto da qualidade da legislação), a outras previsões estruturantes do Estado brasileiro, ao direito fundamental de receber justificativas, e aos direitos fundamentais como um todo." (Barcellos, A. P., 2015, p. 76).

sentar seus pontos de vista em face do conteúdo das várias iniciativas, sob a compreensão de que, em todo caso, estas são destinadas a produzir seus efeitos em face do conglomerado social.[329]

No atual contexto, merece ser revista, em parte, a antiga jurisprudência do STF[330] segundo a qual a Corte não deve intervir em matéria *interna corporis* ao Parlamento.[331] Como a Constituição determina que o Congresso Nacional não apenas *decida* sobre os projetos de lei, mas também os *discuta* (artigos 58, § 2.º, I, 60, § 2.º, 64 e 65), o STF está legitimado para controlar a *suficiência* do processo deliberativo parlamentar: a hipótese é de aplicação não de normas regimentais, mas de normas constitucionais. Com base nesse fundamento, critica-se, por exemplo, a decisão proferida pelo STF

[329] Sentencia C-40, de 2010. Sobre a exigência de deliberação suficiente na jurisprudência da Corte Constitucional Colombiana, cf.: Jaramillo, L. G., 2016; Lozano, G. O., 2013.

[330] Entre outros precedentes, cf., p. ex.: "Matéria relativa à interpretação, pelo presidente do Congresso Nacional, de normas de regimento legislativo é imune à crítica judiciária, circunscrevendo-se no domínio '*interna corporis*'. Pedido de segurança não conhecido." (MS n.º 20.471/DF, rel. min. Francisco Rezek, *DJ* 22.02.1985); "Mandado de segurança que visa a compelir a Presidência da Câmara dos Deputados a acolher requerimento de urgência [...]. Em questões análogas à presente, esta Corte (assim nos MS n.º 20.247 e 20.471) não tem admitido mandado de segurança contra atos do presidente das Casas Legislativas, com base em regimento interno delas, na condução do processo de feitura de leis. Mandado de segurança indeferido." (MS n.º 21.374/DF, rel. min. Moreira Alves, *DJ* 02.10.1992); "Não cabe, no âmbito do mandado de segurança, também discutir deliberação '*interna corporis*' da Casa Legislativa. Escapa ao controle do Judiciário, no que concerne a seu mérito, juízo sobre fatos que se reserva, privativamente, à Casa do Congresso Nacional formulá-lo. 9. Mandado de segurança indeferido." (MS n.º 23.388/DF, rel. min. Néri da Silveria, *DJ* 20.04.2001); "I. – Se a controvérsia é puramente regimental, resultante de interpretação de normas regimentais, trata-se de ato 'interna corporis', imune ao controle judicial, mesmo porque não há alegação de ofensa a direito subjetivo." (MS n.º 24.356/DF, rel. min. Carlos Velloso, *DJ* 12.09.2003).

[331] Sousa Filho esclarece o ponto: "A função primordial da jurisdição constitucional de garantir a higidez do sistema democrático exige uma postura mais ativa do Supremo Tribunal Federal em matérias relacionadas ao respeito ao devido processo legislativo, na medida em que essa questão se apresenta relevante para a definição da própria modelagem institucional no Estado Democrático brasileiro. Antes de decidir sobre o conteúdo das opções políticas manifestadas pelo legislador, cabe ao STF garantir que o processo de formação das leis seja aberto, plural, inclusivo e, na maior medida possível, catalisador do respeito aos direitos fundamentais. Há amplo espaço no Brasil para a implementação de um controle judicial mais estrito e criterioso sobre o respeito pelo Congresso Nacional às normas que disciplinam o processo legislativo." (Sousa Filho, A. B., 2019, p. 411 ss).

no julgamento da ADI n.º 4425/DF, que entendeu que a Emenda Constitucional n.º 62, aprovada em dois turnos no mesmo dia, sem intervalo, era formalmente constitucional. O argumento submetido à apreciação da Corte era de que a Constituição Federal, no seu artigo 60, § 2.º, ao estabelecer a exigência de que a PEC fosse aprovada em dois turnos de votação, em cada casa, tinha como finalidade permitir que os parlamentares refletissem sobre o que estavam aprovando. Não se sustentava a necessidade de se observar o prazo regimental de cinco dias. Defendia-se apenas que os dois turnos não poderiam ocorrer no mesmo dia. O argumento não convenceu a Corte, que, na ocasião, reafirmou sua jurisprudência tradicional, dizendo tratar-se de questão *interna corporis*.[332] Tal orientação precisa ser revista, não para se abandonar o parâmetro de autocontenção judiciária consubstanciado na deferência às interpretações do Regimento Interno adotadas pela própria casa legislativa, mas para se permitir que o Judiciário zele pela observância de exigências mínimas de deliberação associadas ao princípio democrático.

Já há, porém, precedentes em que se antevê a predisposição da Corte para alterar esse parâmetro de autorrestrição. O STF proferiu decisão para preservar a suficiência do processo deliberativo no julgamento da ADI n.º 4029. A ação foi ajuizada para se impugnar a Lei Federal nº 11.516/2007, que resultou da conversão de Medida Provisória por meio da qual foi criado o Instituto Chico Mendes de Conservação da Biodiversidade. A ADI foi julgada improcedente. Porém, incidentalmente, a Corte apreciou a constitucionalidade dos artigos 5.º, *caput*, e 6.º, *caput* e §§ 1.º e 2.º, da Resolução n.º 1, de 2002, editada pelo Congresso Nacional. Os preceitos permitiam a emissão de parecer sobre a MP pelo relator da Comissão Mista diretamente ao Plenário da Câmara dos Deputados, sem que a própria Comissão se manifestasse. A norma era inconstitucional[333] por violar o texto expresso

[332] Segundo a Corte, "A Constituição Federal de 1988 não fixou um intervalo temporal mínimo entre os dois turnos de votação para fins de aprovação de emendas à Constituição [...], de sorte que inexiste parâmetro objetivo que oriente o exame judicial do grau de solidez da vontade política de reformar a Lei Maior." (ADI n.º 4425, relator min. Ayres Britto, relator p/acórdão: min. Luiz Fux, Tribunal Pleno, J. 14.03.2013, *DJe*-251 19.12.2013).

[333] Cf.: Clève, C. M., 2010; Casseb, P. A., 2008.

do artigo 62, § 9.º, da Constituição da República.[334] O preceito tinha como função, segundo interpretação dada pelo STF, permitir que se instaurasse "reflexão mais detida sobre os atos emanados do Executivo" e evitar que o Plenário decidisse de maneira "inopinada".[335] Como a submissão das medidas provisórias diretamente ao Plenário se tornara prática corrente, o STF modulou os efeitos de sua decisão, razão pela qual a Lei n.º 11.516/2007 não foi declarada inconstitucional.[336] Dali em diante, porém, a deliberação da Comissão Mista de deputados e senadores se tornou obrigatória.[337]

Quanto ao ponto, a jurisprudência do STF está também associada à preocupação de não intervir excessivamente no processo legislativo. O parâmetro, porém, parece ser decorrente antes de atitude defensiva, baseada na preocupação de não aumentar excessivamente o afluxo de processos à

---

[334] O preceito possui a seguinte redação: "Caberá à comissão mista de deputados e senadores examinar as medidas provisórias e sobre elas emitir parecer, antes de serem apreciadas, em sessão separada, pelo plenário de cada uma das Casas do Congresso Nacional."

[335] A decisão possui o seguinte teor: "4. As Comissões Mistas e a magnitude das funções das mesmas no processo de conversão de Medidas Provisórias decorrem da necessidade, imposta pela Constituição, de assegurar uma reflexão mais detida sobre o ato normativo primário emanado pelo Executivo, evitando que a apreciação pelo Plenário seja feita de maneira inopinada, percebendo-se, assim, que o parecer desse colegiado representa, em vez de formalidade desimportante, uma garantia de que o Legislativo fiscalize o exercício atípico da função legiferante pelo Executivo. [...] 6. A atuação do Judiciário no controle da existência dos requisitos constitucionais de edição de Medidas Provisórias em hipóteses excepcionais, ao contrário de denotar ingerência contramajoritária nos mecanismos políticos de diálogo dos outros Poderes, serve à manutenção da Democracia e do equilíbrio entre os três baluartes da República". (ADI n.º 4029, rel. min. Luiz Fux, Tribunal Pleno, J. 08.03.2012, *DJe*-125 27.062012).

[336] No caso, a Corte utilizou a técnica da *prospective overruling*. Cf., *i. a.:* Treanor, W. M. e Sperling, G. B., 1993.

[337] A decisão da Corte sobre o tema foi excepcionada durante a epidemia do coronavírus por decisão liminar do ministro Alexandre de Moraes. Os argumentos empregados pelo magistrado foram os seguintes: "Me parece, razoável, em tempos de estado de emergência decretado em face de grave pandemia, a possibilidade do Congresso Nacional, temporariamente, estabelecer a apresentação de parecer sobre as medidas provisórias diretamente em Plenário, por parlamentar designado na forma regimental, em virtude da impossibilidade momentânea de atuação da comissão mista. Essa previsão regimental excepcional possibilitará, em sua plenitude e com eficiência, a análise congressual das medidas provisórias editadas pelo Presidente da República, respeitando a competência do chefe do Executivo para sua edição e do Congresso Nacional para sua análise e deliberação e, dessa forma, concretizando a harmonia estabelecida constitucionalmente no artigo 2.º do texto constitucional" (ADPF n.º 661/MC, rel. min. Alexandre de Moraes, J. 27.03.2020, *DJe*-078 31.03.2020).

Corte, que de juízo a respeito da legitimidade da jurisdição constitucional. A jurisprudência do STF é uma das mais ativistas do mundo no tocante ao controle material da constitucionalidade. A Corte vai além da função contramajoritária e, por vezes, anula leis aprovadas pelos representantes eleitos para atender ao que interpreta como a vontade do povo. O princípio democrático deve conduzir à reversão dessas duas tendências, dando sustentação a uma jurisdição constitucional mais equilibrada: mais autorrestrita no tocante ao controle material, e mais ativista na preservação da integridade do processo democrático de legiferação.

V.3.4. Controle de constitucionalidade dos Decretos na hipótese de abuso do poder regulamentar

Como ressaltado, políticos autoritários, desde sempre, procuram governar mediante a edição de decretos. Essa é uma das vias pelas quais buscam se desonerar do controle legislativo. O caso mais recente, já mencionado, é o da Hungria: Orbán, aproveitando a necessidade de enfrentar a epidemia do coronavírus, obteve do Parlamento essa delegação. No Brasil, o presidente vem tentando editar decretos que exorbitam, em muito, a esfera de suas atribuições – o Presidente da República deveria expedi-los, nos termos do art. 84, IV, da Constituição, apenas para dar "fiel execução" às leis.

O exercício abusivo do poder regulamentar se verificou, por exemplo, com a edição do Decreto n.º 9.685, de 2019, que ampliou a possibilidade de se obter autorização para a "posse" de armas de fogo – anteriormente, foi examinado de modo específico o problema da ampliação do "porte" (IV. 2). O art. 4.º, *caput,* da Lei n.º 10.826, de 22 de dezembro de 2003, determina que apenas quem possui "efetiva necessidade" pode ser autorizado a possuir arma de fogo. Por meio do mencionado Decreto, o presidente, dando nova redação ao art. 12, § 7º, VI, do Decreto n.º 5.123, de 1.º de julho de 2004, determinou que o requisito seria considerado cumprido por todos os residentes em áreas urbanas localizadas em unidades federativas com taxa de homicídios superior a de 10 homicídios por 100 mil habitantes ao ano, de acordo com os dados constantes do Atlas da Violência de 2016. Ocorre que não havia um único Estado da Federação, em 2016, em que a taxa de homicídios fosse inferior. O Decreto, com isso, generalizava a posse de armas de fogo, suprimindo, na prática, o requisito legal da efetiva necessidade. O decreto foi impugnado perante o STF, por meio da ADI n.º 6119 e de outras ações, cujo julgamento não chegou a ocorrer, o que se deu pelo fato de o presidente tê-lo revogado antes do julgamento e antes de o Congresso Nacional tê-lo sustado.

O exemplo revela a inconveniência de o STF persistir adotando o parâmetro segundo o qual não é possível realizar o controle de constitucionalidade de atos administrativos editados com o propósito de regulamentar textos legais – para a Corte, a hipótese seria de "inconstitucionalidade reflexa", que comporta o controle de legalidade, não de constitucionalidade.[338] O parâmetro deixa desprotegidos valores constitucionais dotados de máxima importância, que, muitas vezes, são violados mais gravemente por meio da edição de decreto regulamentar que da promulgação de texto legal. No exemplo acima citado, ante a ausência de apoio para revogar o dispositivo legal que fixava o requisito da "efetiva necessidade", o presidente procurou esvaziá-lo por intermédio de regulamentação inautêntica: na verdade, não o regulamentou, revogou-o informalmente. A autocontenção judiciária, na hipótese, retiraria a eficácia o próprio princípio da legalidade, previsto no art. 37 da Constituição da República. Não se desconhece que, na jurisprudência tradicional, remanesce a possibilidade do controle de legalidade, realizado por cada juiz em casos concretos. Tal controle, porém, não é capaz de afastar de modo global a ameaça aos valores constitucionais decorrente da generalização da posse de armas de fogo.

Sob o impacto de atos normativos como esse, o STF vem consolidando importante guinada jurisprudencial. A Corte já admitia o exame da constitucionalidade dos chamados decretos editados não para regulamentar os textos legais, mas para aplicar diretamente a Constituição – os chamados regulamentos autônomos.[339] Hoje, porém, a Corte tem passado a admitir

[338] Nesse sentido, cf., p. ex.: ADI n.º 3132, rel. min. Sepúlveda Pertence, Tribunal Pleno, J. 15.02.2006, *DJ* 09.06.2006; ADI n.º 2626, rel. min. Sydney Sanches, relator p/acórdão min. Ellen Gracie, Tribunal Pleno, J. 18.04.2004, *DJ* 05-03-2004.

[339] O decreto autônomo cria normatividade, inovando no ordenamento jurídico, com elevado grau de abstração, generalidade e autonomia em relação ao preceito legal apontado como regulamentado. O reconhecimento de que se trata de um Decreto autônomo legitima a impugnação por meio de ação direta, como prevê a jurisprudência do STF. Cf.: ADI 3664, rel. min. Cezar Peluso, J. 01.06.2011.

também a análise, em sede de controle abstrato de constitucionalidade, de atos normativos que regulamentam as leis.[340] O Plenário do Supremo Tribunal Federal, no julgamento da ADI n.º 6121-MC, em decisão de 13 de junho de 2019, deferiu liminar para, "suspendendo a eficácia do § 2.º do art. 1.º do Decreto n.º 9.759/2019, na redação dada pelo Decreto n.º 9.812/2019, afastar [...] a possibilidade de ter-se a extinção, por ato unilateralmente editado pelo Chefe do Executivo, de colegiado cuja existência encontre menção em lei em sentido formal". Como se verifica, o Supremo Tribunal Federal considerou inconstitucional ato regulamentar que violava texto legal. Na hipótese, o Decreto, da lavra de Bolsonaro, extinguia inúmeros conselhos, acusados de adotarem "viés ideológico bolivariano".[341] A decisão do STF, de natureza cautelar, os preservou, aplicando, para tanto, o princípio da legalidade.

A já citada decisão monocrática proferida pelo ministro Roberto Barroso na ADPF n.º 622, em 20 de dezembro de 2019, também adota essa orientação, ao suspender a eficácia do Decreto n.º 10.003/2019, editado pelo presidente para dispor sobre o funcionamento e a composição do Conselho Nacional da Criança e do Adolescente – Conanda. Contou para que o magistrado proferisse sua decisão a circunstância de o mandatário patrocinar processo de erosão democrática. Como antes ressaltado, na fundamentação da decisão, o magistrado sustentou a pertinência da suspensão circunstancial

[340] Mesmo antes do atual governo, a jurisprudência do STF já possuía algumas exceções. Há decisão monocrática do ministro Gilmar Mendes, proferida nos autos da ADPF n.º 87, em 2006, em que a possibilidade do controle de constitucionalidade do ato regulamentar prevaleceu: "não há óbice para que se analise, em condições especiais, a constitucionalidade de atos regulamentares em face da CF, pois que a questão constitucional, muitas vezes, é posta de forma tal que se afigura possível a ofensa aos postulados da legalidade e da independência e separação de poderes, os quais merecem proteção da Corte Suprema". O ministro Gilmar Mendes, em estudo doutrinário, também já defendia a possibilidade do emprego da APDF para atacar atos regulamentares que violassem a Constituição (Mendes, G. F.; Coelho, I. M.; Branco, P. G. G., 2007, p. 1270).

[341] Entre outros, eram extintos os seguintes conselhos: Conselho Nacional de Combate à Discriminação e Promoção dos Direitos de LGBT (CNCD/LGBT); Comissão Nacional de Educação Escolar Indígena; o Comitê Nacional de Educação em Direitos Humanos (CNEDH); Comitê Intersetorial de Acompanhamento e Monitoramento da Política Nacional para a População em Situação de Rua; Comissão Nacional de Alfabetização e Educação de Jovens e Adultos (CNAEJA); Comissão Nacional de Florestas (CONAFLOR); Comissão Nacional para Erradicação do Trabalho Escravo (CONATRAE).

da deferência.[342] A guinada na jurisprudência do STF, ora ensaiada em casos como esse, é um importante elemento no sistema de controle do arbítrio governamental.

V.3.5. Superação do populismo penal, o princípio da legalidade e o restabelecimento do Estado de Direito

O princípio da legalidade está positivado no artigo 5.º, XXXIX, da Constituição da República: "Não há crime sem lei anterior que o defina, nem pena sem prévia cominação legal". A Constituição reproduz o que já dispunha o artigo 1.º do Código Penal Brasileiro: "Não há crime sem lei anterior que o defina. Não há pena sem prévia cominação legal". Apenas a lei pode criar tipos penais e cominar pernas. Trata-se de princípio inscrito na gênese do Estado de Direito. De acordo com o artigo 8.º da *Declaração dos Direitos do Homem e do Cidadão*, de 1789, "ninguém pode ser punido senão por força de uma lei estabelecida e promulgada antes do delito e legalmente aplicada." O princípio foi defendido, classicamente, por Beccaria: "só as leis podem determinar as penas fixadas para os crimes, e esta autoridade somente pode residir no legislador, que representa toda a sociedade unida por um contrato social. Nenhum magistrado [...] pode, com justiça, aplicar a pena a outro membro da mesma sociedade, pena essa superior ao limite fixado pelas leis [...]".[343] O princípio da legalidade, na esfera penal, é o elemento básico da tradição liberal do Estado de Direito. É o legado mais importante do iluminismo contra o arbítrio das autoridades públicas.

---

[342] Na decisão, o relator enfrentou diretamente o argumento de que a Corte não poderia conhecer da ADPF por se tratar de violação reflexa à Constituição: "10. Não há que se falar em arguição de inconstitucionalidade reflexa, tal como alegado pela Advocacia Geral da União, dado que a ação não se volta a confrontar o Decreto 10.003/2019 com qualquer norma legal. Ao contrário, a ação tem por objeto a compatibilidade do decreto com os dispositivos constitucionais que alegadamente exigem a participação direta da sociedade civil na matéria (arts. 1.º, par. único, c/c 204 e 227, §7.º, CF), com o princípio da isonomia (art. 5.º, I, CF), com o direito à proteção integral e prioridade absoluta de crianças e adolescentes (art. 227, CF) e com o princípio da vedação ao retrocesso (art. 1.º, *caput* e III; art. 5.º, XXXVI e §1.º; art. 60, §4.º, CF)." (ADPF n.º 622 MC, rel. min. Roberto Barroso, J. 20.12.2019, *DJe*-019 03.02.2020).

[343] Beccaria, C., 1999, p. 30.

O que hoje se verifica no Judiciário brasileiro é a consolidação da jurisprudência obscurantista que se caracteriza pela recorrente inobservância dos limites impostos pela legislação penal. O estado de exceção se traduz pela anomia, pela possibilidade de se decidir sem se observar as normas anteriormente estabelecidas, pelo poder de agir no vazio normativo. No Brasil, no sistema de justiça criminal, há anos, está instalado um "estado de exceção permanente", sob o domínio do "populismo penal".[344] O populismo político, que hoje assedia toda a sociedade, é continuação e resultado do populismo penal, que há muito subverte as bases do Estado de Direito.[345] Em muitos casos, os tribunais até reafirmam retoricamente a vigência dos limites legais e constitucionais à persecução criminal, mas deixam de anular decisões que os desrespeitam, ainda que gravemente, empregando, entre outros argumentos, a fórmula coringa da ausência de prejuízos: *pas de nullité sans grief*.[346] Embora o sistema jurídico prescreva que, em caso de dúvida, se deve optar pela liberdade, a cultura jurídica que hoje vigora no Brasil adota viés *pro societate*. Na realidade prática dos tribunais brasileiros, o parâmetro

---

[344] Cf., *i. a.*: Pratt, J., 2007; Paiva, L. G. M., 2014; Gomes, L. F., 2013; Dornelles, J. R. W., 2016.

[345] Cf.: Pratt, J. e Miao, M., 2017.

[346] De fato, segundo o artigo 563 do Código de Processo Penal, "Nenhum ato será declarado nulo, se da nulidade não resultar prejuízo para a acusação ou para a defesa." Nas cortes superiores, encontra-se, em detrimento da liberdade, o emprego reiterado da mesma fórmula: "Necessária a comprovação do prejuízo que o réu teria sofrido com a citada inversão, o que não ocorreu no caso concreto". Cf.: HC n.º 446.528/SP, rel. min. Ribeiro Dantas, rel. p/acórdão min. Felix Fischer, Quinta Turma, J. 11.09.2018, *DJe* 20.09.2018; HC n.º 435.948/PE, Quinta Turma, rel. min. Ribeiro Dantas, *DJe* 23.08.2018; AgRg no HC n.º 470.817/SP, rel. Ministro Felix Fischer, Quinta Turma, J. 16.10.2018, *DJe* 23.10.2018; AREsp n.º 1438108/SP, Quinta Turma, rel. min. Joel Ilan Paciornik, *DJe* 05.08.2019; AgRg no HC n.º 496.341/MG, Quinta Turma, rel. min. Felix Fischer, *DJe* 21.05.2019. Por outro lado, se o réu busca provar que a inobservância da lei causou prejuízo, o precedente aplicável, igualmente para preservar, a todo custo, o processo nulo, é o que veda a "dilação fático-probatória em sede de *habeas corpus*" ou o "revolvimento de fatos e provas" no exame de Recurso Especial – neste último caso, aplica-se a onipresente Súmula n.º 7, segundo qual "a pretensão de simples reexame de prova não enseja recurso especial". (AgRg no HC n.º 519.263/SP, Quinta Turma, rel. min. Ribeiro Dantas, *DJe* 30.09.2019; AgRg no HC n.º 527.681/MG, Sexta Turma, rel. min. Laurita Vaz, *DJe* 30.09.2019).

interpretativo prevalecente é o de que, em caso de dúvida, se deve preservar a condenação.[347]

No séc. XX, o princípio da legalidade foi abertamente relativizado por regimes de cunho autocrático. O caso mais trágico era a previsão, no direito penal nazista, da possibilidade de punição dos atos que violassem não só as normas legais, mas também o "são sentimento do povo". Era o que dispunha o parágrafo 2.º do Código Penal Alemão, na redação dada em 1935: "Será punido todo aquele que cometa um fato que a lei declare punível ou que mereça uma pena segundo a ideia básica de uma lei penal ou segundo o são sentimento do povo".[348] Parte considerável da jurisprudência criminal brasileira recente se produziu como se esse preceito estivesse em vigor no Brasil.[349]

Com o ocaso dos regimes totalitários, derrotados na Segunda Guerra Mundial, o princípio da legalidade recuperou sua centralidade. Na tradição do Estado de Direito, apenas se a lei define determinada conduta como criminosa se justifica a imposição de sanção penal. A atividade do juiz consiste em verificar se os fatos levados a sua apreciação se identificam com a hipótese de incidência prevista na lei (a chamada *facti species*). Se é o caso, aplica-se a

---

[347] Como ressalta Casara, "Em razão do imaginário autoritário dos intérpretes que atuam no Sistema de Justiça Criminal, da pré-compreensão carregada de valores inadequados à democracia (em especial, a crença no uso da força e o medo da liberdade), as normas criadas e as atitudes adotadas pelos intérpretes (e as normas são sempre produto dos intérpretes) tornam-se autoritárias. E o pior é que o autoritarismo produzido acaba naturalizado e muitas vezes aplaudido. Se as pessoas acreditam que todos os problemas só podem ser resolvidos por meio do uso da força, com o emprego da violência, qualquer outra medida se tornará indesejada". (CASARA, R., 2018, p. 107).

[348] Cf., *i. a.*: Muñoz Conde, F., 2003; Porciúncula, J. C., 2019.

[349] Entre nós, parece ter sido esquecida a advertência de Constant: "O povo não tem o direito de castigar um único inocente, nem tratar como culpado um único acusado sem provas legais. Não pode, pois, delegar a ninguém semelhante direito. O povo não tem o direito de atentar à liberdade de opinião, à liberdade religiosa, às garantias judiciais, às formas protetoras. [...] Todo despotismo é ilegal; nada pode sancioná-lo, nem a vontade popular na qual pretende fundamentar-se." (Constant, B., 1989, p. 72). Hoje, o espírito do tempo parece se identificar com o que prescrevia Robespierre: "Se a mola do governo popular na paz é a virtude, a mola do governo popular em revolução é ao mesmo tempo a virtude e o terror: a virtude, sem a qual o terror é funesto; o terror, sem o qual a virtude é impotente. O terror não é outra coisa senão a justiça pronta, severa, inflexível; esta é, portanto, uma emanação da virtude; é menos um princípio particular do que uma consequência do princípio geral da democracia, aplicada às mais prementes necessidades da pátria." (Robespierre, M., 1999, p. 149).

consequência jurídica também prevista no texto legal – no caso do direito penal, a pena. Ao Legislativo caberia o juízo político e a mudança das leis; ao Judiciário, a mera aplicação.[350]

O princípio da legalidade veda, em especial, o emprego da *analogia* em detrimento do réu. As leis podem conter lacunas, deixando de prever soluções adequadas para questões relevantes. Em geral, quando se depara com uma lacuna, o Poder Judiciário não pode se recusar a julgar, proferindo um *non liquet*: deve colmatar a lacuna. A obrigação está prevista no art. 4.º da Lei de Introdução às Normas do Direito Brasileiro.[351] Porém, na esfera do direito penal, a aplicação da analogia não pode ter lugar, senão para beneficiar o réu.[352] Quando o juiz criminal se depara com conduta não descrita no tipo penal, deve apenas pronunciar sua atipicidade. A vedação à analogia decorre da especial importância que a liberdade possui para as democracias constitucionais. A preservação da liberdade depende da restrição do poder punitivo do Estado, que não pode incidir sobre particulares, senão quando há previsão legal expressa, tipificando a conduta.[353]

---

[350] A doutrina da separação dos poderes leva a uma "psicologia das faculdades" que distribui a *vontade* e a *razão* a diferentes funções estatais. Enquanto, na legislação, ter-se-ia ato de vontade, na jurisdição, de mera cognição (Perelman, C., 1998, p. 32).

[351] O preceito possui a seguinte redação: "Quando a lei for omissa, o juiz decidirá o caso de acordo com a analogia, os costumes e os princípios gerais de Direito" (LINDB, art. 4.º).

[352] Como esclarece Hassemer "O princípio da legalidade proíbe no Direito Penal tal ampliação da norma (em si 'racional') aos casos que não estão formulados nela, mas são imaginados. No conflito entre o teor (que alcança tão pouco) e o sentido (que incorreta ou incompletamente é representado pelo teor) a proibição da analogia vota estritamente pelo teor." (Hassemer, W., 2005). Tais observações convergem com a esclarecedora lição de Nilo Batista, Raul Zaffaroni, Alejandro Alagia e Alejandro Slokar: "O princípio da máxima taxatividade se manifesta no âmbito interpretativo por meio de uma proibição absoluta da analogia *in malam partem*. [...] Enquanto o direito civil cumpre melhor sua função de segurança jurídica quando coloca o poder público a serviço da solução do maior número possível de conflitos, tendendo portanto a corresponder a um sistema de contínuo – sem lacunas – , o direito penal se estrutura como um sistema descontínuo de ilicitudes pontuais que não podem ser ampliadas pela interpretação, doutrinaria ou jurisprudencial". (Zaffaroni, E. R. et al., 2003, v. 1, p. 208).

[353] Por essa razão, aplica-se também à interpretação da norma penal o princípio do *in dubio pro reo*. A propósito, cabe recordar a lição de Nelson Hungria: "No caso de irredutível dúvida entre o espírito e as palavras da lei, é força acolher, em direito penal, irrestritamente, o princípio do in dubio pro reo (isto é, o mesmo critério de solução nos casos de prova dúbia no processo penal). Desde que não seja possível descobrir-se a *voluntas legis*, deve guiar-se o intérprete pela conhecida máxima: *favorablia sunt amplianda, odiosa*

Embora nem sempre o pratique, o apego à legalidade tem sido reafirmado, com frequência, pelo Supremo Tribunal Federal.[354] Porém, há dois precedentes importantes que adotam, ostensivamente, parâmetro diverso. O caso mais rumoroso de violação da legalidade provém dos precedentes sobre a execução das penas de prisão a partir da decisão de 2.ª instância. O art. 283 do Código de Processo Penal, na redação dada pela Lei n.º 12.403/2011, estabelece a necessidade do *trânsito em julgado* da condenação para que ocorra o início do cumprimento de pena privativa de liberdade. A norma legal está em harmonia com o art. 5.º, LVII, da Constituição Federal de 1988, segundo o qual "ninguém será considerado culpado até o trânsito em julgado de sentença penal condenatória". Ainda que se entenda que o trânsito em julgado não é imposição constitucional, não é sustentável afirmar que o texto do artigo 283 do CPP está em desacordo com o do art. 5.º, LVII, da Constituição Federal. No entanto, apesar do texto legal expresso (art. 283 do CPP), e de sua indiscutível compatibilidade com a Constituição, no início do ano de 2016, ao julgar o *Habeas Corpus* n.º 126.292, o STF subitamente decidiu que a execução da sentença penal condenatória prescindia do trânsito em julgado. O precedente foi estabelecido sem que a Corte examinasse, sequer, a constitucionalidade do novo art. 283 do CPP. Para instá-la a fazê-lo, foram ajuizadas, então, as Ações Declaratórias de Constitucionalidade n.º 43 e 44.[355] No exame da cautelar, o Plenário do STF, em decisão de 5 de outubro de 2016, proferida por maioria de 6 x 5, entendeu que não deveria pronunciar a constitucionalidade, mantendo o

---

restringenda. O que vale dizer: a lei penal deve ser interpretada restritivamente quando prejudicial ao réu, e extensivamente no caso contrário". (Hungria, N., 1958, v. 1, p. 86). No mesmo sentido, Zaffaroni e Pierangeli rejeitam "a 'interpretação extensiva', se por ela se entende a inclusão de hipóteses punitivas que não são toleradas pelo limite máximo da resistência semântica da letra da lei, porque isso seria analogia." Para os autores, "o *princípio in dubio pro reo* nos indica a atitude que necessariamente devemos anotar para entender uma expressão legal que tem sentido duplo ou múltiplo, mas pode ser descartado ante 'a contradição da lei assim entendida com o resto do sistema'" (Zaffaroni, E. R. e Pierangeli, J. H., 2004, p. 168).

[354] Cf.: HC n.º 97261, relator min. Joaquim Barbosa, Segunda Turma, J. 12.04.2011, *DJe*-081 03.05.2011; Inq n.º 1145, relator min. Maurício Corrêa, relator p/acórdão min. Gilmar Mendes, Tribunal Pleno, J. 19.12.2006, *DJe*-060 04.04.2008; HC n.º 69859, relator min. Celso de Mello, Primeira Turma, J. 01.12.1992, *DJ* 29.09.2006.

[355] Em 18.04.2018, foi protocolada ainda a ADC n.º 54 com o mesmo objeto.

que havia sido decidido no HC n.º 126.292, entendimento que prevaleceu até o julgamento do mérito das ADCs, em 7 de novembro de 2019, quando, só então, a legalidade foi restabelecida.[356]

Entre as graves consequências da decisão proferida contra o texto legal expresso, indiscutivelmente compatível com a Constituição Federal, estava o estabelecimento de uma espécie de salvo-conduto para que os juízes interpretassem as normas penais sem compromisso com os limites decorrentes da legalidade.[357] Parte da opinião pública, inflamada por *fake news* em profusão, efetivamente achava que juízes poderiam determinar o cumprimento da pena de prisão após a decisão de 2ª instância. Mas não poderiam, em um Estado Democrático de Direito. Ainda que se conferisse aos ministros do STF mandato para representar, de modo amplo, a vontade popular, o poder de revogar a Constituição não estaria abrangido.

O segundo caso especialmente sensível no tocante à observância do princípio da legalidade foi a decisão proferida, em 13 de junho de 2019, no julgamento da ADO n.º 26 e do MI n.º 4.733, em que a Corte decidiu criminalizar a *homofobia*, aplicando analogicamente a Lei n.º 7.716/1989, que tipifica o crime de *racismo*. Na ocasião, foi fixada a tese que se segue:

[356] Quando do julgamento do mérito das ADCs, em novembro de 2019, depois de meses de idas e vindas, o STF finalmente retornou aos limites da legalidade constitucional, declarando a constitucionalidade do art. 283 do Código de Processo Penal. O ministro Gilmar Mendes que, antes, havia entendido que não deveria conceder a cautelar, alterou seu entendimento, manifestando-se pela constitucionalidade da norma, com o que se alcançou maioria de 6 x 5 no sentido inverso da formada anteriormente. A ministra Rosa Weber, em seu voto, enfatizou a necessidade de se observarem os limites semânticos dos textos legais: "A interpretação não pode negar o texto nem afastá-lo atribuindo-lhe sentidos acaso tradutores do desejo do intérprete, por mais louváveis que sejam as crenças políticas, éticas ou ideológicas a animarem esse desejo, por melhores que sejam as intenções. Não há como o leitor evitar o significado dos símbolos gráficos marcados com tinta sobre o papel, ou dos padrões desenhados com pontos de luz na tela. Se a garantia é assegurada, não há como interpretá-la como se não existisse. Entendo que a decisão judicial deve se apoiar não nas melhores intenções pessoais do magistrado, mas na melhor interpretação possível do direito objetivo: a Constituição, as leis, a tradição jurídica, a prática institucional e os valores de uma sociedade."

[357] Essa consequência é especialmente grave quando os processos penais são julgados por magistrados de perfil autoritário. Cf.: Casara, R. R. R., 2009.

> Até que sobrevenha lei emanada do Congresso Nacional destinada a implementar os mandados de criminalização definidos nos incisos XLI e XLII do art. 5.º da Constituição da República, as condutas homofóbicas e transfóbicas, reais ou supostas, que envolvem aversão odiosa à orientação sexual ou à identidade de gênero de alguém, por traduzirem expressões de racismo, compreendido este em sua dimensão social, ajustam-se, por identidade de razão e mediante adequação típica, aos preceitos primários de incriminação definidos na Lei n.º 7.716, de 08/01/1989, constituindo, também, na hipótese de homicídio doloso, circunstância que o qualifica, por configurar motivo torpe (Código Penal, art. 121, § 2.º, I, "in fine").

Embora vários magistrados que integram o STF tenham procurado ressaltar que não se tratava de aplicação analógica de norma penal, é inegável que isso ocorreu: a Lei n.º 7.716/1989 tipifica o crime de racismo, não de homofobia.[358] Ao criar tipo penal por meio de analogia, o precedente se afasta dos limites inerentes ao Estado Democrático de Direito. Feita essa ressalva, cabe, porém, uma palavra em favor da decisão: a necessidade de preservação da impessoalidade, que é um dos fundamentos do princípio da legalidade, não se aplica da mesma forma no exercício do controle objetivo de constitucionalidade e no julgamento de casos concretos. A decisão do STF foi proferida não para condenar um réu específico à prisão, mas para estabelecer, de modo geral e abstrato, parâmetro normativo que deve ser aplicado em todos os casos. Justamente por se manifestar *in abstrato*, o controle objetivo de constitucionalidade costuma ser considerado atividade

---

[358] A analogia foi empregada para se editar "sentença aditiva", que é decisão em que o Judiciário cria normatividade, elabora norma nova para solucionar a controvérsia submetida a sua apreciação. Frequentes hoje na jurisdição constitucional brasileira, as decisões normativas superam o antigo parâmetro de autocontenção judicial segundo o qual caberia ao Judiciário exercer apenas a função de "legislador negativo", não a de "legislador positivo". Para os antigos ministros do Supremo Tribunal Federal, o exercício da jurisdição constitucional só poderia se materializar em decisões que declarassem a nulidade de normas em vigor. Atualmente, o que se pratica vai muito além disso: é frequente que o Supremo Tribunal Federal edite provimentos contendo normas gerais e abstratas, não só para solucionar os casos concretos, mas para disciplinar os setores da realidade abrangidos por seus programas normativos. Sobre o tema, cf.: Sousa Filho, A. B., 2016. Para a crítica à possibilidade da edição de "sentenças aditivas" na esfera penal, cf.: Sousa Filho, A. B. 2019, p. 396 ss.

de natureza legislativa, não jurisdicional. O próprio Kelsen sustenta que a Corte Constitucional exerce "função legislativa", embora "negativa".[359]

Porém, mesmo que se entenda que a decisão do STF, na hipótese, se justifica,[360] dela não se derivam padrões metodológicos que possam ser estendidos para o julgamento de casos concretos. A adoção de metodologias flexíveis, *in malam partem*, é o que de mais reprovável se pode fazer na seara criminal, como antes consignado. Sem a plena observância da legalidade, não há garantias institucionais capazes de impedir que o processo penal seja utilizado como instrumento de disputa política, vingança pessoal e promoção profissional. É justamente para nos proteger do arbítrio inerente ao poder ilimitado que instituímos o governo das leis. Se se permite a construção *ad hoc* de parâmetros normativos na esfera penal, os réus passam a se submeter ao arbítrio dos julgadores. O princípio da legalidade leva, obrigatoriamente, à adoção, no julgamento de casos individuais, de metodologia jurídica formalista, que repele a adoção de parâmetros normativos desprovidos de adequação estrita aos textos legais.

Os tribunais superiores, em geral, e o STF, em particular, são *tribunais de teses*. Cabe-lhes estabelecer precedentes que irão orientar a prestação jurisdicional realizada pelos tribunais e juízes de todo o Brasil. Tal orientação ocorre não apenas por meio da fixação de parâmetros normativos, mas também por intermédio da legitimação de técnicas decisórias.[361] Se o Supremo Tribunal Federal pode adotar métodos flexíveis de interpretação

---

[359] Kelsen, H., 1998., p. 389. A decisão que anula a lei "inconstitucional" seria, na realidade, um ato de *revogação da lei*. Daí por que, para Kelsen, deveria apenas produzir efeitos prospectivos. (Ibid., p. 226). O próprio Supremo Tribunal Federal costuma classificar o exercício da jurisdição constitucional como "função legislativa negativa". Cf., p. ex.: ADI n.º 4885/MC, relator min. Marco Aurélio, Tribunal Pleno, J. 27.06.2018, *DJe*-167 01.08.2019.

[360] Ainda quem entenda que, no controle objetivo, é possível a *criação* de tipos penais por analogia, tem boas razões para reservar essa possibilidade a hipóteses dotadas de máxima excepcionalidade. No caso da ADO n.º 26, a excepcionalidade decorreria (a) da circunstância de a Constituição prever expressamente que a lei deve punir "qualquer discriminação atentatória dos direitos e liberdades fundamentais" (CF., art. 5.º, XLI); (b) da fundamentalidade dos bens jurídicos violados pela omissão legislativa (dignidade humana e igualdade); (c) do fato de a omissão legislativa se verificar desde 1988; (d) da especial legitimação das cortes constitucionais para preservar os direitos das minorias.

[361] Como esclarece o ministro Roberto Barroso, "o Supremo Tribunal Federal deve ser um Tribunal, como regra geral, de teses jurídicas que possam orientar a boa aplicação

no julgamento de casos penais, os juízes brasileiros, em geral, também se acharão na posição de empregá-los. Mas as normas penais são aplicadas não apenas por magistrados repletos de virtudes, mas também por julgadores desprovidos de compromissos éticos e humanistas. Mesmo os magistrados mais justos e capazes encontram graves dificuldades para conferir a atenção devida a cada processo. A quantidade de trabalho dos magistrados brasileiros excede às capacidades humanas – na verdade, parte considerável dos casos só é apreciada pelas assessorias. A adoção de uma metodologia formalista, além de ser decorrência do princípio da legalidade, é a alternativa mais prudente considerando as condições institucionais concretas em que o direito penal é aplicado no país.[362]

Para o pleno restabelecimento da democracia brasileira, é necessário recompor o consenso em torno do princípio segundo o qual o papel do Judiciário é aplicar, não criar o direito vigente. Os julgamentos insubmissos às leis vigentes no país são usurpação ilegítima do poder e fonte de arbítrio, ainda quando motivados pelos melhores propósitos. A proliferação de decisões judiciais *contra legem* degenera um dos pilares fundamentais da organização política brasileira: o governo das leis.[363]

do direito por todo o País." (QO na AP n.º 606-MG, rel. min. Roberto Barroso, J. 12.08.2014).

362 Uma boa metodologia não é aquela que parte da idealização da figura do intérprete, mas a que se baseie numa visão realista sobre as suas capacidades concretas de atuação. Cf.: Shauer, F., 1991; Sunstein, C. e Vermeule, A., 2002; Vermeule, A., 2006. Convém, a propósito, mencionar a advertência de Noel Struchiner: "O ponto é que a escolha por um ou outro modelo é contextual. A escolha por um modelo de regras, isto é, um modelo acontextual (que não avalia todos os aspectos do contexto, mas apenas os fatores previamente estabelecidos e destacados como relevantes pelas regras) é em si mesma uma escolha feita contextualmente e depende principalmente do grau de confiança que existe em relação aos responsáveis pela tomada de decisões". (Struchiner, N., 2005, p. 165).

363 Como sustentava Rousseau, as leis devem conceber "os súditos como o corpo e as ações como abstratas, jamais um homem como um indivíduo, uma ação como particular". (Rousseau, J. J., 1964, t. III, p. 379). No mesmo sentido, segundo John Adams "onde o interesse público governa, há um governo das leis, e não dos homens; o interesse de um rei, de um partido, é outra coisa, é um interesse privado; e onde o interesse privado governa, há um governo dos homens, e não das leis." (Adams, J., 1787, v. 1, p. 126 ss.). Para uma análise pormenorizada das origens da noção de "generalidade" como elemento do conceito "material" de lei, cf.: Malberg, R. C. 1920.

– VI –

Nota final

Depois de mais de 30 anos de aprofundamento continuado do processo de democratização, o Brasil já não parecia suscetível a novas guinadas autoritárias. Mas hoje dá lugar ao surgimento de um movimento intolerante e sectário, de orientação fascista. São incontornáveis as comparações do momento atual com a primeiras décadas do século XX. No horizonte da crise brasileira, está a possibilidade da tragédia. O governo atual age no sentido do genocídio indígena; do sacrifício de vidas para preservar atividades econômicas, no contexto da pandemia; da generalização da posse e do porte de armas de fogo; da formação de grupos paramilitares; da criminalização de movimentos sociais; da perseguição de minorias de gênero. No Brasil, trava-se uma luta não só pela democracia, mas também pela vida, pela liberdade e pela dignidade humana.

Referências

Abrajano, M. e Hajnal, Z. L. *White backlash: immigration, race, and American politics*. Princeton, NJ: Princeton University Press, 2015.

Abranches, S. H. H. "Presidencialismo de coalizão: o dilema institucional brasileiro". *Dados*, v. 31, n.º 1, 1988.

Acemoglu, D. et al. "The monopoly of violence: evidence from Colombia". *Journal of the European Economic Association*, v. 11, n.º 3, 2013.

______ et al. "Income and Democracy". *American Economic Review*, v., n.º 98, 2008.

Ackerman, B. *We the people: transformations*. Cambridge, Mass.: Harvard University Press, 1998.

______. "The emergency Constitution". *Yale Law Journal*, v. 113, n.º 5, 2004.

______. "A ascensão do constitucionalismo mundial". In Souza Neto, C. P. e Sarmento, D. (org.). *A constitucionalização do Direito: fundamentos teóricos e aplicações específicas*. Rio de Janeiro: Lumen Juris, 2008.

______. *A nova separação dos poderes*. Rio de Janeiro: Lumen Juris, 2009.

______. "Adeus, Montesquieu". RDA, v. 265, 2014.

______. *Revolutionary constitutions: charismatic leadership and the rule of law*. Cambridge, Mass.: The Belknap Press of Harvard University Press, 2019.

Adams, J. *A defence of the constitutions of government of the United States of America*. London: Printed for C. Dilly, 1787. v. 1, p. 126 ss. [reimpressão: New York: Da Capo Press, 1971].

Agamben, G. *Estado de Exceção*. Trad. Iraci D. Poleti. 2. ed. São Paulo: Boitempo, 2008.

______. *Homo Sacer: o poder soberano e a vida nua I*. Belo Horizonte: Editora UFMG, 2010.

______. "La invención de una epidemia". In ______ et. al. *Sopa de Wuhan*. ASPO, 2020.

Ahram, A. I., *Proxy warriors: the rise and fall of State-Sponsored Militias*. Stanford CA: Stanford University Press, 2011.

Alem, A. C. e Cavalcanti, C. E. S. "BNDES e o apoio à internacionalização das empresas brasileiras: algumas reflexões". *Revista do BNDES*, v. 12, n.º 24, 2005.

Alexy, R. "Una defensa de la fórmula de Radbruch". *Anuario da Facultade de Dereito da Universidade da Coruña*, n.º 5, 2001.

______. "On balancing and subsumption: a structural comparison". *Ratio Juris*, v. 16, n.º 4, 2003.

______. "Balancing, constitutional review, and representation". *International Journal of Constitutional Law*, v. 3, n.º 4, 2005.

Allcott, H. e Gentzkow, M. "Social media and fake news in the 2016 Election". *Journal of Economic Perspectives*, v. 31, n.º 2, 2017.

Almeida, S. *Racismo estrutural*. São Paulo: Sueli Carneiro; Pólen, 2019.

Alves, J. C. M. "Instalação". *Revista de Informação Legislativa*, n.º 93, 1987.

Alves, M. "Campanha não oficial: a rede antipetista na eleição de 2014". *Fronteiras: Estudos Midiáticos, n.º* 19, 2016.

Amaral, M. E. P. do e Arias Neto, J. M. "Perversão e política no *impeachment* de Dilma Rousseff". *Chasqui: Revista Latinoamericana de Comunicación*, n.º 135, 2017.

Amorim Neto, O. "Formação de gabinetes ministeriais no Brasil: coalizão *versus* cooptação". *Nova Economia*, n.º 4, 1994.

Anastasia, A. Parecer da Comissão de Constituição, Justiça e Cidadania, sobre a Proposta de Emenda à Constituição (PEC) n.º 35, de 2015, do Senador Lasier Martins e outros, que altera o art. 101 da Constituição Federal, para modificar a forma de escolha dos Ministros do Supremo Tribunal Federal, 2015.

Anderson, C. *Losers' consent: elections and democratic legitimay*. Oxford: Oxford University Press, 2005.

Anderson, P. "Balanço do neoliberalismo". In Sader, E. e Gentilli, P. (org.). *Pós-neoliberalismo: as políticas sociais e o estado democrático*. 3. ed. Rio de Janeiro: Paz e Terra, 1995.

Antti, W. *Analysis of Volkswagen Group financials 2011-Q2/2016: effects of the emissions scandal on key financial ratios*. (Bachelor's Thesis). Haaga-Helia – University of Applied Sciences, 2016.

Aragão, A. "Administração pública policêntrica". *RDA*, n.º 227, 2001.

______. *Agências reguladoras e a evolução do direito administrativo econômico*. Rio de Janeiro: Forense, 2002.

______. *Empresas estatais: o Regime Jurídico das Empresas Públicas e Sociedades de Economia Mista*. Rio de Janeiro: Forense, 2017.

Arantes, A. *Por que a democracia e a Constituição estão sendo atacadas*? Rio de Janeiro: Lumen Juris, 2019.

Arato, A. "Representação, soberania popular e *accountability*". *Lua Nova*, n.º 55-56, 2002.

Araújo, A. C. A. de. *Da iniciativa popular ao STF: atores, escolhas e interesses no processo de aprovação da lei da ficha limpa.* (Dissertação). Universidade Federal de Pernambuco, Recife, 2012.

Araújo, E. "Trump e o Ocidente". *Cadernos de Política Exterior*, n.º 6, 2017.

Araújo, P. M. *Bicameralismo no Brasil: as bases institucionais e políticas do desempenho legislativo do senado federal (1989-2004).* (Tese). Universidade Federal de Minas Gerais, Belo Horizonte – MG, 2009.

______. "O bicameralismo no Brasil: argumentos sobre a importância do Senado na análise do processo decisório federal". *Revista Política & Sociedade*, v. 1, n.º 21, 2012.

______. "Bicameralismo: história, conceito e funções nos governos contemporâneos". *Revista Brasileira de Estudos Políticos*, n.º 114, 2017.

Arendt, H. *As origens do totalitarismo: totalitarismo, o paroxismo do poder.* Rio de Janeiro: Ed. Documentário, 1978.

______. *Origens do totalitarismo I. O anti-semitismo, instrumento de poder.* Rio de Janeiro: Editora Documentário, 1979.

Ariovaldo, R. e Zacarias, N. V. "Missionários na política: neopentecostais e o projeto de poder". *Le Monde Diplomatic Brasil*, 20 mar. 2017.

Aristóteles. *A política.* Trad. Antônio Campelo Amaral e Carlos Gomes. Lisboa: Vega, 1998.

Asquini, A. "Perfis de empresa". *Revista de Direito Mercantil*, n.º 104, 1996.

Ataliba, G. "Fonte de legitimidade da Constituinte". *Revista de Informação Legislativa*, n.º 98, 1988.

Avritzer, L. *O pêndulo da democracia.* São Paulo: Todavia, 2019.

Bakir, V. e McStay, A. "Fake news and the economy of emotions: problems, causes, solutions". *Digital Journalism*, v. 6, n.º 2, 2018.

Balkin, J. M. "Constitutional rot". In Sunstein, C. R. (org.). *Can it happen here? Authoritarianism in America.* New York: Dey St., an imprint of William Morrow, 2018.

Bánkuti, M. et al. "Hungary's illiberal turn: disabling the Constitution". *Journal of Democracy*, v. 23, n.º 3, 2012.

Baracho, J. A. O. *Teoria geral das comissões parlamentares.* 2. ed. Rio de Janeiro: Forense, 2001.

Barbosa, A. "Assembleia Nacional Constituinte: expectativa prudente". *Revista de Informação Legislativa*, n.º 91, 1986.

Barbosa, R. *O estado de sítio: sua natureza, seus efeitos e seus limites*. Rio de Janeiro: Companhia Impressora, 1892.

Barcellos, A. P. *Direito constitucional a um devido procedimento na elaboração normativa: direito à justificativa*. (Tese apresentada para o Concurso de Professor Titular da UERJ). 2015.

Barreto Lima, M. M. "O Tribunal Federal Constitucional alemão e a infeliz decisão sobre o NPD". *Conjur*, 18 jan. 2017.

Barrios Benatuil, A. G. et al. "Constituyentes venezolanas de 1999 y 2017: contextos y participación". *Rev. Direito Práx.*, v. 8, n.º 4, 2017.

Barros, C. R. "Bolsonaro representa facção das Forças Armadas que ganhou poder com a tortura". *Folha de São Paulo*, 22 out. 2018.

Barros, S. R. de. "A função do Senado no controle de constitucionalidade". *Cadernos de Direito*, v. 5, n.º 8-9, 2005.

Barroso, L. R. *Impeachment – Crime de Responsabilidade – Exoneração do Cargo. R. Dir. Adm.*, n.º 212, 1998.

______. "Comissões Parlamentares de Inquérito e suas consequências: política, direito e devido processo legal". *Temas de Direito Constitucional*. Rio de Janeiro: Renovar, 2001.

______. "Arguição de descumprimento de preceito fundamental n.º 54". Memorial da autora. Confederação Nacional dos Trabalhadores na Saúde, 2004a.

______. "Investigação pelo Ministério Público: argumentos contrários e a favor. A síntese possível e necessária". *Revista Forense*, n.º 373, 2004b.

______. "Forças Armadas e ações de segurança pública: possibilidades e limites à luz da Constituição". *Revista de Direito do Estado, n.º* 7, 2007.

______. "A razão sem voto: a função representativa e majoritária das cortes constitucionais". REI: Revista Estudos Institucionais, v. 2, n.º 2, 2017.

Barthes, R. e Bourttes, J.-L. "Lugar comum". In*Enciclopédia Einaudi*. Lisboa: Imprensa Nacional - Casa da Moeda, 1987. v.11.

Bastos, A. W. "Assembleia Constituinte Exclusiva: o dilema entre a práxis histórica e o ideal racional". *Âmbito Jurídico*, n.º 58, 2008.

Bastos, P. P. Z. "Ascensão e crise do governo Dilma Rousseff e o Golpe de 2016: poder estrutural, contradição e ideologia". *Rev. Econ. Contemp.*, v. 21, n.º 2, 2017.

Batista, N. "Mídia e sistema penal no capitalismo tardio". *Discursos Sediciosos*, v. 12, 2002.

Batista, V. M. *O medo na cidade do Rio de Janeiro: dois tempos de uma história*. Rio de Janeiro: Revan, 2003.

Beccaria, C. *Dos delitos e das penas*. Trad. José Cretella Jr. e Agnes Cretella. 2. ed. São Paulo: Revista dos Tribunais, 1999.

Bedritichuk, R. R. *Da popularidade ao* impeachment*: medidas provisórias, mudanças institucionais e a crise política no governo Dilma*. Brasília: Senado Federal, 2017.

Benhabib, J. et al. "Reestablishing the income-democracy nexus". *NBER Working Paper*, n.º 1.683, 2011.

Benhabib, S. "Toward a deliberative model of democratic legitimacy. In ______ (org.). *Democracy and difference: contesting the boundaries of the political*. Princeton: Princeton University Press, 1996.

Bercovici, G. "A descentralização de políticas sociais e o federalismo cooperativo brasileiro". *Revista de Direito Sanitário*, v. 3, n.º 1, 2002.

______. *Constituição e estado de exceção permanente*. Rio de Janeiro: Azougue Editorial, 2004.

______. "Federalismo cooperativo e igualização das condições sociais de vida". *Revista de Direito da Associação dos Procuradores do Novo Estado do Rio de Janeiro*, v. XIX, 2008.

Bernardi, B. B. "O sistema interamericano de direitos humanos e a justiça de transição no Peru". *Rev. Sociol. Polit.*, v. 23, n.º 54, 2015.

Bickel, A. M. *The least dangerous branch: the Supreme Court at the bar of politics*. Indianapolis: Bobbs-Merrill, 1962.

Bigo, D. "Security, exception, ban and surveillance". In Lyon, D. (ed.). *Theorizing surveillance: the panopticon and beyond*. Cullompton: Willan Publishing, 2006.

Bilac Filho, F. M. *A intervenção federal e o federalismo brasileiro*. Rio de Janeiro: Forense, 2002.

Binenbojm, G. "Agências reguladoras independentes e democracia no Brasil". In ______ (coord.). *Agências reguladoras e democracia*. Rio de Janeiro: Lumen Juris, 2006.

______. *Uma teoria do direito administrativo: direitos fundamentais, democracia e constitucionalização*. 2. ed. Rio de Janeiro: Renovar, 2008.

BNDES. *Livro verde: nossa história como ela é*. Rio de Janeiro: BNDES, 2017.

Bobbio, N. "Ética e política". *Lua Nova*, n.º 25, 1992.

______. *Liberalismo e democracia*. 6. ed. Marco Aurélio Nogueira. São Paulo: Brasiliense, 1994.

______. *Teoria do ordenamento jurídico*. 10. ed. Trad. de Maria Celeste C. L. dos Santos, Brasília: UNB, 1997.

Bohmann, J. *Public deliberation: pluralism, complexity and democracy*. Cambridge, Mass.: The MIT Press, 1996.

______. "The coming of age of deliberative democracy". *The Journal of Political Philosophy*, v. 6, n.º 4, 1998.

Bonavides, P. "O Congresso e a Constituinte". *Constituinte e Constituição*. Fortaleza: IOCE, 1987.

______. *Curso de Direito Constitucional*. 18. edição. São Paulo: Malheiros Editores, 2006.

Bonefeld, W. "Authoritarian liberalism: from Schmitt via ordoliberalism to the euro". *Critical Sociology*, v. 43, n.º 4-5, 2017.

Bonelli, R. e Pessôa, S. "Desindustrialização no Brasil: um resumo da evidência". *Texto para Discussão*, n.º 7, IBRE/FGV, 2010.

Bork, R. H. "O que pretendiam os fundadores: interpretação da Constituição". *Revista de Direito Público*, n.º 93, 1993.

Borón, A. "A sociedade civil depois do dilúvio neoliberal". In: Sader, E. e Gentilli, P. (org.). *Pós-neoliberalismo: as políticas sociais e o Estado democrático*. 3. ed. Rio de Janeiro: Paz e Terra, 1995.

Bovero, M. "Ética e política entre Maquiavelismo e Kantismo". *Lua Nova*, n.º 25, 1992.

Boyle, K. "Human Rights, religion and democracy: the Refah Party case". *Essex Human Rights Review*, v. 1, n.º 1, 2004.

Brandão, R. "Coronavírus, 'estado de exceção sanitária' e restrições a direitos fundamentais". *Jota*, 04 abr. 2020.

Bright, J. "Explaining the emergence of echo chambers on social media: the role of ideology and extremism". Ar Xiv:1609.05003v2, 2017.

Brossard, P. *O* impeachment*: Aspectos da responsabilidade política do presidente da República*. São Paulo: Saraiva, 1992.

Brown, W. *Nas ruínas do neoliberalismo: a ascensão da política antidemocrática no ocidente*. São Paulo: Editora Filosófica Politeia, 2019.

Brunet, P. "La notion de représentation sous la Révolution française". *Annales Historiques de la Révolution Française, n.º* 2, 2002.

Bugaric, B. e Ginsburg, T. "The assault on postcommunist courts". *Journal of Democracy*, v. 27, n.º 3, 2016.

Bunchaf, M. E. "A integração do conceito de patriotismo constitucional na cultura política brasileira". *Direito, Estado e Sociedade*, n.º 30, 2007.

Bustamante, T. "Princípios, regras e conflitos normativos: um modelo para a justificação das decisões *contra legem* a partir da teoria jurídica de Robert Alexy". *Pensar*, Fortaleza, v. 15, n.º 2, 2010.

Campos, A. M. "*Accountability*: quando poderemos traduzi-la para o português?". Revista de Administração Pública, v. 24, n.º 2, 1990.

Campos, F. "A política e o nosso tempo". *O Estado nacional*. Brasília: Senado federal, 2001.

Campos, P. H. "Os efeitos da crise econômica e da operação Lava Jato sobre a indústria da construção pesada no Brasil: falências, desnacionalização e desestruturação produtiva". *Mediações*, v. 24, n.º 1, 2019.

Cappi, J. *Internet, big data e discurso do ódio: reflexões sobre as dinâmicas de interação no Twitter e os novos ambientes de debate político*. (Tese). PUC-SP, 2017.

Carey, S. C. et al. "States, the security sector, and the monopoly of violence: a new database on pro-government militias". *Journal of Peace Research*, v. 50, n.º 2, 2013.

Carmo, A. H. N. *Mensagens de protesto nas manifestações de 2013 no Brasil: um estudo sobre as tentativas de apagamento da representatividade dos partidos políticos*. (Dissertação). Universidade do Sul de Santa Catarina, Tubarão, 2014.

Carvalho, J. M. *Forças Armadas e política no Brasil*. Rio de Janeiro: Jorge Zahar, 2005.

Carvalho, L. *Valsa brasileira: do boom ao caos econômico*. São Paulo: Todavia, 2018.

Carvalho, L. D. "A esterilização na perspectiva eugênica de Renato Kehl na década de 1920". *Sæculum: Revista de História*, n.º 38, 2018.

Carvalho, O. "Ideias e grupos". *Jornal da Tarde*, 19 ago. 1999.

______. "Do marxismo cultural". *O Globo*, 08 jun. 2002.

______. "Automacumba semântica". *Diário do Comércio*, 25 jul. 2005.

Casagrande, C. L. e Tibúrcio, D. R. "Arranjos institucionais no processo constituinte de 1987-1988: um estudo de caso a partir da competência congressual para sustar atos normativos do Poder Executivo". Revista de Direito Brasileira, v. 21, n.º 8, 2019.

Casara, R. "Bolsonarismo judicial: a tradição autoritária e o modo neoliberal de julgar". In Gallego, E. S. (org.). *Brasil em colapso*. São Paulo: Editora Unifesp, 2009.

______. "Juiz das Garantias: entre uma missão de liberdade e o contexto de repressão". In Coutinho, J. N. M. e Carvalho, L. G. G. (coord.). *O novo processo penal à luz da Constituição: análise crítica do Projeto de Lei n.º 156/2009, do Senado Federal*. Rio de Janeiro: Lumen Juris, 2010.

______. *Estado pós-democrático: neo-obscurntismo e gestão dos indesejáveis*. Rio de Janeiro: Civilização Brasileira, 2018.

Casseb, P. A. *Processo Legislativo: atuação das comissões permanentes e temporárias*. São Paulo: RT, 2008.

Castells, M. *Ruptura: a crise da democracia liberal*. Trad. Joana Angélica D'Ávila Melo. Rio de Janeiro: Zahar, 2018.

Cepêda, V. A. "A nova direita no Brasil: contexto e matrizes conceituais". *Mediações*, v. 23, n.º 2, 2018.

Cerqueira, C. M. N. "Remilitarização da segurança pública: a operação Rio". *Discursos Sediciosos: Crime, Direito e Sociedade*, n.º 1, 1996.

______. *O futuro de uma ilusão: o sonho de uma nova polícia*. Rio de Janeiro: Freitas Bastos, 2001.

Chadwick, A. e Howard, P. N. *Routledge handbook of internet politics*. New York: Routledge, 2009.

Chaia, V. L. M. e Brugnago, F. "A nova polarização política nas eleições de 2014: radicalização ideológica da direita no mundo contemporâneo do Facebook". *Aurora: Revista de Arte, Mídia e Política*, v. 7, n.º 21, 2014.

Chaloub, J. e Perlatto, F. "A nova direita brasileira: ideias, retórica e prática política". *Insight Inteligência*, XIX, n.º 71, 2016.

Chamayou, G. *Teoria do Drone*. São Paulo: Cosac Naify, 2015.

Chaves Junior, J. E. R. et al. "Subordinação, dependência e alienidade no trânsito para o capitalismo tecnológico". In Leme, A. C. R. P. et al. (org.). *Tecnologias disruptivas e a exploração do trabalho humano*. São Paulo: LTr, 2017.

Chevallier, J. "Les Autorités Administratives Indépendantes". *Encyclopaedia Universalis*. Paris: Encyclopaedia Universalis France S.A, 1989.

Chronowski, N. e Varju, M. "Two Eras of Hungarian Constitutionalism: from the rule of law to rule by law". *Hague Journal on the Rule of Law*, n.º 8, 2016.

Clève, C. M. *Medidas Provisórias*. 3. ed. São Paulo: RT, 2010.

Cohen, J. "Procedure and substance in deliberative democracy". In Benhabib, S. (org.). *Democracy and difference: contesting the boundaries of the political*. Princeton: Princeton University Press, 1996.

Coleman, S. e Blumer, J. G. *The internet and democratic citizenship: theory, practice and policy*. Cambridge: Cambridge University Press, 2009.

Comella, V. F. "Justicia constitucional y democracia". Madrid: Centro de Estudios Políticos y Constitucionales, 2007.

Comparato, F. K. "Função social da propriedade dos bens de produção". *Revista de Direito Mercantil*, v. 63, 1986.

Conde, F. M. *Direito penal do inimigo*. Trad. K. B. Sposato. Juruá: Curitiba, 2012.

Constant, B. *Princípios políticos constitucionais: princípios políticos aplicáveis a todos os governos representativos e particularmente à Constituição atual da França [1814]*. Trad. de Maria do Céu Carvalho. Rio de Janeiro: Liber Juris, 1989.

Corbo, W. A. *Identidade constitucional: conceito, (trans)formação e crise*. (Tese). UERJ, Rio de Janeiro, 2020.

Costa, S. "Estrutura social e crise política no Brasil". *Dados*, v. 61, n.º 4, 2018.

Coutinho, L. (org.). *O Tribunal Constitucional e a crise: ensaios críticos*. Coimbra: Almedina, 2014.

Cowen, T. "Could fascism come to America?". In Sunstein, C. R. (org.). *Can it happen here? Authoritarianism in America*. New York: Dey St., an imprint of William Morrow, 2018.

Cruz, R. S. "A futura responsabilização pelas mortes da pandemia". *O Estado de São Paulo*, 25 mar. 2020.

Curi, M. "Vem pra rua: as manifestações durante a Copa das Confederações 2013". Projeto História: Revista do Programa de Estudos Pós-Graduados de História, v. 49, out. 2014.

D'Ancona, M. *Pós-verdade*: *a nova guerra contra os fatos em tempos de* fake news. Barueri: Faro Editorial, 2018.

D'Araújo, M. C. e Castro C. (org.). *Ernesto Geisel*. Rio de Janeiro: FGV, 1997.

Damgaard, M. B. *Media leaks and corruption in Brazil: the infostorm of impeachment and the Lava-Jato Scandal*. New York: Routlegde, 2019.

Davis, A. *Women, race and class*. New York: Vintage Books, 1983.

Desidério, W. A. *O Estado enquanto acionista: a atuação da BNDESPAR no capitalismo brasileiro contemporâneo*. São Carlos: UFSCar, 2013.

Diamond, L. "Facing up to the democratic recession". *Journal of Democracy*, v. 26, n.º 1, 2015.

Dixon, R. "Creating dialogue about socioeconomic rights: strong form *versus* weakform judicial review revisited". *International Journal of Constitutional Law*, v. 5, n.º 3, 2007.

Dobson, W. *The dictator's learning curve: inside the Global Battle for democracy*. London: Harvill Secker, 2012.

Doin, G. A. et al. "Mobilização social e coprodução do controle: o que sinalizam os processos de construção da lei da ficha limpa e da Rede Observatório Social do Brasil de controle social". Pensamento & Realidade, v. 27, n.º 2, 2012.

Dornelles, J. R. W. "Criminalização da política, 'estado de exceção', populismo penal e a criminalização da política". *Sistema Penal & Violência*, v. 8, n.º 2, 2016.

______. "Violência urbana, direitos da cidadania e políticas de segurança no contexto de consolidação das instituições democráticas e das reformas econômicas neoliberais". *Discursos Sediciosos: Crime, Direito e Sociedade,* n.º 4, 1997.

Downs, A. *Uma teoria econômica da democracia.* São Paulo: EDUSP, 1999.

Dworkin, R. M. "The Bork nomination". *Cardozo Law Review*, n.º 9, 1987-1988.

Eco, U. *O fascismo eterno.* Rio de Janeiro: Record, 2018.

Elster, J. *Ulisses and Sirens*. Cambridge: Cambridge University Press, 1979.

Ely, J. H. *Democracy and Distrust: a Theory of Judicial review*. Cambridge, Harvard University Press, 1995.

Empoli, G. *Os engenheiros do caos.* São Paulo: Vestígio, 2019.

Epstein, L. et al. "The Supreme Court during crisis: how war affects only non-war cases". *New York University Law Review*, v. 80, n.º 1, 2005.

______ et al. "The increasing importance of ideology in the nomination and confirmation of Supreme Court Justices". *Drake L. Rev.*, v. 56, 2007-2008.

Faggiani, V. "La 'rule of law backsliding' como categoría interpretativa del declive del constitucionalismo en la UE". *Revista Española de Derecho Europeo*, n.º 71, 2019.

Faria, J. E. "Libertarismo e liberalismo em tempos de pandemia". *Jota*, 01 abr. 2020.

Feres Júnior, J. e Gagliardi, J. "O antipetismo da imprensa e a gênese da nova direita". In: Gallego, E. S. (org.). *Brasil em colapso*. São Paulo: Editora Unifesp, 2009.

Ferraz, A. C. C. *Conflito entre poderes: o poder congressual de sustar atos normativos do Poder Executivo*. São Paulo: Revista dos Tribunais, 1994.

Ferreira Filho, M. G. *A democracia possível.* São Paulo: Saraiva, 1972.

______. *O poder constituinte.* 3. ed. São Paulo: Saraiva, 1999.

Ferreira, J. *O imaginário trabalhista: getulismo, PTB e cultura popular 1945-1964.* Rio de Janeiro: Civilização Brasileira, 2005.

Filgueiras, F. "Além da transparência: *accountability* e política da publicidade". *Lua Nova*, n.º 84, 2011.

Florêncio Filho, M. A. e Zanon, P. B. "Arranjo institucional no âmbito da ENCCLA – Estratégia Nacional de Combate à Corrupção e à Lavagem de Dinheiro". DELICTAE: Revista de Estudos Interdisciplinares sobre o Delito, v. 3, n.º 5, 2018.

Foa, R. E. e Mounk, Y. "The signs of deconsolidation". *Journal of Democracy*, v. 28, n.º 1, 2017.

Follis, L. "Laboratory of war: Abu Ghraib, the human intelligence network and the global war on terror". *Constellations*, n.º 4, 2007.

Fragoso, J. C. "São ilegais os procedimentos investigatórios realizados pelo Ministério Público Federal". *Revista Brasileira de Ciências Criminais*, n.º 37, 2002.

França, V. e Bernardes, M. "Imagens, crenças e verdade nas manifestações de 2013 e 2015". *RuMoRes*, v. 10, n.º 19, 2016.

Fraser, N. "From redistribution to recognition? Dilemmas of justice in a 'postsocialist' age". In Seidman, S. e Alexander, J. (org.). *The new social theory reader*. Londres: Routledge, 2001.

______. "Do neoliberalismo progressista a Trump – e além". *Política & Sociedade*, v. 17, n.º 40, 2018.

Freyre, G. *Casa-Grande e senzala: formação da família brasileira sob o regime da economia patriarcal*. São Paulo: Editora Global, 2006.

Friedrich, C. J. *Constitutional Government and Democracy*. Boston: Ginn and Company, 1950.

Frota, S. *Ideais traídos*. Rio de Janeiro: Zahar, 2006.

Fukuyama, F. *O fim da história e o último homem*. Trad. Aulyde S. Rodrigues. Rio de Janeiro: Rocco, 1992.

Galston, W. A. *Anti-pluralism: the populist threat to liberal democracy*. New Haven; London: Yale University Pres, 2018

Garsten, B. "Representative government and popular sovereignty". In Shapiro, I. et al. (ed.). *Political representation*. Cambridge: Cambridge University Press, 2009.

Gaughan, A. J. "Illiberal Democracy: the toxic mix of fake news, hyperpolarization, and partisan election administration". *Duke Journal of Constitutional Law & Public Policy*, v. 12, n.º 3, 2017.

Ginsburg, T. e Huq, A. Z. *How to save a constitutional democracy*. Chicago; London: The Chicago University Press, 2018.

Gomes, G. F. e Santana, I. J. (org.). *A (pós-)verdade em uma época de mutações civilizacionais*. Serra: Editora Milfontes, 2018.

Gomes, L. F. *Populismo penal midiático: caso mensalão, mídia disruptiva e direito penal crítico*. São Paulo: Saraiva, 2013.

Goyard-Fabre, S. "L'idée de représentation à l'époque de la Révolution Française". *Études Françaises*, v. 25, n.º 2-3, 1989.

Grandin, G. "The road from Serfdom". *The counterpunch*, 17 nov. 2006.

Greenhouse, L. e Siegel, R. "Before (and after) Roe v. Wade: new questions about backlash". *The Yale Law Journal*, v. 120, n.º 8, 2011.

Grinover, A. P. G. "Investigações pelo Ministério Público". *Boletim IBCCrim*, n.º 45, 2004.

Guillen, A. "USA's trade policy in the context of global crisis and the decline of North American hegemony". *Brazil. J. Polit. Econ.*, v. 39, n.º 3, 2019.

Guimarães, C. N. "Maquiavel e Max Weber: ética e realismo político". *Argumentos Revista de Filosofia*, v. 2, n.º 4, 2010.

Gutmann, A. e Thompson, D. *Democracy and disagreement*. Cambridge, Mass.; London: The Belknap Press of Harvard University Press, 1996.

Häberle, P. *Libertad, igualdad, fraternidad: 1789 como historia, actualidad y futuro del Estado constitucional*. Madrid: Trotta, 1998.

Habermas, J. "O Estado-nação europeu frente aos desafios da globalização: o passado e o futuro da soberania e da cidadania". *Novos Estudos CEBRAP*, n.º 43, nov., 1995.

______. *Direito e democracia: entre faticidade e validade*. Trad. Flávio Beno Siebeneichler. Rio de Janeiro: Tempo Brasileiro, 1997.

______. "Dans cette crise, il nous faut agir dans le savoir explicite de notre non--savoir". Entrevista concedida a Nicolas Truong. *Le Monde*, 10 abr. 2020.

Halmai, G. "National(ist) constitutional identity? Hungary's road to abuse constitutional pluralism". *EUI Department of Law Research Paper*, n.º 8, 2017.

______. "A coup against Constitutional Democracy: the case of Hungary". In Graber, M. A. et al. (ed.). *Constitutional Democracy in Crisis?* Oxford: Oxford University Press, 2018.

Hamilton, A. "The federalist n.º 62 e 65". *The Federalist*. Indianapolis: Liberty Fund, 2001.

Han, B.-C. "La emergencia viral y el mundo de mañana". In Agamben, G. et al. *Sopa de Wuhan*, ASPO, 2020.

Hassemer, W. *Introdução aos fundamentos do Direito Penal*. Porto Alegre: Sérgio Fabris, 2005.

Hawkins, M. *Social Darwnism in European and American thought, 1860-1945: nature as model and nature as threat*. Cambridge: Cambridge University Press, 1977.

Hayek, F. *Direito, legislação e liberdade*. São Paulo: Ed. Visão/UNB, 1985.

Heller, H. "Authoritarian liberalism". *European Law Journal*, v. 21, n.º 3, 2015.

Herrero, A. G. "From globalization to deglobalization: zooming into trade". *Economistas*, n.º 165, 2019.

Hesse, K. *Elementos de Direito Constitucional da República Federal da Alemanha.* Trad. de Luís Afonso Heck. Porto Alegre: Sérgio Fabris, 1998.

Hiratuka, C. e Sarti, F. "Transformações na estrutura produtiva global, desindustrialização e desenvolvimento industrial no Brasil: uma contribuição ao debate". *Texto para Discussão,* n.º 255, IE-UNICAMP, 2015.

Hobbes, T. *Leviatã ou matéria, forma e poder de um Estado eclesiástico e civil.* Trad. João Paulo Monteiro e Maria Beatriz Nizza da Silva. São Paulo: Abril Cultural, 1974.

Hoffman, F. G. *Conflict in the 21st Century: the rise of hybrid wars.* Arlington, Virginia: Potomac Instituto for Policy Studies, 2007.

Hofstadter, R. *Social Darwinism in American thought.* Boston, Mass.: Beacon Press Books, 1992.

Hohendorf, G. "The extermination of mentally ill and handicapped people under National Socialist rule". *Online Encyclopedia of Mass Violence,* [online], 17 nov. 2016.

Holmes, S. "Precommitment and the paradox of democracy". In Elster, J. e Slagtad, R. (org.). *Constitutionalism and democracy: studies in rationality and social change.* Cambridge: Cambridge University Press, 1988.

Hughey, M. W. "White Backlash in the 'Post-Racial' United States". *Ethnic and Racial Studies,* n.º 37, 2014.

Hungria, N. *Comentário ao Código Penal.* São Paulo: Ed. Forense, 1958. v. I.

Ianni, O. *Teorias da globalização.* 3. ed. Rio de Janeiro: Civilização Brasileira, 1996.

______. *A era do globalismo.* 2. ed. Rio de Janeiro: Civilização Brasileira, 1997.

Ikenberry, G. J. "The plot against American foreign policy: can the liberal order survive?". Foreign Affairs, v. 96, n.º 3, 2017.

Instituição Fiscal Independente. "RAF – Relatório de Acompanhamento Fiscal n.º 17", Senado Federal, junho de 2018.

Iorio Filho, R. M. *Uma questão da cidadania: o papel do Supremo Tribunal Federal na intervenção federal (1988-2008).* Curitiba: CRV, 2014.

James, H. "Deglobalization: the rise of disembedded unilateralism". *Annual Review of Financial Economics,* v. 10, n.º 1, 2018.

Jaramillo, L. G. "Construcción de una dogmática constitucional del procedimiento parlamentario: el caso colombiano". *Revista de Derecho,* v. XXIX, n.º 1, 2016.

Jardina, A. e Traugott, M. "The genesis of the birther rumor: partisanship, racial attitudes, and political knowledge". *The Journal of Race, Ethnicity, and Politics,* v. 4, n.º 1, 2019.

Jayasuriya, K. "Authoritarian liberalism, governance and the emergence of the regulatory state in post-crisis East Asia. In Beeson, Mark et al. (ed.). *Politics and markets in the wake of the Asian crisis*. London: Routledge, 2000.

______. "Globalization, sovereignty, and the rule of law: from political to economic constitutionalism?". *Constellations*, v. 8, n.º 4, dez. 2001.

Johnson, T. R. e Roberts, J. M. "Presidential Capital and the Supreme Court confirmation process". *The Journal of Politics*, v. 66, n.º 3, 2004.

Justo, J. S. e Freitas, C. J. "Psicopolítica e pós-verdade no contemporâneo". In Roiz, D. S. et al. (org.). *A (pós-)verdade em uma época de mutações civilizacionais*. Serra: Editora Milfontes, 2018.

Kant, I. *Fundamentação da Metafísica dos Costumes*. Trad. Paulo Quintela. Lisboa: Edições 70, 2004.

Kasahara, Y. e Marsteintredet, L. "Presidencialismo em crise ou parlamentarismo por outros meios? *Impeachments* presidenciais no Brasil e na América Latina". *Revista de Ciências Sociais*, v. 49, n.º 1, 2018.

Katyal, N. K. "Internal separation of powers: checking today's most dangerous branch from within". *Yale Law Journal*, n.º 115, 2006.

Kaynar, A. K. "Hermann Heller on authoritarian liberalism and the form of the democratic state". *Cilt*, v. 75, n.º 1, 2020.

Kehl, R. *Melhoremos e prolonguemos a vida: a valorização eugênica do homem*. São Paulo: Livraria Francisco Alves, 1922.

Kelemen, R. D. e Pech, L. "Why autocrats love constitutional identity and constitutional pluralism: lessons from Hungary and Poland". *RECONNECT Working Paper*, n.º 2, 2018.

Kelsen, H. *Teoria geral do direito e do Estado.* Trad. de Luis Carlos Borges. São Paulo: Martins Fontes, 1998.

______. *A democracia*. Trad. Ivone Castilho Benedetti et al. 2. ed. São Paulo: Martins Fontes, 2000.

Kerr, O. S. "Internet surveillance law after the USA patriot act: the big brother that isn't". *Northwestern University Law Review*, v. 97, n.º 2, 2003.

Keyes, R. *The post truth era: dishonesty and deception in contemporary life*. New York: St. Martin Press, 2004.

Kittrie, O. *Lawfare: law as a weapon of war*. Oxford: Oxford University Press, 2016.

Kochenov, D. e Bárd, P. "The last soldier standing? Courts *vs* politicians and the rule of law crisis in the new member states of the EU". *University of Groningen Faculty of Law Research Paper Series*, n.º 5, 2019.

Kommers, D. P. e Miller, R. A. *The constitutional jurisprudence of the Federal Republic of Germany*. 3. ed. Durham; London: Duke University Press, 2012.

Körtvélyesi, Z. e Majtényi, B. "Game of values: the threat of exclusive constitutional identity, the EU and Hungary". *German Law Journal*, n.º 18, 2017.

Korybko, A. *Guerras híbridas: das revoluções coloridas aos golpes*. São Paulo: Expressão Popular, 2018.

Krastev, I. e Holmes, S. *The light that failed: a reckoning*. London: Allen Lane, 2019.

Krugman, P. "The legacy of destructive austerity: the deficit obsession of 2010-2015 did permanent damage". *The New York Times*, 30 dez. 2019.

Krulic, J. "L'idée de peuple dans la tradition constitutionnelle française". *Sens Public*, fev. 2007.

Lacroix, J. "Le 'national-souverainisme' en France et en Grande-Bretagne". *Revue Internationale de Politique Comparée*, v. 9, n.º 3, 2002.

Landau, D. "Abusive Constitutionalism". *UC Davis Law Review*, v. 47, 2013.

Lara, F. M. "Desindustrialização: aspectos conceituais e evidências empíricas recentes sobre a economia brasileira". *Indicadores Econômicos FEE*, v. 39, n.º 1, 2011.

Le Billon, P. "Buying peace or fuelling war: the role of corruption in armed conflicts". *Journal of International Development*, v. 15, n.º 4, 2003.

Leal, F. "O Supremo e a pandemia: é preciso uma jurisprudência da crise?". *Jota*, 01 abr. 2020.

Leal, G. P. "Direitos Humanos Sociais e Jurisprudência de Crise: um estudo a partir do caso 'Da Conceição Mateus e Santos Januário *versus* Portugal'". *Revista da AGU*, v. 15, n.º 02, 2016.

Leal, V. N. *Coronelismo, enxada e voto: o município e o regime representativo no Brasil*. Rio de Janeiro: Nova Fronteira, 1997.

Lee, Y. "Law, politics, and impeachment: the Impeachment of Roh Moo-hyun from a comparative constitutional perspective". *The American Journal of Comparative Law*, v. 53, 2005.

Lemos, C. R. F. e Barros, A. T. "Lutas simbólicas na arena midiática: o poder de agência do Ministério Público e as controvérsias sobre a PEC 37". *Opinião Pública*, v. 22, n.º 3, 2017.

Lerner, C. e Ribeiro, F. "Afetos comuns: estudo comparativo das mobilizações pró e contra o *impeachment* de Dilma Rousseff no Facebook". *Aurora: Revista de Arte, Mídia e Política*, v. 10, n.º 29, 2017.

Lessig, L. *Republic, lost: how money corrupts congress and a plan to stop it*. New York, Boston: Twelve, 2011.

Leuchtenburgt, W. E. "When the people spoke, what did they say?: the election of 1936 and the Ackerman Thesis". *The Yale Law Journal*, v. 108, 1999.

Levitski, S. e Ziblatt, D. *Como as democracias morrem?* Rio de Janeiro: Zahar, 2018.

Levitski, S. "Coronavírus isolou líderes populistas". (Entrevista concedida a) José Eduardo Barella. *Estadão*, 29 mar. 2020.

Lewandowski, E. R. *Pressupostos materiais e formais da intervenção federal no Brasil*. São Paulo: Revista dos Tribunais, 1994.

______. "Forças Armadas no combate à violência" [entrevista]. *RT Informa*, n.º 31, 2004.

Limongi, F. "O passaporte de Cunha e o *impeachment*: a crônica de uma tragédia anunciada". *Novos Estud. CEBRAP*, n.º 103, 2015.

______ e Figueiredo, A. C. "Bases institucionais do Presidencialismo de Coalizão". *Lua Nova*, n.º 44, 1998.

Lind, W. S. "What is Cultural Marxism?". *The Conservative Voice*, 24 out. 2005.

List, C. e Goodin, R. E. "Epistemic democracy: generalizing the Condorcet Jury Theorem". *Journal of Political Philosophy*, n.º 9, 2001.

Loewnstein, K. "Militant democracy and fundamental rights, I e II". *American Political Science Review*, n.º 31, 1937.

Lohaus, M. *Towards a global consensus against corruption: international agreements as products of diffusion and signals of commitment*. Abingdon, Oxon; New York, NY: Routledge, 2019.

Lojkine, J. *A classe operária em mutação*. Trad. José Paulo Netto. Belo Horizonte: Oficina de Livros, 1990.

Lopes Jr., A. e Ritter, R. "A imprescindibilidade do juiz das garantias para uma jurisdição penal imparcial: reflexões a partir da teoria da dissonância cognitiva". *Revista Duc In Altum: Cadernos de Direito*, v. 8, n.º 16, 2016.

Losurdo, D. *Democracia ou bonapartismo: triunfo e decadência do sufrágio universal*. Rio de Janeiro: UFRJ/Unesp, 2004.

Lozano, G. O. "El deber de deliberación mínima en el procedimiento legislativo". *Pensamiento Jurídico*, n.º 38, 2013.

Löwy, M. "'Gripezinha': o neofascista Bolsonaro diante da epidemia". In Tostes, A. e Melo Filho, H. (org.). *Quarentena: reflexões sobre a pandemia e depois*. Bauru: Canal 6, 2020.

Lynch, C. E. C. *O momento monarquiano*: o *Poder Moderador e o pensamento político imperial.* (Tese). IUPERJ, Rio de Janeiro, 2007.

______. "O caminho para Washington passa por Buenos Aires: a recepção do conceito argentino do estado de sítio e seu papel na construção da República brasileira (1890-1898)". *Rev. Bras. Ci. Soc.*, v. 27, n.º 78, 2012.

______. "Ascensão, fastígio e declínio da 'Revolução Judiciarista'". *Insight Inteligência*, n.º 79, 2017.

______ e Souza Neto, C. P. "O constitucionalismo da inefetividade: a Constituição de 1891 no cativeiro do estado de sítio". *Quaestio Iuris*, v. 5, n.º 2, 2012.

Macedo, U. B. "Renascença, apogeu e crise do liberalismo". *Ethica: Cadernos Acadêmicos*, v. 5, n.º 2, 1998.

Maciel, N. R. A. *Velhas raposas, novos governistas: o PMDB e a democracia brasileira.* (Tese). Universidade do Estado do Rio de Janeiro, Instituto de Estudos Sociais e Políticos. 2014.

Madson, J. "The federalist n.º 51". In Hamilton, Alexander et al. *The federalist.* London: J. M. Dent & Sons; New York: E. P. Dutton & Co., 1898.

Maia, A. C. "Diversidade cultural, identidade nacional brasileira e patriotismo constitucional. In Lopes, A. H. e Calabre, L. *Diversidade Cultural Brasileira*: Rio de Janeiro: Casa de Rui Barbosa, 2005.

______. "A ideia de patriotismo constitucional e sua integração à cultura político-jurídica brasileira". *Direito, Estado e Sociedade*, v.9, n.º 27, 2006.

Maia, R. et al. (org.). *Internet e participação política no Brasil.* Porto Alegre: Editora Meridional; Sulina, 2011.

Malberg, R. Carré de. *Contribution à la théorie générale de l'Etat: spécialement d'après les données fournies par le droit constitutionnel français.* Paris: Librairie de la Societé du Recueil Sirey, 1920. t. I, p. 288 ss. (reimpressão: Paris: Centre National de la Recherche Scientifique, 1962).

Maquiavel, n.º O Príncipe. Trad. Maria Goldwasser. São Paulo: Martin Fontes, 2008.

Marsteintredet, L. et al. "Paraguay and the politics of impeachment". *Journal of Democracy*, v. 24 n.º 4, 2013.

Martins, C. et al *Lawfare: uma introdução*. São Paulo: Contracorrente, 2019.

Martins, I. G. S. Responsabilidade dos agentes públicos por atos de lesão à sociedade – Inteligência dos §§ 5.º e 6.º do artigo 37 da CF – improbidade administrativa por culpa ou dolo – Disciplina jurídica do "impeachment" presidencial (artigo 85 inciso V da CF) – Parecer, jan. 2015.

Martius, C. F. P. "Como se deve escrever a história do Brasil". *Revista Trimestral do Instituto Histórico e Geográfico Brasileiro*, t. 6, n.º 24, 1845.

Maulin, E. "Carré de Malberg et le droit constitutionnel de la Révolution Française". *Annales Historiques de La Révolution Française*, n.º 328, 2001.

Maximiliano, C. *Hermenêutica e aplicação do direito*. Rio de Janeiro: Forense, 1981.

Maya, A. M. "O juiz das garantias no projeto de reforma do Código de Processo Penal". *Boletim IBCCRIM,* v. 17, n.º 204, 2009.

Mays, J. C. e Newman, A. "Virus is twice as deadly for black and latino people than whites in N.Y.C.". *The New York Times*, 08 abr. 2020.

Mazzei, J. *Death squads or self-defense forces? How paramilitary groups emerge and challenge democracy in Latin America*. North Carolina: The North Carolina Press, 2009.

McIntyre, L. *Post-truth*. Cambridge, Mass.: MIT Press., 2018.

McNeill, D. "The terminators: police death squads in the Philippines". *The Asia-Pacific Journal*, v. 24, 2009.

McStay, A. "Empathic media and advertising: industry, policy, legal and citizen perspectives (the Case for Intimacy). *Big Data & Society*, v. 3, n.º 2, 2016.

Meirelles, H. L. *Comissão parlamentar de inquérito: Estudos e Pareceres de Direito Público*, São Paulo: RT, v. 11, 1991;

Mello, C. S. M. F. "O revigoramento do Poder Legislativo: uma agenda para o século XXI". (Dissertação). Universidade do Estado do Rio de Janeiro, 2011.

Mello, G. e Rossi, P. "Do industrialismo à austeridade". (Texto para Discussão n.º 309), Campinas, IE/Unicamp, 2017.

Melo Filho, H. "De Bretton Woods a Wuhan e além". In Tostes, A. e Melo Filho, H. (org.). *Quarentena: reflexões sobre a pandemia e depois*. Bauru: Canal 6, 2020.

Mendes, C. H. *Direitos fundamentais, separação de poderes e deliberação*. São Paulo: Saraiva, 2010.

______. "O dever de desobedecer ao presidente". *Folha de São Paulo,* 01 abr. 2020.

Mender, G. F. "Jurisprudência de crise e pensamento possível: caminhos constitucionais". *Conjur*, 11 abr. 2020.

______ et al. *Curso de Direito Constitucional*. São Paulo: Saraiva, 2007.

Mendonça, E. *A democracia das massas e a democracia das pessoas: um outro olhar sobre a dificuldade contramajoritária*. (Tese). Universidade do Estado do Rio de Janeiro, Rio de Janeiro, 2014.

Mendonça, J. V. S. "Estatais com poder de polícia: porque não?". *Revista de Direito Administrativo*, v. 252, 2009.

Messenberg, D. "A cosmovisão da 'nova' direita brasileira". In Freixo, A. e Pinheiro-Machado, R. (org.). *Brasil em transe: bolsonarismo, nova direita e desdemocratização*. Rio de Janeiro: Oficina Raquel, 2019.

Miguel, L. F. "Consenso e conflito na teoria democrática: para além do 'agonismo'". *Lua Nova*, n.º 92, 2014.

Minnicino, M. J. "The Frankfurt School and 'Political Correctness'". *Fidelio*, v. 1, n.º 1, 1992.

Miranda, F. C. P. de. *Comentários à Constituição de 1946*. Rio de Janeiro: Livraria Borsoi, 1960. v. I.

Miranda, J. "A transição constitucional brasileira e o anteprojeto da Comissão Afonso Arinos". *Revista de Informação Legislativa*, n.º 94, 1987.

______. *Manual de Direito Constitucional*. Coimbra: Coimbra Editora, 2000. t. II.

______. *Teoria do Estado e da constituição*. Rio de Janeiro: Forense, 2007.

Mirrlees, T. "The alt-right's discourse of 'Cultural Marxism'": a political instrument of intersectional hate. *Atlantis: Critical Studies in Gender, Culture & Social Justice*, v. 39, n.º 1, 2018.

Mises, Ludwig von. *Ação Humana*. São Paulo: Instituto Ludwig von Mises Brasil, 2010.

Mbembe, A. Necropolítica: biopoder, soberania, estado de exceção, política da morte. *Artes e Ensaios. Revista do PPGAV*, n.º 32, 2016.

Molinari, G. *Da produção de segurança*. Trad. Erick Vasconcelos. São Paulo: Instituto Ludwig von Mises Brasil, 2014.

Montesquieu, B. de. *De l'esprit des lois*. Paris: Éditions Garnier Frères, 1956.

Moraes, H. P. "Mecanismos de defesa do Estado e das instituições democráticas no sistema constitucional de 1988: estado de defesa e estado de sítio". *Revista EMERJ*, n.º 23, 2003.

Moraes, M. Z. "Quem tem medo do 'juiz das garantias?'". *Boletim IBCCRIM*, v. 18, n.º 213, ed. especial CPP, 2010.

Morceiro, P. C. e Tessarin, M. *Desenvolvimento industrial em perspectiva internacional comparada*. São Paulo: IEDI, 2019.

Moreira Neto, D. de F. "A lei de responsabilidade fiscal e seus princípios jurídicos". *Revista de Direito Administrativo*, n.º 221, 2000.

______. *Direito regulatório*. Rio de Janeiro: Renovar, 2003.

Moreira, E. B. "O direito econômico e o papel regulatório das empresas estatais". *RERE*, n.º 253, 2016.

Moreira, M. "'Pemedebismo': rupturas e continuidades no Brasil contemporâneo". *Rev. Bras. Ci. Soc.*, v. 30, n.º 89, 2015.

Moreira, V. *Administração Autónoma e Associações Públicas*. Coimbra: Almedina, 1997.

Moretzsohn, S. *Imprensa e criminologia: o papel do jornalismo nas políticas de exclusão social*. Covilhã: Universidade da Beira Interior, 2003.

Moro, S. F. "Considerações sobre a operação *mani pulite*". *R. CEJ*, Brasília, n.º 26, 2004.

Moroff, H. "Fighting corruption globally: a case of norm diffusion in international relations". In Larres, K. e Wittilinger, R. (ed.). *Understanding global politics: actors and themes in international affairs*. Abingdon, Oxon; New York, NY: Routledge, 2019.

Mouffe, C. "For an agonistic model of democracy". *The democratic paradox*. London: Verso, 2000.

Mounk, Y. *O povo contra a democracia: por que nossa liberdade corre perigo e como salvá-la*. São Paulo: Cia. das Letras, 2019.

Moura, M. e Corbellini, J. *A eleição disruptiva: por que Bolsonaro venceu*. Rio de Janeiro: Record, 2019.

Mueller, T. e Beddies, T. "The destruction of life unworthy of living' in National Socialist Germany". *International Journal of Mental Health*, v. 35, n.º 3, 2006.

Müller, J.-W. "The EU as a militant democracy, or: are there limits to constitutional mutations within EU member states?". *Revista de Estudios Políticos* (nueva época), n.º 165, 2014.

Muniz, J. e Proença Junior, D. "Os rumos da construção da polícia democrática". *Boletim IBCCrim*, n.º 164, 2006.

Muñoz Conde, F. *Edmund Mezger y el Derecho Penal de su tiempo: estudios sobre el Derecho Penal en el Nacionalsocialismo*. 4. ed. Valencia: Tirant Lo Blanch, 2003.

Nadeau, R. e Blais, A. "Accepting the election outcome: the effect of participation on losers' consent". *British Journal of Political Science*, v. 23, n.º 4, 1993.

Neiva, P. R. *Estudo comparado de câmaras altas: os poderes e o papel dos senados nos sistemas presidencialistas*. (Tese). Instituto Universitário de Pesquisas do Rio de Janeiro, IUPERJ, Rio de Janeiro, 2004.

Nobre, M. *Imobilismo em movimento: da abertura democrática ao governo Dilma*. São Paulo: Companhia das Letras, 2013.

Norris, P. e Inglehart, R. *Cultural backlash: Trump, Brexit, and authoritarian populism*. Cambridge, Mass.: The Cambridge University Press, 2019.

Nozick, R. *Anarquia, Estado e utopia*. Rio de Janeiro: Zahar, 1991.

Nucci, G. de S. *Pacote anticrime comentado: Lei n.º 13.964, de 24/12/2019*. São Paulo: Forense, 2020.

O'Donnell, G. "Horizontal accountability in new democracies". *Journal of Democracy*, v. 9, n.º 3, 1998.

______. *Democracy, agency, and the state: a theory with comparative intent*. Cambridge: Oxford University Press, 2010.

Ohallem, M. e Ragazzo, C. E. J. *Diagnóstico institucional: primeiros passos para um plano nacional anticorrupção*. Rio de Janeiro: Fundação Getúlio Vargas, 2017.

Oliveira, F. "Darwinismo social é o nome". *O Globo*, 27 mar. 2020.

Oliveira, M. A. "Sobre a recusa de nomeações para o Supremo Tribunal Federal pelo Senado". *DPU*, n.º 25, 2009.

Olson, M. *A lógica da ação coletiva*. São Paulo: Edusp, 2011.

Omena, E. A. "'Copa das Manifestações' e os processos de governança urbana no Brasil". In Santos Júnior, O. A. et al. (org.). *Brasil: os impactos da Copa do Mundo 2014 e das Olimpíadas 2016*. Rio de Janeiro: E-papers, 2015.

Oreiro, J. L. e Feijó, C. "Desindustrialização: conceituação, causas, efeitos e o caso brasileiro". *Revista de Economia Política*, v. 30, n.º 2, 2010.

Oyama, T. *Tormenta*. São Paulo: Companhia das Letras, 2020.

Paes, T. S. *A Influência do processo de escolha dos Ministros da Suprema Corte na judicialização da política: uma análise empírica do procedimento da sabatina dos indicados para o Supremo Tribunal Federal*. (Dissertação). Rio de Janeiro: FGV, 2011.

Paiva, L. G. M. *Populismo penal no Brasil: do modernismo ao antimodernismo penal, 1984-1990*. (Tese). USP, São Paulo, 2014.

Peixinho, M. M. e Guanabara, R. *Comissões Parlamentares de Inquérito: princípios, poderes e limites*. Rio de Janeiro: Lumen Juris, 2001.

Peixoto, R. L. "O Supremo Tribunal Federal e o estado de sítio na República Velha: a jurisprudência do Supremo Tribunal Federal sobre o estado de sítio, do início da República até a Revolução de 30 (1893-1930)". *Quaestio Iuris*, v. 10, n.º 2, 2017.

Pereira, C. *Medindo a governabilidade no Brasil: o presidencialismo de coalizão nos governos FHC, Lula e Dilma*. (Dissertação). Universidade de Brasília, Brasília, 2017.

Periser, E. *The filter bubble: what the internet is hiding from you*. New York: Penguin Press, 2011.

Persily, N. "The 2016 US election: Can democracy survive the internet?". *Journal of Democracy*, v. 28, n.º 2, 2017.

Peruzzo, C. "Movimentos sociais, redes virtuais e mídia alternativa no junho em que 'o gigante acordou(?)'". *MATRIZes*, v. 7, n.º 2, 2013.

Pimentel, J. "*Impeachment*, oposição e autoritarismo: o perfil e demanda dos manifestantes em São Paulo". *Em Debate*, v. 7, n.º 2, 2015.

Pinto, C. R. J. "O que as teorias do reconhecimento têm a dizer sobre as manifestações de rua em 2013 no Brasil". *Soc. Estado*, v. 31, n.º esp., 2016.

______. "A trajetória discursiva das manifestações de rua no Brasil (2013- 2015)". *Lua Nova*, n.º 100, 2017.

Pinto, P. B. de S. *O Impeachment*. Porto Alegre: Editora Oficinas Gráficas da Livraria do Globo S.A., 1965.

Pisani, M. M. D. "Ciborgues e *flame war*: a formação da sensibilidade na cultura digital contemporânea". *Impulso*, v. 27, n.º 69, 2017.

Pitts, B. et al. "21st Century Golpismo: a NACLA Roundtable". *NACLA Report on the Americas*, v. 48, n.º 4, 2016.

Pizzarro, R. P. "Vuelve Keynes: el coronavirus derrotó al neoliberalismo". *El Desconcierto*, 09 abr. 2020.

Porciúncula, J. C. "O Direito Penal, o 'sentimento do povo' e o nazismo alemão". *Conjur*, 15 maio 2019.

Posner, E. "The dictator´s handbook. U.S. Edition". In Sunstein, C. R. (org.). *Can it happen here? Authoritarianism in America*. New York: Dey St., an imprint of William Morrow, 2018.

Prado, G. L. M. e Casara, R. "Posição do MMFD sobre a impossibilidade de investigação direta pelo Ministério Público ante a normatividade constitucional". *Boletim IBCCrim*, n.º 141, 2004.

Prado, G. *Sistema acusatório: a conformidade constitucional das leis processuais penais*. Rio de Janeiro: Lumen Juris, 2006.

Pratt, J. *Penal populism*. London: Routledge, 2007.

______ e Miao, M. "Populismo penal: el fin de la razón". *Nova criminis*, v. 9, n.º 13, 2017.

Pring, G. W. e Canan, P. *SLAPPs*. "Getting sued for speaking out". Philadelphia: Temple University Press, 1996.

Proner, C. et al. (ed.). *Comentários a uma sentença anunciada: o processo Lula.* Bauru: Canal 6 Editora, 2017.

Przeworski, A. *Democracia e mercado no Leste Europeu e na América Latina.* Rio de Janeiro: Relume-Dumará, 1994.

______. *Crises of democracy.* Cambridge: Cambridge University Press, 2019.

______ et al. *Democracy and development: political institutions and material well-being in the World, 1950-1990.* New York: Cambridge University Press, 2000.

Quintana, F. *Ética e política: da Antiguidade Clássica à Contemporaneidade.* São Paulo: Atlas, 2014.

Radbruch, Gustav. *Arbitrariedad legal y derecho supralegal.* Buenos Aires, Abeledo--Perrot, 1962.

Ramos, A. P. e Lacerda, A. C. "A Emenda Constitucional (EC) 95 e o engodo do teto de gastos". In Lacerda, A. C. (org.). *O mito da austeridade.* São Paulo: Contracorrente, 2019.

Ramos, D. T. "Controle do Poder Executivo pelo Poder Legislativo". *Revista de Direito Administrativo,* n.º 200, abr./jun. 1995.

Rawls, J. "A estrutura básica como objeto". *Justiça e democracia.* Trad. Irene A. Paternot. São Paulo: Martins Fontes, 2000a.

______. *Liberalismo político.* Trad. Dinah de Abreu Azevedo. Rev. Álvaro de Vita. 2. ed. São Paulo: Ática, 2000b.

______. "O construtivismo kantiano na teoria moral". *Justiça e democracia.* Trad. Irene A. Paternot. São Paulo: Martins Fontes, 2000c.

______. "A ideia de razão pública revista". *O direito dos povos.* Trad. Luis Carlos Borges. Rev. Sérgio Sérvulo da Cunha. São Paulo: Martins Fontes, 2001.

Reis, F. W. "Eleição de 2014: 'país dividido' e questão social". *Em Debate,* v. 6, 2014.

Reyes, D. A. "The spectacle of violence in Duterte's 'War on Drugs'". *Journal of Current Southeast Asian Affairs,* v. 35, n.º 3, 2016.

Ribeiro, D. *O povo brasileiro: a formação e o sentido do Brasil.* São Paulo: Companhia das Letras, 1995.

Ribeiro, R. L. "*Impeachment,* abertura de créditos suplementares por decreto e alteração da meta primária". *Revista Eletrônica de Direito Administrativo Econômico,* n.º 57, 2016.

Robespierre, M. "Sobre os princípios de moral política que devem guiar a Convenção Nacional na administração interna da República". *Discursos e relatórios na Convenção.* Trad. Maria Helena Franco Martins. Rio de Janeiro: EDUERJ; Contraponto, 1999.

Rocha, M. M. "Representação, deliberação e estudos legislativos". *Revista Brasileira de Ciências Sociais*, v. 25, n.º 74, 2010.

Rödel, U. et al. *La cuestión democrática*. Madrid: Huerga y Fierr, 1997.

Rodrigues, L. B. História do Supremo Tribunal Federal: Defesa das Liberdades Civis (1891–1898). Rio de Janeiro: Civilização Brasileira, 1965. v. I.

Rodriguez, J. R. "Contra o fanatismo textualista: corrupção, jeitinho brasileiro e Estado de direito". *Novos Estudos CEBRAP*, n.º 104, 2016.

Rodríguez, G. "Crisis, social explosion, and three moments of breaking with representative democracy in Argentina". *International Journal of Political Economy, n.º* 31, 2001.

Rolla, G. "Luces y sombras de la experiencia de las transiciones *pactadas*: breves consideraciones sobre los límites de la constitución vigente de Chile". *Revisto de Estudias Políticos* (Nueva Época), n.115, 2002.

Romano, S. *El ordenamiento jurídico*. Trad. Sebastián Martin-Retortillo e Lorenzo Martin-Retortillo. Madrid: Instituto de Estudios Políticos, 1963.

Rosenfeld, M. *A identidade do sujeito constitucional*. Belo Horizonte: Mandamentos, 2003.

Rossi, P. et al. "A política fiscal do governo Dilma e a crise econômica". (Texto para discussão n.º 303). Campinas: IE/Unicamp, 2017.

Rousseau, J.-J. *Du contrat social; ou, principes du droit politique. Oeuvres complètes*. Paris: Éditions Gallimard, 1964.

Runciman, D. *Como a democracia chega ao fim*. Trad. Sergio Flaksman. São Paulo: Todavia, 2019.

Rutkus, D. S. "Supreme Court appointment process: roles of the president, Judiciary Committee, and Senate". *CRS Report for Congress*, Congressional Research Service, 2006.

Sá, N. "Bolsonaro vira 'BolsoNero' e o 'O último negacionista'". *Folha de São Paulo*, 26 mar. 2020.

Saad Filho, A. e Ramos, L. *Brasil: neoliberalismo* versus *democracia*. São Paulo: Boitempo, 2018.

Sadurski, W. "How democracy dies (in Poland): a case study of anti-constitutional populist backsliding". *Sydney Law School Legal Studies*, Research Paper, n.º 18/01, 2018.

Sakellaropoulos, S. "On the causes and significance of the December 2008 social explosion in Greece". *Science & Society*, n.º 76, 2012.

Sampaio, R. C. e Silva, L. R. L. "*Impeachment,* Facebook e discurso de ódio: a incivilidade e o desrespeito nas *fanpages* das senadoras da República". *Esferas*, n.º 10, 2017.

Sampson, S. "The anti-corruption package". *Ephemera*, v. 15, n.º 2, 2015.

Sanchez Gayosso, R. D. e Escamilla Cadena, A. "La interrupción del mandato presidencial en América Latina (1992-2016)". *Polis*, v. 13, n.º 1, 2017.

Santoro, A. E. e Tavares, N. L. "Lawfare *brasileiro*". Belo Horizonte: Editora D'Plácido, 2019.

Santos, B. S. "Vírus: tudo o que é sólido desmancha no ar". In Tostes, A. e Melo Filho, H. (org.). *Quarentena: reflexões sobre a pandemia e depois*. Bauru: Canal 6, 2020.

Santos, F. "Em defesa do presidencialismo de coalizão". In *Reforma Política no Brasil: realizações e perspectivas*. Fortaleza: Konrad Adenauer, 2003.

______ e Tanscheit, T. "Quando velhos atores saem de cena: a ascensão da nova direita política no Brasil". *Colomb. Int.*, n.º 99, jul. 2019.

Santos, J. G. dos e Santos, K. S. dos. "Das bancadas de WhatsApp: redes de desinformação como arma política". In Gallego, E. S. (org.). *Brasil em colapso*. São Paulo: Editora Unifesp, 2009.

Santos, W. G. dos. *A democracia impedida: o Brasil no Século XXI*. São Paulo: FGV, 2017.

Sarmento, D. e OSORIO, A. "Uma mistura tóxica: política, dinheiro e o financiamento das eleições". In ______ (org.). *Jurisdição constitucional e política*. Rio de Janeiro: Forense, 2015.

______ e Pontes, J. G. M. "Democracia militante e a candidatura de Bolsonaro". *Jota,* 28 abr. 2018.

______ e Souza Neto, C. P. *Direito Constitucional: teoria, história e métodos de trabalho*. 2. ed. Belo Horizonte: Editora Fórum, 2014.

______ e ______ "Controle de constitucionalidade e democracia: algumas teorias e parâmetros de ativismo". In ______ (org.). *Jurisdição constitucional e política*. São Paulo: Gen-Forense, 2015.

Sasaharaa, K. et al. "On the inevitability of online Echo Chambers". Ar Xiv:1905.03919v2, 2019.

Scartezini, N. "A fascistização da indignação: as manifestações de 2015 no Brasil". *Revista Cadernos de Campo*, n.º 20, 2016.

Scheppele, K. "Worst practices and the Transnational Legal Order (or how to build a constitutional 'democratorship' in plain sight)". Background paper: Wright Lecture, University of Toronto, 2 nov. 2016.

______. "Illiberalism within: rule of law backsliding in the EU". *CYELS*, v. 19, 2017.

Scherer Lutz, M. L. e Maliska, M. A. "O *impeachment* de Dilma – estudo de caso: *recall*, voto de desconfiança ou presidencialismo de coalizão?". Revista Direito e Justiça: Reflexões Sociojurídicas, v. 18, n.º 30, 2018.

Scherer-Warren, I. "Manifestações de rua no Brasil 2013: encontros e desencontros na política: Salvador". *Cadernos CRH*, v. 27, n.º 71, 2014.

Schmitt, C. *Political theology: four chapters on the concept of sovereignty*. Trad. George Schwab. Cambridge, Mass.; London: The MIT Press, 1988.

______. *O conceito do político*. Petrópolis: Vozes, 1992.

______. *Teoría de la constitución*. Trad. Francisco Ayala. Madrid: Alianza, 1996.

______. "Strong state and sound economy: an address to business leaders". In Cristi, R. *Schmitt and authoritarian liberalism: strong state, free economy*. Cardiff: University of Wales Press, 1998.

______. *O guardião da Constituição*. Belo Horizonte: Del Rey, 2007a.

______. *Legalidade e legitimidade*. Belo Horizonte: Del Rey, 2007b.

Schreiber, *S. A publicidade opressiva de julgamentos criminais*. Rio de. Janeiro: Renovar, 2008.

Schwarcz, L. M. *Sobre o autoritarismo brasileiro*. São Paulo: Companhia das Letras, 2019.

Schwartsman, H. "O presidente das pequenas coisas". *Folha de São Paulo*, 30 abr. 2019.

Schwarz, R. "As ideias fora do lugar". *Ao vencedor as batatas*. São Paulo: Duas Cidades, 1992.

Sennet, R. *A corrosão do caráter: consequências pessoais do trabalho no novo capitalismo*. Trad. Marcos Santarrita. Rio de Janeiro: Record, 1999.

Shauer, F. *Playing by the rules*. Oxford: Claredon Press, 1991.

Sheldrick, B. M. *Blocking public participation: the use of strategic litigation to silence political expression*. Waterloo, Ontario: Wilfried Laurier University Press, 2014.

Shumpeter, J. *Socialismo, capitalismo e democracia*. Rio de Janeiro: Fundo de Cultura, 1961.

Sicsu, J. "Brasil: é uma depressão, não foi apenas uma recessão". *Rev. Econ. Contemp.*, v. 23, n.º 1, 2019.

Sieyès, E. J. *A constituinte burguesa: que é o terceiro estado?* Rio de Janeiro: Liber Juris, 1988.

Silva, H. R. "A democracia ameaçada: repressão política e a cassação do PCB na transição democrática brasileira (1945-1948)". *Histórica: Revista Eletrônica do Arquivo Público do Estado de São Paulo*, n.º 39, 2009.

Silva, J. da. *Segurança pública e polícia: criminologia crítica aplicada*. Rio de Janeiro: Forense, 2003.

Silva, J. A. da. *Curso de Direito Constitucional positivo*. São Paulo: Malheiros, 2001.

______. "Constituinte: caminho para uma nova ordem constitucional". *Poder constituinte e poder popular*. São Paulo: Malheiros, 2002.

______. "Em face da Constituição Federal de 1988, o Ministério Público pode realizar e/ou presidir investigação criminal, diretamente?". *Revista Brasileira de Ciências Criminais*, n.º 49, 2004.

Silva, L. M. B. "A defesa do Estado e a ordem pública". *Revista Forense*, n.º 379, 2005.

Silva, M. R. "A primeira recusa de nomeação para o Supremo Tribunal Federal pelo Senado: O Dr. Barata Ribeiro". *RIDB*, n.º 6, 2012; os cinco rejeitados [gravação de som]. Disponível em: http://www2.senado.leg.br/bdsf/handle/id/536199.

Silva, R. H. e ZIVIANI, P. "A Copa do Mundo e as cidades: 'juntos num só ritmo', #sóquenão". *Revista USP*, n.º 102, 1 ago. 2014.

Silva, R. P. "Pemedebismo renitente". *Rev. Inst. Estud. Bras.*, n.º 58, jun. 2014.

Silveira Neto, H. "O Senado". *Rev. da Faculdade de Direito da Universidade Federal de Minas Gerais*, v. 36, 1976.

Simangan, D. "Is the Philippine 'War on Drugs' an act of genocide?". *Journal of Genocide Research*, v. 20, n.º 1, 2018;

Singer, A. "Brasil, junho de 2013, classes e ideologias cruzadas". *Novos Estudos CEBRAP*, n.º 97, nov. 2013.

______. "Cutucando onças com varas curtas: o ensaio desenvolvimentista no primeiro mandato de Dilma Rousseff [2011-2014]". *Novos Estudos CEBRAP*, n.º 102, 2015.

Slee, T. "Uberização: a nova onda do trabalho precarizado". São Paulo: Elefante, 2017; Franco, D. S. e Ferraz, D. L. S. "Uberização do trabalho e acumulação capitalista". *Cad. EBAPE.BR*, v. 17, n.º esp., nov. 2019.

Smaghi, L. B. "Austerity: a threat to democracy?". *The International Spectator*, v. 49, n.º 1, 2014.

Snyder, T. *On Tyranny: twenty lessons from the twentieth century*. New York: Tim Duggan Books, 2017.

Soares, M. M. "Federação, democracia e instituições políticas". *Lua Nova*, n.º 44, p. 137-163, 1998.

Sobrinho, J. H. "A articulação institucional como instrumento fundamental de combate à corrupção". In Secretaria Nacional de Justiça. *ENCCLA - Estratégia Nacional de Combate à Corrupção e à Lavagem de Dinheiro: 10 anos de orga-*

nização do Estado brasileiro contra o crime organizado. Brasília: Ministério da Justiça, 2012.

Sousa Filho, A. B. *Sentenças aditivas na jurisdição constitucional brasileira*. Belo Horizonte: Fórum, 2016.

______. *O controle de constitucionalidade de leis penais no Brasil: graus de deferência ao legislador, parâmetros materiais e técnicas de decisão*. Belo Horizonte: Fórum, 2019.

Souza, L. A. F. "Polícia. Direito e poder de polícia: a polícia brasileira entre a ordem pública e a lei". *Revista Brasileira de Ciências Criminais*, n.º 43, 2003.

Souza, V. S. "A eugenia brasileira e suas conexões internacionais: uma análise a partir das controvérsias entre Renato Kehl e Edgard Roquette-Pinto, 1920-1930". *História, Ciências, Saúde*, v. 23, supl., dez. 2016.

Souza Neto, C. P. "Ponderação de princípios e racionalidade das decisões judiciais: coerência, razão pública, decomposição analítica e *standards* de ponderação". *Boletim Científico da Escola Superior do Ministério Público da União*, v. 15, 2005.

______. *Teoria constitucional e democracia deliberativa: um estudo sobre o papel do direito na garantia das condições para a cooperação na deliberação democrática*. Rio de Janeiro: Renovar, 2006.

______. "A segurança pública na Constituição Federal de 1988: conceituação constitucionalmente adequada, competências federativas e órgãos de execução das políticas". *Atualidades jurídicas*, n.º 1, mar./abr. 2008.

______. *Constitucionalismo democrático e governo das razões*. 1. ed. Rio de Janeiro: Lumen Juris, 2011.

______. "Os vícios da 'emenda aglutinativa' do financiamento empresarial". *Jota*, 28 maio 2015.

______. "O âmbito material da representação discursiva pela jurisdição constitucional: um diálogo com Luís Roberto Barroso". In Vieira, O. V. e Glezer, R. (org.). *A razão e o voto*. São Paulo: FGV, 2017.

______. "A política de preços da Petrobras e o conflito de interesses no interior da sociedade de economia mista". *Jota*, 01 jun. 2018.

______ e Mendonça, J. V. S. "Fundamentalização e fundamentalismo na interpretação do princípio constitucional da livre iniciativa". *Revista Latino-Americana de Estudos Constitucionais*, v. VIII, 2008.

Speck, B. W. "Game over: duas décadas de financiamento de campanhas com doações de empresas no Brasil". *Revista de Estudios Brasileños (REB)*, Salamanca, v. 3, n.º 4, p. 125-135, jan./jun. 2016.

Sprenger, R. T. *Democracia e partidos políticos no Tribunal Europeu de Direitos Humanos: uma análise dos casos de dissolução de partidos políticos (1957-2003)*. (Monografia – Bacharelado em Direito). UFPR, Curitiba, 2017.

Stanley, J. *Como funciona o fascismo: a política do "nós" e "eles"*. Trad. Bruno Alexander. Porto Alegre: L&PM, 2018. p. 101 ss.

Stein, G. Q. e Herrlein Jr., R. "Política industrial no Brasil: uma análise das estratégias propostas na experiência recente (2003-2014)". *Planejamento e Políticas Públicas*, n.º 47, 2016.

Stenner, K. "Three kinds of 'Conservatism'". *Psychological Inquiry*, n.º 20, 2009.

______ e Haidt, J. "Authoritarianism is not a momentary madness, but an eternal dynamic within liberal democracies". In Sunstein, Cass R. (org.). *Can it happen here? Authoritarianism in America*. New York: Dey St., an imprint of William Morrow, 2018.

Stephenson, M. C. "'When the Devil turns...': the political foundations of Independent Judicial Review". *The Journal of Legal Studies,* v. 32, n.º 1, 2003.

Sternberger, D. *Patriotismo constitucional*. Bogotá: Universidad Externado de Colombia, 2001.

Stlund, D. "Beyond fairness and deliberation: the epistemic dimension of democratic authority". In Bohmann, J. e Rehg, W. (ed.). *Deliberative democracy: essays on reason and politics*. Cambridge, Massachusetts; London, England: The MIT Press 1997.

Struchiner, N. *Para falar de regras: o positivismo conceitual como cenário para uma investigação filosófica acerca dos casos difíceis do Direito* (Tese). Rio de Janeiro: PUC-RJ, 2005.

Sulocki, V. A. B. C. G. *Segurança pública e democracia: aspectos constitucionais das políticas públicas de segurança*. Rio de Janeiro: Lumen Juris, 2007.

Sunstein, C. *Echo chambers: Bush v. Gore, impeachment, and beyond*. Princeton: Princeton University Press, 2001.

______ e Vermeule, A. *Interpretations and Institutions*. John M. Olin Law & Economics Working Paper, n.º 156, 2002.

Sutherland, E. H. *Crime de colarinho branco: versão sem cortes*. Rio de Janeiro: Revan, 2015.

Tatagiba, L. "Entre as ruas e as instituições: os protestos e o *impeachment* de Dilma Rousseff". *Lusotopie*, n.º 17, 2018.

Taylor, C. "La política del reconocimiento". *El multiculturalismo y la política del reconocimiento*. Trad. Mónica Utrilla de Neira. México: Fondo de Cultura Económica, 1993.

Telles, C. A. C. *O princípio da deliberação suficiente no processo penal brasileiro*. Rio de Janeiro: Multifoco, 2019.

Tiburi, M. "O princípio Lula: democracia e eleições em 2018". *Cult*, 24 maio 2018.

Törnberg, P. "Echo chambers and viral misinformation: modeling fake news as complex contagion". *PLoS ONE*, v. 13, n.º 9, 2018.

Torres, H. T. "Constituição financeira e o federalismo financeiro cooperativo equilibrado brasileiro". *Revista Fórum de Direito Financeiro e Econômico*, ano 3, n.º 5, 2014.

Treanor, W. M. e Sperling, G. B. "Prospective overruling and the revival of 'Unconstitutional' Statutes". *Colum. L. Rev.*, n.º 93, 1993.

Tsai, R. L. "Manufactured emergencies" [November 23, 2019]. *Yale Law Journal Forum*, n.º 129, Forthcoming; Temple University Legal Studies Research Paper, n.º 19, 2019.

Tushnet, M. (ed.). *Constitutional democracy in crisis?* Oxford: Oxford University Press, 2018.

Tyrsenko, A. "L'ordre politique chez Sieyès en l'an III". *Annales Historiques de la Révolution Française*, n.º 319, 2000;

UN Human Rights Council, *Report of the Special Rapporteur on the independence of judges and lawyers on his mission to Poland*, 5 April 2018

Urbano, M. B. "A jurisprudência da crise no divã. Diagnóstico: bipolaridade?". In Ribeiro, G. e Coutinho, L. (org.). *O Tribunal Constitucional e a crise: ensaios críticos*. Coimbra: Almedina, 2014.

Vairo, D. "El 'consenso de los perdedores' y la legitimidad de la democracia en América del Sur". *Política y Gobierno*, v. 19, n.º 1, 2012.

Valadão, M. A. P. "Sustação de atos do Poder Executivo pelo Congresso Nacional com base no artigo 49, inciso V, da Constituição de 1988". *Revista de Informação Legislativa*, ano 38, n.º 153, 2002.

Valadés, D. "La constitución y el poder". In Carbonell, M. e Valadés, D. (org.). *Constitucionalismo iberoamericano del Siglo XXI*. México: UNAM, 2004.

Valle, V. L. do. "Estado de coisas inconstitucional e bloqueios institucionais: desafios para a construção da resposta adequada". In Bolonha, C. et al. (org.). *Teoria Institucional e Constitucionalismo Contemporâneo*. Curitiba: Juruá, 2016.

Vannuchi, C. "*Fake news*". In Alves G. et al. (org.). Enciclopédia do golpe: o papel da mídia. Bauru: CLACSO. Projeto Editorial Praxis, Instituto Joaquín Herrera Flores, Instituto Defesa da Classe Trabalhadora, 2018. v. 2.

Vargas, J. D. "Em busca da 'verdade real': tortura e confissão no Brasil ontem e hoje". *Sociol. Antropol.*, v. 2, n.º 3, 2012.

Vermeule, A. *Judging under uncertainty: an institutional theory for legal interpretation*. Cambridge: Harvard University Press, 2006.

Vianna, O. *O idealismo da Constituição*. 2. ed. São Paulo: Companhia Editora Nacional, 1939.

Viano, E. "Medidas extraordinarias para tiempos extraordinarios: política criminal tras el 11/09/2001". *Revista Brasileira de Ciências Criminais,* n.º 52, 2005.

Vieira, J. R. *O autoritarismo e a ordem constitucional no Brasil.* Rio de Janeiro: Renovar, 1988.

Vieira, L. G. "O Ministério Público e a investigação criminal". *Revista de Estudos Criminais,* n.º 15, 2004.

Vieira, O. V. *A constituição e sua reserva de justiça: um ensaio sobre os limites materiais ao poder de reforma*. São Paulo: Malheiros, 1999.

Vieira, R. "A Constituição de 1891 e o laboratório jurídico-político brasileiro do estado de sítio". *História Constitucional*, n.º 12, 2011.

Vincent, P. "Our foreign president Barack Obama: the racial logics of birther discourses". *Journal of International and Intercultural Communication*, n.º 8, 2015.

Waldner, D. e Lust, E. "Unwelcome change: coming to terms with Democratic Backsliding Annual". *Review of Political Science*, v. 21, n.º 1, 2018.

Waldron, J. "Precommitment and disagreement". In Alexander, L. (org.). *Constitutionalism: philosophical foundations*. Cambridge: Cambridge University Press, 1998.

______. "Death squads and death lists: targeted killing and the character of the state". *Constellations*, n.º 23, 2016.

Walker, P. G. et al. "The global impact of COVID-19 and strategies for mitigation and suppression". WHO Collaborating Centre for Infectious Disease Modelling, MRC Centre for Global Infectious Disease Analysis, Abdul Latif Jameel Institute for Disease and Emergency Analytics, Imperial College London, 2020.

Walters, D. "Litigation-fostered bureaucratic autonomy: administrative law against political control". *Journal of Law and Politics*, v. XXVIII, 2013.

Warde, W. *O espetáculo da corrupção: como um sistema corrupto e o modo de combatê-lo estão destruindo o país*. Rio de Janeiro: Le Ya, 2018.

______ et al. *Um plano de ação para o salvamento do Projeto Nacional de Infraestrutura*. São Paulo: Editora Contracorrente, 2015.

Weber, M. "A política como vocação". *Ciência e política: duas vocações*. São Paulo: Cultrix, 2006.

______. "A política como vocação (1919)". *Ciência e política: duas vocações*. São Paulo: Martin Claret, 2015.

Wegner, R. e Souza, V. S. de. "Eugenia 'negativa', psiquiatria e catolicismo: embates em torno da esterilização eugênica no Brasil". *História, Ciências, Saúde*, v. 20, n.º 1, 2013.

Weikart, R. "The role of darwinism in nazi racial thought". *German Studies Review*, v. 36, n.º 3, 2013.

Wible, B. "Filibuster *vs*. supermajority rule: from polarization to a consensus – and moderation forcing mechanism for judicial confirmations". *Wm. & Mary Bill Rts*., v. 13, n.º 3, 2005.

Wilkinson, M. A. "The specter of authoritarian liberalism: reflections on the constitutional crisis of the European Union". *German Law Journal*, v. 14, n.º 05, 2013.

______. "Authoritarian liberalism: the conjuncture behind the crisis forthcoming". In Nanopoulos, E. e Vergis, F. (ed.). *The crisis behind the crisis: the European crisis as a multi-dimensional systemic failure of the EU*. Cambridge: Cambridge University Press, 2018.

Yarhi-Milo, K. "After credibility: American foreign policy in the Trump Era". *Foreign Affairs*, v. 97, n.º 1, 2018.

Zaffaroni, E. R. *Derecho Penal: parte general*. Buenos Aires: Ediar, 2000.

______ e Pierangeli, J. H. *Manual de Direito Penal Brasileiro*. São Paulo: Revista dos Tribunais, 2004.

______ et al. *Direito Penal Brasileiro: Teoria Geral do Direito Penal*. Rio de Janeiro: Revan, 2003. v. 1.

Zaverucha, J. *FHC, Forças Armadas e polícia: entre o autoritarismo e a democracia (1999-2002)*. Rio de Janeiro: Record, 2005.

Zweig, S. *Brasil, um país do futuro*. Porto Alegre: L&PM, 2006.

A EdUERJ e a Editora Contracorrente se preocupam com todos os detalhes de suas obras.
Informamos que este livro foi composto em tipologia Garamond em papel
Pólen Soft 80g para o miolo e Supremo 250g para capa, formato 15,3 x 22,5 cm e
impresso no mês de setembro de 2020, pela Gráfica Copiart.